Histoire de l'Algérie

Des origines à nos jours

DU MÊME AUTEUR
CHEZ LE MÊME ÉDITEUR

Collection rouge et blanche

LA GRANDE HISTOIRE DE LA SECONDE GUERRE MONDIALE
10 volumes
1. De Munich à Dunkerque (Septembre 1938/Juin 1940)
2. De l'Armistice à la guerre du désert (Juin 1940/Juin 1941)
3. De l'invasion de l'URSS à Pearl Harbor (Juin 1941/Décembre 1941)
4. Des premières victoires du Japon à Stalingrad et El-Alamein (Déc. 1941/Nov. 1942)
5. Du débarquement allié en AFN à l'invasion de l'Italie (Novembre 1942/Octobre 1943)
6. 6 juin 1944 : le jour J. Genèse, déroulement, conséquences (Octobre 1943/Juillet 1944)
7. De la reconquête des Philippines à la bataille des Ardennes (Juillet 1944/Décembre 1944)
8. De l'assaut final contre le Japon à la capitulation du IIIe Reich (Janvier 1945/Mai 1945)
9. De la décomposition du IIIe Reich à Hiroshima et à la chute du Japon (Mai 1945/Sept. 1945)
10. Du procès Laval au Jugement de Nuremberg (Septembre 1945/Octobre 1946).

•

LA GUERRE DE L'ALGÉRIE
Genèse et engrenage d'une tragédie
(Ouvrage couronné par l'Académie française)
Un livre se situant au premier rang des témoignages historiques.

•

LA CONQUÊTE DE L'ALGÉRIE
Les germes de la discorde
1830-1871

•

LA FRANCE COLONIALE
1. La Gloire de l'Empire
2. Retour à l'Hexagone
Du temps des Croisades à la Seconde Guerre mondiale.

•

42, RUE DE LA SANTÉ
Une prison politique – 1867-1968.

•

HISTOIRE DE L'ARMÉE FRANÇAISE
Des milices royales à l'armée de métier.

Hors collection

L'AFFAIRE SI SALAH
Pages écrites au printemps 1962 en Algérie dans la passion du moment.

•

PAS MÊME UN CAILLOU
Un récit-témoignage vécu sur la guerre d'Algérie.

PIERRE MONTAGNON

Histoire de l'Algérie

Des origines à nos jours

Pygmalion
Gérard Watelet
Paris

En couverture :

En haut : à gauche, Barberousse, à droite, Abd el-Kader
En bas : à gauche Ferhat Abbas, à droite Liamine Zeroual (photo Sipa/Facelly)

Le texe en arabe figurant sur la couverture signifie « Histoire de l'Algérie »
(texte dessiné par Abdellah El Berhmi)

Sur simple demande adressée aux
Éditions Pygmalion/Gérard Watelet, 70, avenue de Breteuil, 75007 Paris,
vous recevrez gratuitement notre catalogue
qui vous tiendra au courant de nos dernières publications.

ISBN 2-85704-542-5

Avertissement

Les localités sont mentionnées avec les noms français d'avant l'indépendance de l'Algérie. Cette terminologie reste encore beaucoup plus accessible à un grand nombre de Français. En annexe, un tableau donne la correspondance avec les nouvelles appellations.

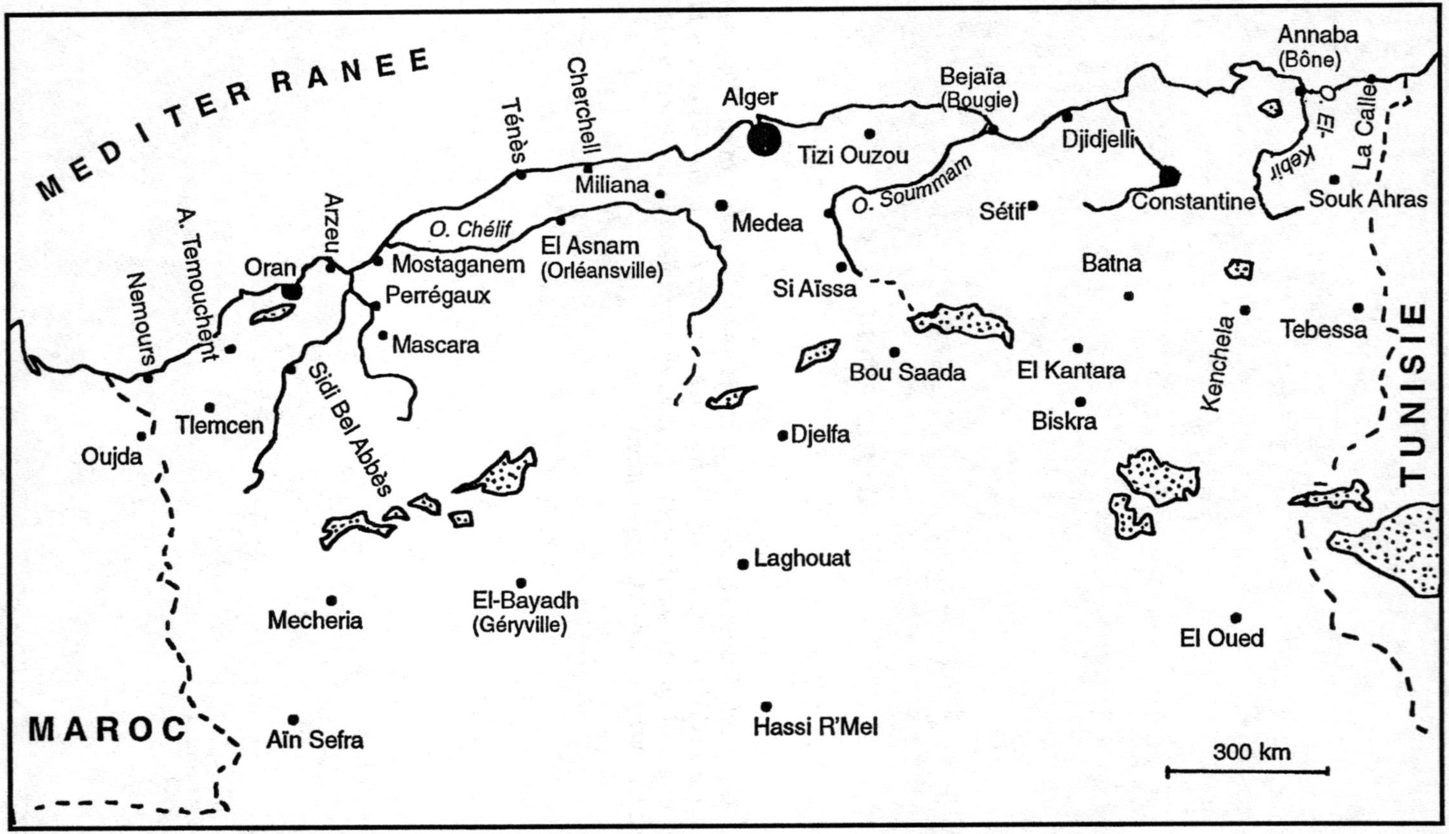

Carte de l'Algérie

AVANT-PROPOS

L'Algérie ! Les Français, dans leur immense majorité, connaissent l'appellation de cette terre de soleil et de sang. Nombreux y ont vu le jour et l'ont quittée non sans déchirements. D'autres, encore plus nombreux, ont mis le pied sur son sol il y a trois ou quatre décennies pour y maintenir le drapeau tricolore. A presque tous, la présence sur le territoire national d'une forte communauté algérienne, les échos sanglants parvenus d'outre-Méditerranée rappellent l'existence de ce pays à sept cents kilomètres au sud de Marseille.

Ce passé souvent tragique, ce présent qui ne l'est pas moins laissent rarement indifférent. L'Algérie, avec ses souvenirs douloureux, ses drames actuels, son avenir incertain soulève des inquiétudes et pose des interrogations. Pourquoi, comment ce pays indépendant depuis plus de trente-cinq ans en est-il arrivé à cette frénésie de violences et de haines qui le ronge ? Est-il lié au malheur ?

A ces questions, l'Histoire qui éclaire tellement le présent peut aider à apporter des réponses. Tel est le but du retour en arrière de cet ouvrage, afin d'appréhender et de comprendre le quotidien algérien de cette fin du XXe siècle.

L'auteur s'est efforcé de mener son étude avec l'objectivité de l'historien conscient de la difficulté de sa tâche. Deux mythes opposés se partagent l'histoire de l'Algérie, de l'Algérie française notamment. Celui d'une Algérie heureuse et fraternelle sacrifiée sur l'autel de la décolonisation. Celui d'une Algérie coloniale faisant « suer le burnous ». Ce manichéisme sommaire s'appuie sur des passions envenimées et des rancœurs légitimes. Comme souvent, la vérité est à rechercher à la croisée des chemins, risquant de déclencher les tollés des uns et des autres.

Sur un seul point l'auteur ne dissimulera pas ses sentiments. Il ne cachera pas qu'il a beaucoup aimé cette terre algérienne qu'il lui a été donné de bien connaître.

P. Montagnon.

Chapitre Premier

UN PAYS FROID OÙ LE SOLEIL EST CHAUD

Abordant au VIIe siècle l'Afrique du Nord, les conquérants arabes, débouchant d'Orient, lui donnèrent un nom. Ils la baptisèrent « *Djezirat el-Maghreb* », l'île du couchant.

Elle représentait bien pour eux une île, cette portion septentrionale du continent africain semblant émerger au milieu d'une double immensité : sur son versant nord, les flots de la Méditerranée et de l'Atlantique ; sur son versant sud, les étendues sans fin de cailloux et de sable de l'univers saharien.

Le vocable *Maghreb*, littéralement le « couchant [1] », a subsisté et fait école. Il désigne aujourd'hui l'Afrique du Nord. Les Maghrébins en sont les habitants.

Etendu sur environ 2 000 kilomètres de l'Atlantique au golfe des Syrtes et sur une profondeur moyenne de 300 [2], il offre d'entrée deux caractéristiques physiques : son relief, son climat. L'un et l'autre, avec la relative unité insulaire, façonnent son aspect général.

*

1. *Djezirat* signifie donc île.
2. Davantage au Maroc : environ 500 kilomètres.

Un lointain plissement [1] a modelé la topographie. Les massifs s'orientent du sud-ouest au nord-est. Le phénomène est particulièrement net dans la partie occidentale, de loin la plus élevée (plus de 4 000 mètres dans le Haut-Atlas marocain). Il se prolonge vers l'est pour s'achever avec la dorsale tunisienne beaucoup moins importante : 1 590 mètres seulement au djebel Chambi.

Le Maghreb doit à ce plissement son premier trait. Sous réserve d'affaissement, principalement en ses deux extrémités marocaine et tunisienne, il se présente d'abord comme un pays montagneux. Presque partout, le relief barre l'horizon. Le djebel [2] assure le décor familier du paysage.

Le Maghreb central, devenu aujourd'hui l'Algérie [3], reprend cette physionomie générale. Sur ses 1 000 kilomètres de front [4], de l'aplomb de l'embouchure de la Moulouya à La Calle [5], il s'affirme aussi contrée montagneuse.

Les géographes ont tendance à le schématiser par deux grands ensembles : Atlas tellien et Atlas saharien, séparés par de hautes plaines. Ce raccourci n'est pas faux. Toutefois, il rend mal compte de la complexité d'une région de plus en plus compartimentée vers l'est.

A l'ouest du méridien d'Alger, tout est assez bien marqué. L'Atlas tellien s'appelle les monts de Tlemcen, l'Ouarsenis, l'Atlas blidéen, les chaînons côtiers du Dahra, du Zaccar, du Chenoua. Entre les uns et les autres, plaines d'Oran et de Sidi Bel Abbès, vallée du Chélif, Mitidja algéroise offrent des espaces bien dégagés. Puis, vers le sud, les hauts plateaux largement étalés viennent mourir sur l'Atlas saharien : monts des Ksours, djebel Amour, monts des Ouled Naïl [6].

Dans la partie orientale de l'Algérie, au-delà d'Alger, cette ordonnance se bouleverse. Les deux Atlas se rejoignent, étranglant les hauts plateaux.

L'Atlas tellien, ici proche de la côte, prend nom de Kabylie [7] tradi-

1. À l'ère tertiaire.
2. Montagne.
3. Appellation remontant à 1839. Voir chapitre 13.
4. Hors Sahara, l'Algérie proprement dite compte 209 701 kilomètres carrés (le Sahara 1 981 762).
5. L'embouchure de la Moulouya est en territoire marocain. La frontière présente se situe un peu à l'est sur l'oued Kis. La Calle est à une quinzaine de kilomètres de la Tunisie, la limite des deux pays intervenant au cap Roux.
6. Ces monts des Ouled Naïl ont donné leur nom aux filles du pays qui, mi-danseuses, mi-prostituées, devaient avant de trouver un mari gagner leur dot par le plus vieux métier du monde.
7. Le nom de Kabylie est la forme francisée du terme arabe *kbayl* (tribus), *bled el-kbayl* signifiant le pays des tribus. Les premiers Arabes ont été frappés par la rigoureuse organisation tribale de cette région, d'où le vocable utilisé.

tionnellement fractionnée en deux : Grande et Petite Kabylie. L'importance historique de ces deux régions impose de s'y attarder.

La Grande Kabylie est un arc puissant de crêtes élevées, 2 000 mètres environ, coupé de vallées profondes. Elle tombe comme un mur sur la majestueuse vallée de la Soummam, qui, de l'arrière-pays, mène vers Bougie et la Méditerranée. Vu du midi, le massif du Djurdjura, coiffé par l'élégante pyramide de Lala Khadidja [1], a fière allure. En hiver, ses sommets neigeux lui confèrent une image alpine.

Passée la Soummam commence officiellement la Petite Kabylie [2], région de moyenne dénivellation amplement arrosée. Les précipitations y dépassent largement un mètre d'eau par an, générant une végétation dense.

Dominant enfin la plaine bônoise, petite Mitidja orientale, l'Edough, le dernier massif kabyle, est un môle vigoureux tout aussi difficile à pénétrer.

Dans l'arrière-pays, les hauts plateaux du Constantinois, à plus de 1 000 mètres d'altitude, ne cessent de s'étrangler et de se couper. Comme ceux d'Oranie, ils sont synonymes de monotonie et de passage. Au sud, ils se ferment par trois blocs montagneux qui ont toujours joué un rôle contre les envahisseurs : le Hodna, l'Aurès, les Némentchas.

Les monts du Hodna forment un rempart [3], avant la grande dépression des chotts qui mène au Sahara et à Bou Saada, l'oasis la plus septentrionale. Mais leur incidence reste modeste, car s'ils barrent l'horizon ils défendent mal, pouvant se traverser et être isolés.

Ce n'est plus le cas avec l'Aurès et les Némentchas, authentiques châteaux forts naturels, bien différenciés. Il est dans la nature des limites affirmées. L'oued El-Arab qui coule nord-sud en est une. A son ouest, l'Aurès est un pays vert. L'eau est souvent présente et avec elle la forêt clairsemée. Là se dresse le Chélia, le plus haut sommet de l'Algérie avec son dôme pelé de 2 328 mètres d'altitude précédé de pentes aux cèdres majestueux. A l'ouest de l'oued El-Arab, les Némentchas sont un chaos aride d'aspect lunaire. La roche souvent éclatée fait le bonheur des géologues par sa diversité.

*

Une couleur encore. Sur cette terre souvent surchauffée apparaît une blancheur nocive, le sel. Oh, il n'est pas partout, mais dans les

1. 2 305 mètres. Du nom de la première épouse de Mahomet.
2. Peut-être est-ce pour cette raison que durant la guerre d'indépendance Babors et Bibans seront rattachés à la wilaya 3 originellement formée par la seule Grande Kabylie.
3. 1 890 m, au Bou Taleb.

étendues planes l'évaporation intense le draine vers la surface du sol. Il crée alors des zones mortes comme les sebkhas oranaises ou les chotts des hauts plateaux : Chergui, Hodna, ce dernier allongé sur plus de cent kilomètres.

*

Au-delà des dépressions, au-delà de l'Atlas saharien et des trouées qui comme à El-Kantara ou Tighanimine s'ouvrent comme sous l'action d'un coup de hache dans la paroi montagneuse, se découvrent brutalement d'autres paysages. Par plaques, le vert des palmeraies tranche sur l'ocre des premiers plans. Le Sahara est là avec ses étendues de sable et de cailloux, son appel vers le sud, son besoin pressant d'aller plus avant. Le voyageur se sent happé par le soleil. Tel le marin accoudé à son bastingage, il a envie de s'enfoncer plus avant pour découvrir ce qui se dissimule au lointain de l'horizon.

Géographiquement, politiquement, cette immensité n'appartient pas au Maghreb. Là où commence la culture de la datte commence le Sahara, énonce le dicton. Négrine, Biskra, Bou Saada, Laghouat, Aïn Sefra en balisent sensiblement les limites septentrionales. Entre l'Afrique noire et l'Afrique blanche, il offre un monde en marge, zone de refuge et de passage. Si la vie y est rare à cause de la pénurie d'eau, elle est toujours intense là où une nappe aquifère peut être exploitée. Dans son âpreté, le désert a toujours été également un site d'accueil pour les mystiques. Le Sahara n'y a pas échappé. Les divers occupants du sol maghrébin s'y sont peu aventurés. Leurs chevaux butaient sur cet océan d'un nouveau type. Il faudra attendre la France pour qu'un rôle nouveau lui soit attribué.

*

La côte qui s'étire pratiquement sur 1 500 kilomètres est globalement inhospitalière. Hormis la rade de Mers el-Kébir et la baie d'Alger, les vrais sites portuaires sont rares. D'où des ports peu importants et souvent artificiels, de création récente : Nemours, Oran, Ténès, Cherchell, Bougie, Djidjelli, Philippeville, Bône, La Calle.

A l'exception de l'Oranie, les massifs côtiers qui font obstacle à une pénétration aisée vers l'intérieur accentuent le caractère peu maritime de l'Algérie. Dans l'ensemble, les envahisseurs[1] arriveront par terre de l'ouest et de l'est, et les Maghrébins ne seront pas un peuple de la

1. A l'exception notoire des Français en 1830.

mer. La pêche ne jouera qu'un rôle modeste dans la vie économique. Ce ne sera pas le cas de la guerre de course mais celle-ci sera pratiquée par une population d'origine étrangère [1].

*

Suite à la faiblesse des précipitations dans l'intérieur, à l'évaporation estivale, à l'altitude modeste des réservoirs naturels des massifs montagneux, les vrais cours d'eau – les oueds – sont peu nombreux. Les autres « coulent à sec », suivant la formule imagée, laissant apparaître le plus clair de l'année leurs lits de sable et de gravier piquetés de-ci de-là de touffes de lauriers.

La majorité d'entre eux se perd dans le Sahara. Quelques-uns, sur le versant nord, parviennent à gagner la Méditerranée, Chélif [2], Sebaou, Soummam, Kebir, Seybouse. En aucun cas ils ne sauraient constituer des voies navigables. A défaut, leurs vallées facilitent les communications. Surtout, ils autorisent une irrigation salutaire.

*

Le climat, second trait caractéristique de la géographie de l'Algérie, accuse la latitude, l'approche saharienne et l'altitude [3]. Il s'ensuit une très large diversité. La frange côtière, malgré une chaleur estivale, reste tempérée. La froidure y est rare. Dans l'intérieur, les écarts s'accentuent. Le Sersou, Sétif, à 1 000 mètres au-dessus du niveau de la mer, connaissent des étés brûlants et souvent plusieurs centimètres de neige durant janvier. Pourtant ces régions sont comprises entre 32 et 36 degrés de latitude sud, les mettant théoriquement à l'abri d'hivers rigoureux. De ce paradoxe, Lyautey, vieil Africain, a pu dire : « L'Afrique, pays froid où le soleil est chaud. » Il ne pouvait mieux exprimer les écarts de température liés à l'ardeur solaire [4].

---

1. Voir chapitre 11.
2. Le plus long de l'Algérie, 700 kilomètres, se jetant dans la Méditerranée à 12 km au nord-est de Mostaganem. Son régime très irrégulier passe de 3 à 1 500 m^3 en période de crues.
3. L'altitude moyenne de l'Algérie est de 900 mètres (300 seulement en Tunisie).
4. Se pose une grande question : le climat a-t-il évolué depuis deux ou trois millénaires, influant sur la physionomie générale du pays ? La réponse ne saurait être absolue.

Le désert gagne au Maghreb comme au Sahel. Le fait est visible. Peut-on en déduire un réchauffement et une accentuation de l'aridité ? Rien n'est prouvé.

Par contre, la civilisation pastorale, massivement introduite par les Arabes à compter du VIIe siècle, n'a cessé de porter sérieusement atteinte à la végétation. Ibn Khaldoun parlait de la possibilité de parcourir le Mahgreb en restant à l'ombre. Ce

Végétation, cultures subissent les contrecoups de ces variations. Si la zone littorale, bien arrosée, sur 30 à 50 kilomètres de profondeur, s'assimile à la frange méditerranéenne, avec la diminution des précipitations l'aridité s'accentue en s'éloignant de la côte. Les hauts plateaux deviennent des steppes où règne l'alfa. Les djebels, avec l'érosion, présentent falaises, éboulis, ou crêtes dénudées. Toutefois, un versant mieux arrosé offre cèdres, pins ou chênes zéens.

La végétation et les cultures n'interviennent qu'avec l'eau, limitant en principe une frange utile assez étroite, le fameux Tell[1]. Sans eau, les plaines sont des étendues stériles et les vallées des cañons désertiques. Avec l'eau, produits maraîchers, agrumes, arbres fruitiers, figuiers donnent de belles récoltes[2]. Blé et vigne ont de tout temps été cultivés avant que la colonisation européenne ne fasse du vin une richesse nationale. Seul l'olivier fait exception au besoin d'eau. Robuste et peu gourmand, il ne redoute vraiment que les grandes gelées.

*

Si le sol est naturellement ingrat et tributaire des précipitations ou de l'irrigation, le sous-sol ne manque pas de possibilités. Les mines abondent, principalement dans le Constantinois, offrant cuivre, fer, zinc, plomb, manganèse, phosphates même à M'Zaita au sud de Sétif ou au Kouif au nord de Tebessa. Les gisements ne sont pas très fournis[3] mais ont été exploités de longue antiquité. Malheureusement, dans ce pays pauvre en bois, le charbon est rare[4]. Quant au pétrole et au gaz, il faudra attendre les temps présents pour leur découverte et leur exploitation[5]. Mais non au Maghreb. Au cœur du Sahara, on le sait[6].

---

n'est évidemment plus le cas. Des régions de l'Est-Constantinois révèlent les ruines d'importantes huileries, alors qu'aux alentours l'olivier a disparu. Un réchauffement n'est pas à l'origine de telles évolutions.

Il est clair aussi que l'érosion qui ne cesse de dégrader les sols se joint aux autres ravages.

1. De Tellus, terre de culture aux précipitations annuelles supérieures à 300-400 mm d'eau.

2. En se rappelant que de nombreuses espèces sont d'origine récente. Orangers et mandariniers ont été apportés par les Chinois au Moyen Age. Aloès et cactus si abondants au bord de la mer ont été importés d'Amérique par les Espagnols. Quant à l'eucalyptus australien, il remonte seulement à un peu plus d'un siècle (1860).

3. Sauf pour le fer de l'Ouenza, en bordure de la frontière tunisienne, et les phosphates du djebel Onk, près de Négrine.

4. Un peu dans la région de Colomb Béchar dans le Sud-Oranais.

5. Le premier pétrolier a quitté Philippeville en février 1958.

6. Évoquer le sous-sol algérien conduit naturellement à se pencher sur ses profondeurs. Le nord de l'Algérie bouge. Il se situe sur une ligne de faille sismique

*

Les siècles des deux derniers millénaires ont vu l'évolution de la faune[1]. L'Afrique du Nord fournissait à Rome les bêtes fauves pour les jeux du cirque[2]. Au milieu du XIXe siècle, Tartarin de Tarascon chassant le lion dans l'Atlas blidéen correspond à une réalité. Ces temps ont disparu. Ne subsistent plus que singes, sangliers, garennes, sans oublier tortues, serpents, scorpions et chacals en quête de charognes. Il n'est pas rare non plus de voir un vol de cigognes blanchir un pré en hiver. Et naturellement, depuis fort longtemps l'homme a domestiqué chevaux, ânes, bovins, ovins, chameaux enfin, aux approches du Sahara.

*

Ce relief, ce climat ne sont pas sans incidences sur les habitants. Les hauts plateaux faciles à parcourir sont les zones traditionnelles de passage empruntées par les conquérants. Ils seront aussi des aires de pâture pour les nomades et leurs troupeaux. Les régions montagneuses, si nombreuses en Algérie, de pénétration lente et difficile, sont des zones refuges. Au fil des siècles, des bastions comme la Grande Kabylie ou l'Aurès préserveront leur spécificité originelle à l'abri des ingérences extérieures. Ces massifs comme les vallées irrigables appartiendront à des sédentaires cultivant la terre. Leur mode de vie ne cessera de les opposer aux pasteurs en perpétuel déplacement.

De ce survol rapide du cadre algérien une conclusion majeure se dégage : ce pays est une terre de contrastes.

La douceur du littoral est bien éloignée des rigueurs estivales ou hivernales de l'intérieur. La végétation cède vite le pas à l'aridité. Il n'est guère d'horizons où la montagne ne tranche sur la plaine. Les

---

déclenchant des catastrophes. Le terrible tremblement de terre de septembre 1954 à Orléansville avec ses 1500 morts (suivi par d'autres) n'est pas si lointain.

Bien des édifices de Lambèse durent être reconstruits en 268 suite à un séisme. La ville d'Oran fut détruite en 1790 par quarante jours de secousses successives. Blida connaît le même sort en 1825 alors que Koléa est sérieusement endommagée. En 1856, les villes, Djidjelli en particulier, sont gravement dévastées.

Ces exemples ne sont pas uniques. Tout au long des siècles, des ruines de cités romaines ont subi d'importants dégâts. Ce tellurisme actif favorise la présence fréquente de sources chaudes, des Hammam, terminologie qui se retrouve dans de nombreuses localités d'Algérie : Hammam Meskoutine, Hamman Righa, etc.

1. L'éléphant a disparu à l'époque romaine.

2. Sous Auguste, en vingt-six jours de fête, 3 500 fauves sont tués dans les cirques et amphithéâtres de Rome.

massifs bien cloisonnés s'opposent aux zones de passage. Les couleurs se bousculent : bleu de la Méditerranée, vert du Tell, ocre de la steppe ou du djebel, écume blanchâtre des chotts et des sebkhas.

Un tel décor, un terrain aussi compartimenté ne sauraient inciter à l'unité.

Chapitre II

ALGERIE NUMIDE

Quels furent les lointains habitants du Maghreb en général et de l'Algérie en particulier ?

Les données de l'anthropologie révèlent la présence d'un *homo sapiens* cromagnoïde d'assez grande taille, environ 1,74 mètre. Les spécialistes lui ont donné le nom d'Homme de la Mechta el-Arbi, du lieu des premières découvertes, près de Constantine. D'où provenait-il ? L'incertitude subsiste et se prolonge sur sa filiation [1].

Par contre, on en sait un peu plus sur la faune entre 10 000 et 5 000 ans avant l'ère chrétienne. Rhinocéros, autruches, gazelles, crocodiles, éléphants hantaient le sol maghrébin. Le dernier cité a survécu longtemps. Le poète évoque avec juste raison « le chef borgne monté sur l'éléphant gétule » pour désigner Annibal. Le pachyderme faisait partie de l'arsenal guerrier de l'immortel vainqueur de la bataille de Cannes [2]. L'existence de ces animaux relevant normalement de la

1. Il n'est pas très utile de s'attarder sur ces hommes de la préhistoire et de la protohistoire du Maghreb. Il est douteux qu'une connaissance plus fouillée, si elle était possible, puisse apporter une meilleure compréhension des Maghrébins de l'Antiquité à nos jours.

2. 216 avant J.-C.

zone subtropicale atteste, s'il en était besoin, le dessèchement survenu au Maghreb depuis une dizaine de millénaires.

*

L'histoire commence à s'éclairer avec Carthage, même si les origines de la ville s'entourent de légendes [1]. Pendant des siècles, la cité de Didon est le centre politique, économique, culturel qui rayonne sur une grande partie du Maghreb. Ce que l'on connaît à son sujet permet de mieux appréhender ce qui a pu se dérouler chez ses voisins continentaux, son premier rôle de négoce et de recrutement de mercenaires.

Ces voisins, qui sont-ils donc exactement, ceux-là qui au Maghreb sont en contact étroit avec des Carthaginois, eux-mêmes de souche orientale ? Par la suite les Romains les dénommeront *Barbari*, les étrangers, d'où Berbères, suivant la déformation généralement admise [2].

Les Carthaginois iront plus avant dans leur diversification. Ils parleront de Numidie et de Numides pour évoquer la Tunisie occidentale, l'Algérie et leurs habitants. Ils dénommeront Gétules les nomades des confins sahariens. Ils réserveront le terme de Maures aux indigènes de la lointaine Mauritanie, le présent Maroc.

Globalement réunis sous le générique de Berbères, ces Numides, Gétules ou Maures sont donc les premiers occupants ciblés de l'Afrique du Nord. Sont-ils les descendants de l'*homo sapiens* de la Mechta el-Arbi [3] ? Très douteux. Plus probablement, ils proviennent d'ailleurs. Des descendances grecque, indienne, gauloise, nordique, cananéenne, ibérique ont été avancées. Les hypothèses se contredisent. Sans doute y eut-il un large brassage méditerranéen.

Le merveilleux s'en mêle : Ifricos, fils de Goliath, aurait conduit les Cananéens en ce pays qui depuis s'appelle l'Afrique. Une fiction qui en vaut bien une autre, encore que la vérité soit vraisemblablement ailleurs. Tout donne à penser que le toponyme Africa a été forgé par les Latins à partir de l'ethnique *Afer* [4], au pluriel *Afri*. L'Afrique serait le pays de ceux qui en Tripolitaine et Afrique du Nord s'appelaient

1. À quand remonte exactement Carthage, fondation phénicienne ? Selon la tradition carthaginoise, la cité aurait été fondée en 814 avant Jésus-Christ par Elissa, reine de Tyr, connue sous le nom de Didon. Cette date précise présente évidemment le même côté légendaire que celle de la fondation de Rome en 753. De fait, Carthage n'entre vraiment dans l'histoire qu'au VIe siècle avant J.-C.

2. Quelques auteurs préfèrent une autre explication : une tribu, les Bavares, aurait donné le terme Berbère.

3. Il semblerait que 3 % seulement des éléments de la population actuelle aient conservé des traits du type Mechta el-Arbi.

4. Lequel « Afer » appartiendrait au libyque berbère.

des Afri. L'expression se serait étendue à l'ensemble du continent noir.

A défaut de certitudes sur les fondements de ce peuplement, il est un assentiment général : ces Berbères du Maghreb n'appartiennent pas à une même race. Leur langue, le libyque, est leur seul lien. Les vestiges archéologiques en sont nombreux [1], témoignage de ce parler commun à des populations diversifiées. Pourquoi cette unité de langage ? Là encore le voile n'est pas levé. Mais ce libyque subira très vite la concurrence du punique carthaginois et du latin romain.

La civilisation, les modes de vie de ces Berbères sont mieux connus. Ils furent d'abord chasseurs et éleveurs pratiquant nomadisme et transhumance. L'agriculture ne se développera vraiment qu'à partir du IIe siècle sous Massinissa [2]. Si la propriété privée existe, le patrimoine collectif est le lot commun confortant la tribu, centre essentiel de la vie sociale axée sur un village ou un campement. Parfois, et pour une période éphémère, plusieurs tribus se fédèrent. Elles choisissent alors un roi, chef de guerre occasionnel et souverain transitoire. Les villes n'apparaissent qu'avec les comptoirs carthaginois.

Car ce Maghreb du premier millénaire avant Jésus-Christ vit très largement dans l'orbite de Carthage. Sans le tenir sous sa sujétion pure, elle le régit en bonne part. Elle contrôle pratiquement la Tunisie. Elle essaime ses escales et comptoirs sur le littoral algérien [3]. Bône, Philippeville, Djidjelli, Bougie, Dellys, Alger, Tipasa, Cherchell, Gouraya, Ténès, Saint-Leu : autant de sites carthaginois que les Romains baptiseront Hippo Regius [4], Rusicade, Igilgili, Rusuccuru, Icosium, Tipasa, Iol, Cunugu, Cartenae, Portus Magnus [5].

De ses possessions au Maghreb oriental, de ses comptoirs, Carthage, jusqu'à sa chute et sa destruction définitive en 146 avant J.-C., diffuse sa culture, sa langue. Le punique pénètre largement dans l'intérieur, suppléant le libyque. A l'aube du Ve siècle saint Augustin le retrouvera bien vivant. Si lui-même prêche en latin, ses prêtres sont obligés de s'exprimer en punique pour se faire comprendre dans la campagne bônoise.

---

1. 1 125 inscriptions libyques ont été dénombrées, mais beaucoup n'ont pas été déchiffrées.

2. Voir plus bas.

3. Et marocain. Sur le littoral algérien, on constate l'existence d'un port pratiquement tous les quarante kilomètres. Chaque soir, les navires peuvent trouver un abri dans une navigation qui jusqu'à Carthage est essentiellement du cabotage.

4. Connue sous le nom francisé d'Hippone.

5. Terminologie où l'on retrouve l'origine punique. « Ru » indique un cap (Rusuccuru, Rusicade) et « i », une île (Icosium, Iol) (en se rappelant que Ras en arabe signifie également cap ; le rapprochement entre les deux termes est troublant).

Simultanément se pratique un négoce fructueux. D'un côté, bois, liège, laine, peaux, poissons, céréales, minerais semi-ouvrés. D'un autre, armes, outils, bijoux. Chaque parti trouve son compte dans ces échanges dont les comptoirs carthaginois sont les grands promoteurs.

Peut-on alors parler d'une Algérie punique ? Politiquement non, hormis les cités côtières sous la férule de la puissante voisine. Les événements le démontreront. Culturellement, économiquement, oui. Carthage répand son économie, ses techniques et même les grandes lignes de sa religion et du culte de son dieu Baal-Mammon.

*

Dans ce Maghreb central imprégné de culture punique, au terme d'une élaboration mal connue s'édifient à partir du IVe siècle avant J.-C. deux royaumes. Implantés en Numidie, ils seront dits numides. Schématiquement, car leurs contours précis sont assez mal définis, celui des Massyles se situe à cheval sur la Tunisie occidentale et l'est constantinois. Celui des Masaesyles, plus étendu et de loin au départ le plus puissant, recouvre le reste de l'Algérie [1]. A l'exception, pour l'un comme pour l'autre, du pays des Gétules, c'est-à-dire le sud, et naturellement des enclaves carthaginoises.

Au IVe siècle et plus sûrement au IIIe des villes apparaissent chez les Massyles : Dougga (actuellement en Tunisie), la future Tebessa et sans doute aussi Cirta, qui deviendra Constantine, la capitale [2]. Sur son promontoire rocheux, cerné par une paroi abrupte et les gorges du Rhummel, accessible seulement par la face sud-ouest, le cadre, par ses défenses naturelles, se prête à l'édification d'une cité. Il semblerait que des marchands phéniciens furent les premiers instigateurs d'une telle implantation, au débouché des hauts plateaux.

Les Masaesyles ont Siga pour capitale, sur la rive gauche de la Tafna, dans l'Oranie occidentale. Siga ne connaîtra pas le destin de Cirta mais sa localisation montre que le royaume s'étendait vers l'ouest au-delà de l'actuelle frontière algéro-marocaine. En principe au moins jusqu'à la Moulouya.

On attribue à ces deux royaumes des édifices qui ont résisté au temps et aux hommes. A quelques kilomètres à l'ouest de Tipasa, non

---

1. Il y a un côté artificiel à relier voire à identifier la Numidie et les royaumes numides à l'Algérie. Ce rapprochement est volontaire. Il vise à mieux permettre au lecteur de situer l'historique dans le temps et dans l'espace. Sur le fond, l'Algérie du XXe siècle est aussi éloignée de la Numidie que la France présente de la Gaule avant César.

2. Cirta a peut-être initialement appartenu au royaume masaesyle.

loin de la côte, se dresse sur une hauteur le « Kbour roumia », mieux connu sous l'appellation de Tombeau de la Chrétienne[1]. Le monument hémisphérique de cinquante mètres de diamètre à la base sur trente mètres de haut serait le mausolée d'une grande famille royale. La colonnade sur son pourtour décèle l'influence grecque. Le Médracen, à trente-cinq kilomètres au nord-est de Batna[2], dans le Constantinois, présente sensiblement le même aspect pour une destination très certainement identique. Il est un autre vestige de ce passé sur le sol algérien. Mais ce mausolée du Kroub, près de Constantine, est malheureusement en partie détruit. Il fut peut-être le tombeau du roi Micipsa[3].

*

Massyles et Masaesyles sont des frères ennemis. Dans sa lutte sans merci contre Rome, Carthage, qui a besoin d'alliés, soutient Syphax[4], roi des Masaesyles. Fort de cette alliance, Syphax parvient à conquérir le royaume massyle et à s'emparer de Cirta. Mais l'histoire bascule, entraînée par une personnalité d'exception.

Massinissa[5] n'est qu'un proscrit lorsqu'il hérite du trône familial des Massyles. Tout aurait dû l'inciter à se tourner vers Carthage. La cité punique est proche, brillante, encore puissante. C'est là qu'il a reçu son instruction. Mais Carthage a déjà choisi son camp, celui de ses adversaires. Et la passion s'ajoute à la politique. Celle-ci a conduit Asdrubal[6] chef de l'armée carthaginoise, à donner, contrairement à la promesse qu'il avait faite à Massinissa, la main de sa fille, la belle Sophonisbe, à Syphax. Massinissa a ainsi une double raison de s'éloigner de Carthage et de se tourner vers Rome. Il sera son allié pour la seconde guerre punique (218-201), qui vient d'éclater.

Ce prince est de la race des grands. Avec l'aide romaine, il reconquiert son royaume. Syphax est fait prisonnier. Sophonisbe tombe aux mains de son ancien prétendant qui, toujours épris, l'épouse.

Cette union s'achève en tragédie. Scipion l'Africain, le chef romain, redoute que Sophonisbe, la Carthaginoise, n'incite son nouvel époux

1. Appelé aujourd'hui Tombeau royal maurétanien.
2. Non loin du petit village d'Aïn-Yagout à 876 m d'altitude, dans un cadre désolé aujourd'hui, entre les djebels Tafraount et Tombaït et la sebkha Djendli.
3. Voir plus bas.
4. ?-203 avant J.-C.
5. 238-148 avant J.-C.
6. Il y a plusieurs Asdrubal dans l'histoire punique ; celui-ci prit le commandement de l'armée en 207.

à changer de camp. Il exige qu'elle lui soit livrée pour participer à son propre triomphe. Afin de lui éviter une telle humiliation sans cependant sacrifier ses propres ambitions qui passent par l'alliance avec Rome, Massinissa envoie à Sophonisbe une coupe de poison. La reine la boit après avoir dit simplement : « J'accepte ce présent nuptial[1]. »

*

Sophonisbe n'est plus. Syphax mourra étranglé à Rome. Carthage vaincue (201) perd sa prépondérance. Massinissa poursuit son ascension. Après avoir restauré le royaume de ses pères, il s'empare de celui de son rival. Son pouvoir s'étend de la Medjerda à la Moulouya.

Ce monarque qui voit grand possède une armée, une flotte. Il bat monnaie. Il embellit Cirta. Il reçoit des étrangers. Il fait donner à ses fils une éducation grecque et n'hésite pas à faire du punique la langue officielle.

Une telle politique de grandeur implique de bonnes finances. Pour ce faire, le roi s'efforce de sédentariser les tribus. Un nomade est un sujet incontrôlable. Comment et sur quelles bases le faire payer ? Un sédentaire est autrement taxable. A l'exemple des Carthaginois et sous l'impulsion royale, les Numides se fixent et cultivent orge et blé. Parallèlement, pour mieux les contrôler, Massinissa leur impose de se regrouper dans des bourgs fortifiés. Il lance ainsi une urbanisation qui s'inspire des cités carthaginoises de la côte. Nécessairement, un clivage se dessine, entre ceux qui continueront de nomadiser dans les steppes des hauts plateaux, et les autres, rivés à leurs terres et à leurs biens.

Pour la première fois et pour un bref épisode, la Berbérie centrale, au cours de ce règne de Massinissa, vit regroupée. Verra-t-on une unité se façonner, une nation s'ériger ?

Si l'on en croit Tite-Live, son historien, Massinissa aspirait au plus haut. Africain, il se serait volontiers vu le maître de l'Afrique du Nord, échappant aussi bien à Rome qu'à Carthage. Déjà, profitant de la déconfiture de cette dernière, depuis 201 il n'hésite pas à empiéter sur ses terres.

Rome ne saurait accepter ce royaume numide trop puissant et à l'alliance aléatoire. Scipion Emilien, qui représente l'impérialisme romain, veille.

---

1. On sait que le thème de la mort de Sophonisbe fut repris dans les tragédies classiques : par Mairet en 1634, Corneille en 1669, Voltaire en 1770. « Je meurs toute à Carthage », fait dire Corneille à son héroïne.

Curieusement, avant de mourir nonagénaire, Massinissa lui a confié le soin de régler sa succession. Le Romain, habilement, dissocie ce qu'avait bâti Massinissa. Il scinde le royaume entre les trois fils du défunt. A Micipsa, l'aîné, Cirta et l'administration ; à Gulussa, l'armée ; à Mastanabal, la justice.

Les Numides eux-mêmes ont contribué à rompre l'unité. Avant même la disparition du grand roi, deux chefs importants sont passés dans le camp de Carthage, lui apportant des milliers de mercenaires.

*

147. Caton l'Ancien, l'implacable justicier, disparaît mais son « *Delenda est Carthago* » a porté. Rome veut en finir. Scipion Emilien, malgré son jeune âge (trente-huit ans), est nommé consul avec mission de régler le problème punique.

Au printemps 146, Carthage tombe définitivement. C'en est fini de la rivale séculaire. Scipion rase ses murs. Rome a le champ libre pour s'implanter en Afrique. Les possessions carthaginoises sont transformées en province romaine, la Provincia Africa ou plus simplement Africa. Le patrimoine est encore modeste : environ 25 000 kilomètres carrés, au nord-est d'une ligne Tabarca-Sfax. Un fossé en marque symboliquement les limites. Le reste de la Tunisie et l'intégralité de l'Algérie appartiennent encore aux Numides et aux Gétules.

La mort fortuite de ses deux frères fait de Micipsa l'unique héritier de Massinissa. Loin de l'ambition de son père, le nouveau roi tient surtout à améliorer les structures de son pays. Il se consacre à l'embellissement de Cirta et des autres villes, accentuant l'urbanisation prônée par Massinissa. Lui-même s'entoure de lettrés et d'artistes grecs.

Au terme de trente années de règne (148-118), ce souverain sage et débonnaire aurait souhaité partager son royaume entre ses deux fils légitimes, Adherbal et Hiempsal. Mais il doit compter avec leurs cousins et en particulier avec Jugurtha, fils de Mastanabal et d'une concubine.

Après Massinissa, avec Jugurtha (154-104) surgit l'autre grande figure des princes numides. Les historiens romains le décrivent bel homme, intelligent, mais ambitieux, cruel et sujet à des périodes d'abattement. Il a fait ses premières armes chez les Romains et sa réputation est flatteuse.

Conscient de sa valeur, Micipsa l'a légitimé et adopté. Puis, avant de mourir, il a légué son royaume à ses deux fils et à son neveu.

Jugurtha n'est pas de tempérament à partager. Très vite, il se débarrasse de ses deux cousins et en 116 se retrouve seul maître de la Numidie. Rome, initialement, accepte et reconnaît le fait accompli. Dans cette reconnaissance, la vénalité de la noblesse romaine n'a pas desservi le Numide qui a su acheter bien des consciences.

Ces temps ne durent pas. Les ambitions mal dissimulées du roi, ses crimes aussi, finissent par inquiéter et indigner. La guerre menace.

Pour calmer les esprits, Jugurtha n'hésite pas à se rendre à Rome. Cette arrivée d'un prince berbère en hôte étranger, et non en vaincu misérable derrière le char de son vainqueur, a de quoi surprendre, mais l'intéressé a du répondant. Il ne lésine pas sur l'or à verser. A l'occasion, il y joint le meurtre. Ses spadassins éliminent un petit-fils de Massinissa réfugié à Rome, qui pouvait se muer en rival. Quittant les lieux, il lance une apostrophe restée fameuse : « Ville à vendre ! Tu périrais bientôt si tu pouvais trouver un acheteur ! »

Il en a trop dit et trop fait. Peut-être aussi rejoint-il Massinissa dans l'arrière-pensée mal dissimulée de rejeter les Romains à la mer. Rome se doit de réagir contre ce Berbère aux velléités d'indépendance. La lutte éclate. Jugurtha se montre manœuvrier habile et les généraux romains, de souche noble, défaillants. Pour avoir raison de l'indomptable Numide, il faut un homme nouveau, le plébéien Marius (157-86). Les combats entrecoupés de hauts et de bas pour chaque partie dureront cinq ans (109-104).

Jugurtha ne fait qu'une erreur : il compte sur l'aide de son beau-père Bocchus Ier, roi de Maurétanie. La trahison viendra de là. Bocchus tourne casaque et livre son gendre à Sylla, le lieutenant de Marius (été 105). Le malheureux Jugurtha finira étranglé à Rome dans sa prison après le triomphe du vainqueur[1].

*

Les événements précédemment relatés doivent être abordés avec prudence ; ils ont été rapportés non par des Carthaginois ou des Numides mais par des Romains, Tite-Live, Salluste[2], ou des Grecs, comme Polybe... Leur version est obligatoirement orientée.

---

1. Sur la capture de Jugurtha, la tradition locale rapporte une étrange histoire. A une cinquantaine de kilomètres au nord-est de Tebessa, mais en territoire tunisien, un oppidum naturel (Kalaat es-Senam) domine la steppe environnante d'environ 300 mètres. Ses falaises en interdisent l'accès. Seule une étroite sente, aisément défendable, permet de gagner le sommet. Selon les habitants de l'endroit, c'est là que Jugurtha se serait réfugié et que, cerné, il aurait accepté de se rendre à condition que ses compagnons aient la vie sauve. C'est pourquoi ils appellent ce site la « Table de Jugurtha ».

2. Salluste (86-34) a eu l'avantage de connaître le pays. Il a été plusieurs années gouverneur (où il a amassé une fortune jugée scandaleuse). Ce long séjour lui a

Ces épisodes de la vie berbère sont toutefois révélateurs d'un trait qui se retrouvera souvent au Maghreb central : l'incapacité des habitants de s'unir longtemps sous un même prince. S'ils savent s'opposer courageusement, ils ne parviennent pas à se fédérer durablement, victimes de leurs déchirements internes. Abd el-Kader et tant d'autres en feront l'expérience.

*

La période d'après Jugurtha, durant un demi-siècle, est assez floue. Il semblerait que plusieurs princes numides, tolérés par les Romains, aient régné dans des royaumes reconstitués. Les historiens latins, seules sources on l'a vu, préfèrent s'attarder faute de figures marquantes en Numidie sur les conflits pour le pouvoir entre Marius et Sylla et surtout entre Pompée et César. Affrontements dont l'Afrique est l'un des grands champs de bataille.

Les Numides, en cette guerre civile entre Romains, sont obligés de prendre parti. En 49 avant J.-C., Juba Ier, roi de Numidie orientale, se range résolument aux côtés de Pompée. Les troupes des deux hommes infligent une sévère défaite à deux légions de César débarquées au cap Bon (Tunisie).

Mais César reprend l'avantage à Pharsale en Thessalie, le 9 août 48. Leur chef assassiné peu après, les Pompéiens se réfugient en Afrique où ils bénéficient du soutien de Juba Ier. L'importance des effectifs qu'ils rassemblent (40 000 fantassins et 15 000 cavaliers), additionnés à ceux des Numides, leur laisse supposer une campagne favorable. En face, César arrivé de Rome n'en a pas le dixième. Du moins obtient-il le concours des rois de Maurétanie, Bogud et Bocchus le Jeune. Plus que jamais, les Berbères du Maghreb se divisent. Mais les Européens n'ont-ils pas connu de semblables scissions ?

César domine son métier de chef de guerre. Il l'a montré en Gaule. Judicieusement, il se tient sur la défensive, laissant ses alliés maures assistés de Sittius, un condottiere italien, s'engager et enlever Cirta. Puis ayant reçu par mer 30 000 hommes en renfort, il passe vigoureusement à l'offensive. Le 6 avril 46, la bataille tourne au carnage : les pompéiens perdent 10 000 hommes, les césariens 50 seulement. De son côté, l'armée numide est anéantie. Juba Ier se suicide.

Rome est désormais puissance dominante au Maghreb. César en

---

permis par la suite d'écrire sa *Vie de Jugurtha*. – On doit à Tite-Live (59 avant J.-C.-17 après J.-C.) une *Histoire romaine* en 140 livres dont il n'en reste que 35 plus divers fragments. – Polybe (205-125).

profite pour remanier l'organisation romaine en Afrique. L'ancienne province remontant à la chute de Carthage en 146 devient l'Africa vetus. La Numidie orientale jusqu'à une ligne Hippo Regius (Bône)-Calama (Guelma) est baptisée Africa nova. Vingt ans plus tard, elles seront réunies pour ne former qu'une seule province, l'Africa [1].

A l'extrémité occidentale du Maghreb, Bocchus le Jeune perçoit les dividendes de la fidélité. Il s'agrandit vers l'est, en Algérie donc. Entre lui et l'Africa nova, César établit un Etat tampon, afin de récompenser l'autre fidèle, Sittius. Cirta, Rusicade (Philippeville), Chullu (Collo), Milève (Mila) constituent les quatre points forts de cette marche éphémère, qui sera rattachée à l'Africa nova après la mort du dictateur.

Ce dernier disparaît, assassiné, on le sait, aux ides de mars en 44 avant J.-C. A cette date, l'Algérie a commencé à prendre physionomie romaine. Certes, sa partie occidentale reste aux mains d'un prince maure, Bocchus le Jeune, mais celui-ci se montre un allié dévoué. La partie orientale, le Constantinois en gros, est tombée, directement ou non, dans la mouvance de Rome. Il n'y subsiste plus de prince numide. Les derniers étaient-ils même des souverains autonomes ? Les pièces de monnaie de Juba Ier, l'adversaire de César, portaient déjà une inscription latine : *Rex Juba*. Le vieux libyque avait été remisé.

*

Pour finir de transformer la Numidie – donc l'Algérie – en terre romaine, le dernier pas est proche.

César, avant sa disparition, a installé des vétérans et des paysans italiens pauvres en Africa nova. Une telle implantation, à côté des anciens Carthaginois ou des Berbères de souche, n'a pas occasionné de secousses particulières. Les Romains sont présents depuis un siècle dans l'ancien territoire de Carthage. Dans ce pays relativement plat et aisément pénétrable, leur autorité n'est pas contestée. Cette Africa nova s'affirme ainsi une excellente plate-forme de colonisation future vers l'ouest.

Dans la querelle pour la succession de César, Octave obtient en principe l'Afrique [2]. Encore doit-il faire appliquer les accords. Il serait vain de s'attarder sur ses luttes contre ses deux rivaux, Lépide et Marc

1. En 27 avant J.-C., Auguste confie l'administration des provinces au Sénat, lequel désigne pour chacune d'elles un gouverneur ayant le titre de proconsul. La province d'Africa est ainsi régie par un proconsul, d'où l'appellation courante d'Afrique proconsulaire ou simplement de Proconsulaire.

2. Avec la Sicile et la Sardaigne, îles qui facilitent ses communications africaines avec Rome (il y a à peine 150 km de la pointe du cap Bon à la Sicile).

Antoine. En 30 avant J.-C., il a complètement partie gagnée. En 27, Octave peut devenir Auguste.

Bien qu'il ne s'y rende pas personnellement, l'Afrique est l'objet de ses soins. Il intensifie la colonisation entreprise par César. Rompant avec le passé, il redonne vie à Carthage. Le site hier maudit de l'ancienne cité punique s'affirme très vite la capitale de l'Afrique du Nord romaine.

Entre-temps, l'Ouest s'agite. Les héritiers de Massinissa et de Bocchus s'affrontent pour la suprématie. Un moment Bocchus II l'emporte et contrôle le Maghreb de l'Atlantique à l'Ampsaga (l'oued el-Kebir, prolongement du Rhummel de Constantine). Mais il n'a pas de fils. Le pays, à sa mort, vacille.

Auguste profite de cette faiblesse pour créer de nouvelles colonies à l'emplacement de vieux comptoirs puniques : Igilgili (Djidjelli), Saldae (Bougie), Rusazus (Port Gueydon), Rusganiae (Cap Matifou), Gunisga (Gouraya), Castennae (Ténès). Il se risque même en retrait du littoral à Tubusuptu (Tiklat à 29 kilomètres au sud-ouest de Bougie)[1], à Aquae Calidae (Hammam Righa)[2], Zucchabar (Miliana). Inexorablement, l'influence romaine s'étend.

Pour l'accroître encore, Auguste emploie une autre méthode. Devant le vide créé par la disparition de Bocchus II, il fonde un nouveau royaume numide. Cet Etat n'est qu'un protectorat romain sur la Numidie, de l'Africa nova à la Moulouya. Comme souverain, Auguste lui donne le fils de Juba Ier, Juba II (52 avant J.-C.-18 après J.-C.), adolescent élevé à Rome par la sœur de l'empereur. A ce jeune souverain il fait épouser Cléopâtre Séléné, fille de la grande Cléopâtre et d'Antoine. Etrange et paradoxal couple, qui a dans ses veines du sang romain par Antoine, égyptien par Cléopâtre, numide par Juba Ier.

Ces deux rejetons sont pour Rome la meilleure des garanties. Ils lui doivent tout et ils en possèdent la langue et la culture.

Le nouveau souverain répond parfaitement à l'attente de ses protecteurs. Il s'installe à Iol (Cherchell), qu'il s'empresse de baptiser Caesarea en hommage au grand César. Il en fait sa capitale et une cité romaine dont les vestiges – temples, palais, théâtres, statues, mosaïques – permettent de concevoir l'ampleur.

Ce prince lettré qui parle grec, latin, punique, se heurte à l'hostilité des Gétules du sud. Mais Rome est derrière lui. Une légion se charge de ramener le calme.

Plus sévère est la révolte du Numide Tacfarinas en 17 après J.-C.

---

1. Dans la vallée de la Soummam, à quelques kilomètres au sud d'El-Kseur.
2. En bordure de la Mitidja, 40 km au sud-ouest de Blida.

Pendant sept ans, avant d'être tué en 24, Tacfarinas mène dans le Constantinois une guerre farouche, entraînant derrière lui la tribu des Musulmames. Une autre tribu, dirigée par Marippa, se joint à la sédition qui prend des proportions importantes. Tous ces nomades et semi-nomades des hauts plateaux refusent de voir la colonisation romaine sans cesse plus envahissante porter atteinte à leur mode de vie et à leurs zones de pâture. Ils se lèvent pour défendre leurs terres tout en récusant l'occupant étranger. Cette motivation générera bien d'autres révoltes du même type dans le monde berbère.

Juba II meurt avant la fin de la sédition et son fils Ptolémée poursuit la même politique, épaulant les Romains pour finir de réduire Tacfarinas. Rome ne peut trouver plus fidèle que ce prince dont le luxe déroute ses sujets et les incite même à épouser la cause de Tacfarinas. La lutte contre l'envahisseur se double presque d'une révolte sociale, un autre trait appelé à se manifester de nouveau.

« Seigneur, protégez-moi de mes amis ! », s'écriait Voltaire. Ptolémée aurait pu dire de même. Caligula, l'empereur dément et assoiffé de sang, l'invite à Rome et, sans prétexte apparent, le fait assassiner en 40. Le roi mort, il annexe purement et simplement son royaume.

Ce meurtre et cette mainmise brutale déclenchent deux années de nouvelles insurrections avant que les généraux romains ne rejettent les révoltés dans les confins sahariens. Devant la chaleur et le manque d'eau, ils ne se hasardent pas à les poursuivre. Le Sahara restera zone insoumise.

Mais l'essentiel se déroule au nord. Rome maintenant domine le pays, avec l'annexion décidée par Caligula.

Cette domination s'annonçait inéluctable. Il était logique que les Romains présents à Carthage et en Espagne veuillent relier directement ces possessions méditerranéennes. Contrôler le littoral maghrébin leur offrait la possibilité de mieux organiser la circulation maritime du cap Bon aux Colonnes d'Hercule. Posséder l'arrière-pays les dispensait du très long itinéraire de la voie terrestre par l'Italie et la Gaule. De telles jonctions s'inscrivent dans les objectifs des grands empires. Les Français, par la suite, voudront raccorder leur Afrique noire et leur Afrique blanche. Ce sera la pénétration saharienne et la marche au Tchad.

Pour l'Algérie, une nouvelle ère commence. Après l'Algérie numide aux origines obscures, l'année 40 ouvre l'ère romaine. Celle-ci se prolongera durant près de quatre siècles.

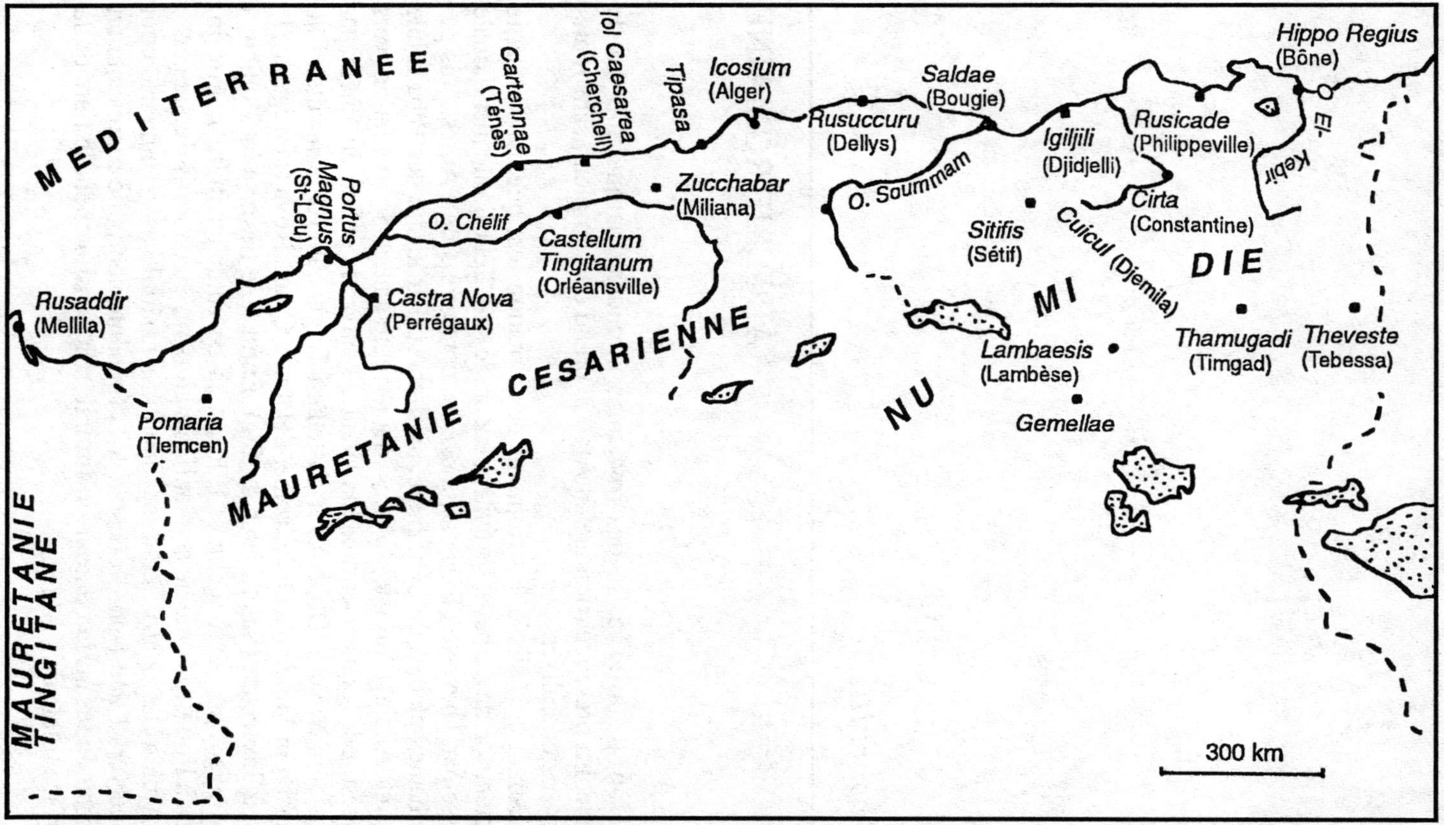

Carte de l'Algérie romaine

Chapitre III

ALGERIE ROMAINE

L'an 40, avec la fin des royaumes numides, marque une grande étape. La présence romaine en Algérie prend de l'ampleur, sans toutefois se généraliser.

Durant le Ier siècle, les Romains ne se manifestent que dans la partie septentrionale du pays. Ils évitent encore le sud. Leur limite méridionale passe par Theveste (Tebessa), longe les contreforts de l'Aurès, puis par les hautes plaines de Sétif pique nord-ouest. Par le sud des Bibans elle atteint Auzia (Aumale). Après quoi, reprenant son orientation vers l'ouest, elle gagne Berrouaghia avant de suivre la vallée du Chélif par Oppidum Novum (Duperré) et Castellum Tingitanum (Orléansville). Elle franchit la Mina près de Relizane, l'Habra à Castra Nova (Perrégaux), le Sig à Tasaccura (Saint-Denis du Sig). Enfin, elle traverse la Moulouya peu avant son embouchure. Elle est là en futur territoire marocain. Plus à l'ouest, Rome ne se manifeste alors qu'aux abords de Tanger.

A bien des égards, cette occupation s'assimile à un immense coin fiché vers l'ouest-nord-ouest. Sur la fin seulement, elle représente un arceau épousant le contour du littoral, soit sensiblement le tiers de la surface totale de l'Algérie [1].

1. Hors Sahara. L'Algérie évoquée l'est toujours en dehors de l'immensité saharienne.

Progressivement, au IIe siècle, l'extension gagne vers le sud[1]. Des camps avancés sont implantés profondément en secteur gétule : Ad Majores (Négrine) en 105, Gemellae (Mlili) en 126 puis Castellum Dimidi (Messad) au sud des Ouled Naïl en 198[2]. Ces oasis sont des portes du Sahara mais ne sont que des avant-postes, même si elles sont fortement tenues. L'essentiel de la pénétration se déroule plus au nord.

A l'aube du IIIe siècle, la frontière s'est déplacée au sud de l'Aurès et du Chott el-Hodna. Au-delà, elle remonte vers Bou Saada, et, s'incurvant vers le nord-ouest, s'installe en bordure des hauts plateaux qui lui échappent. Mais l'Ouarsenis est couvert. Finalement, par Tiaret, Frenda, Saïda, Tlemcen, cette frontière laisse aux Romains une bande côtière de cent à cent cinquante kilomètres de profondeur. Plus encore que deux siècles auparavant, l'occupation romaine en Algérie ressemble bien à un vaste coin à la tête plantée en Numidie. Elle recouvre plus de la moitié du pays, les deux tiers environ.

*

Ces limites territoriales reportées dans le temps, ce « coin » de l'occupation, conduisent d'entrée à une évidence : l'est de l'Algérie fut beaucoup plus romanisé que l'ouest. Il le fut même intégralement, ce qui ne fut pas le cas ailleurs. Anticipant sur la fin de la présence romaine au Ve siècle, on peut relever que la Numidie, soit en gros le Constantinois, fut pratiquement romaine durant cinq siècles. Longue période ! Très longue période même, correspondant à celle séparant les Français d'aujourd'hui des contemporains de Jeanne d'Arc ! Il n'est pas à s'étonner de la multitude de sigles RR, ruines romaines, qui parsèment les cartes au 1/200 000 de l'Est algérien[3]. Par contre,

1. Cette implantation romaine dans le centre et le sud de l'Afrique du Nord soulève une interrogation mal résolue : a-t-elle refoulé vers le Sahara des Berbères nomades, lesquels auraient à leur tour repoussé de précédents occupants de race noire ? L'hypothèse est plausible. Pour certains, elle expliquerait le peuplement touareg de fond berbère et fortement métissé. Mais rien n'est certain.

2. Ad Majores, plus exactement Bessariani, 10 km au sud de Négrine (Négrine se situe à 130 km au sud-ouest de Tebessa ; Gemellae à 20 km au sud-ouest de Biskra et Castellum Dimidi à 200 km au nord-ouest de Laghouat).

3. S'enfonçant dans le massif de l'Aurès dans un secteur à priori désert, l'auteur eut jadis la surprise de découvrir à flanc de djebel, au milieu de pins rabougris, à l'écart de toutes traces d'habitations et de pistes, un petit temple romain. L'édifice, non mentionné sur la carte, de quelques mètres carrés seulement, en excellent état, pouvait s'assimiler à une modeste chapelle. Pourquoi était-il là ? De quand datait-il ? Quelle divinité y était honorée ? Seule son architecture typiquement romaine était incontestable.

seule la frange littorale occidentale connut une présence significative. Les ruines de cités comme Tipasa ou Cherchell en témoignent.

*

Pourquoi cette extension méridionale ? Les raisons en sont multiples.

Rome a besoin de terres. Le patrimoine foncier, à destination agricole, est la grande richesse de l'époque. En Afrique, l'Empereur, les hauts dignitaires s'approprient de vastes surfaces qu'ils font exploiter. Naissent ainsi de grandes propriétés [1] qui ne tarderont pas à être sources de graves conflits sociaux. Ce même empereur et ses généraux veulent aussi distribuer des parcelles pour récompenser leurs vétérans ou transformer des prolétaires italiens en colons. Sur ce dernier point, l'expérience n'aura pas de grands lendemains. La péninsule manque de bras et ne peut expatrier les siens.

A ces motivations capitalistes ou démagogiques s'adjoint une raison militaire. Le sud, le pays des Gétules, des Maures, n'est pas sûr. Il est une base de départ et de refuge pour des nomades pillards. Mieux vaut repousser ceux-ci le plus loin possible. Au passage, cette nouvelle frontière permet de mieux isoler et contrôler l'Aurès. Le massif est lui aussi une zone hospitalière pour les Berbères hostiles à une présence étrangère. Le voici mieux surveillé et pénétré, atténuant les risques de désordres.

Mais si l'Aurès sera finalement ceinturé et pénétré, d'autres blocs montagneux ne le seront pas. A l'encontre de l'Aurès, les Kabylies – à l'exception de leurs pourtours – n'ont pratiquement pas de vestiges romains, preuve que l'occupant était resté en périphérie.

*

Les fouilles, les recherches entreprises à partir de l'étude des photographies aériennes [2] permettent d'approcher cette frontière militaire qui couvrait l'Algérie au sud [3]. En l'état actuel des conclusions apportées,

1. Si l'on en croit Pline l'Ancien, six propriétaires possédaient la moitié de l'Afrique.

2. Grâce en particulier à l'observation aérienne et au travail sur le terrain effectué par le colonel d'aviation Jean Baradez après la Seconde Guerre mondiale. Voir *Fossatum Africae*.

3. Elle n'était utile qu'au sud. Vers l'est, l'Africa, province romaine, écartait le besoin d'une défense particulière. Vers l'ouest, suivant l'époque, la frontière se terminait en sifflet sur la Méditerranée ou raccordait à la Maurétanie tingitane, autre province romaine.

cette frontière paraît très irrégulière et très inégale. Assez bien localisée dans le Constantinois, elle s'allonge quasi ininterrompue sur plusieurs centaines de kilomètres. Ailleurs, elle reste souvent très hypothétique.

Les Romains lui donnaient deux noms. Ils parlaient du *fossatum* et du *limes*. Le premier, en son genre, est une muraille de Chine. Le second, une zone tampon.

Le *fossatum* est donc un fossé large de plusieurs mètres, voire de plusieurs dizaines. Il court dans la plaine, escalade les collines, coupe les oueds presque toujours à sec. Des levées de terre, des murs de bonne épaisseur le confortent. Des tours de guet et de protection se succèdent le long de son tracé. A distance et en retrait, des camps retranchés fournissent des garnisons d'intervention si besoin.

Ce *fossatum*, simple obstacle statique, sans être infranchissable offre contre les cavaliers ou les chameliers un barrage certain. Il s'intègre et prend sa valeur dans le cadre du fameux *limes* mis en place sur les faces sensibles de l'empire. Ce *limes* forme un secteur défensif tenu et protégé par des vétérans transformés en soldats laboureurs.

Le soldat laboureur ! Une grande idée que reprendra Bugeaud lors de la conquête française et dont l'échec précipitera le retrait. Dans l'Algérie romaine, ce soldat laboureur est un succès. Il occupe, cultive la marche frontière que constitue le *limes*. A l'occasion, il reprend son épée, son casque et son bouclier pour en assurer la défense. Pour rejoindre son poste de combat sur le *fossatum*, ce territorial avant l'heure [1] a en général moins d'une heure de marche depuis sa demeure [2].

Si le soldat laboureur assure la première surveillance et la première défense du *fossatum* et du *limes*, il reste nécessaire de disposer d'une véritable troupe d'intervention. Cette charge incombe aux auxiliaires indigènes et aux légionnaires de la IIIe Augusta.

Elle est passée dans l'histoire du Maghreb, cette *Legio III Augusta*. Pendant près de quatre siècles, à l'exception d'une interruption d'une quinzaine d'années [3], elle est par excellence la troupe de l'Algérie romaine. Des siècles après son souvenir revivra [4]. En 1944, la glo-

1. Ce *fossatum*, outre sa mission essentielle de limite défensive entre la zone de colonisation et la steppe mal contrôlée, est également érigé pour isoler un massif jugé dangereux. Cas du Bou Taleb au sud de Sétif, du versant du Metlili au nord-ouest de Biskra.

2. En latin, ces « territoriaux » sont des *limitanei*.

3. Pour avoir en 238 soutenu l'empereur Maximin (absence qui permit une importante razzia des tribus du sud ayant envahi la Numidie).

4. En 1849, le colonel Carbuccia, commandant d'armes à Batna, fait restaurer le mausolée d'un homme qu'il regarde comme son lointain prédécesseur, le préfet Quintus Flavius Maximus, chef de la IIIe Augusta. Sur la stèle, il fait graver : « Le colonel Carbuccia à son collègue de la IIIe Légion romaine. »

rieuse 3e DIA d'Italie se présentera comme sa lointaine héritière. Non sans quelques raisons. Bien des tirailleurs de Montsabert seront des fils de l'ancienne Numidie.

A l'origine, cette IIIe Augusta est à base d'authentiques citoyens romains, comme l'impose la législation. Peu à peu, par besoin, elle recrute sur place. Après vingt ans de service, un légionnaire devient citoyen. Il transmet à son fils sa citoyenneté romaine et son métier. Au fil des décennies, la IIIe Augusta ne sera plus composée que d'Africains de souche.

Implantée d'abord à Ammaedara (Haïdra en Tunisie), sans doute en l'an 6, elle est transférée au carrefour routier de Theveste en 55. Son séjour ne s'y prolonge pas. Sur la fin du règne de Titus, en 80-81, elle part s'établir à Lambaesis. De ce piémont de l'Aurès, à 1 200 mètres d'altitude, elle contrôle les débouchés du massif encore insoumis. De son vaste camp de 500 sur 400 mètres, subsistent aujourd'hui un arc à trois portes et les murs d'un vaste bâtiment de commandement (le Proetorium). A quelque distance s'élevait la cité, où résidaient les familles et très probablement les légionnaires eux-mêmes.

Les effectifs de cette seule véritable unité romaine peuvent surprendre : à peine 5 500 hommes. Elle dispose en outre d'auxiliaires à pied ou à cheval, tous d'origine berbère. Au total, légionnaires plus auxiliaires [1] ne s'élèvent qu'à 27 000 soldats pour l'intégralité de l'Afrique du Nord. C'est peu. D'autant qu'une cohorte de 600 légionnaires est détachée à Carthage [2] et que des auxiliaires servent en Africa et Maurétanie tingitane.

L'Algérie proprement dite est gardée par moins de 20 000 individus, amenant à penser que les insurrections gardent un caractère sporadique. Pendant de très longues périodes, le pays ne bouge pas. *Limes*, *fossatum*, légionnaires et auxiliaires sont suffisants pour repousser des incursions sahariennes ou méridionales et briser les velléités de révolte.

*

A ce cadre territorial et militaire de l'Algérie romaine correspondent naturellement des divisions et structures administratives.

On a vu la disparition du dernier royaume numide en 40, avec

1. Les auxiliaires accèdent également à la citoyenneté romaine après vingt-cinq ans de service, accentuant la romanisation des forces armées.

2. Tertullien, grand apôtre de la foi chrétienne, né à Carthage entre 145 et 150, est le fils d'un centurion de cette cohorte.

l'assassinat de Ptolémée et l'annexion pure et simple de ses Etats. En 42, Rome scinde en deux le territoire annexé. La frange marocaine devient la Maurétanie tingitane avec Volubilis pour capitale. La partie algérienne s'appelle Maurétanie césarienne, conservant Cherchell comme métropole. Dans l'une comme dans l'autre, un procurateur du rang de chevalier tient lieu de gouverneur. En Numidie, au contour inchangé, cette fonction incombe au commandant de la IIIe Augusta, placé sous l'autorité directe de l'empereur. Un même homme possède donc là le double pouvoir civil et militaire [1].

Ce découpage ne sera pas immuable. Sous Dioclétien, empereur de 284 à 305, la Maurétanie césarienne éclate. Apparaît une Maurétanie sitifienne sur les hauts plateaux, avec Sétif pour chef-lieu. De même la Numidie se divise en Numidie de Cirta au nord et Numidie militaire avec Lambèse au sud. Cette dernière partition ne durera pas. En 313, Constantin réunira les deux fractions.

Cette Algérie, d'obédience romaine, reçoit-elle une colonisation importante ? Il ne semble pas. César, Auguste ont implanté des vétérans. Ceux-ci n'ont pas dépassé quelques milliers. Cet apport s'est vite tari. A quelques exceptions près, la péninsule n'a pas le moyen de fournir d'autres de ses enfants. Une véritable romanisation ne peut intervenir qu'en « intégrant » les populations locales. Rome à cet effet développe une double politique d'urbanisation et de promotion individuelle.

A des fins fiscales, Massinissa avait ouvert la voie de l'urbanisation. Celle-ci est amplifiée. A côté de Cesaerea et Cirta, les deux grandes métropoles [2], les villes moyennes se multiplient. Les nouvelles créations, s'appuyant souvent sur un ancien comptoir punique, s'appellent : Hippo Regius (Bône), Rusicade (Philippeville), Calama (Guelma), Thagaste (Souk Ahras), Theveste (Tebessa), Thamugadi (Timgad), Lambaesis (Lambèse), Mascula (Kenchela), Sitifis (Sétif), Chullu (Collo), Cuicul (Djemila), Igilgili (Djidjelli), Saldae (Bougie),

1. Pour une vision globale de l'Afrique du nord romaine existent donc : la Maurétanie tingitane au Maroc septentrional, la Maurétanie césarienne en Algérie occidentale et centrale, la Numidie dans le Constantinois, l'Africa ou Proconsulaire en Tunisie et Algérie orientale (avec Bône, Souk Ahras, Tebessa).

Cette division permet de souligner combien il est artificiel de considérer l'Algérie romaine seule. Le pays se situe alors et se comprend dans un ensemble plus vaste, celui de l'Afrique du Nord romaine. Pour preuve, les cités aujourd'hui algériennes situées en province d'Africa, l'extension de la Maurétanie césarienne jusqu'à la Moulouya aujourd'hui marocaine, l'influence culturelle de Carthage reconstituée avec étudiants, professeurs et lettrés, l'organisation militaire avec la IIIe Augusta, qui de Lambèse rayonne sur toute l'AFN, etc.

2. Elles-mêmes bien en retrait par rapport à Carthage.

Lomnium (Tigzirt), Rusuccuru (Dellys), Rusganiae (Cap Matifou,, Auzia (Aumale), Thanaramusa (Berrouaghia), Zucchabar (Miliana), Cartennae (Ténès), Oppidum Novum (Duperré), Castellum Tingitum (Orléansville), Mina (Relizane), Castra Ova (Perrégaux), Pomaria (Tlemcen), Cohors Breucorum (Dominique Luciani), Altara (Lamoricière), Portus Magnus (Saint-Leu), Numerus Syrorum (Marnia), etc.

De ces créations romaines ne subsistent plus parfois que quelques RR sur la carte ou un amas de pierres recouvert de sable ou de terre comme Aqua Viva, Macri, Cella à la corne orientale du Chott el-Hodna. « Civilisations, nous savons que vous êtes mortelles », disait Paul Valéry.

Un point ressort immédiatement à cette lecture. La trame urbaine s'atténue en s'éloignant vers l'ouest.

Abstraction faite du cadre, cette urbanisation présente partout le même visage dans ses efforts pour rappeler la Ville éternelle et ses lointaines magnificences. Il n'est pas de cité romaine sans forum, théâtre [1], temples, thermes, statues...

Incontestablement, ces villes sont pôles d'attraction. Elles regroupent commerçants, artisans, fonctionnaires. Bien des ruraux y résident et en partent pour aller œuvrer dans la campagne voisine. Là est bien l'empreinte de Rome. Pour des Romains, la vie urbaine est la seule forme de vie civilisée.

Bien sûr, il y a Cirta campée sur son rocher, Caesarea étagée face à la Méditerranée. L'une offre sa majesté brutale, dressée au milieu d'une terre rude, l'autre la douceur émolliente d'une cité ouverte vers le large et au raffinement voulu. Elles s'opposent et se complètent, symboles de rigueur sauvage et de délicate harmonie. L'Algérie ne possède-t-elle pas tout cela à la fois ?

Evoquer Caesarea est aussi obligatoirement se tourner vers Tipasa toute proche. La vie, ici, n'a pas retrouvé droit de cité comme à Cherchell. Elle n'a enfanté qu'une modeste bourgade étirée le long de la route côtière. Mais en ce bord de mer, au pied de la masse brumeuse du Chenoua, Rome est toujours présente. Les ruines de la Tipasa antique se dissimulent à peine dans la verdure méditerranéenne. Là, au milieu des thermes, des nymphées, des sarcophages et des baptistères, Camus, enfant de la Numidie, venait rêver dans l'odeur des absinthes.

Mais plus encore que Cirta et Caesarea, deux villes, aujourd'hui remarquablement préservées, rendent parfaitement compte de ce que

1. Les ruines de ces théâtres sont encore parfaitement visibles aujourd'hui à Djemila, Timgad, Guelma, Khamissa, Philippeville, Tipasa.

fut la cité romaine sur le sol algérien : Timgad et Djemila, hier Thamugadi et Cuicul.

Timgad [1], au pied de l'Aurès à 1 078 mètres d'altitude, figée dans le damier de ses rues, est à voir de haut. Se perçoit mieux son enceinte rectangulaire, le tracé au cordeau de ses artères, la multitude de ses édifices dressant vers le ciel arcs et colonnades, la demi-circonférence de son amphithéâtre, l'espace dégagé de son forum, élément indispensable à cette civilisation de l'extérieur.

Djemila [2], sur son éperon arasé entre deux ravins, n'a pas l'altière symétrie de Timgad. Son environnement est plus austère. Elle ne s'appuie pas sur l'arrière-plan vert sombre et parfois blanchi sur les hauts de l'Aurès. Les collines environnantes s'habillent d'une aridité désolante [3]. Cependant la cité est plus humaine. Timgad respire la rigidité militaire romaine, Djemila la vie quotidienne, et elle sait épouser les formes du terrain. Le long de la voie principale, où les roues des véhicules ont creusé leurs sillons, s'échelonnent les vestiges des boutiques, des fontaines, des portiques, des demeures qui furent pour certaines cossues, du marché, des latrines proches, des temples, des statues, des pavements en mosaïque, des lupanars même. Le théâtre aux 2 500 places, les thermes sont un peu à l'écart, édifiés sur la pente à cause du manque de place. Dans la partie sud surgit un quartier chrétien avec deux églises, une chapelle, un baptistère, rappel de l'évolution survenue à compter du IVe siècle [4].

Ces cités dont les ruines évoquent l'opulence s'inscrivent dans le cheminement de la romanisation. Leur évolution et leur statut y rejoignent ceux des hommes.

Quelques-unes correspondent aux colonies fondées avec leurs colons citoyens romains [5]. Pour elles, tout est simple. Leurs habitants ont les prérogatives de celles de Rome, avec assemblée du peuple, sénat, décurions, magistrats. Le droit romain y est seul appliqué. Mais elles sont peu nombreuses en Algérie. La colonisation proprement dite a surtout intéressé l'Africa plus proche de la mère patrie.

Au-dessous, les municipes, résultats d'une lente mutation et dont les habitants sont dans leur très large majorité d'origine africaine, peuvent être romains ou latins. Les premiers s'assimilent aux colonies sous

1. Timgad daterait de l'an 100, avec l'implantation d'une colonie par Trajan.
2. La ville fut bâtie à la fin du Ier siècle.
3. Il n'en fut pas toujours ainsi. La dégradation humaine – abandon de l'irrigation, économie pastorale, a fait son œuvre.
4. Djemila est à 950 mètres d'altitude, Timgad à plus de 1 000. L'Algérie est bien un haut pays, accusant les écarts de température précédemment signalés.
5. En Algérie, presque toujours avec des vétérans.

réserve d'imposition supplémentaire sur les biens fonciers. Les seconds connaissent un régime intermédiaire. Leurs résidents se partagent entre le statut d'étranger et celui de citoyen romain qui se généralise, étant donné son caractère héréditaire. Dans les deux, une assemblée du peuple, des magistrats élus sont à la tête de l'organisation municipale.

Tout en bas, enfin, se situent les communes pérégrines ou stipendiaires, peuplées de pérégrins, sujets de souche berbère. A leur tête se trouvent soit un chef de tribu nommé préfet, soit une vieille institution émanant de Carthage avec suffète, soit encore un conseil indigène, ébauche d'un futur conseil municipal latin ou romain.

Dans cette hiérarchie, communes pérégrines, municipes romains ou latins, colonies, un point est essentiel : il n'est pas de barrière ethnique. Aucune comparaison avec ce qui existera par la suite, lors de la présence française notamment. Rome ouvre largement les portes de sa maison. Pour y accéder, elle joue sur l'émulation, le mérite, les services rendus [1]. Devenir citoyen romain avec tous les droits afférents est constamment possible et s'affirme une ambition et un honneur. Nombre de ceux qui y parviennent abandonnent du reste leur ancien patronyme à consonance libyque ou punique.

Un tel système favorise l'osmose de la bourgeoisie, quelle que soit son origine. En contrepartie, il tend à opposer les citadins, devenant de plus en plus citoyens romains, et les ruraux restant pérégrins. Comment ne pas voir là l'une des origines des affrontements futurs ? Les laissés-pour-compte, Berbères des campagnes, se dresseront contre les pourvus romains de la ville.

En 212, l'édit resté fameux de Caracalla semble mettre un terme aux discriminations. Tous les habitants libres de l'empire, qu'ils appartiennent aux colonies, aux municipes romains ou latins ou aux communes pérégrines, bénéficient de la citoyenneté romaine. Le pas en avant est considérable. Il marque que pour l'empereur l'objectif d'une romanisation générale est atteint ou presque. Est-ce si sûr ? Tous les Berbères ont-ils acquis une âme romaine ? Il est possible d'en douter devant les troubles qui éclateront avec le déclin de Rome et de son empire.

*

Ce déclin futur et ces vicissitudes ne sauraient estomper le fait que l'Algérie, en ces siècles de présence romaine, connaît une grande

1. Services militaires, par exemple, on l'a vu. Ils sont loin d'être les seuls. L'administration, la fortune, le talent conduisent à la citoyenneté romaine.

époque de son histoire, du Iᵉʳ au IIIᵉ siècle. En dépit de quelques séditions localisées ou d'incursions passagères de Maures ou de Gétules, elle vit en paix. L'activité économique et culturelle peut se développer.

Les Romains sont des bâtisseurs. Remuer la pierre ne les effraie pas, en Algérie comme ailleurs. Ils créent tout un réseau d'axes routiers pour relier le pays à Carthage, les villes et les garnisons militaires entre elles. Formidable labeur que ces voies jalonnées de bornes milliaires qui cisaillent le pays. Un regard sur une carte suffit pour en prendre conscience. Carthage-Hippo Regius ; Carthage-Theveste ; Theveste-Lambaesis-Gemellae ; Saldae-Sitifis-Auzia-Caesarea, etc. Et après ces itinéraires majeurs, combien d'autres ! Même l'Aurès, bastion imposant aux gorges étroites et aux vallées profondes, est ceinturé, pénétré. Mascula-Badia par l'oued el-Arab ; Mascula-Zeribet el-Oued par Bou Hammama ; Lambaesis-Thamugadi-Vercera (Biskra) par les gorges d'El-Kantara et mieux encore par celles de Tighanimine, haut lieu tragique de la Toussaint sanglante, le 1ᵉʳ novembre 1954. Une inscription gravée dans la paroi rocheuse rappelle que la piste fut ouverte en 145. 1 700 ans plus tard, le général de Saint-Arnaud la découvrit, à sa grande stupéfaction : il se croyait le premier étranger à forcer ce défilé qui ne laisse de passage qu'à l'oued el-Abiod avant d'aller plus loin tailler son cours dans le décor somptueux du cañon de Rhoufi.

Oui, formidable maillage qui dans le même secteur, légèrement plus à l'ouest seulement, voit une route carrossable rejoindre des centres qui, bien des siècles après, deviendront des villages de colonisation français : Tha (Mac-Mahon), Nivicibus (N'Gaous), Thubunae (Tobna), Thamallula (Tocqueville), Lamasba (Corneille), Equizeto (Lecourbe)...

Cette rage de bâtir, cette passion du développement qui animent les enfants de la Louve ne se découvrent pas uniquement dans les villes et les routes. Elles se retrouvent aussi dans les gigantesques travaux entrepris pour exploiter au mieux cette ressource vitale en ces contrées qui en sont si souvent mal loties : l'eau.

Les aqueducs s'étirent sur des kilomètres [1], franchissent les vallées, parfois à des hauteurs impressionnantes [2], pour alimenter les cités. 35 kilomètres pour celui de Cirta, 28 pour Caesarea, 22 pour Rusicade [3], 21 pour Saldae, 18 pour Hippone. Au terme de ce parcours, le

1. Preuve que les distances n'effraient pas, l'aqueduc alimentant Carthage prend naissance au pied du djebel Zaghouan à 132 km de la ville.

2. 35 mètres pour l'aqueduc menant à Caesarea.

3. Lorsque les Français occuperont en 1839 le site désert de Rusicade pour y fonder le port de Philippeville, ils retrouveront les citernes romaines et s'en serviront comme premier réservoir d'eau de la ville.

précieux liquide ruisselle dans les fontaines publiques et chez les particuliers aisés.

Les travaux d'irrigation ne sont pas moins considérables. Partout où c'est possible, la campagne s'enrichit de barrages, de réservoirs, de canaux. Cette irrigation autorise les cultures vivrières – pois chiche, fève, ail, jujube, cumin – et une arboriculture variée. Parallèlement, pour éviter les ruissellements torrentiels, des terrasses en paliers sont soigneusement aménagées dans les zones montagneuses.

Mais les trois grandes richesses agricoles de l'Algérie romaine sont le blé, l'olivier et à un degré moindre la vigne. Les hautes plaines de Cirta, de Sétif, se révèlent d'excellentes terre à blé et à orge. Pline l'Ancien signale des rendements de 100 à 150 pour un.

Là où la pluviométrie n'excède pas 250 mm, domine l'olivier. L'Algérie, à cet égard, fait partie des principaux fournisseurs de Rome, grande consommatrice. Son huile regardée de seconde qualité est abondamment utilisée pour l'éclairage et les soins corporels. Des contrées entières aujourd'hui désolées étaient d'immenses oliveraies. Dans la région de Tebessa, les ruines d'huileries, certaines de caractère industriel, abondent. Toujours vers Tebessa, un djebel désormais recouvert d'épineux et de quelques arbustes porte le nom de « Zitouna [1] » : le djebel des Oliviers. Tebessa n'a pas le monopole. La vallée de la Soummam [2], le Tlemcenois, le nord de Sidi Bel Abbès sont grands producteurs d'olives.

Quant à la vigne, elle apparaît mais elle est très concurrencée. Les vins d'Italie, d'Espagne, de la Narbonnaise gauloise sont jugés supérieurs.

Peut-on parler d'une industrie ? Difficilement. Les mines sont exploitées mais à petite échelle. L'activité ni agricole ni mercantile est artisanale, centrée sur les textiles, les cuirs, les poteries. Les amphores en « emballage perdu » constituent le conditionnement de l'huile expédiée vers le Latium. Il en faut des quantités innombrables. Rusicade est le grand point de départ de ce commerce maritime qui inclut aussi du marbre blanc tiré du Filfila proche. Les autres ports sont plus modestes. Caesarea dispose d'un bassin militaire pour la flottille destinée à la surveillance côtière. Cette activité intense peut-elle conduire à supposer que le sort habituel de la population est idyllique ? Ce serait s'aventurer. Le fléau de l'esclavage persiste. Suivant des estimations difficiles à contrôler, 8 à 15 % de la population seraient des esclaves. Au sommet de la société, un noyau de très riches propriétaires romanisés vit luxueusement. Entre ces deux extrémités,

1. *Zitoune* signifie olive en arabe.
2. Saldae, à son débouché, en est le grand port d'évacuation.

les citadins, commerçants, artisans ne sont pas foncièrement démunis. Il n'en est pas de même des travailleurs attachés à la vie agricole dans les grandes propriétés. Les petits paysans sédentaires végètent vaille que vaille. Restent les autres dans les massifs retirés. Un gourbi en terre ou en pierre, une tente sont leur demeure. Ceux-là ne goûtent guère au progrès de la romanisation.

*

Progressivement, le latin est devenu la langue officielle aussi bien écrite que parlée. Le libyque, le punique ne restent d'usage que dans la vie courante, en famille ou chez le petit peuple [1].

S'exprimer dans la langue du colonisateur n'est nullement regardé comme un objet d'opprobre. Il est marque de culture et de rang social. Les classes moyennes et aisées ont à cœur de l'employer. C'est du reste de leurs rangs que sortent les grands noms de l'Algérie romaine : Fronton, Apulée, saint Augustin. Tout donne à penser, sans en avoir de preuves absolues, qu'ils sont tous de sang berbère. Eu égard à la modicité de l'apport italien, le métissage ne touche qu'un faible pourcentage de la population.

Fronton (100-175) est natif de Cirta. Ce rhéteur de grande notoriété fut le précepteur en éloquence latine du futur empereur Marc Aurèle. Apulée (125-v. 180), est né à Madaure [2], à l'extrémité orientale des hauts plateaux. Bon connaisseur des mœurs romaines, il les décrit avec esprit et malice dans son immortel *Ane d'or* [3]. Il en est d'autres bien oubliés, mais qui eurent leur renommée : Maximus, lui aussi de Madaure, grammairien ; Servilius Silanus d'Hippone, traducteur du punique en latin du traité agronomique de Magon, qui faisait autorité ; Optat, évêque de Milève (Mila) [4].

Mais le plus illustre de tous est l'enfant de Thagaste, l'actuel Souk Ahras, nichée dans son ensellement entre plaine bônoise et vallée de la Medjerda, saint Augustin (354-430). L'auteur des *Confessions*, de *La Cité de Dieu*, évêque d'Hippone durant trente-cinq ans, Père de l'Eglise, maître à penser de l'Occident chrétien, a marqué le christianisme d'une empreinte indélébile.

Comment ne pas relever que cet homme de Dieu, à la romanité

1. Le grec continue d'être employé par les lettrés.
2. A 80 km au sud de Souk Ahras, près du village de colonisation de Montesquieu.
3. Connu aussi sous le nom de *Métamorphoses* (en deux livres).
4. Saint Optat (315 ?-370 ?), historien du schisme des donatistes.

affirmée, sait rappeler au passage qu'il est africain. Il n'hésite pas à tancer un ami qui paraît méconnaître ses racines :

> « Comment peux-tu être aussi oublieux de toi-même, toi un homme d'Afrique, écrivant à des Africains, alors que nous sommes tous deux établis en Afrique, pour que tu te croies permis de vilipender des noms puniques ? »

Cet attachement aux racines, cette spécificité africaine n'aideraient-ils pas à mieux comprendre le détachement futur vis-à-vis de la métropole romaine ?

*

Saint Augustin, le Berbère, en fait foi et en est le magistral témoin : la religion chrétienne s'est imposée en Afrique romaine.

La parole du Christ arrive au IIe siècle, portée par de petites communautés juives exilées. Elle trouve face à elle les vieux dieux puniques romanisés : Baal devenu Saturne, Tanity, sa compagne, Céleste, Eshum Esculape. Dans cet univers polythéiste et brutal, l'Evangile de justice et d'amour [1] fait rapidement des adeptes, précipitant par contrecoup des persécutions. Se rallier à Jésus-Christ, c'est refuser de reconnaître la divinité impériale donc attenter à la toute-puissance de l'Etat.

Pour ce motif, l'année 180 voit à Madaure les premiers martyrs de Numidie. L'histoire a retenu leurs noms : Miggin, Sanaë, Lucitas, Namphano. Ce sont manifestement des noms d'« indigènes ».

Ces persécutions qui sévissent par intermittence n'entravent rien. La foi chrétienne se propage, éliminant les vieilles divinités. Entre 218 et 222, un premier concile africain se tient à Carthage. Il regroupe soixante-dix évêques d'Africa et Numidie. Sur ces soixante-dix une bonne dizaine au moins sont de souche numide. Au milieu du IIIe siècle, vingt-cinq évêques proviennent avec certitude de Numidie. Autant que l'on puisse l'affirmer, Cirta, Hippone, Rusicade, Cuicul, Lambaesis, Mascula, Thamugadi, Tobna, Milève, Gemellae, sont siège d'un évêché. De même Sitifis, Auzia, Caesarea et sans doute Tipasa. Le latin est la langue habituelle de cette Eglise en plein essor.

*

1. On admet cependant que le christianisme a pu trouver un certain terrain favorable au monothéisme. Dans l'aristocratie par la philosophie, dans les couches populaires par l'hénothéisme punique.

Mais la puissance de Rome, maîtresse du bassin méditerranéen, commence à décliner. A compter de 284 commence ce que les historiens dénomment le Bas-Empire, synonyme de désintégration et repli. Le christianisme, de son côté, contribue à saper une société murée dans son matérialisme, ses inégalités et son paganisme.

Ce déclin se répercute en Afrique. Des camps avancés comme Castellum Dimidi, des territoires mal couverts sont abandonnés. Les provinces éclatent pour être mieux contrôlées. On a vu les principaux découpages introduits par Dioclétien [1]. Le repli est particulièrement sensible à l'ouest. Maurétanies césarienne et tingitane ne sont plus accolées [2]. La frontière remonte vers le nord, à hauteur du Chélif.

La romanisation a séduit les villes et imprégné le plat pays. Mais elle mord peu ou pas du tout sur les reliefs : Aurès, Kabylie, Bibans, Dahra, Ouarsenis. Là où la pensée berbère s'est maintenue, le refus d'allégeance à l'étranger est bien ancré. Il déborde chez les mal lotis que sont souvent les nomades et les semi-nomades. Il s'y mêle la soif de s'approprier les biens des riches et des sédentaires.

Deux siècles après la grande révolte de Tacfarinas, l'insurrection éclate en 253 dans la partie orientale de la Maurétanie césarienne. L'incendie s'étale sur les hauts plateaux et en Grande Kabylie. De 253 à 262, on se bat dans la région d'Aumale, près de Mila et même vers Lamoricière en Oranie. Puis le calme se rétablit pour un peu plus de vingt ans.

Tout reprend en 289, en Kabylie et dans le Hodna. L'agitation persistera quelques années. En 297, l'empereur Maximien doit venir en personne rétablir l'ordre.

Outre les soulèvements berbères, le pays n'est pas épargné par les affrontements sanglants entre les divers prétendants à la direction de l'empire. La rivalité entre Maxence et Constantin (306-312) se prolonge sur le sol africain. Dans la fureur des combats, Cirta est ravagée par la soldatesque de Maxence. Constantin, vainqueur, lui redonne son éclat. La ville reconnaissante le remercie en 311 en prenant son nom. Un nom qu'elle conservera sous les futurs conquérants.

Si au début du IVe siècle l'ordre romain paraît à peu près rétabli, une certaine insécurité persiste. L'armée, placée désormais sous les ordres d'un comte d'Afrique (*comes Africae*) résidant à Carthage, a perdu sa solidité. Les engagements se raréfient. La IIIe Augusta tombe

1. Voir p. 37.
2. La Maurétanie tingitane se rétrécit autour de Tanger et est rattachée à l'Espagne (première origine des convoitises historiques espagnoles sur le nord du Maroc).

à un millier d'hommes. Les auxiliaires sont peu sûrs. Les villes, les bourgades, les fermes doivent se fortifier.

*

LA CRISE DU DONATISME

En dépit de ses cruautés, Constantin (274-337) mérite de la part des siens le titre de Grand qui lui a survécu. Avec lui, la puissance romaine se raffermit pour quelques années, mais Rome perd sa prééminence. En 330 Constantinople, la future Byzance, devient capitale d'un empire condamné à éclater.

Au milieu du tumulte guerrier du règne de Constantin émerge en 313 l'édit de Milan, acte de paix et de tolérance. La liberté religieuse est proclamée. La voie s'ouvre à la reconnaissance du christianisme comme religion d'Etat[1].

En Afrique comme ailleurs, cette situation nouvelle se répercute. Les chrétiens recouvrent leurs biens. L'Eglise peut ouvertement évangéliser et drainer les conversions. Partout s'édifient des lieux de culte, des baptistères. En quelques endroits, des basiliques païennes sont transformées, comme à Madaure ou Tipasa. Le plus souvent, il s'agit de constructions neuves. La plus remarquable est la basilique de Theveste, église à trois nefs de quatre-vingts mètres de long. Des vestiges identiques se retrouvent à Bône, Timgad, Djemila, Tigzirt, Orléansville. Comme toujours, la frange orientale est la plus riche.

Cette Eglise romaine a ses limites. Liée à l'univers romain, elle ne peut s'exporter au-delà du *limes* ou dans les zones insoumises. Elle n'échappe également ni aux crises ni aux schismes. Le manichéisme trouve des adeptes. Des flamines chrétiens reproduisent des pratiques païennes. Le pélagianisme verra saint Augustin se dresser contre lui. Ces vagues n'ont cependant aucune correspondance avec la tempête du donatisme, véritable lame de fond qui ébranle la chrétienté africaine et, curieusement, elle seule.

Ce donatisme tire sa première origine de la persécution de l'empereur Dioclétien de 303 à 306. A l'épreuve des tourments, les forts n'ont pas abdiqué. Les faibles – les *lapsi* – se sont pliés. Certains – les *traditores* – ont remis des textes sacrés aux magistrats qui les recherchaient pour les détruire. Le calme revenu, *lapsi* et *traditores* se trouvent en butte aux critiques et accusations du noyau dur qui n'a pas failli. Le laxisme de nombreux clercs est dénoncé.

1. Pratiquement réalisée avec le concile de Nicée en 327.

Le primat de Carthage est personnellement mis en cause par les évêques de Numidie. En 312, soixante-dix d'entre eux se réunissent à Carthage, le déposent et finissent par élire à sa place Donat, évêque de Casae Nigrae en Numidie, personnalité accusée et de convictions.

Pendant quarante ans, Donat, appelé Donat le Grand, anime un mouvement qui prend son nom. Avec lui, les positions sont bien tranchées. D'un côté, ceux qui sont censés ne pas avoir cédé à l'heure de vérité. De l'autre, ceux qui se seraient compromis. Initialement, le conflit se présente comme une querelle de personnes et un vaste règlement de comptes. Il prend vite un aspect doctrinal, lui conférant un authentique caractère de schisme. Pour les donatistes, dans la logique de leur intransigeance, la valeur d'un sacrement est strictement fonction de celui qui le donne[1]. Ils ne sauraient donc reconnaître ceux conférés par les *lapsi* et leurs amis.

Inéluctablement s'élabore un véritable intégrisme, opposant « l'Eglise des saints » à « l'Eglise des pécheurs » et constituant une contre-Eglise africaine. Le donatisme est assez puissant pour réunir en 336 270 évêques à Carthage et tenir l'équivalent d'un concile. La scission se manifeste au grand jour. Deux communautés chrétiennes cohabitent et s'affrontent. Catholiques et donatistes s'affirment chacun seuls capables d'interpréter correctement l'Evangile.

*

Qu'y a-t-il exactement à la base de ce donatisme qui se prolongera durant un siècle, englobera toute l'Afrique romaine et touchera plus particulièrement la Numidie ? Au départ, on l'a vu, des rivalités de personnes suivies d'une intransigeance. Est-ce suffisant pour alimenter le brasier ?

Pendant plusieurs années, l'empereur Constantin prend parti pour l'Eglise officielle. Il la conduit ainsi à une collusion formelle avec l'Etat. Avant qu'un édit de tolérance ne soit prononcé en 321 une répression sévère génère des martyrs. Outre le plan religieux, le donatisme peut, chez ses partisans, se présenter en instrument d'opposition à la tutelle romaine.

Plus sûrement, il se teinte de réaction contre un catholicisme soutenu par les riches et les citadins aisés. Il touche un milieu rural de modeste condition et s'identifie à une révolte sociale contre les nantis.

1. Doctrine qui sera fondamentalement récusée par saint Augustin et par la suite par l'Eglise catholique. Mais elle a un prolongement : en récusant les mauvais, elle dénonce les exploiteurs, les grands propriétaires, les usuriers. Elle aide au regroupement de tous les humbles.

Cette contestation, où se mêlent des facteurs religieux, sociaux et politiques, est à son tour débordée. A partir de 340, un prolétariat misérable dans ce pays de grande propriété, population à peine au-dessus de celle des esclaves, profite de l'agitation ambiante. On les appelle circoncellions – littéralement, *circum cellas*, ceux qui errent autour des granges –, ces pauvres hères qui se précipitent sur les possédants. Cette fois, il s'agit sans ambiguïté d'une lutte de classes, d'une levée d'exploités contre la richesse, le pouvoir et par corollaire contre la latinité.

Ces circoncellions pillent et ravagent tant et si bien que catholiques et donatistes se retrouvent unis pour réclamer une intervention militaire. Aux pillages succèdent les massacres.

L'arrivée au pouvoir de l'empereur Julien [1] met un terme provisoire à la répression. Après lui, les troubles reprennent. Cette fois donatistes et circoncellions s'unissent pour lutter contre le régime établi. Mais celui-ci n'est plus ce qu'il était. L'organisation romaine, jadis si solide, se délabre. La corruption, le favoritisme règnent partout. L'autorité affaiblie maîtrise mal les courants qui secouent une Afrique qui aspire à se retrouver elle-même.

Nouveau Tacfarinas, Firmus, jeune prince kabyle [2], indigné par un jugement en sa défaveur, se rebelle ouvertement. Donatistes et circoncellions se regroupent derrière lui. Cette fois, la révolte s'appuie sur un fondement spécifiquement national. La lutte est menée contre les Romains. Firmus remporte des succès, enlève Caesarea, Icosium puis échoue devant Tipasa. Finalement il est tué en 371, victime de la désunion dans ses rangs, le général romain Théodose, son adversaire, ayant acheté des chef de tribus.

La fin du IVe siècle est aussi tragique que confuse. Gildon, un frère de Firmus, a fait cause commune avec les Romains. En récompense de ses services, il est promu comte d'Afrique. L'éclatement de l'empire en 395 le conduit à se ranger derrière l'empereur d'Orient. Pour Rome, il est maintenant un rebelle. Curieux destin : il est battu par un autre de ses frères, Mascezel, allié à son tour des Romains. Les Berbères se révoltent mais se divisent. L'histoire se reproduit une fois de plus, ce qui n'a pas fini de se renouveler.

Pillages et destructions d'un côté, répression de l'autre. Par intérêt, l'aristocratie foncière s'est rangée derrière l'Eglise catholique et le pouvoir. Le donatisme a presque toujours fait figure de rebelle et a été

1. Connu sous le nom de Julien l'Apostat (331-363).
2. D'une famille noble et aisée originaire de la région de Ménerville, à la corne occidentale de la Grande Kabylie.

traité comme tel. Sans pour autant diminuer son audience. A tort ou à raison, il se présente pour la masse en tenant de la justice sociale et du refus de l'omnipotence de Rome. Au début du Ve siècle, il paraît susceptible de dominer l'Algérie romaine. Pourtant il n'y parviendra pas, en grande partie à cause d'un homme, saint Augustin.

Contre ce schisme qui divise ses frères, l'évêque d'Hippone n'emploie pas la coercition. Il se bat avec son intelligence et une énergie farouche. Il se montre tour à tour philosophe, théologien, écrivain [1], orateur, chansonnier même. Peu à peu, son talent et sa dialectique ébranlent la citadelle donatiste.

De leur côté, l'empereur, le pape veulent en finir avec ce schisme qui les affaiblit. En 411, Innocent Ier [2] convoque un concile à Carthage afin de reformer l'unité.

Le terrain a été bien préparé lorsque 562 évêques, 286 catholiques et 276 donatistes se réunissent dans l'ancienne capitale punique. Forte de sa majorité, l'assemblée se mue en tribunal et impose le regroupement. Les schismatiques reçoivent ordre de réintégrer la communauté catholique sous peine de confiscation de leurs biens, de châtiments corporels et de déportation. L'autorité impériale et l'autorité pontificale feront plier les récalcitrants. La remise au pas donnera l'impression d'être effective. Mais elle dissimulera mal ses rancœurs et ses haines contre ses instigateurs : l'Etat, l'Eglise, l'aristocratie. Les temps qui arrivent ne tarderont pas à le montrer.

1. Saint Augustin a beaucoup écrit contre le donatisme : le *De Baptismo*, le *Contre la lettre de Parménien*, le *Contre Cresconius*, etc. Sans cesse, il en dénonce la doctrine et précise celle du catholicisme romain. A une pensée qu'il regarde comme sectaire, anarchisante et séparatiste, il oppose l'image d'une Eglise miséricordieuse, sainte et universelle.

2. Saint Innocent Ier, pape de 402 à 417.

Chapitre IV

ALGERIE VANDALE

31 décembre 406 : l'histoire a retenu cette date avec une précision qui peut paraître suspecte.

Les Barbares, ces étrangers qui ne sont ni grecs ni romains, pressés par les Huns, franchissent le Rhin gelé à hauteur de Mayence. Naturellement, ils marchent vers l'ouest. Où pourraient-ils se diriger, si ce n'est vers cet eldorado que représentent les pays romanisés ? Le *limes* craque sous cette pression aussi puissante que brutale. L'empire vermoulu, « ce monde aux cheveux blancs », n'a pas de quoi s'opposer à cette nouvelle irruption. Déjà, au siècle précédent, une vague avait rompu la digue.

Dans ce flot qui se déverse sur l'Europe occidentale avec femmes et enfants, se comptent des Burgondes, des Suèves et des Vandales. Ces derniers viennent des rives de la Baltique, entre Elbe et Oder[1]. Trois ans plus tard, après une lente migration dévastatrice à travers la Gaule, ils sont en Espagne, scindés en deux groupes : Asdinges en Galice, Silinges en Andalousie.

Ils doivent bientôt disputer le pays à d'autres arrivants, bénéficiant,

1. Après un temps d'arrêt dans l'actuelle Hongrie.

eux, de l'appui romain. Ces Visigoths ont pourtant à leur passif le sac de Rome en 410, mais l'empereur a eu l'habileté de les éloigner. Les regardant comme « fédérés », c'est-à-dire comme des alliés, il les a orientés vers l'Aquitaine [1] et la péninsule Ibérique.

Plus de dix années de guerre pour acquérir la suprématie sur le sol espagnol tournent au désavantage des Vandales. Les Silinges sont pratiquement exterminés. Les rescapés n'ont bientôt plus d'autre recours que d'envisager de s'installer sur une autre terre moins inhospitalière. L'opportunité se présente en 429.

Dans ce qui est devenu l'empire romain d'Occident, la situation est de plus en plus embrouillée. Le pouvoir, réfugié à Ravenne, est mal reconnu et obéi [2]. A Carthage, Boniface, comte d'Afrique, vient de se rebeller contre l'impératrice Placidie qui gère l'empire au nom de son jeune fils Valentinien III. Il est en lutte contre Sigisvult promu en Afrique à sa place. Est-ce lui qui, en vue de se procurer des renforts, sollicite l'aide des Vandales ? La tradition l'affirme. Mais rien n'est formel et le mobile importe peu : qu'ils aient été appelés à la rescousse par Boniface où qu'ils y aient été contraints l'épée dans les reins par leurs adversaires visigoths, les Vandales franchissent la Méditerranée.

Ils sont annoncés partant de Tarifa, à la pointe de l'Espagne, en mai 429. Débarquent-ils aux abords de Ceuta et Tanger, ou plus à l'est, du côté d'Ad Fratres (Nemours) ? Là encore, l'incertitude demeure. Comme elle l'est sur leurs effectifs exacts. Sont-ils 80 000 guerriers, ou 80 000 avec les familles ? Devant les problèmes posés par une traversée maritime, il paraît raisonnable de se limiter à un total de 80 000, soit environ 15 000 combattants [3].

Les Vandales ont mauvaise presse. Les commentaires sur leurs crimes et forfaits ont fait de leur patronyme un vocable de sinistre réputation. Très certainement, il n'y a pas de fumée sans feu. A ce naturel délictueux qui fut très certainement le leur, ils joignent sur le sol africain où ils mettent pied un déferlement de passion religieuse. Au cours de leur périple à travers l'Europe occidentale, ils se sont convertis à l'arianisme. Ariens, ils se sont transformés en ennemis irréductibles des chrétiens. Selon Arius, initiateur de cette hérésie,

1. Où un royaume visigoth subsistera durant soixante-dix ans.

2. On sait qu'après la mort de Théodose le Grand, en 395, l'empire romain éclate entre ses deux fils : Empire d'Occident avec Honorius et Empire d'Orient avec Arcadius.

3. Les habitants de Cadix, gens de la mer, ont dû assurer cette traversée, comme ce sera le cas deux siècles plus tard avec les Berbères de Tarik, se portant cette fois en sens contraire.

Jésus-Christ n'appartient pas à la divinité. Le fils de Joseph et de Marie n'est qu'une simple créature. Une telle doctrine remet en question le fondement du christianisme et le sape à la base. Son rejet par le catholicisme romain est obligatoirement total et sans complaisance.

Voici donc ces Vandales ariens débarqués dans l'ex-Maurétanie tingitane. Lentement, ils progressent vers l'est, là où est massé l'essentiel des richesses romaines. Dans leur sillage, incendies, pillages, tueries, tortures, viols. Possidius, évêque de Guelma, dans sa *Vie de saint Augustin*, a décrit les atrocités jalonnant cette marche à travers le nord de l'Afrique. Pauvre Afrique, brutalement livrée à ces Barbares et aux déchirements internes ! Boniface et Sigisvult se livrent une guerre fratricide. Dans l'anarchie qui se généralise faute de véritable autorité, des tribus berbères se soulèvent, des donatistes essaient de relever la tête. Des jacqueries ruinent les campagnes, s'en prenant avec rage aux grands propriétaires.

Rome, ou plus exactement Ravenne, n'a pas de grandes forces à opposer à l'avance dévastatrice des Vandales. Sans grandes difficultés, Genséric, leur roi, atteint la Numidie après avoir enlevé Cherchell et Alger.

Devant le péril, sur l'intervention de saint Augustin, l'union se resoude pour quelque temps. Boniface, rentré en grâce, en prenant le commandement de l'armée s'efforce de contrer Genséric et les siens. Vaincu en rase campagne, il s'enferme dans Hippone où saint Augustin vit ses derniers jours [1].

Les hordes vandales n'ont ni la science militaire ni les moyens appropriés pour enlever une ville bien défendue. Après quatorze mois de siège, Genséric renonce. De même il ne se hasarde pas contre Cirta, bien protégée sur son promontoire, et Carthage, trop éloignée. Il se contente de continuer à ravager l'arrière-pays numide.

Boniface meurt peu après, n'ayant que retardé les échéances. Faute de mieux, Aetius [2], bras droit de l'impératrice trop occupé en Gaule pour se soucier de l'Afrique, se résigne à traiter. Il accorde aux Vandales un statut sensiblement identique à celui des Visigoths.

Par la convention d'Hippone du 11 février 435, ils entrent avec rang de fédérés au service de l'empire, simplement assujettis à un léger tribut. En contrepartie, ils se voient octroyer la libre occupation des trois Maurétanies, tingitane, césarienne et sitifienne, et d'une grande partie de la Numidie avec Guelma. Pratiquement l'Algérie septentrionale passe sous leur coupe, le reste du pays étant largement incontrôlé.

1. Il meurt le 28 août 430.
2. Ce même Aetius vaincra Attila aux Champs catalauniques en 451.

Par cet accord, Genséric a obtenu plus qu'il n'avait besoin pour installer ses guerriers et leurs gens. Mais le chef vandale est insatiable. Il en veut plus. Brusquement, il jette le masque de l'alliance avec les Romains de Ravenne et finit de s'approprier ce qui lui manquait. Il s'empare de Cirta, mal gardé en dépit de ses défenses naturelles. Le 19 octobre 439, il entre dans Carthage presque sans coup férir.

Une nouvelle fois, Ravenne négocie et de surcroît en position de faiblesse face à un Genséric qui, sur sa lancée, s'est emparé de la Sicile. En 442, le Vandale obtient la partie orientale de l'Afrique du Nord, de loin la plus riche. En compensation, il rétrocède les Maurétanies et la portion de Numidie qu'il occupait.

Mais il est impossible de traiter avec ces Vandales. Leur mauvaise foi éclate à tout moment. En 445, depuis la Sicile, Genséric lance un raid sur Rome. La ville aux sept collines est affreusement pillée, brisant net tous liens entre l'Empire et les Vandales. L'accord de 442 est rompu. Des garnisons barbares s'installent dans les villes de Numidie et des Maurétanies sitifienne et césarienne.

L'Algérie dès lors n'est plus romaine. Elle est passée sous la coupe vandale, sous réserve importante des larges zones incontrôlées et redevenues berbères.

Les nouveaux maîtres s'empressent de conduire à outrance une double politique : faire du pays un royaume vandale, lutter contre le catholicisme. Impitoyable, Genséric entend déraciner la romanité et dominer cette Afrique du Nord dont il a pris possession. Il fait raser les fortifications des villes afin de leur interdire de se transformer en éventuels centres de résistance. Il impose aux chefs des tribus berbères de faire acte de soumission. Mais il ne saurait sur ce plan les assujettir tous. L'ensemble est trop vaste pour ses troupes, même si elles se sont renforcées entre-temps de quelques autres contingents barbares [1].

Par-dessus tout, Genséric s'approprie les biens et les terres qui passent aux mains de familles vandales. Les anciens possédants, suivant leur plus ou moins mauvaise fortune, y demeurent en simple qualité de serfs ou de colons. Des intendants gèrent les anciens domaines impériaux.

Quant à la masse, romanisée ou non, elle continue de mener sensiblement la même existence. Peut-être même celle-ci est-elle plus libérale, moins astreignante. L'administration romaine avait eu le temps

1. On estime à 200 000 au maximum les Vandales ou autres Barbares (des Alains également chassés d'Espagne) arrivés en Afrique, ce qui donne des effectifs modestes pour l'Algérie occupée.

de s'immiscer partout. Ce n'est plus le cas avec les nouveaux arrivants, trop disséminés pour tout régenter en profondeur[1].

Plus encore que par son occupation des terres, c'est au plan religieux que Genséric manifeste son intransigeance. Arien, il se dresse en adversaire farouche du catholicisme.

Les lieux de culte sont saccagés ou détruits. Les objets et linges liturgiques saisis. Le clergé, les fidèles sont persécutés. Certains sont contraints à l'exil, d'autres déportés.

Beaucoup se retrouvent esclaves des Maures, dans le massif du Hodna. Supplices, rapts de jeunes filles, viols se succèdent. A une délégation d'évêques qui intercèdent pour un peu de compassion, l'intraitable Genséric réplique : « Je suis décidé à n'épargner personne de votre peuple et de votre secte... Et même vous poussez l'audace jusqu'à émettre une telle prétention ! »

Manifestement Genséric, le nain boiteux, poursuit une politique très précise : faire de son peuple une caste à part dominant et exploitant l'Afrique. Pour éviter toutes compromissions, il interdit même sous peine de mort les mariages mixtes. Pour le reste, jusqu'à sa mort le 24 janvier 477, il règne par la terreur et la persécution.

Ses successeurs n'ont pas sa carrure[2], même s'ils partagent sa cruauté. Et ils ne se rendent pas compte que ce pays opprimé se refuse et les corrompt.

De fait, les Vandales se sont surtout installés en Zengitane, l'ex-Africa, région la plus exploitée et la plus proche de leurs autres possessions méditerranéennes, Sicile, Sardaigne... En Numidie, dans les Maurétanies, leur influence s'atténue et disparaît, favorisant la résistance des évêques et des Berbères. Les premiers, malgré les persé-

---

1. Les tablettes dites d'Albertini apportent un éclairage caractéristique sur ce « vide » administratif vandale et la persistance du droit et des us romains.

Ces 56 tablettes de bois, petites planches de faible épaisseur, sont découvertes en 1928 à une centaine de kilomètres au sud de Tebessa. Recouvertes de textes rédigés en latin, elles correspondent à des transactions foncières réalisées sous le règne de Gunthamund (roi de 484 à 496). Les formules utilisées sont typiques du langage juridique romain avec des annotations en langue usuelle.

Au-delà des transactions qui intéressent environ 150 agriculteurs se découvrent des précisions sur les cultures pratiquées. L'olivier vient au premier rang, suivi du figuier. On apprend également l'existence de puits et de réseaux d'irrigation.

A l'époque, donc, cette région était habitée et vivait. Aujourd'hui, elle n'est plus qu'une steppe désertée et desséchée sur fond de djebel couleur de brique. Elle a été perdue pour l'agriculture. Les hommes en sont les grands responsables car il est douteux que le climat ait fondamentalement varié depuis.

2. Non content d'être maître de l'Afrique du Nord, Genséric s'est aussi imposé dans la partie occidentale du bassin méditerranéen, en Corse, en Sardaigne, en Sicile, aux Baléares, se manifestant encore en Italie.

cutions et les apostasies nombreuses dans les rangs de leurs fidèles, n'ont pas renoncé à leur foi. Ils continuent de la propager. Les seconds, en maints endroits, parviennent à s'émanciper presque complètement.

La Numidie, avec son solide bastion aurésien prolongé à l'est par les tourmentées Némentchas, est la première à se rebeller. Descendus de leurs djebels, les montagnards enlèvent Tebessa, Timgad, Lambèse. Dans le désordre ambiant, il semblerait ensuite que plusieurs entités indépendantes aient émergé, là où un homme fort émerge et s'impose. C'est le cas de Masuna en Oranie, de Masties dans l'Aurès, d'Antalas en Numidie. Peut-on parler de petits fiefs berbères ? A certains égards, oui. Masuna apparaît sur une inscription datée de 508 avec le titre de « Roi des peuples maures et des Romains ». Ce qui laisserait supposer qu'il a regroupé sous son autorité tous les éléments non vandales : Berbères, romanisés ou non, et Romains. Masties s'est proclamé *imperator* vers 476-477. Il aurait conservé ce titre pendant quarante ans.

Pour l'Etat vandale, le vrai danger n'est pas dans ses structures mal affermies et souvent bafouées. Il provient de lui-même. La vie émolliente de l'Afrique agit sur les rudes guerriers habitués à une autre existence. Ils se laissent gagner par la douceur de vivre, par le luxe qu'ils ont découvert dans les cités romaines. Procope écrit à leur sujet :

> « Depuis qu'ils ont occupé l'Afrique, ils prennent des bains tous les jours, et garnissent leurs tables de ce que la terre et la mer produisent de plus délicat et de plus recherché ; l'or brille sur leurs habits en tissu de soie et qu'on nomme sériques, ils passent leur temps aux théâtres, aux cirques, à d'autres divertissements et surtout à la chasse ; on trouve aussi chez eux force danseurs, force mimes et tout ce qu'il peut y avoir chez les hommes de flatteur pour les oreilles et les yeux ; la plupart d'entre eux demeurent dans des jardins bien arrosés et bien plantés (...), ils ont des intrigues d'amour, voilà leur grande affaire. »

Procope ne le dit pas mais sa conclusion est sous-entendue : faute de vertus militaires, un peuple ne saurait survivre. Les Vandales n'échapperont pas à cette terrible loi de l'humanité.

*

A Genséric avait succédé Hunéric (477-484), tyran féroce et arien fanatique. Lui font suite ses deux neveux : Gunthamund (484-496) et surtout Thrasamund, prince cultivé, lui aussi fidèle arien. Sous ces deux rois, la condition des catholiques se révèle moins difficile mais la décadence s'accentue. Elle s'aggrave sous Hildéric, vieillard efféminé, déposé en 530 par Gélimer, arrière-petit-fils de Genséric.

Gélimer n'imagine pas qu'il vient ce faisant de donner prétexte à intervention dans son domaine qui, envers et contre tout, s'étend du cap Bon à Tanger.

*

Les Vandales sont arrivés en Afrique depuis un siècle. En ce laps de temps, très court au regard de l'histoire, l'Algérie s'est profondément modifiée.

Malgré les dissensions de toutes natures, elle offrait le visage d'un Etat prospère. La vie urbaine, l'activité agricole étaient intenses. Les dévastations, l'absence presque générale d'autorité ont tout remis en question.

Les villes saccagées se sont vidées. Les citadins effrayés par l'irruption des Barbares ou des Berbères révoltés ont déserté leurs demeures. Thamugadi, Cuicul et leurs homologues ont perdu leur animation. Forums, théâtres et marchés se sont transformés en espaces silencieux. Rares sont ceux qui hantent désormais ces lieux jadis si animés. Paradoxe, cette vie brutalement interrompue sauvera ces cités antiques d'une totale disparition. La civilisation, dans sa fièvre de renouvellement, aurait éliminé ces témoins du passé.

Sous les successeurs de Genséric, beaucoup de grandes propriétés ont été abandonnées. Le prolétariat agricole s'est efforcé de survivre et s'est reconverti. Il troque sa houe pour la houlette du pasteur. Peu à peu, le monde sédentaire développé par les Romains et leurs grands travaux d'hydraulique a fait place à un univers pastoral.

La disparition d'une administration rigoureuse a laissé le champ libre aux aspirations profondes du peuplement berbère. Ses tribus ont pu retrouver force et vitalité. On les a vues se manifester avec les royaumes de Masuna, Masties, ou Antalas. Sur le fond, les enfants de Tacfarinas, Firmus et bien d'autres se lèvent, semblables à leurs pères. Lorsque les temps sont favorables ils aspirent à affirmer leur spécificité et à recouvrer leur autonomie, mais sans pour autant s'unir pour constituer une large unité capable de durer.

Chapitre V

ALGERIE BYZANTINE

Rome n'est plus dans Rome. Elle est à Constantinople où Justinien [1], empereur très chrétien, s'efforce de redonner un nouveau lustre à l'empire et de restaurer la grandeur qui fut celle d'Auguste et de ses héritiers.

Parmi les ambitions impériales, fortement imprégnées d'esprit de croisade, se place la reconquête de l'Afrique du Nord, cette verrue arienne du bassin occidental de la Méditerranée. Le coup de force de Gélimer donne prétexte à l'intervention. Hildéric, roi détrôné et emprisonné, a vécu longtemps sur les bords du Bosphore. Il s'y est créé des amitiés et est regardé comme un allié loyal.

Par deux fois, les émissaires de Justinien intercèdent en sa faveur. Régulièrement, Gélimer répond par une fin de non-recevoir. Il finit même par faire exécuter le malheureux prisonnier. Cette mort brutale est un outrage manifeste au prestige impérial. Justinien tient son casus belli. Il confie à Bélisaire, regardé comme le meilleur de ses généraux, le soin de venger l'affront et de reprendre pied en Afrique.

1. Empereur de 527 à 565.

Le 22 juin 533, la flotte byzantine quitte Constantinople. 15 000 soldats, soit 10 000 fantassins et 5 000 cavaliers, sont à bord. Presque tous sont des fédérés, c'est-à-dire des mercenaires barbares. Bélisaire emmène avec lui Procope [1], son secrétaire et futur historiographe. C'est grâce à lui que les grandes lignes de l'expédition sont bien connues.

Celle-ci est considérée comme risquée. Ses experts l'ont déconseillée à Justinien. Les Vandales ont encore grande réputation militaire. Leur décadence a échappé aux observateurs. Ils passent également pour disposer d'une solide marine de guerre.

Justinien n'a pas fléchi dans sa résolution. En septembre, les Byzantins débarquent sans être inquiétés à une centaine de kilomètres au sud de Sousse et marchent sur Carthage. Partout, la population lasse des exactions vandales leur fait bon accueil.

Accouru pour leur barrer le passage, Gélimer est battu à deux reprises et se retrouve pratiquement seul. Ses guerriers ne sont plus ce qu'ils étaient. Ni les chrétiens, ni les partisans d'Hildéric, ni les Berbères ne sont enclins à le rejoindre. Ces derniers se sont même ostensiblement levés contre lui.

Finalement, pris entre Byzantins et Berbères, le roi est condamné à se rendre au printemps 534 [2]. La présence vandale s'effondre avec lui. Elle aura duré à peine un siècle. Les hommes sont envoyés en majorité à Constantinople pour être enrôlés comme mercenaires. Les autres deviennent esclaves ou journaliers. Les femmes, suivant les us du temps, sont destinées à servir de compagnes aux vainqueurs. Les Vandales disparaissent ainsi à jamais de l'histoire sans laisser de traces positives de leur existence. Derrière eux, des ruines et une réputation à priori non usurpée.

La place appartient aux Byzantins qui, nouveaux conquérants, s'installent. A l'instar des Carthaginois et des premiers Romains, ils occupent essentiellement la partie orientale de l'Afrique du Nord et les cités côtières. Sur le rivage algérien, Djidjelli, Bougie, Cherchell sont leurs points d'ancrage. Les anciennes divisions romaines réapparaissent, à quelques détails près. Avec le temps, la Maurétanie sitifienne s'appellera la Maurétanie première et la Maurétanie césarienne Maurétanie seconde.

Dans la logique de l'éviction totale des Vandales, les propriétés sont restituées aux ayants droits ou aux domaines impériaux. Au terme « d'une captivité de cent années », l'Eglise catholique rentre en pos-

1. Mort en 562, donc contemporain des faits qu'il rapporte.
2. Justinien sera magnanime. Il lui fera octroyer des terres pour une fin de vie paisible en Anatolie.

session des édifices appréhendés. Elle le paie d'une certaine perte d'indépendance, tombant sous la férule étroite de l'empereur.

Ces restitutions, cette reconnaissance officielle du catholicisme s'accompagnent de mesures sévères contre les ariens, les donatistes, les païens. Les Juifs ne sont pas épargnés. Certains partent, espérant peut-être trouver refuge dans les bastions berbères. Ces exilés pourraient être aux origines de certaines communautés juives d'Algérie du Moyen Age. La célèbre Kahena, l'héroïne juive de l'Aurès [1], en descend peut-être.

Les nouveaux maîtres des lieux ont apporté avec eux leur administration, lourde, tatillonne. Elle pèse au plan fiscal, conduisant plus d'un à regretter le temps des Vandales. Mais tout est relatif. Bien présente en Africa, l'administration byzantine se révèle ténue sur le sol algérien. Elle n'en contrôle qu'un faible pourcentage. Les Byzantins sont trop peu nombreux pour s'aventurer profondément dans l'arrière-pays. Il y a loin de l'occupation byzantine à l'occupation romaine. Les Berbères tiennent les hauts plateaux, les massifs montagneux. Ils ne cessent de montrer par les armes qu'ils entendent être libres chez eux. Leurs révoltes se succèdent.

En 537, un certain Stotzas, transfuge de l'armée byzantine, trouve dans sa sédition le concours des montagnards de l'Aurès. Il sera finalement défait par Germanus, un neveu de l'empereur.

Deux ans plus tard, Solomon, successeur de Bélisaire, bute contre les places fortes habituelles : Aurès, Hodna. En 544, il est battu et trouve la mort dans la région de Tebessa.

En 563, nouveau soulèvement en Numidie méridionale. Poursuivre l'énumération des actions menées par les Berbères deviendrait fastidieux. La localisation des combats est toutefois significative. Les Byzantins livrent bataille dans l'actuel Constantinois. Pratiquement jamais plus à l'ouest, où ils ne se hasardent pas.

Parallèlement, tout au long de ces affrontements, revient une constante du comportement berbère : certains se battent contre les Byzantins, d'autres font alliance avec eux. Ils réagissent en fonction de leurs intérêts tribaux sans parvenir à la cohésion générale.

Ces révoltes endémiques de l'ère byzantine s'appuient sur des sentiments nouveaux. Durant la période vandale, on a vu la mutation des sédentaires en pasteurs suite à l'incurie du système hydraulique. Les Byzantins ont tendance à renouer avec les grandes propriétés, et par contrecoup, à refouler transhumants et nomades. La culture des terres

1. Voir plus bas.

s'accommode mal de la civilisation pastorale. En outre, avec la disparition du *limes* surgissent du sud de nouveaux venus, les nomades chameliers. Le chameau est apparu au Maghreb à la fin du IIe siècle. Par sa rusticité, il s'est très vite imposé devant une cavalerie exigeante en eau. Avec le chameau, les nomades du sud peuvent se manifester puis disparaître dans les horizons sahariens sans crainte d'être poursuivis par les cavaliers.

Dans ce climat général d'insécurité, les Byzantins optent pour la défensive à partir de 570. En Numidie, ils se regroupent et se retranchent dans les villes. Tebessa, Timgad, Mila, Madaure, Guelma, Sétif..., autant de cités fortifiées dont Tebessa fournit un exemple particulièrement frappant [1]. Les trois arcs de triomphe qui à l'époque romaine ornaient l'intérieur de la cité sont utilisés comme portes d'accès.

*

Justinien disparaît en 565. Faisant le bilan de ce long règne qui a réintroduit l'autorité impériale et la prééminence du catholicisme en Afrique du Nord, Procope écrit :

> « Justinien, après la défaite des Vandales, ne s'inquiéta point d'assurer la solide possession du pays ; il ne comprit pas que la meilleure garantie de l'autorité réside dans la bonne volonté des sujets ; administrant l'Afrique à distance, il l'épuisa, la pilla à plaisir. Il envoya des agents pour estimer les terres, il établit des impôts très lourds qui n'existaient point auparavant, il s'adjugea la meilleure partie du sol, il interdit aux ariens la célébration de leurs mystères, il différa les envois de renforts en toute circonstance et se montra dur au soldat. De là naquirent les troubles qui aboutirent à des grands désastres. »

Ce tableau lucide explique largement l'avenir.

Sous les successeurs de Justinien, Justin II et Tibère II, l'insécurité se poursuit, car rien n'est vraiment tenté pour en atténuer le cours.

Avec l'empereur Maurice, prince énergique et intelligent (582-602), un certain calme s'établit. La situation générale implique cependant que le pouvoir militaire l'emporte sur le civil. Un exarque ou patrice est nommé à cet effet à Carthage, pour diriger les possessions africaines.

---

1. Tebessa se rétrécit et s'enferme dans une enceinte de 320 m sur 280, haute de 9 à 10 mètres, flanquée de tours carrées.

La première moitié du VIIe siècle s'écoule en relative concorde. Un modus vivendi s'est instauré entre Byzantins et Berbères. Une dynastie berbère et chrétienne, dite des Djedar, règne sur l'Oranie. Elle pourrait même s'être étendue de la Moulouya à l'Aurès. De sa capitale Tiaret, en limite du Tell et des hauts plateaux, elle entretient de bons rapports avec les Byzantins. Ces derniers, profitant du calme ambiant, ont accentué leurs implantations en Numidie et sur la côte. Ils ont sensiblement recouvré en Algérie l'espace romain du Ier siècle.

Les villes, dans la mesure où elles n'ont pas été trop ravagées, ont repris une activité proche de celle d'avant l'invasion vandale. Quelques-unes ont été restaurées et agrandies. Blé et huile partent non plus vers Rome mais vers Constantinople. Dans les campagnes, les rapports possédants-prolétariat agricole connaissent une amélioration. Les travaux hydrauliques repris ont relancé l'irrigation et les cultures. Quant aux tribus berbères, profitant de la dislocation vandale et de la faible présence byzantine, elles ont retrouvé leur essor. Le royaume des Djedar en est une illustration.

L'Eglise est la grande bénéficiaire de l'accalmie. Son influence s'étend. Le christianisme se répand largement, même en milieu berbère. Il est possible d'affirmer qu'au cours du VIIe siècle, l'Afrique du Nord centrale et orientale est en majorité chrétienne. Les vestiges retrouvés en Algérie même et datant de l'époque l'attestent. Le dernier concile réuni à Carthage en 646 rassemble 220 évêques.

Est-ce à dire devant ce climat amélioré que l'avenir est assuré ? Certes non. L'empire a trop à faire du côté de Constantinople. Il néglige l'Afrique. La province elle-même reste tiraillée. Le statu quo Berbères-Byzantins est fragile. Au plan religieux, le donatisme n'est pas mort et tend à se réveiller. Les hérésies – nestorianisme, monophysisme, monothélisme [1] – agitent par saccades l'Eglise catholique. Cette dernière n'est pas irréprochable. Même si elle constitue une force structurée, elle étale corruption, simonie, dissensions entre les fidèles. En fond de tableau, les excès d'imposition du régime byzantin entretiennent un climat de mécontentement bien proche de la révolte.

Bref, l'édifice est plus brillant que solide. La cavalcade qui monte d'Orient ne tardera pas à en faire éclater la faiblesse intrinsèque.

1. Le monothélisme, appuyé par l'empereur Héraclius, conduit le clergé africain, fidèle à l'orthodoxie romaine, à s'éloigner de Constantinople et à regarder du côté de la Papauté, nouvelle puissance de l'Europe occidentale.

Chapitre VI

ALGERIE ARABE

Le Moyen-Orient, si riche de spiritualité, a déjà vu naître le judaïsme et le christianisme. Soudain, au début du VIIe siècle, il lui est à nouveau imparti de donner le jour à une autre grande religion monothéiste.

Abraham était enfant d'Ur en Chaldée, Jésus de Bethléem en Judée. Mahomet[1] est fils de la péninsule arabique, « contrée de nomades, accidentée et montagneuse avec une alternance de steppes stériles, excepté après la saison des pluies hivernales[2] ». Il est né vers 570 à La Mecque, l'une des rares cités de ce pays de pasteurs. Malgré l'influence des pensées juive et chrétienne, sa terre natale est encore le monde polythéiste, aux nombreuses divinités. Chaque tribu a tendance à vénérer ses propres esprits, les Djinns. La Mecque pour sa part est un lieu de pèlerinage auprès de la Pierre Noire qu'abrite la célèbre Kaaba[3].

1. Faut-il écrire Mahomet – le loué, le glorieux –, Mohammed, ou Muhammad ? Les arabisants préfèrent Muhammad. L'usage occidental prévaut pour Mahomet.
2. Daniel-Rops, *L'Eglise des temps barbares*, p. 387.
3. On sait qu'elle est devenue le premier point de pèlerinage de l'islam. Suivant la tradition musulmane, les fondements de la Kaaba ont été posés par Abraham et son fils Ismaël, à qui l'archange Gabriel avait apporté la Pierre Noire.

Vers l'âge de quarante ans, Mahomet, qui a épousé quelques années plus tôt une riche veuve, Khadidja, commence sa prédication, fort de ses certitudes. L'archange Gabriel l'a visité et lui a ordonné de proclamer la vérité.

> « Crie, au nom d'Allah !
> Au nom d'Allah, qui a créé l'Homme !
> Oh, lève-toi et prêche,
> Et Magnifie Allah ! »

Allah seul est grand [1]. Ce Dieu unique et transcendant auquel se réfère Mahomet emprunte bien des traits au Jahvé d'Israël. Comme lui, il est créateur de toutes choses et omnipotent. Mais il s'éloigne vite du Père éternel de l'Ancien et du Nouveau Testament. Il écarte les écueils de la Rédemption, d'une divinité unique tout en étant trinitaire, d'un débat sur la grâce permettant le salut. Il exige seulement d'être reconnu et obéi. A ce titre, il sera miséricordieux.

Tout découle de là. Pour le musulman – celui qui se soumet à Allah [2] –, la reconnaissance de la toute-puissance de l'Eternel est la pierre de base. « Il n'y a de Dieu qu'Allah et Mahomet est son Prophète », prescrit la chahada, la profession de foi. Ce précepte d'une extrême simplicité s'accompagne d'exigences aussi simples, même si elles sont à l'occasion rigoureuses. Le croyant doit réciter les prières journalières, faire les aumônes, observer le jeûne rituel du Ramadan, se rendre au moins une fois en sa vie en pèlerinage à La Mecque [3]. Au terme du chemin, il débouchera sur un paradis aux félicités bien terrestres [4].

Cette vision de l'éternité et du salut est bien de nature à enflammer des esprits que le désert dans son immensité a ouverts sur l'absolu. Elle a encore de quoi séduire en faisant largement la part belle aux hommes (ce qui explique peut-être une partie de son succès). Elle autorise la polygamie [5], la répudiation de la femme [6] et fait de l'époux

1. Mahomet n'est pas à proprement parler le premier à parler d'Allah. Les tribus arabes évoquaient déjà une divinité qualifiée de « Plus Grand », Allah.

2. L'islam étant la soumission à Dieu.

3. A ces impératifs s'adjoint parfois le djihad, la guerre sainte contre l'infidèle. « Le Paradis est à l'ombre des épées », a proclamé Mahomet.

4. Les théologiens musulmans ne voient qu'allégories dans la description matérielle qui en est faite.

5. Quatre épouses sont autorisées. Les relations sexuelles avec les esclaves dont on est propriétaire le sont également. Le Prophète, à cet égard, après la mort de Khadidja en 611, n'aura pas une vie particulièrement édifiante. Il accumulera les épouses et les concubines.

6. Principes repris par le code algérien de la famille en 1984.

le chef incontesté du cercle familial[1]. Au fil des années de prédication, Mahomet s'entoure de fidèles qui le suivent aveuglément. Il se crée aussi des inimitiés, car il dérange. En 626, cette opposition le contraint à quitter La Mecque et à se fixer à Yathrib, à quelque 500 kilomètres au nord. Ce lieu d'accueil sera vite connu sous un autre nom : Al-Madina, Médine, la ville du Prophète. La date de cette fuite, l'Hyra, qui donnera l'Hégire, marque le début de l'ère musulmane[2].

Par réaction, le Prophète se fait chef de guerre. Ses dernières années – il meurt en 632 – seront des années d'endoctrinement et de luttes. En 629, il rentre en vainqueur dans sa ville natale. Avec le djihad, la guerre sainte sous le signe d'Allah, le mouvement religieux initial a évolué vers une organisation où le temporel se lie au spirituel. Une structure étatique et militaire est mise sur pied. Au nom de la foi islamique et d'un nationalisme arabe, le champ est ouvert à l'expansion territoriale. Les guerriers d'Allah, soulevés par le fanatisme religieux, l'ardeur belliqueuse et l'appât du pillage en seront le redoutable instrument.

*

Du vivant de Mahomet, ses fidèles ont précieusement relevé ses propos. Après sa disparition, tout ce qui avait été noté a été regroupé en un ensemble de 116 chapitres (ou sourates) subdivisés en versets. Ainsi est né le Coran, la Récitation, le Livre saint du peuple d'Allah.

*

Ils ne sont pas très nombreux, ces cavaliers qui après avoir dépassé le Delta du Nil galopent vers l'ouest. Quelques milliers, sans plus. Le chiffre de 20 000 a été avancé sans certitude. Les chroniqueurs arabes qui ont relaté leur épopée et celles de leurs successeurs ont écrit souvent avec bien du recul[3]. Ibn Khaldoun, le plus illustre d'entre eux, est du XIVe siècle[4]. Que l'histoire se mêle de traditions enjolivées est donc obligatoire. La réalité fut certainement différente de ce qui a été rapporté.

Les Byzantins de Carthage et des Maurétanies ont-ils eu conscience

1. Corollaire de la primauté de l'homme sur la femme, le mariage d'une musulmane avec un non-musulman est interdit. L'inverse est possible : le mari influencera son épouse et l'amènera à l'islam.
2. L'an 622 de l'ère chrétienne est donc l'année 0 de l'ère musulmane.
3. Les premiers datent de la fin du VIIIe siècle.
4. Né à Tunis en 1332, mort au Caire en 1406.

de ce qui se tramait à l'est ? Ont-ils eu écho de ce flot enfiévré qui submergeait l'Egypte ? A priori, rien ne le laisse supposer au vu de leurs querelles intestines et de leurs déchirements fratricides.

Grand vecteur de la présence byzantine, le christianisme africain traverse une nouvelle crise : il s'oppose au monothélisme [1], approuvé et soutenu par l'empereur Héraclius à Constantinople. Le prélat Maximum a pris la tête de la résistance, entraînant derrière lui l'épiscopat. Allant plus loin, il a incité le patrice Grégoire à se porter candidat, les armes à la main, au trône impérial. Résultat de ces divergences religieuses et politiques, l'Afrique du Nord byzantine se trouve en pleine sécession lorsque les guerriers d'Allah débouchent de Tripolitaine.

Faute de textes probants, l'histoire ici se teinte de merveilleux. Ses contours incertains n'enlèvent rien à l'importance de l'événement. Un conquérant arabe venu d'Orient déferle sur le Maghreb. Il apporte avec lui une foi, une langue, une civilisation appelées à s'enraciner. Le destin d'un pays présentement marqué par Rome et le christianisme bascule.

L'incursion d'Ibn Saad en 647 n'est sans doute qu'une large razzia. Dispose-t-il vraiment de 20 000 cavaliers ? Son succès peut le laisser augurer. Le patrice Grégoire qui s'est porté au-devant de lui est tué dans la bataille près de Sbeïtla. Les envahisseurs repartent en Egypte, leurs montures chargées de butin. Ils ont découvert la richesse du pays et la faiblesse intrinsèque de ses maîtres du moment.

Leurs rivalités pour la succession de Mahomet et d'Ali, son gendre, entraînent un temps mort avant qu'un second raid en 667 ne s'avère aussi probant. Le Maghreb offre beaucoup à accaparer.

Celui qui est connu sous le nom de Sidi Okba reste pour son histoire le grand défricheur. En 670, il surgit dans l'Africa. Dans une vaste plaine semi-désertique, au cœur du pays, il fonde une ville. Dans son esprit, elle servira de place d'armes (Qairawan) à l'islamisme. Cette cité est aujourd'hui Kairouan, quatrième ville sainte de l'islam.

Kairouan n'est pour Sidi Okba qu'une base de départ. Résolument, à partir de 681 il marche vers l'ouest, bousculant les Byzantins – les Roumis – et les Berbères unis pour lui barrer la route. A-t-il atteint les rivages de l'Atlantique ou seulement ceux de la Méditerranée quelque part en Oranie ? La légende veut que face à la mer – laquelle ? –, il ait pris Allah à témoin qu'il ne pouvait s'engager plus loin.

1. Hérésie ne voyant dans le Christ qu'une volonté.

Sidi Okba a certainement emprunté les hauts plateaux de l'intérieur pour éviter les places fortes byzantines du nord. Tout du long, il s'est heurté aux tribus berbères dressées contre ce nouvel envahisseur. Si l'on en croit Ibn Khaldoun, sur le chemin du retour il a dû faire face à un indomptable, Koceila. Koceila est-il le roi des Djedar précédemment évoqués ? Est-il simplement le chef des montagnards de l'Aurès ? Là encore n'apparaît qu'une certitude : près de Tobna[1], Sidi Okba trouve la mort dans une rencontre avec des contingents berbères et byzantins emmenés par Koceila. Ses restes reposent aujourd'hui dans une petite kouba devenue centre de pèlerinage, au milieu de l'oasis qui porte son nom[2].

La mort de Koceila, survenue peu après (686), ne saurait masquer un échec relatif. Si les Arabes dominent le cœur de l'Africa rebaptisée Ifriqiya, les Berbères plus ou moins épaulés par les Byzantins tiennent le Maghreb central.

Les héritiers de Mahomet, les Omeyyades maintenant installés à Damas – car tout a été très vite –, ne sauraient accepter de voir leurs ambitions contrariées. Ils exigent une nouvelle expédition. Carthage tombe en 693. Reprise quelques années par les Byzantins, la cité de Didon est définitivement occupée en 698. La ville est quasiment déserte. La majorité de ses habitants s'est enfuie. C'en est fini de la puissance byzantine.

Les temps musulmans commencent véritablement. Ils se prolongent encore à ce jour.

*

Rome a gravé dans la pierre l'empreinte profonde de son passage. Nul ne peut de bonne foi renier l'importance de sa présence passée que souligne la majesté des vestiges qu'elle a laissés derrière elle. Mais ces témoins ne sont que de pierre. Le latin, le christianisme, la civilisation que Rome avait colportés sont en Algérie appelés à disparaître. Cependant, à défaut d'un héritage intellectuel ou spirituel comme en Occident, des jalons ont été plantés. Ils seront les repères de la localisation de bien des cités futures. Rome ainsi est toujours vivante sur le sol algérien.

Vandales et Byzantins, eux, n'ont fait que passer. Rien de grand ne rappelle ou n'évoque leur séjour éphémère. Ils n'ont rien signé, hormis de-ci de-là, pour les Byzantins, quelques tours ou fortifications.

---

1. A 70 km au nord-ouest de Biskra, à l'extrémité orientale du Chott el-Hodna.
2. Sidi Okba, à 17 km au sud-est de Biskra.

Ce sont là de trop maigres vestiges pour préjuger d'une influence sur le devenir d'un peuple.

*

Les Byzantins écartés de fait avec la chute de Carthage [1], les Arabes se retrouvent pratiquement, sauf cas d'espèce, face aux seuls Berbères. Les historiens des premiers sont unanimes : cédant à leurs éternels démons, les Berbères se divisent. Les uns marchent avec l'envahisseur, les autres contre. Dans cette résistance, farouche lorsqu'elle existe, une femme se distingue. On la dit juive, cette Kahena, reine de l'Aurès et adversaire opiniâtre des conquérants. Pendant plusieurs années, elle s'efforce de rallier les énergies, pratiquant sans scrupule la politique de la terre brûlée pour décourager l'adversaire. Ces destructions massives lui aliènent-elles les sédentaires et les citadins ? Ce n'est pas impossible. Elle est finalement tuée au début de l'année 702. La résistance organisée disparaît avec elle.

Les Arabes sont maîtres des lieux. Encore doivent-ils comme leurs prédécesseurs romains, vandales ou byzantins, contrôler l'intégralité du pays et s'assurer de sa fidélité.

*

Ce sol berbère, encore christianisé et marqué par Rome, est-il très peuplé ? Des statistiques formelles sont exclues. Des traces de recensement romain analogue à celui qui amenait Joseph et Marie au pays du roi David font défaut.

Le monde ancien était relativement vide. Maladies, mortalité infantile, guerres, famines, épidémies décimaient les populations. La France de Charlemagne aurait compté moins de neuf millions d'habitants, celle de Charles VII, lors de la chute de Constantinople en 1453, à peine le double. Pays le plus peuplé d'Europe, elle n'arrive qu'à trente millions en 1800. Les estimations généralement admises situent la population algérienne, à l'arrivée des Français en 1830, aux alentours de trois millions. Les conditions de nourriture et d'hygiène étant sensiblement identiques de part et d'autre de la Méditerranée, on peut appliquer à l'Algérie le ratio de croissance démographique de la France. Il donne une population d'un peu moins d'un million d'individus à l'arrivée de Sidi Okba, et d'un million et demi à la fin de la guerre de Cent Ans en Europe, peu avant l'arrivée de Barberousse à Alger.

1. Ils auraient tenu certains points durant encore une dizaine d'années.

La population algérienne est donc très modeste. Cependant, au plan ethnique, les chiffres évoqués expliquent beaucoup. Les 80 000 Vandales, à la mort de saint Augustin, représentaient à peine un habitant sur dix. Les quelques milliers de compagnons de Sidi Okba n'influent pas. Il n'en sera pas de même trois siècles plus tard avec l'apport des Beni Hilal et des Beni Solaïn. Certains avancent 200 000 arrivants au minimum. L'arabisation future et progressive du Tell et des hauts plateaux se comprend, même si ces nouveaux venus, à la longue, finissent par s'éparpiller dans tout le Maghreb. Se comprend mieux également le maintien des noyaux berbères.

*

Les conquérants arabes répandent leur foi avec une pression inégale. Parfois, ils ne laissent qu'un choix : être un musulman vivant ou un chrétien mort. Le plus souvent, ils optent pour la modération. Leurs califes, à Damas, ont besoin d'argent afin de poursuivre la gigantesque entreprise d'expansion menée aux quatre points cardinaux. L'infidèle est plus imposé que le croyant. Il doit payer l'impôt foncier et la capitation. Ces impositions assurent de bonnes rentrées et incitent aux conversions pour réduire la charge fiscale. Conversions de circonstance en bien des cas. « Depuis Tripoli jusqu'à Tanger les Berbères apostasièrent douze fois », s'indignera Ibn Khaldoun qui ajoutera : « Ce n'est que plus tard qu'ils sont restés fidèles à l'islam et ont perdu l'habitude d'apostasier. »

A côté des Berbères cohabitaient de longue date des Latins voire, plus récemment, des Grecs arrivés avec Bélisaire. Tout incite à penser que nombreux émigrent et reviennent en Europe occidentale. La fracture qui n'est pas encore une barrière absolue entre mondes chrétien et musulman pousse à de telles décisions. Quant au clergé catholique, devant le vide qui se creuse autour de lui par conversion ou par exode, il est peu à peu laminé.

*

Les nouveaux venus sont donc peu nombreux et leur fanatisme ne peut tout pallier. Par nécessité militaire, ils recrutent. Il ne déplaît pas à un peuplement d'humeur volontiers guerrière de s'enrôler dans l'espoir de butin. Qu'importe s'il est impératif de se convertir au préalable !...

Ces Berbères islamisés, commandés par l'un d'eux, Tarik, constitueront le gros, peut-être même la quasi-totalité des envahisseurs

« arabes » franchissant le détroit de Gibraltar en 711. Ils n'auraient été alors que 27 000 à prendre pied dans la péninsule Ibérique. Combien pouvait-il en rester 1 500 kilomètres plus au nord, après les affrontements avec les autochtones et les Visigoths bien décidés à ne pas céder la place ? L'arrêt à Poitiers en 732 de ce qui n'était plus qu'un gros rezzou berbéro-musulman s'est malgré tout inscrit en bonne position dans le registre mythique des grandes victoires françaises.

Après Poitiers, voici les « Arabes » refoulés au-delà des Pyrénées. Ils s'y maintiendront sept siècles. Mais pour le Maghreb, l'avenir immédiat dépend largement de ce qui se déroule à Damas.

Mahomet n'avait pas de descendant mâle. Sa mort a ouvert le conflit fratricide des prétendants au poste de calife, c'est-à-dire de « successeur » du Prophète. Ali, son neveu et époux de sa fille Fatima, est élu en 656, mais il est assassiné en 661. Sa disparition conduit à l'accession de la dynastie dite des Omeyyades[1] et à une scission qui se poursuit aujourd'hui : les chiites[2] s'affirment partisans de la seule lignée d'Ali, les sunnites, de loin les plus nombreux, acceptent la filiation des Omeyyades. Par la suite, ils se rangeront derrière les autres dynasties. Ce déchirement religieux à incidence politique s'accompagnera bientôt d'un autre.

Par sa modération et ses conciliations[3], Ali avait déplu à certains de ses partisans qui avaient déserté les rangs du chiisme. Ils seront pour cela dénommés Kharidjites, littéralement les sortants. Alliant un puritanisme moral très strict à une conception démocratique du califat, ils ont été rejetés d'Orient et sont partis chercher un refuge au Maghreb. C'est là que, dans leur hostilité au pouvoir central, ils vont trouver le concours des Berbères toujours hostiles à toute autorité extérieure. Le kharidjisme sera le levain de la révolte.

La tyrannie d'un nouveau gouverneur à Kairouan, les exigences fiscales des lointains califes provoquent une irritation croissante de populations berbères mal contrôlées. En 739-740, l'insurrection entraînée par les Kharidjites enflamme le Maghreb occidental. Très rapidement, elle gagne vers l'est. En 742, les insurgés menacent Kairouan. Des renforts accourus d'Egypte les arrêtent de justesse.

1. Qui régnera à Damas de 661 à 750 et à Cordoue de 756 à 1031.
2. Les chiites, surtout présents en Iran, ne représentent qu'environ 10 % des musulmans.
3. Le véritable point de discorde provient de l'arbitrage d'Edhroh (Jordanie) de janvier 658. En conflit avec Moawiya, gouverneur de Syrie qu'il avait destitué, Ali, bien que calife, avait accepté de s'en remettre au jugement d'un tiers. Pour les plus intégristes de ses fidèles, il descendait ce faisant de son piédestal et renonçait à ses prérogatives de calife. (Après l'assassinat d'Ali, Moawiya sera le fondateur de la dynastie omeyyade.)

Un calme apparent s'instaure. Pas pour longtemps. Les événements qui surviennent en Orient ne sont pas sans incidences sur la vie du Maghreb. A partir de 744, Omeyyades et Abbassides se disputent le califat. Ces derniers sortent victorieux de plusieurs années de tueries. L'un des rares rescapés omeyyades se réfugie à Cordoue, dans cette Andalousie récemment conquise. L'unité originelle du monde musulman n'est plus. Il est un calife à Bagdad, nouvelle capitale des Abbassides, il en est un autre à Cordoue. Le Maghreb est au milieu. Dépendra-t-il de Bagdad ou de Cordoue ?

Ni de l'un ni de l'autre : un arrière-petit-fils de Sidi Okba a profité des rivalités intestines à Damas pour instaurer un Etat indépendant à Tunis, qui a supplanté Carthage et Kairouan. Il serait long de s'attarder sur les meurtres, massacres qui ensanglantent alors l'ex-Africa devenue Ifriqiya avant que les Abbassides ne reprennent le contrôle du pays. Leur retour provoque la fuite au Maghreb central d'un certain Ibn Rostem. Celui-ci, d'origine persane, avait été gouverneur de Kairouan. Il est surtout fervent kharidjite. Au nom du kharidjisme, il fonde en Oranie en 770 la ville de Tiaret, aujourd'hui Tagdempt, à dix kilomètres au sud-ouest de Tahert. Au bout de quelques années, ses fidèles l'élèvent à l'imamat. Ce qui n'était initialement qu'une modeste congrégation se transforme en une large confédération, englobant les nomades des hauts plateaux algériens.

Cette création n'est pas isolée. Presque simultanément, en cette fin du VIIIe siècle, du fait des Kharidjites et de la perte d'autorité des califes de Bagdad, trois entités apparaissent au Maghreb :

– Un royaume idrisside à partir de Tlemcen et surtout de Fès[1], recouvrant le Maroc et une partie de l'Oranie ;

– Un royaume aghlabide sur la Tunisie et le Constantinois (sans toutefois contrôler l'Aurès), qui reste dans la mouvance de Bagdad. Les Aghlabides se présentent en représentants (émirs) du calife ;

– Entre les deux, un royaume dit rostémide, correspondant au territoire sous férule d'Ibn Rostem.

Ces trois royaumes ne sauraient en aucun cas s'assimiler aux actuels Maroc, Algérie, Tunisie. Ils n'en épousent que de très loin les frontières. Cependant, ils correspondent à deux réalités bien marquées :

– Une volonté berbère d'indépendance. A Fès, Tahert et même Kairouan, où se sont installés les Aghlabides, est rejetée toute notion de sujétion vis-à-vis de l'ancienne puissance conquérante ;

1. Fès est fondé en 789 par Idriss Ier, descendant d'Ali et Fatima. Mais c'est Idriss II, fils d'Idriss Ier, qui est regardé comme le vrai promoteur de la ville en 809.

– Les Arabes ne sont plus les maîtres du Maghreb et en particulier du Maghreb central. Leur présence en tant que conquérants et occupants n'a duré qu'un siècle. Mais ce siècle est capital, à l'encontre du siècle vandale ou byzantin. Il a introduit une langue, une religion et orienté vers une autre civilisation. Treize siècles après, la constatation est formelle. La semence jetée a pleinement levé.

Chapitre VII

ALGERIE ROSTEMIDE

Parler de l'Algérie vandale ou de l'Algérie byzantine est un double contresens historique. L'Algérie en tant que telle n'existait pas. Vandales et Byzantins étaient loin de dominer le pays qu'elle représente actuellement. Evoquer une Algérie rostémide est retomber dans les mêmes errements de dénomination et de territorialité. Pourtant le vocable existe. Il désigne un bon siècle de l'histoire d'un fort noyau du Maghreb central.

Ibn Rostem, contemporain de Charlemagne [1], possède certainement une personnalité exceptionnelle. Proscrit, il arrive accompagné seulement de quelques compagnons d'infortune. Bien qu'étranger, les Berbères nomades l'acceptent et le reconnaissent comme chef. Il devient l'imam, responsable aussi bien politique que religieux. Et cet homme du commun bâtit en s'appuyant sur le kharidjisme.

En 770 il a commencé, on l'a vu, par édifier une ville, Tahert. Le site est bien choisi : au centre d'une large combe, à près de 1 000 mètres d'altitude, il est couvert sur toutes ses faces par les collines voisines. Ses accès immédiats, par des cluses bien marquées, sont aisément

1. Charlemagne (742-814).

défendables. Son approvisionnement en eau est assuré par des sources et les oueds Mina et Tiaret, tout proches.

Plus encore, l'emplacement retenu se situe à un carrefour [1], lieu de passage fréquenté de longue date. Au sud, s'étalent les hauts plateaux qui mènent à l'Aurès et au-delà débouchent sur la Tripolitaine. Au nord, la vallée de la Mina conduit aux plaines oranaises et au littoral méditerranéen. Tahert s'affirme le point de rencontre de deux types de vie : nomades et transhumants d'un côté, sédentaires de l'autre. La cité est ainsi vouée à se transformer en point d'échanges de tous ordres et de négoce. Cette vocation mercantile s'explique d'autant mieux que le royaume rostémide est essentiellement celui des nomades, gens du voyage. Affronter de longues étapes sur la selle d'un coursier ne les effraie pas.

Des circonstances fortuites contribuent parallèlement au développement de la capitale d'Ibn Rostem. L'or du Soudan empruntait traditionnellement une voie orientale pour gagner l'Egypte et le Moyen-Orient [2]. Des attaques de pillards, de violentes tempêtes de sable interdisent soudain l'utilisation de ce vieil itinéraire. Les caravanes remontent maintenant du Ghana par l'Afrique occidentale. Elles empruntent la fameuse « route des quatre-vingt-dix jours », durée du voyage pour traverser le Sahara. Sijilmassa, dans la palmeraie du Tafilalet [3], est la première grande étape à la sortie du désert. Elle aussi a été fondée par des Kharidjites et ses liens aussi bien religieux que commerciaux avec Tahert sont étroits [4]. Passée Sijilmassa, les caravaniers gagnent Tlemcen et Tahert par des steppes bien dégagées. De là, toujours par les hauts plateaux, ils rejoindront l'Ifriqiya afin d'atteindre l'Egypte par la route du littoral.

Commerce de proximité entre sédentaires et nomades, commerce quasiment international de l'or, des esclaves et du sel, Tahert draine une grande affluence. Elle y gagne en opulence et en richesse.

Tout autant que son activité commerciale, elle connaît un remarquable renom religieux. Elle le doit à Ibn Rostem qui par son prestige en fait la capitale du kharidjisme. L'imam appartient au courant

1. Abd el-Kader ne s'y trompera pas. Il en fera durant plusieurs années, de 1835 à 1841, le cadre de son propre campement (ce qui ne facilitera pas par la suite les fouilles archéologiques).

2. Selon certains auteurs, une pulsation climatique du VIe au VIIIe siècle aggravant la désertification du Sahara oriental aurait pu également influer sur le changement d'itinéraire.

3. Les palmeraies du sud maghrébin sont de création récente. Elles apparaissent avec le chameau, peu avant l'invasion arabe. Les Kharidjites sont regardés comme les grands colons de ces oasis de Gabès à Sijilmassa, par Ouargla et Figuig.

4. La fille d'Ibn Rostem épousera le fils du fondateur de Sijilmassa.

ibadite[1] modéré, qui privilégie la morale. Il donne personnellement l'exemple par sa rigueur et son détachement des biens matériels. Il tient à voir régner la vertu. Les sanctions contre les fautifs sont terribles. « Si quelqu'un pèche par concupiscence, il est lapidé, s'il vole, on lui coupe la main. » Cette discipline s'étend au champ de bataille. Le pillage et le meurtre inutile sont sévèrement interdits.

Le lustre d'Ibn Rostem, son ouverture d'esprit, sa tolérance quelle que soit sa quête impitoyable du bien rejaillissent sur sa ville. Lettrés, savants, religieux y accourent. Des juifs, des musulmans orthodoxes, des Berbères chrétiens y cohabitent en bonne intelligence.

Cet Etat rostémide édifié autour de Tahert vit un IXe siècle remarquablement paisible. Après les sanglantes insurrections de la fin du siècle précédent, le désir de quiétude domine. Les successeurs d'Ibn Rostem sont gens de concorde. Aux frontières, Idrissides et Aghlabides, souverains de sédentaires et de citadins, se désintéressent de ces nomades qui se montrent peu belliqueux. Ce calme général favorise un négoce bénéfique à plus d'un.

Il facilite également les transitions. Six membres de la famille d'Ibn Rostem se succèdent sans heurts en tant qu'imams. Cet Etat théocratique prend ainsi un véritable aspect monarchique.

*

Cette « Algérie rostémide » soulève des interrogations et apporte des enseignements.

Elle ne correspond qu'aux hauts plateaux du Sersou au Hodna, fief par excellence des nomades. Elle pousse uniquement des antennes sur Oran, Ténès, Mostaganem[2]. Que se passe-t-il ailleurs ? Les Aghlabides de Kairouan mordent fortement sur le Constantinois et les Idrissides de Fès sur le Tlemcenois et le bas Chélif. Les tribus de la frange septentrionale vivent en marge, en relative autarcie. Ni les Aghlabides, ni les Idrissides et encore moins les Rostémides n'ont le temps et l'humeur d'aller leur chercher querelle dans leurs forteresses naturelles des Kabylies, de l'Atlas blidéen, des Bibans, du Hodna ou de l'Aurès. Ce royaume rostémide ne couvre même pas la moitié de la présente Algérie.

Pourtant il est une indication que la création d'une entité berbère indépendante est possible. Dépassant le stade tribal, si courant au

---

1. D'Ibn Ibad, docteur mésopotamien du VIIe siècle.
2. Très vraisemblablement, le royaume rostémide étend son influence vers l'est jusqu'au djebel Nefousa (au sud de Tripoli) et à l'île de Djerba.

Maghreb central, il s'est dégagé de l'obédience étrangère. Le fait, même s'il ne se produit pas pour la première fois, mérite d'être relevé. L'Algérie n'a pas toujours été occupée, comme le veut la rumeur.

Ce royaume révèle aussi bien des faiblesses qui expliquent sa chute. Il s'est forgé derrière un étranger et ne répond pas à un sentiment national. Le prestige de son fondateur, le lien religieux sont ses deux principaux ciments. A bien des égards, il ne constitue pas un véritable Etat. Il n'en possède pas les structures, à commencer par une armée régulière. Cette carence lui sera fatale. Existent surtout trop de contradictions. Religieux et commerçants ne sauraient parler le même langage. En réalité, sous couvert du kharidjisme, ce royaume rostémide s'inscrit dans l'opposition habituelle des Berbères à tout ce qui est étranger.

Cette fragilité aux sources nombreuses se retrouve dans le destin final de Tahert. Edifiées sensiblement à la même époque, Fès et Kairouan résisteront aux aléas de l'histoire. Elles serviront même de pôle aux futures identités marocaine et tunisienne. La cité d'Ibn Rostem s'effacera à jamais après 911. Pourtant les vestiges découverts laissent supposer qu'elle n'était pas sans attraits. D'où cette disparition aussi rapide que définitive, entraînant avec elle la fin conjointe de l'Algérie rostémide. L'ensemble manquait-il par trop de bases solides ? Déjà s'amorce la question qui reviendra : pourquoi ne se produit-il pas au Maghreb central ce qui se déroulera à l'est comme à l'ouest, en dépit des avatars de fortune ?

Chapitre VIII

ALGERIE FATIMIDE

Au début du Xe siècle, Tahert continue de couler des jours paisibles sous la férule des Rostémides. Paradoxalement, la vie courante y est devenue assez dissolue. L'austérité kharidjite ne bride pas les turpitudes de la nature humaine. Toute à ses plaisirs et à ses profits commerciaux, la cité néglige aussi de se couvrir. Elle s'abstient toujours de posséder une armée. Une faute qui pardonne rarement.

A près de 500 kilomètres de là, à l'est de la vallée de la Soummam et des massifs calcaires du Babor et du Ta Babor, en front de mer jusqu'à la plaine bônoise, la Petite Kabylie constitue un massif très typé. Les crêtes dépassent rarement plus de 1 500 mètres, mais les fonds de vallée se creusent, accentuant les dénivelés. Les précipitations abondantes d'automne et d'hiver favorisent une végétation méditerranéenne puissante. Chênes-lièges, lentisques, bruyères noient le paysage sous une chape de verdure, étouffent les fonds, dissimulent les lignes faîtières. Dans un tel décor, les vues se limitent, les repères se prennent mal. Les communications accusent les obstacles du relief et du tapis végétal. Les pistes peu nombreuses ne sauraient couper au plus court. Minces tracés séculaires, modelés par le cheminement des hommes et des bêtes, elles serpentent pour éviter les à-coups des descentes et des remontées. Interminables, elles cheminent en encorbellement pour passer d'un flanc de vallon à un autre, ou s'élèvent par paliers pour gagner un col. Bref, configuration du terrain, fouillis de la broussaille ou de la forêt se conjuguent pour faire de cette Petite Kabylie une zone de pénétration difficile bien propre à servir de terre de refuge.

Dans ce cadre verdoyant, qui contraste avec l'aridité qui ne tardera pas à éclater à quelques dizaines de kilomètres au sud du littoral, vit une population de petits agriculteurs sédentaires, les Kotama. Dans les clairières et espaces dégagés, ils sont cultivateurs et éleveurs, exploitant aussi de leur mieux les ressources forestières. Un potager, un petit troupeau, des figuiers, des oliviers leur procurent leurs moyens d'existence.

En deux siècles, ils ont été progressivement gagnés à l'islam. En 893 quelques-uns d'entre eux, en bons musulmans, effectuent leur pèlerinage à La Mecque. Ils y font la connaissance d'Abou Abd Allah, individu de souche assez obscure. Est-il persan lui aussi, comme Ibn Rostem, ou plus probablement yéménite ? Quelles que soient ses origines, il jouit d'une grande renommée. Il ne cache pas ses convictions chiites, comportement qui lui a valu de sérieux déboires avec les califes sunnites de Bagdad.

Les pèlerins Kotama, subjugués par la personnalité de leur nouvelle connaissance, rentrent en Kabylie, ayant convaincu Abou Abd Allah de les suivre. Leur terre natale lui sera un havre sûr. Le chiite entreprend aussitôt, sur ce sol hospitalier qui s'offre à lui, de propager sa propre foi. Par prudence, il s'installe à Ikjan [1] à une vingtaine de kilomètres au nord-ouest de Djemila. De ce promontoire à 1 500 mètres d'altitude, en limite du terrain dégagé, il a des vues lointaines sur la vallée de l'oued Kebir à ses pieds et les collines du Sétifois dans les lointains. A courte distance, les crêtes du Tamesguida, avec leurs couverts, lui offrent une retraite si besoin.

Les Kotama supportent mal la présence proche des Aghlabides dans les villes de la périphérie de leur fief : Sétif, Mila, Constantine. Leur vieux réflexe berbère anti-étranger joue, comme toujours. Par hostilité à l'Aghlabide, ils prêtent une oreille attentive à Abdou Abd Allah et basculent dans le schisme. Comme hier, après le donatisme et le kharidjisme, le facteur religieux servira de liant à un mouvement insurrectionnel.

En quelques années, sa prédication a donné à Abou Abd Allah des milliers de partisans avec lesquels il a organisé une armée solide et

1. Non loin du petit village de colonisation de Chevreul.

disciplinée. Résolument, il se lance à l'attaque du pouvoir aghlabide, représentant d'une religion et d'une autorité refusées. Sortant de leur réduit kabyle, les Kotama enlèvent Mila en 902, Sétif en 904. L'année suivante, ils n'hésitent pas à s'en prendre à Tobna qui tombe à son tour entre leurs mains. De ces places fortes de l'ancienne Numidie, ils fondent sur l'Ifriqiya. En 909, il n'est plus de régime aghlabide. Lui aussi n'a duré qu'un siècle. Un siècle : il semblerait que ce soit là sensiblement le laps de temps que l'Algérie accorde à bien des occupants : Vandales, Byzantins, Arabes, Aghlabides, par la suite Almoravides, Almohades, Français enfin.

Plus encore que la chute des Aghlabides, cette année 909 marque surtout la disparition définitive du pouvoir, même indirect, des Arabes sur le Maghreb. Une administration qui disparaît ne signifie pas toutefois la fin d'une influence. Outre sa langue et sa religion, le monde arabe continuera d'imprégner la vie du Maghreb. L'Orient y est devenu la référence.

*

Maître du Maghreb oriental, Abou Abd Allah reporte l'ardeur de ses guerriers vers Tahert qui tombe également en 909. Il s'empare même de la lointaine Sijilmassa. Au tour du royaume rostémide d'être complètement balayé. Les Kharidjites s'enfuient vers le sud. Ils trouveront refuge dans les oasis sahariennes. Ils sont encore présents au Mzab, à Ghardaïa, et dans l'île de Djerba [1].

*

En moins de dix ans, ces Kotama chiites ont conquis sous l'impulsion d'Abou Abd Allah les deux tiers du Maghreb, soit la Tunisie et l'Algérie. Formidable épopée que cette aventure guerrière ! Quelques milliers de Berbères sortant de leurs djebels kabyles ont été capables de renverser deux royaumes paraissant bien établis. L'histoire les appellera Fatimides, eu égard à leur fidélité envers Fatima, la fille du Prophète [2]. Elle donnera le même nom à l'Algérie sous leur tutelle durant environ un siècle.

Mais tout est extraordinaire dans la destinée de ces Kotama fatimides. La suite comme le point de départ.

---

1. Les petits commerçants mozabites, descendants de ces Berbères ibadites, feront partie de l'univers marchand de la présence française (boucherie, épicerie, habillement, bazar, etc.).
2. Et épouse d'Ali, on le sait.

Cette révélation inattendue de l'énergie d'un peuplement hier inconnu est le fait d'un homme. Abou Abd Allah a conçu et conduit toutes les opérations. Il est le chef reconnu et incontesté. Dans sa lutte contre les Aghlabides, il n'a cessé de faire référence à un Mahdi arabe [1], seul imam légitime à ses yeux car descendant d'Ali. Ce Mahdi mystérieux, Obaïd Allah, s'est réfugié à Sijilmassa. Sa victoire obtenue, Abou Abd Allah, en disciple loyal, tire Obaïd Allah de sa retraite et lui transmet le pouvoir qu'il vient de conquérir.

Ce geste est noble mais ne sera pas payé de retour. Abou Abd Allah, devenu un gêneur, sera rapidement exécuté (juillet 911).

Fort de son ascendance, Obaïd Allah s'intronise calife. L'empire arabe est désormais scindé en trois califats : celui des Abbassides à Bagdad, celui des Omeyyades en Espagne, tous les deux sunnites. Celui des Fatimides chiites au Maghreb.

Obaïd Allah gouverne d'une main ferme et même tyrannique. Conscient des oppositions qui se créent autour de lui, il fonde en 921 sur la côte tunisienne, un peu au sud de Sousse, une ville doublée d'un port qui sera pour lui une capitale forteresse. Il l'appelle Madhiya, la cité du Mahdi, un nom qui se maintiendra.

Ses arrières assurés, il s'oriente vers le Maghreb occidental. Les régions de Fès et Sijilmassa tombent sous sa coupe. Ce succès lui permet de disposer de la route de l'or, atout capital. Durant le Moyen Age, s'imposent au Maghreb ceux qui tiennent le trafic caravanier émanant du Soudan.

Dans cette conquête, la dynastie idrisside disparaît. Désormais Obaïd Allah n'a plus à l'ouest qu'un adversaire de taille : les Omeyyades de Cordoue, qui tiennent à posséder un droit de regard sur le nord du Maroc. Par tribus berbères interposées, ils suscitent des difficultés au calife de Madhiya. Celui-ci n'en est pas moins devenu pratiquement le maître du Maghreb. Sans qu'il soit pour cela accepté, comme les événements se chargent de le montrer.

Abou Abd Allah était populaire. Il avait toujours conduit les siens avec bonheur et régi les populations avec équité. Sa disparition, mal ressentie, déclenche les premières révoltes, maîtrisées avec violence.

Les exigences du pouvoir fatimide provoquent un autre soulèvement peu après la mort du Mahdi en 934. Un de plus contre ceux qui font figure d'occupants étrangers ! Etrangers, ils le sont effectivement. Ni le calife à Madhiya, ni son entourage immédiat ne sont des Berbères de souche. Progressivement, du reste, le régime fatimide

---

1. Il existe une certaine analogie entre ce Mahdi, attendu par les chiites, et le Messie annoncé par la Bible.

perd sa touche originelle. Au plan militaire, il ne s'appuie plus uniquement sur les Kotama kabyles. Il repose aussi sur des mercenaires slaves et l'aide occasionnelle de sédentaires berbères, les Sanhadja.

Cette révolte de 934, après la disparition du Mahdi, est menée par un personnage au tempérament d'agitateur moderne. Sa monture le fera baptiser « l'homme à l'âne ». Au nom de la justice et d'une foi qui retrouve les accents du kharidjisme, il prêche au Maghreb central l'insoumission au calife chiite. Comme toujours, les farouches montagnards aurésiens sont les premiers à répondre présent lorsqu'il s'agit de renverser le pouvoir en place. Ayant tout emporté sur leur passage, les partisans d'Abou Yazid, devenus une foule enfiévrée, déboulent en Ifriqiya et mettent le siège devant Madhiya. Les murs de la capitale forteresse sont solides mais il s'en faut de peu que la dynastie fatimide ne soit balayée par ce flot vengeur. Elle est sauvée au dernier moment par l'intervention d'une tribu berbère du sud algérois commandée par Ziri Ibn Manad.

Insurrection mais division. L'enchaînement est rituel dans ce manque d'unité berbère.

La fortune a tourné pour l'homme à l'âne. Ses troupes se dispersent. Lui-même est tué en août 947 dans les monts du Hodna où il a cherché refuge.

Abou Yazid. Un nom de plus sur la longue liste des révoltés berbères. Certains ont vu dans sa défaite la victoire des sédentaires kabyles contre les nomades qui formaient ses gros bataillons. Il n'est sans doute pas à trop rechercher dans le passé algérien un affrontement continuel entre sédentaires et nomades. Cet affrontement a certes existé pour des raisons économiques. Les deux types d'existence sont rarement compatibles mais peuvent aussi se compléter. Les grands marchés en limite du Tell, comme Tahert ou Achir, en font foi. Les vrais mobiles de l'entreprise de l'homme à l'âne sont toujours les mêmes : les tribus berbères refusent une autorité aliénant leurs libertés. La religion sert de détonateur. Dans le cas présent d'Abou Yazid, kharidjisme d'Abou Yazid contre schisme des Fatimides.

Pour l'héritier du Mahdi, l'alerte a été chaude. Son salut est à mettre à l'actif de ce Ziri Ibn Manad survenu à bon escient. Pour une fois, un prince n'oubliera pas le service rendu.

Mais ce fils d'Oriental regarde plus vers l'est que vers l'ouest, même si son audience s'étend, avec des hauts et des bas, jusqu'à Fès. Comme hier pour son père, le Maghreb n'est pour lui qu'une terre d'accueil provisoire. Son destin personnel l'attire vers l'Orient, puisqu'il se regarde comme le successeur légitime du Prophète. L'empire musulman, à ce titre, lui revient.

Sous son impulsion, les Kotama reprennent le chemin de la guerre. Les rescapés, car bon nombre ont été tués depuis 902. Certains, lassés, ont renoncé et regagné leurs humbles demeures dans les clairières kabyles. Les autres, grossis de nouveaux venus issus de tous les horizons, empruntent en sens inverse la route des guerriers de Sidi Okba. Ils partent pour l'Egypte.

En 969 Jawhar, leur chef, à la tête de 100 000 combattants dit-on, prend possession d'un pays alors en pleine décomposition politique. Quatre ans plus tard, le calife El-Mociz le rejoint. Il a définitivement abandonné Madhiya et le Maghreb pour l'ancien empire des pharaons. Pendant deux siècles, l'Egypte sera gouvernée par des Fatimides. Les Kotama exilés, ayant quitté à jamais leur Kabylie natale, y feront souche.

En quittant les lieux, le calife a transmis ses pouvoirs. Il les a remis à Bologuin, fils de ce Ziri qui, cinquante ans plus tôt, avait secouru Madhiya sur le point de succomber sous les coups de « l'homme à l'âne ». A Bologuin de gouverner le Maghreb pour le compte du calife installé maintenant au Caire.

973 ! Dans quatorze ans, Hugues Capet montera sur le trône de France. A la date de cette ascension, une bonne partie de l'Algérie constitue un Etat autrement plus conséquent que celui du nouveau roi de France.

*

Bologuin et sa tribu sont, on l'a vu, originaires du sud algérois. Ils se présentent donc, d'entrée, en ressortissants du Maghreb central. Leurs regards, leurs intérêts s'y portent à l'encontre des dirigeants fatimides fascinés par d'autres cieux.

Cette nouvelle dynastie ziride, du nom du père de Bologuin, se présente ainsi comme fondamentalement « algérienne » en ses débuts. L'emplacement de sa capitale le montre : Achir, fondée avec le plein accord des Fatimides en reconnaissance des services rendus, se situe en plein cœur du Maghreb central. Elle est née et s'est développée dans les monts du Titteri, à 200 kilomètres au sud d'Alger. Le décor est austère, aride, bien à l'image de l'Algérie de l'intérieur. D'est en ouest, les crêtes rougeâtres alignent leurs falaises. L'eau est rare. La verdure ne jaillit que sur de modestes surfaces aux abords des sources. Parfois le pinceau d'un bouleau en signale de loin la présence. Comme Tahert, Achir est en limite de deux mondes : Tell des sédentaires et hauts plateaux des nomades.

C'est d'Achir que durant quelque temps les Zirides dirigent le

Maghreb. En titre, ils se présentent en mandataires des Fatimides. Dans la pratique, ils s'efforcent d'être maîtres chez eux. Ils se contentent de payer tribut et d'envoyer des cadeaux en loyale vassalité au lointain calife.

Ces souverains qui se relaient de père en fils en viennent assez vite à déserter Achir. Ils préfèrent la douceur de l'Ifriqiya aux rigueurs brutales de l'hiver et de l'été du sud algérois. Délaissant le Maghreb central, ils y abandonnent leurs pouvoirs à une branche de la famille qui fournira les Hammadides. Ceux-ci ne tarderont pas à se démarquer.

Tout évolue au rythme des coursiers, dans la future Algérie. Elle fut fatimide en 911, puis ziride en 973. A l'aube du nouveau millénaire, vers 1007-1008, elle devient hammadide.

Pour bien marquer leur propre indépendance, dès 1007 ces Hammadides se construisent une autre capitale, la Qaala des Beni Hammad. Un nid d'aigle sur les pentes méridionales du djebel Maadid, à la corne occidentale du massif du Hodna. A plus de 1 800 mètres d'altitude, ce Hodna se dresse comme un puissant parapet creusé de ravines profondes, dominant les hauts plateaux sétifois et la dépression du chott el-Hodna[1]. La Qaala s'étage sur un belvédère. La vue y porte loin, très loin, comme pour mieux déceler l'ennemi[2].

Et l'ennemi ne manque pas, à commencer par les cousins qui se sont transformés en rivaux. A partir de 1017, Zirides en Ifriqiya et Hammadides au Maghreb central sont des adversaires. Les premiers contrôlent l'Ifriqiya et les abords de Constantine et de Mila, les seconds le reste du Constantinois et la moitié de l'Algérois. Plus à l'ouest, l'Algérie se partage en tribus indépendantes, le plus souvent organisées en petits royaumes. Quant au Maghreb occidental, il a lui aussi complètement éclaté.

C'est donc un Maghreb désuni qui au cours du XIe siècle verra déboucher de nouveaux arrivants, sur l'incidence desquels les historiens divergent.

*

Et le christianisme, dans tous ces bouleversements ?

Force est d'abord de mentionner la faiblesse des sources d'information à son sujet. Des historiens arabes signalent quelques points

---

1. Attention, le terme Hodna correspond à deux contraires : le massif montagneux du Hodna et le chott el-Hodna.

2. Subsistent aujourd'hui une tour et les contours de deux palais.

précis. Les recherches archéologiques apportent quelques indications. Le tout autorise mal la bonne compréhension d'une lente disparition.

Ibn Al-Saghir fait état de l'existence de chrétiens à Tahert en 902. Ils possèdent une église située à l'emplacement le plus élevé de la ville. Certains sont des notables. Ils auraient accompagné les Kharidjites dans leur fuite à Ouargla. Al-Bakri mentionne une communauté et une église bien fréquentée à Tlemcen au XIe siècle. D'autres historiens situent également des chrétiens à la Qaala, à Bougie.

A ces renseignements assez bien ciblés s'ajoutent ceux des inscriptions latines découvertes de-ci de-là et l'utilisation assez courante mais vague par les Arabes du vocable Roum. Seraient ainsi désignés les descendants des Byzantins, des Romains et des Berbères romanisés. Ils apparaissent dans les récits du IXe siècle mais disparaissent deux siècles plus tard.

Autant qu'on puisse en juger, ces communautés chrétiennes se seraient regroupées pour la plupart dans les villes. Le pouvoir s'en accommodait. Les religieux, par contre, s'offusquaient de la présence de ceux, chrétiens ou juifs, qu'ils appelaient « les gens du Livre »...

Car la conquête arabe n'a pas totalement interrompu les relations commerciales entre les deux rives de la Méditerranée. Elles étaient trop anciennes et trop utiles. Elles contribuent à entretenir une certaine permanence des liens avec Rome et la papauté.

C'est grâce à ces contacts que le pape Léon IX peut parler en 1053 de cinq évêques – qui ne s'entendent pas – encore en place au Maghreb. Où étaient-ils ? L'un d'entre eux officiait peut-être à Tlemcen. Une lettre de Grégoire VII en 1076 situe celui qui semble le dernier à Bougie. L'Eglise africaine n'est donc pas tout à fait morte. Mais le temps a fait son œuvre. Par force, par lassitude ou par intérêt, les chrétiens ont renoncé à leur foi. Ils se sont fondus dans l'anonymat musulman, ou pour certains se sont exilés.

Les grands affrontements entre l'Europe chrétienne et le monde musulman de la fin du XIe siècle, avec les croisades, les conquêtes almoravides et almohades, mettront un terme définitif à l'héritage de saint Augustin au Maghreb et en Algérie [1].

---

1. Par contre, les communautés juives se maintiendront, n'ayant pas le handicap de l'affrontement entre l'islam et le monde chrétien. Elles ne manqueront pas de vitalité et se renforceront.

Chapitre IX

DES HILALIENS AUX ALMOHADES

Zirides et Hammadides sont cousins et même cousins à un degré proche. Hammad, fondateur de la dynastie, était le fils de Bologuin, lui-même aux origines des Zirides.

Mais chacun entend être maître chez soi. En 1017, le divorce est patent entre les deux familles. Les Hammadides campent en rois du Maghreb central.

En 1048, les Zirides rompent à leur tour avec leurs propres tuteurs, en l'occurrence les Fatimides du Caire. Pour bien marquer leur indépendance, ils dénoncent le chiisme et font allégeance au calife de Bagdad, sunnite. Pour le Fatimide, ce double outrage requiert vengeance. A cette fin, il utilise une tribu d'Arabes pillards que son comportement a fait exiler en haute Egypte : les Beni Hilal. Les tirant de leur retraite, il les oriente vers le Maghreb. Bientôt d'autres de même mouture, les Beni Solaïm, leur emboîteront le pas.

Le flot commence à déferler à partir de 1051. Flot est bien le terme. Les précédents arrivants arabes étaient relativement peu nombreux. Ceux-ci se chiffrent par dizaines, par centaines de milliers. En familles complètes, ils déferlent sur cette terre promise que représente pour eux le Maghreb. Sur leur migration et ses modalités, Ibn Khaldoun a laissé des pages célèbres :

> « Si les Arabes ont besoin de pierres pour servir d'appui à leur marmite, ils dégradent les bâtiments afin de se les procurer. S'il leur faut du bois pour en faire des piquets ou des soutiens de tente, ils détruisent les toits des maisons pour en avoir. Sous leur domination la ruine envahit tout. Tout pays conquis par les Arabes est bientôt ruiné. Ils imposent des corvées... sans rétribution. Or, l'exercice des arts et des métiers est la véritable source de richesse... L'ordre établi se dérange et la civilisation recule... Les Arabes négligent tous les soins du gouvernement ; ils ne cherchent pas à empêcher les crimes ; ils ne veillent pas à la sécurité publique ; leur unique souci est de tirer de leurs sujets de l'argent, soit par la violence, soit par les avanies. Régulariser l'administration de l'Etat ? Ils n'y parviennent même pas... Les sujets d'une tribu arabe restent à peu près sans gouvernement et un tel état de choses détruit également la population d'un pays et sa prospérité [1]. »

L'Ifriqiya est évidemment la première touchée. Elle était riche et prospère. Les Hilaliens la ravagent consciencieusement. Le royaume ziride éclate. Ne subsiste provisoirement qu'un embryon de pouvoir, réfugié à Madhiya. Le reste est livré à l'anarchie tribale. Le Maghreb central voit à son tour, déboucher le flux des Beni Hilal, alimenté et renforcé par celui des Beni Solaïm. Les Hammadides, bousculés, abandonnent la Qaala par trop en limite des axes de passage des intrus. Ils se replient sur Bougie, regardée comme une autre capitale depuis une dizaine d'années. Se constitue ainsi une petite principauté maritime en limite des deux Kabylies. Partout ailleurs, comme en Ifriqiya, c'est l'éclatement généralisé. Toute amorce de pouvoir centralisé disparaît.

Cette intrusion des Beni Hilal et des Beni Solaïm, même si elle ne débouche pas sur la constitution d'un nouvel Etat, correspond à une étape majeure dans l'histoire de l'Algérie. Le sang arabe était jusqu'alors marginal, le peuplement berbère très largement majoritaire. Inéluctablement, les rapports se modifient. L'Algérie spécifiquement berbère disparaît en tant que telle. Elle commence à devenir arabo-berbère, même si en certaines régions le fond berbère reste relativement pur. Mais le phénomène exigera des siècles [2].

1. Ibn Khaldoun, *op. cit.*, p. 150.
2. Voir chapitre 10.

Les arrivants sont donc des nomades. Ils apportent leurs mœurs pastorales, et refoulent devant eux les Berbères nomades ou sédentaires. Les premiers s'éloignent vers l'ouest. Les seconds gagnent les massifs montagneux. Ouarsenis, Kabylies, Aurès se referment plus que jamais sur eux-mêmes.

Le pillage généralisé détruit la vie économique. Le nomadisme s'en prend à la culture des céréales et à l'exploitation des vergers. Les villes perdent de leur importance. Des cités comme Tahert, la Qaala sont définitivement ruinées. Elles ne se relèveront jamais.

Cette implantation arabe s'effectue progressivement sans affrontements notoires. Elle n'a pas le côté opérations militaires du VIIe siècle et ne laisse pas le souvenir des grandes épopées analogues à celle de Sidi Okba. Elle est une migration régulière d'individus qui viennent s'installer avec femmes et enfants. Marée implacable, elle s'insinue partout, isolant les points hauts, recouvrant basses et moyennes régions.

*

Alors que venant de l'est se déroule cette irrésistible invasion, une autre surgit, presque simultanément, côté occidental. Les auteurs n'en sont pas des Arabes. Ce sont d'authentiques Berbères. Seule analogie avec leurs homologues orientaux, ils sont aussi des nomades.

Ces Berbères-là viennent également de loin. Leur berceau paraît se situer dans l'Adrar de Mauritanie. Pour se protéger, selon eux, du mauvais œil, ils se couvrent la partie inférieure du visage d'un voile, le litham. Mais là n'est pas la caractéristique essentielle de ces pasteurs vivant d'élevage et de trafics caravaniers. Convertis à l'islam au IXe siècle, ils ont encore l'ardeur des néophytes et cette ardeur va les amener à suivre un nommé Ibn Yasin.

Celui-ci, un érudit originaire du Sous dans le sud marocain [1], est venu leur prêcher vers le milieu du XIe siècle des règles de vie très strictes. Son premier appel n'a pas trouvé grand écho. Déçu, il a fondé avec quelques disciples dans l'île d'un fleuve (Niger ou Sénégal ?) un couvent militaire, un ribat. Les gens de ce ribat, marabitoum, d'où Almoravides, y ont mené une existence rude et ascétique qui cette fois a porté. Des milliers de fidèles sont accourus pour partager cette vie exemplaire. Avec eux Ibn Yasin a constitué un noyau dur, 30 000 hommes, paraît-il. Une redoutable armée. De quoi lancer vers le nord une véritable croisade. Ibn Yasin en confie le commandement à Lemtouna, un adepte de la première heure.

1. La région d'Agadir-Taroudant.

Sijilmassa, cité réputée de mauvaises mœurs, est la première conquête, en 1055. L'or, il est vrai, continue d'y transiter, amenant un monde interlope.

Ibn Yasin meurt peu après (1059), dans un engagement malheureux contre des tribus marocaines, mais cette disparition ne brise pas l'élan des Almoravides. Ils franchissent l'Atlas et en 1062 fondent une ville d'avenir : Marrakech. La nouvelle cité a d'autant plus d'avenir que la destruction de Sijilmassa détourne vers elle le commerce de l'or.

Les Almoravides qui ont progressé vers le nord ne dominent encore que le « Maroc » central. En 1069, ils occupent Fès et de là s'orientent vers l'est sous les ordres d'un nouveau chef, Ibn Tachfin. D'étape en étape, ils enlèvent Tlemcen, Oran, Ténès et en 1082 mettent le siège devant Alger qui tombe à son tour. Ils n'iront pas plus loin. Le bloc kabyle n'est pas une proie facile et l'Espagne leur offre d'autres attraits.

Fin du XIe siècle. A l'heure où l'Europe chrétienne se mobilise pour récupérer les Lieux saints – la prise de Jérusalem par les croisés est de 1099 –, le Maghreb central est pris dans un étau. Au levant, les Hilaliens accaparent l'est constantinois et les hauts plateaux. Au couchant, les Almoravides, qui bâtissent un empire de Marrakech à Valence (Espagne), contrôlent le littoral oranais et algérois. Comme indépendants, il n'est plus guère que le petit royaume hammadide de Bougie et les tribus retranchées dans les massifs kabyles ou aurésiens.

De cette présence almoravide subsistent la grande mosquée d'Alger (1096-1106 ?) et celle de Sidi Bou Médine à Tlemcen (1136). Toutes les deux [1] ont bénéficié de l'apport de l'art andalou colporté par les occupants. Elles ne répondent pas à des caractéristiques locales que l'on cherche vainement en dehors de la poterie et du tissage.

*

Il est bien court, ce temps des Almoravides qui, sur le fond, n'intéresse que la frange nord-ouest de l'Algérie. Déjà d'autres se préparent à les relever.

Il est à signaler au passage, en ce début du XIIe siècle, les banderilles que plantent les Normands de Sicile. S'ils épargnent Bougie, trop bien défendue, ils occupent Djidjelli quelque temps en 1143, puis Collo, Bône et quelques petits ports entre Ténès et Alger. En représailles, Bougie lance la piraterie maritime, la course, appelée à une

1. La mosquée d'Alger est agrandie et complétée en 1236. Celle de Sidi Bou Médine à partir de 1339 (son minaret date de 1280).

belle fortune. Une partie de la route de l'or détournée vers Marrakech, l'affaiblissement des cités côtières : la vie économique perturbée par le nomadisme de l'intérieur souffre de plus en plus. Le XIIe siècle commence mal pour le Maghreb central.

*

La relève évoquée survient encore du sud-ouest mais de moins loin : de l'Anti-Atlas du sud marocain. A l'origine de cette nouvelle intrusion, un Berbère de l'Atlas, né à la fin du XIe siècle, lbn Toumert. Après un long périple en Orient, il revient dans sa terre natale par Tunis, Constantine, puis Bougie. A Bougie, encore sous la férule des Hammadides, il ne passe pas inaperçu. Il tance vivement les Bougiotes pour des mœurs qu'il juge trop libres.

Après de tels propos, il est prudent pour lui de s'éloigner et sa destinée lui fait croiser celle d'Abd el-Moumim. Ce dernier est un Oranais formé à Tlemcen. La légende s'est emparée de la rencontre des deux hommes. Ibn Toumert voit en El-Moumim le Mahdi qu'il appelle de ses vœux, et il entreprend de parfaire son instruction. Il développe toujours les règles d'une morale très stricte et, au plan théologique, soutient l'unicité de Dieu. Ses adeptes en tireront leur nom : *el-mowahidoum* ou Almohades, ceux qui proclament l'unicité de Dieu.

En 1120, lbn Toumert repart vers ses montagnes natales et gagne d'abord Marrakech. Comme à Bougie la virulence de ses critiques lui impose de se réfugier dans l'Atlas où de nombreuses tribus, devant l'exemplarité de sa vie, le reconnaissent pour imam. L'histoire se renouvelle. A l'exemple de Mahomet, le chef religieux se double d'un chef de guerre. Il constitue dans ses djebels un Etat qu'il regarde comme une base de départ contre les Almoravides jugés corrompus.

Ibn Toumert ne voit que les débuts de sa croisade qui, du reste, commence par une défaite. Il meurt en 1128. Ce n'est que deux ans après, sa mort ayant été tenue secrète, qu'Abd el-Moumim se présente en successeur. Il prend à son compte la mission que s'était assignée son maître. Les Almoravides s'efforcent de faire front mais vont de défaite en défaite, impuissants devant le fanatisme religieux et guerrier de leurs adversaires. Leur dernier souverain est tué (février 1145 ?), marquant l'écroulement d'un empire.

A la fin de 1148, au lendemain de terribles massacres, le Maroc est sous la coupe almohade. L'Espagne musulmane y tombe à son tour. Le regard des vainqueurs peut se porter vers l'est et plus particulièrement vers Bougie qui continue de couler des jours prospères malgré le proche environnement hilalien. El Idrisi, un historien de l'époque, en a laissé une description flatteuse :

> « Les vaisseaux y abordent, les caravanes y viennent et c'est un entrepôt de marchandises. Les habitants sont riches et plus habiles dans divers arts et métiers qu'on ne l'est généralement ailleurs ; en sorte que le commerce y est florissant. Les marchands de cette ville sont en relation avec ceux de l'Afrique occidentale ainsi qu'avec ceux du Sahara et de l'Orient ; on y entrepose beaucoup de marchandises de toutes espèces. Autour de la ville sont des plaines cultivées, où l'on recueille du blé, de l'orge et des fruits en abondance. On y construit de gros bâtiments, des navires et des galères, car les montagnes environnantes sont très boisées et produisent de la résine et du goudron d'excellente qualité... Les habitants se livrent à l'exploitation des mines de fer qui donnent de très bon minerai. En un mot, la ville est très industrieuse. »

Ce brillant décor ne résiste pas à la furia almohade. En 1151 Bougie, puis la Qaala sur son promontoire du Maadid sont occupées. La Qaala est dévastée. Le royaume hammadide disparaît à son tour et partage le lot devenu commun. Un siècle d'existence.

Les Hilaliens ont le réflexe de se regrouper pour affronter l'envahisseur mais ils ne possèdent ni son unité ni sa flamme. Vaincus dans la région de Sétif, ils n'ont plus qu'un recours : se disperser pour éviter le pire.

Les Almohades sont maîtres du Maghreb occidental et du Maghreb central, avec les réserves habituelles quant aux massifs retirés. Conséquence durable ces Berbères almohades sunnites éliminent autour d'eux toute trace de chiisme. L'Algérie sera à leur image, sunnite et de rite malikite [1].

Cette occupation du Maghreb central n'est toutefois pas complète. Avec la prise de Bougie et leur victoire sur les Hilaliens, les Almohades ont atteint sensiblement une ligne Djidjelli-Biskra. Bône et Constantine sont encore des cités où Berbères et Hilaliens cohabitent vaille que vaille et se partagent le pouvoir. Pas pour longtemps !

En Ifriqiya, les Zirides se sont désagrégés sous les coups des Normands de Sicile qui ont fini par enlever Gabès, Madhiya, Sfax,

---

1. Le malikisme, école juridique du nom de son initiateur et fondateur Malik, mort à Médine en 795, se caractérise par son rigorisme et ses positions théologiques traditionalistes. Il s'inspire du droit islamique pratiqué aux origines dans le Hedjaz, la province du Prophète.

Sousse. Mais l'intérieur du pays reste largement dominé par les Hilaliens arrivés un siècle plus tôt. Devant le danger que représentent les audacieux Normands, ces Hilaliens se décident à faire appel aux Almohades, comptant sur la fraternité islamique. Ils prennent là un bien gros risque. C'est faire entrer dans la bergerie le loup qui n'attendait que cela.

En deux années de campagne, Abd el-Moumim met un terme aux velléités normandes en Ifriqiya et assujettit tout autant les Hilaliens, occupant Tunis, Sousse et Madhiya.

1180. En France Philippe II, mieux connu sous le nom de Philippe Auguste, monte sur le trône des Capétiens. A l'avènement du futur vainqueur de Bouvines, son royaume ne comprend encore pratiquement que l'Ile-de-France, l'Orléanais, une partie du Berry et quelques acquisitions éparses. Au total, à peine le vingtième de la France d'aujourd'hui.

Outre-Méditerranée, quel contraste de puissance ! Abd el-Moumim, qui a aussi franchi le détroit de Gibraltar, regroupe sous son autorité le sud de l'Espagne [1], le Maroc, l'Algérie, la Tunisie. Pour la première fois dans son histoire, le Maghreb dans son intégralité dépend d'une même main. Rome, si présente en Africa, bien implantée en Algérie orientale et septentrionale, n'effleurait que le nord du Maroc.

L'histoire se façonne de la main de personnalités d'exception. Abd el-Moumim est de celles-ci. En trente ans, il a bâti un empire. A sa mort à Rabat, en 1163, il laisse à son fils le titre de calife qu'il s'est octroyé et un régime affermi. Il a imposé l'orthodoxie sunnite qui se maintiendra. Il a gouverné avec habileté et fermeté, utilisant aussi bien Hilaliens que Berbères pour conforter son régime. Des tribus sont devenues maghzen, c'est-à-dire chargées de faire appliquer les directives du calife et, en premier lieu, de faire rentrer l'impôt. De là apparaît une distinction fondamentale qui subsistera jusqu'à la présence française. Le bled maghzen, sous autorité du pouvoir central, s'oppose au bled siba, insoumis.

*

Le Maghreb central ne serait plus lui-même s'il n'entrait pas très vite en rébellion contre son nouvel occupant. Des révoltes éclatent, facilitées par la faiblesse des garnisons almohades. L'affaire la plus sérieuse éclate en 1184. Des Almoravides exilés aux Baléares, en

1. Toute l'Andalousie n'est vraiment almohade qu'à la mort d'Abd el-Moumim en 1163.

connaissance des sentiments profonds des populations locales, débarquent près de Bougie. Bien accueillis par les uns et les autres, ils enlèvent Alger, Miliana, la Qaala des Beni Hammad. Un Etat almoravide éphémère, dit des Beni Ghaniya, s'instaure de Bône au djebel Nefousa, par Biskra. La domination almohade, au Maghreb central, est donc loin d'être parfaite.

L'aventure se prolongera avant que cette armée almoravide nouvelle mouture ne soit complètement écrasée en 1209. Mais le conflit a ravagé le pays. « Les foyers y sont éteints et l'on n'y entend plus le chant du coq », écrira Ibn Khaldoun au siècle suivant.

Cette situation contraste avec l'éclat de la civilisation almohade au Maroc et en Andalousie. La future Algérie en a très peu profité.

Le déclin de l'empire fondé par Abd el-Moumim s'amorce en 1212. Las Navas de Tolosa, le 16 juillet, voit une victoire décisive des chrétiens espagnols. Seule la peste arrête la marche des vainqueurs vers le sud.

Face à la menace espagnole, aux révoltes qui se perpétuent au Maghreb central et devant l'étendue de leur domaine nord-africain, les califes almohades sont contraints de déléguer. Les provinces éloignées sont confiées à des gouverneurs locaux. Les nouveaux promus, appuyés par leurs tribus, en profitent pour se tailler des fiefs. Hafcides en Ifriqiya, Mérinides au Maroc sont les grands bénéficiaires de l'éclatement du pouvoir almohade. Les derniers nommés finiront même par renverser la dynastie et s'installer à Fès en 1248.

Au Maghreb central même, la tribu des Beni Abd el-Wahides, des Zenètes nomades, font sécession dès 1236. Des temps nouveaux commencent après le siècle traditionnel d'occupation almohade.

Chapitre X

TLEMCEN OU LE FAUX ROYAUME

Il est de pieuses légendes entretenues souvent avec d'arrière-pensées. Tlemcen, les Abdelwahides en font partie. Un royaume berbère, avec Tlemcen pour capitale, se serait intercalé au Maghreb central du XIIIe au XVe siècle. Il s'opposerait ainsi au mythe d'une Algérie terre continuellement occupée et incapable d'édifier un Etat.

Si l'Algérie ne fut pas continuellement occupée – Massinissa, Rostémides, Hammadides, Fatimides en font foi –, le royaume de Tlemcen, lui, n'est qu'une ébauche. Il ne dépasse pas ce stade et ne débouche sur rien.

Certaines cartes, certains croquis présentent parfois un singulier découpage. Il semblerait que trois Etats se dessinent, correspondant à trois grandes dynasties : Mérinides au Maroc, Hafcides en Tunisie, Abdelwahides en Algérie, véritable anticipation du Maghreb moderne. Les Abdelwahides, pour leur part, couvriraient en gros une zone s'étalant du méridien d'Oujda (exclu) à celui de Bougie, cette dernière ville également exclue. Soit les deux tiers de l'Algérie. Vision trompeuse car ce moment fut aussi éphémère que transitoire. Météore fugace, il surgit dans la décennie 1310 sous le règne d'Abou Hammou Mousa Ier (1308-1318). Durant une petite dizaine d'années, le royaume de Tlemcen des Abdelwahides connaît alors effectivement étendue et prospérité, contrôlant pratiquement la vallée du Chélif. Sans plus. Il serait illusoire de rechercher dans ce bref épisode l'aube d'un Etat et encore moins d'une nation.

Ces réserves sur l'existence effective et prolongée d'un royaume des Abdelwahides n'enlèvent rien à ce que fut le rayonnement religieux, artistique, commercial de Tlemcen. Durant trois siècles, de 1235 à 1554, elle fait figure de métropole. Son cadre en larges terrasses à 800 mètres d'altitude, au milieu des vergers, est propice à une implantation urbaine. La campagne environnante est riche. La Méditerranée, avec le port d'Honain, n'est qu'à deux journées de route. Au midi, à même longueur d'étapes, passé Sebdou s'ouvrent les hauts plateaux et leurs grands axes de déplacement. A l'époque romaine, la cité bâtie sur ce site s'appelait Pomaria. Au XIe siècle, El-Bekri voit une agglomération florissante, bénéficiant de la chute de Tahert. Les marchandises y affluent. Or, esclaves, ivoire du Soudan, tissus, armes, venus d'Europe, se négocient sur ses marchés.

La ville, qui a pu atteindre 100 000 habitants, s'honore de grands personnages. Au XIIe siècle, Sidi Boumedine, mystique soufite dont une mosquée perpétue la mémoire, meurt en ses murs [1]. Au XIIIe siècle, Ibn Khamis, par ses poésies profanes et religieuses, s'affirme son premier poète. Le XIVe siècle lui donne Yahia Ibn Khaldoun, historien, chroniqueur, homme d'Etat [2], frère du grand Ibn Khaldoun. Ce dernier, comme son frère, séjourne quelque temps à Tlemcen. Après eux se dresse le métaphysicien Senoussi, qui est à la théologie ce qu'Ibn Khaldoun est à l'histoire et à la sociologie. Toutes ces individualités marquantes ne sont pas, en titre, des enfants de Tlemcen mais elles ont longtemps vécu dans cette ville accueillante aux lettrés.

Cette riche époque se perçoit encore par les édifices qui subsistent. Si l'ancien palais forteresse du Méchouar a disparu bien avant 1830, nombre de mosquées témoignent de la richesse d'un art inspiré par celui des Andalous ou des Mérinides : mosquées de Sidi Bel Hassen, des Oulad el-Imam, de Sidi Boumedine, de Sidi Lhaloui, de Sidi Brahim, de Sidi Seoussi, de Sidi Lhassen, etc. Ruinées ou toujours bien vivantes, elles offrent aux regards la minutie de leurs arabesques ou l'élégance de leurs lignes. Dans l'Algérie d'aujourd'hui, Tlemcen est la seule ville possédant une véritable empreinte de son passé moyenâgeux.

1. Originaire de Séville, Sidi Boumedine a vécu en Algérie avant de venir mourir à Tlemcen.
2. Il doit s'exiler en Andalousie où il meurt assassiné.

Mais à y bien regarder, Tlemcen est mal située en tant que capitale virtuelle. Elle est excentrée par rapport à l'ensemble du Maghreb central. Comme Constantine, Tahert ou la Qaala. Seule Achir se trouvait sur une médiane, avec toutefois un sérieux handicap : elle s'éloignait par trop de la mer, se coupant des relations internationales maritimes.

Si Tlemcen n'est qu'à 40 kilomètres d'Honain, son débouché méditerranéen, la distance est sensiblement identique avec le pays des Mérinides. Dangereuse proximité et inquiétant voisinage ! Ces Mérinides, qui ont imposé leur loi à Fès et Meknès, ont les dents longues. Ils reprennent les visées de leurs prédécesseurs almohades sur l'intégralité du Maghreb. Tlemcen, dans cette perspective, est aux avant-postes, ce qui explique en majeure partie son destin politique.

*

Il se nomme Yaghmorasan Ibn Zyan, ce chef de la tribu des Abdelwahides de l'ouest oranais qui en 1235 fait reconnaître sa royauté par les Almohades chancelants. C'est lui qui fait de Tlemcen, épargnée par les razzias des Almoravides d'Abn Ghaniya, sa capitale.

Son très long règne, de 1235 à 1283, peut faire illusion. Sous ce prince de caractère, le fief des Abdelwahides a tendance à s'étaler. Il pousse des pointes en direction de la Moulouya et des Bibans. Mais, là, il se heurte aux Hafcides d'Ifriqiya qui tiennent Constantine, Bougie et Bône. Il domine moins de la moitié de l'Algérie.

A sa mort, les Zyanides, du nom de leur fondateur, n'ont en rien écarté l'épée de Damoclès qui menace leur capitale. Les Mérinides campent plus que jamais sur la Moulouya, prêts à se porter sur Tlemcen. Le conflit, quasi permanent sous Yaghmorasan, reprend avec violence en 1299. Faute de pouvoir enlever par un assaut brutal une ville trop bien protégée par ses remparts, les agresseurs entreprennent de la réduire par la famine. Méthodiquement ils la ceinturent par un mur. A courte distance, Abou Yacquoub, le sultan de Fès qui mène l'attaque, édifie un camp qui se transforme en véritable ville, El-Mahalla el-Mansoura, Tlemcen-la-neuve. De ce Mansoura artificiel autour de Tlemcen, persistent les remparts sur plusieurs centaines de mètres, le minaret de trente-huit mètres de la mosquée et une partie de l'aqueduc servant à l'alimentation en eau [1].

1. Ces ruines visibles aujourd'hui datent essentiellement de 1335-1337. Lors du siège décisif contre la ville, les Mérinides font renaître par besoin militaire Mansoura, vouée par la suite à disparaître faute d'autres nécessités militaires.

L'assassinat fortuit d'Abou Yacquoub en 1307 sauve Tlemcen sur le point d'être emportée après huit années d'épreuves et de privations. Mais la ville semble vouée à connaître les affres des sièges. Elle en vivra d'autres, dont un célèbre durant la conquête française.

Le pire a été évité. Les héritiers de Yaghmorasan connaissent quelques années tranquilles du côté des Mérinides. Ils en profitent pour restaurer la cité. N'ayant pas non plus renoncé aux ambitions, ils tentent aussi, vainement, de pousser vers Constantine et Bougie.

Mais la menace mérinide n'a pas disparu. Elle resurgit. En 1337 Tlemcen est cette fois enlevée. Le roi et ses trois fils périssent dans les combats.

Pour un quart de siècle, Tlemcen et son environnement deviennent une province annexée au sultanat de Fès. Il n'est plus de dynastie zyanide et encore moins du quelconque royaume des Abdelwahides.

Contre les Berbères marocains mérinides, les Zyanides sédentaires se sont fait de longue date de curieux alliés : des nomades hilaliens arrivés finalement au Maghreb occidental. En 1359, grâce à eux, un Zyanide récupère Tlemcen. Une autonomie locale, très relative, se reconstitue. La suite sera confuse. Hauts et bas se succèdent et s'entremêlent. Au gré des victoires des uns ou des autres, les Zyanides de Tlemcen se retrouvent protégés de tel ou tel de leurs puissants voisins, Mérinides ou Hafcides, qui aspirent à dominer le Maghreb central.

Les Mérinides se montrent les plus forts au XIVe siècle. Les Hafcides les remplacent au siècle suivant. Ils occupent Biskra en 1402, Alger en 1410, et même Tlemcen en 1427. Dans de telles conditions, il n'est pas possible de parler d'un royaume des Abdelwahides. De fait, ce dernier ne cesse de se disloquer, ne possédant qu'une seule richesse, sa ville.

Les Hilaliens ne sont pas les derniers à la curée générale au Maghreb central. Ces Arabes nomades représentent une force. Depuis leur arrivée, rejetés par les uns, appelés par les autres à la rescousse – cas des Zyanides –, ils se sont éparpillés dans tout le Maghreb. En contrepartie des services rendus les armes à la main, ils reçoivent des fiefs, des droits pour percevoir les impôts. Ce aussi bien dans les hautes plaines que dans le Tell. Ibn Khaldoun écrira à leur sujet :

> « Les Arabes sont maîtres des plaines et de la plupart des cités ; l'autorité des Beni Abdelwahides ne s'étend plus aux provinces éloignées du centre de l'empire et ne dépasse guère les limites du territoire maritime qu'ils possédaient d'abord ; leur autorité a fléchi devant la puissance des Arabes ; eux-mêmes ont contribué à fortifier cette race

> nomade, en lui prodiguant les trésors, en lui concédant de vastes régions et en lui livrant les revenus d'un grand nombre de villes. »

Cette situation provoque un formidable brassage ethnique à leur profit. Les Berbères sédentaires s'arabisent à leur contact. Fait curieux, ils finissent par se persuader qu'ils sont tous de sang arabe alors que celui-ci n'entre que pour une faible part dans l'osmose générale. Ils y voient une marque de noblesse.

« *Ana Arabi* ! », « Je suis arabe ! », « Nous sommes tous des Arabes ! des Arabes ! », s'écriera Ahmed Ben Bella en 1962, à l'encontre de toute filiation historique. Étrange sensibilité [1] ! Les Gaulois ne s'affirmeront jamais des Romains, même s'ils leur doivent leur civilisation.

Ne demeurent en dehors de cet amalgame que les traditionnels bastions de l'Ouarsenis, des Kabylies [2], de l'Aurès. On continuera à y parler des dialectes berbères.

*

A la fin du XVe siècle, le Maghreb central a définitivement éclaté. Dans un raccourci sommaire, il est possible d'énoncer qu'il s'est disloqué en potentats locaux. Il connaît un éparpillement féodal mais sans suzeraineté. Chacun entend régenter son pré carré.

Des princes indépendants règnent à Oran et Ténès. Constantine et Bougie se sont détachées de la tutelle des Hafcides et vivent en autarcie. Tlemcen, devenue émirat mérinide, bascule sous la coupe des Wattasides. Partout ailleurs, de petits potentats imposent leur autorité à une ou plusieurs tribus.

Inéluctablement, le Maghreb s'enfonce dans le déclin. Les grandes heures de l'unité almohade sont loin. La pression de l'étranger contribue à cet affaiblissement généralisé. Les Espagnols s'apprêtent à liquider le royaume de Grenade, l'ultime présence musulmane dans la

---

1. Cette fascination du monde oriental a évidemment des explications aussi bien religieuses que politiques. L'Arabie, il n'est pas à le rappeler, a donné naissance à l'islam. Le pèlerinage à La Mecque y draine chaque année des foules enthousiastes qui rapportent des récits enluminés de leur lointain périple. La toute-puissance militaire et commerciale des maîtres de l'Orient, le rayonnement d'une civilisation contrecarrant celle de l'Occident chrétien, l'éclat des cités comme Damas, Bagdad ou Constantinople (après 1453) ont de quoi éblouir des populations rivées à des horizons limités.

2. Sauf en Petite Kabylie, qui sera fortement arabisée. Mais la région à l'époque est faiblement peuplée (suite à l'exode des Kotama) et d'un habitat dispersé. Ces raisons peuvent expliquer cette mutation.

péninsule Ibérique. Les Portugais s'implantent sur le pourtour atlantique. Les chrétiens de l'Europe méridionale visent à contrôler la Méditerranée occidentale. Régulièrement, ils lancent des invasions dévastatrices sur le littoral maghrébin. Rançon de ces guerres inavouées, de Tunis à Oran les ports s'asphyxient. Le commerce s'en ressent. Les échanges s'amenuisent. Le trafic de l'or lui-même a dérivé. Il a repris une route orientale directe vers l'Egypte et le Moyen-Orient. Pour répliquer aux expéditions des chrétiens et échapper au marasme croissant, Bougie se lance dans la course. Ce qui sera par la suite baptisé la piraterie barbaresque prend forme et se développe.

*

2 JANVIER 1492

Ferdinand d'Aragon et Isabelle de Castille entrent dans Grenade. Boabdil, le dernier roi maure, « pleure en femme cette ville qu'il n'a pas su défendre en homme ». La Reconquista est terminée.

L'euphorie estompée, le premier geste des vainqueurs est un acte de vengeance. Les juifs, jadis, ont soutenu les envahisseurs arabes. Par la suite, leur concours aux dynasties en place ne s'est jamais démenti. Tout ce passé n'est pas oublié. Il se paiera au prix fort, comme la rancune de la mule du pape. Les juifs des territoires réoccupés par les Rois Catholiques se voient accorder trois mois pour se convertir ou quitter le pays. La majorité émigreront. Nombreux prendront le chemin du Maghreb. Après bien des malheurs, ils y formeront des communautés influentes à Tlemcen, Constantine, Alger... Leurs descendants seront 85 000 en Algérie en 1962. Une nouvelle fois, ils devront émigrer.

Les Morisques en 1502 seront placés face à la même alternative que les juifs. Beaucoup aussi choisiront l'exil [1]. Ils apporteront au Maghreb leurs arts et connaissances.

Tous ces exilés, c'est humain, cultiveront autour d'eux la rancœur et la haine contre ces chrétiens qui les ont forcés à tout abandonner.

*

A ces Espagnols triomphants, avoir complètement bouté les musulmans hors de la péninsule Ibérique ne suffit pas. L'esprit de croisade

1. Les historiens hésitent : le chiffre des partants varie de 150 000 à 800 000. Beaucoup émigrent au Maroc plus proche. Combien arrivent en Algérie ? Il est impossible de fixer une estimation sérieuse. Plusieurs dizaines de milliers, assurément.

double l'appât du gain. La terre africaine est proche. Ses dissensions internes sont connues. Elle offre une proie séduisante.

Des accords avec les Portugais interdisent de prendre pied au Maroc [1]. Les marins et les soldats des Rois Catholiques s'en iront donc au Maghreb central ou en Ifriqiya. Ils occupent le fort de Mers el-Kébir en 1505, Oran en 1509, Bougie en 1510. Alger, Dellys, Ténès préfèrent se soumettre plutôt que de risquer la fureur des Castillans et se placent sous obédience. Sur un îlot en face d'Alger, Pedro Navarro construit le Peñon, dont les canons tiennent la ville sous leur feu. Partout, la dissociation généralisée a facilité la conquête.

Oran est espagnole pour trois siècles, jusqu'en 1792 (sauf une courte interruption de 1708 à 1732). La cité aura le temps de se façonner ce faciès ibérique qu'elle conservera même sous la présence française.

Mais cette irruption espagnole sur les rivages maghrébins change tout. Le nouvel arrivant est un partenaire redoutable. L'Espagne du XVIe siècle est une grande puissance mondiale. La plus grande du moment peut-être. Le destin de l'Algérie en sera obligatoirement influencé.

---

1. A l'exception de Melilla, mais Melilla est sur la Méditerranée.

Chapitre XI

TROIS SIECLES TURCS

Paradoxe ! En cette fin du XVe siècle, l'avenir du Maghreb central prend souche à 2400 kilomètres de là. Très exactement dans l'île turque de Mytilène, l'ancienne Lesbos, au nord de la mer Egée. L'épouse d'un potier nommé Iacoub donne naissance à quatre fils : Elias, Ishac, Aroudj et Khaïr ed-Din [1]. Les garnements deviennent vite de mauvais garçons. A leur décharge, ils ne sont pas les seuls dans ces îles qui ne produisent guère que des cailloux et des olives. Pour s'enrichir, vieux vaut endosser le métier de corsaire renégat [2] au service d'un capitaine oriental.

Le travail est loin d'être innocent. Elias, le premier, trouve la mort. Aroudj fait prisonnier doit ramer deux années durant sur les bancs des galères des chevaliers de Rhodes. Etant parvenu à s'échapper, il réapparaît à la tête d'une petite flottille ravageant les côtes italiennes. Sa notoriété croissante lui permet d'obtenir d'un prince hafcide l'autori-

1. Aroudj serait né en 1464 et Khaïr ed-Din en 1466. Iacoub était albanais et son épouse grecque.

2. Le renégat est celui qui a abandonné sa foi chrétienne et adopté la religion musulmane.

sation de s'installer dans l'île de Djerba, moyennant un tribut du cinquième de ses prises. Il fait de Djerba sa base de départ où ses deux frères le rejoignent.

En 1512, le trio décide de s'emparer de Bougie occupée depuis trois ans par les Espagnols, afin de s'y créer un véritable fief. L'affaire se déroule mal. Blessé par une balle de fauconneau, Aroudj doit être amputé d'un bras.

Khaïr ed-Din prend sa relève et poursuit ses activités en Méditerranée occidentale. Pour grossir ses rangs à base essentiellement de Levantins, renégats comme lui, il enrôle des Morisques chassés d'Andalousie, ayant la haine des Espagnols rivée au cœur.

Aroudj guéri, l'opération sur le Maghreb central est relancée mais contre Djidjelli, petit port à l'est de Bougie, aux mains des Génois. La tentative connaît cette fois un plein succès. Les corsaires récupèrent un copieux butin. Avisé, Aroudj en adresse une partie à Constantinople au sultan ottoman, Sélim le Terrible. Cet hommage peut s'avérer utile. L'avenir le prouvera amplement.

Maîtres de Djidjelli et d'une frange du littoral kabyle[1], les fils de Iacoub font figure de redoutables chefs de guerre. On les sait résolus et à la tête d'une troupe de gaillards n'ayant pas froid aux yeux. Il n'est pas bon de compter parmi leurs adversaires.

A trois cents kilomètres à l'ouest, dans une petite ville nichée au fond d'une large baie, la présence espagnole se fait de plus en plus pesante. A l'époque romaine, cette cité s'appelait Icosium. Dans la seconde moitié du IXe siècle, le prince ziride Bologuin lui a redonné vie. Il l'a baptisée El-Djezaïr[2], « les Iles » à cause de quatre îlots rocheux situés à quelques encablures au large. Sur l'un de ces îlots, l'Espagnol Pedro Navarro a fait bâtir le fameux Peñon, forteresse dont les canons pointent dangereusement sur les murs de la cité.

Avec un peu plus de 20 000 habitants, dont de nombreux Morisques, El-Djezaïr est assez prospère. Course, négoce y contribuent. Ah, s'il n'y avait pas ces maudits infidèles à portée de canon, « épine plantée dans le cœur » !

Depuis plusieurs décennies, El-Djezaïr dépend de la tribu des Beni Mezghanna, Berbères sédentaires largement arabisés. « Elle forme une sorte de petite république municipale administrée par une oligarchie bourgeoise. »

Pour se débarrasser des Espagnols, Salem ben Thoumi, le cheikh des lieux, estime judicieux de solliciter le concours des corsaires de

1. Grâce à une alliance militaire avec une tribu, suite à des rivalités locales.
2. Qui donnera en français Alger.

Djidjelli. Que n'a-t-il fait là ! Aroudj s'empresse d'acquiescer. A Djidjelli, il était par trop isolé, bloqué le dos à la montagne, sans grandes possibilités d'expansion.

Il quitte Djidjelli par voie de terre avec 800 Turcs ou assimilés et 3000 Kabyles levés sur place. Par mer, il expédie sur des bâtiments légers 1500 autres Turcs. Dans le même temps, il presse son frère Khaïr ed-Din, alors à Djerba, de lui adresser le maximum de renforts.

Accueilli en libérateur à Alger, Aroudj commence par occuper facilement Cherchell et entreprend le siège du Peñon. Mais les « libérateurs » ne sont pas des hôtes faciles. La population gronde. Aroudj, implacable, prend son monde de court. Salem ben Thoumi se retrouve pendu aux crocs de la porte Bab Azoun. Ses amis et comparses sont massacrés. Nous sommes en 1516. Alger a désormais un maître. Les éventuels séditieux ont mesuré la rigueur de sa poigne.

Aroudj voulait un véritable fief. A défaut de Bougie toujours espagnole, il s'empare de Miliana, Médéa et Ténès. Son emprise s'étend sur le nord de l'Algérois.

Les habitants de Tlemcen, mal informés sans doute de ce qui s'est passé à Alger, lui demandent à leur tour son aide. En 1511, ils ont accepté la suzeraineté espagnole et le regrettent.

Le précédent d'Alger se reproduit. Installé dans le Méchouar de Tlemcen, Aroudj s'empresse de faire noyer les derniers Zyanides, mettant pratiquement un terme au « royaume » des Abdelwahides. Mais ses succès ne durent pas. Les autochtones révoltés par sa cruauté se soulèvent, soutenus – ironie – par les Espagnols d'Oran qu'ils récusaient. Ishac est tué. Aroudj, assiégé pendant dix mois dans Tlemcen, tente une sortie de nuit pour se dégager. Rejoint finalement sur les bords de l'oued El-Melah (Rio Salado), il est massacré avec son escorte (1518).

Des quatre fils du potier de Mytilène, il n'est qu'un survivant, Khaïr ed-Din. Ses compagnons l'appellent maintenant Barberousse, car il s'est teint la barbe au henné. Ce surnom le suivra. L'héritage de son frère est loin d'être un cadeau facile. De tous côtés, les populations se dressent contre ce conquérant et les Espagnols rappellent constamment qu'ils sont toujours là !

Barberousse est conscient de sa faiblesse d'enfant perdu en pays hostile. Un autre renoncerait et repartirait là d'où il est venu. Il préfère un geste politique. Résolument, il prête hommage au sultan Sélim et se place sous son autorité. Son obédience volontaire est appréciée, car elle ouvre à la Sublime Porte l'accès au Maghreb, vieille ambition. Il y gagne le titre de pacha puis d'émir des émirs (beylerbey). Il reçoit surtout du sultan 6000 janissaires et de l'artillerie. Vassal du sultan, à la tête d'une solide armée, Barberousse est maintenant de taille à affronter ses adversaires.

Sur-le-champ, personne ne peut évidemment le percevoir : Khaïr ed-Din, dit Barberousse, vient de placer Alger pour trois siècles dans la mouvance des Turcs.

*

Des années de combat – mais il a l'habitude – attendent Barberousse pour affermir son autorité. Il s'empare de Collo (1521), Bône (1522), Constantine et occupe toute la Mitidja. Les tribus révoltées, les Kabyles surtout, sont sévèrement châtiées. Elles sont défaites à tour de rôle, incapables de s'associer contre cet envahisseur qui se sert habilement de leurs dissensions.

Durant longtemps, Alger se révèle le point le plus difficile. Barberousse en est même chassé de 1520 à 1525. Après ses victoires dans l'intérieur, il y revient en force, bien décidé notamment à réduire le fameux Peñon espagnol qui continue de le braver. En mai 1529, la forteresse, où le gouverneur Martin de Vargas n'a plus que 256 défenseurs avec lui, succombe. Tous, malgré les promesses de vie sauve, sont sauvagement mis à mort.

De cette date, Alger prend un nouveau visage, car Barberousse décide d'en faire sa capitale. A égale distance d'Oran et de Bône, de Mascara ou de Constantine, regardant vers le large tout en étant ouverte sur l'arrière-pays, en limite de la riche plaine de la Mitidja, la ville semble avoir vocation naturelle à une telle fonction [1]. Le choix de Barberousse est décisif pour son avenir et celui du Maghreb central.

Il manquait cependant un véritable port. Les navires devaient être halés sur la grève. Par les captifs chrétiens – il n'en manque pas et des milliers mourront à la tâche –, Barberousse fait construire un môle long de 200 mètres et large de 25. Les îlots rassemblés pour former un vaste terre-plein sont ainsi reliés à la terre [2]. L'ensemble fournit une darse abritée. Alger dispose d'un vrai port [3]. La course pourra s'y développer et accentuer le rôle de capitale de la ville.

*

1. D'autant qu'Oran et Bougie sont encore entre les mains des Espagnols.

2. Là se situera ce qui, durant la présence française, sera appelé l'Amirauté. Ce qui reste du Peñon constitue le soubassement de la Tour du phare. Quant au môle d'accès, il portera longtemps le nom de chaussée Khaïr ed-Din.

3. Port à vrai dire assez modeste, mais les navires de l'époque sont de faible gabarit. Les chebecs, les plus courants, n'ont qu'une trentaine de mètres.

Barberousse, officiellement, gouverne Alger au nom du sultan de Constantinople. Cette vassalité est plus de forme que de fond mais elle compte, comme elle comptera pour ses successeurs. Une telle fiction lui assure, entre autres, l'envoi régulier de janissaires turcs.

Le Maghreb extrême, futur Maroc, est trop éloigné pour l'intéresser. Espagnols et Portugais en ont fait leur chasse gardée, où il serait dangereux de s'aventurer. Par contre, Tunis est sur la route des communications de Barberousse avec son suzerain. Profitant d'une querelle de famille chez les Hafcides, le beylerbey algérois s'empare de Tunis en août 1534. Naturellement, il en prend possession au nom de Constantinople. Cette arrivée annonce la chute définitive du royaume hafcide [1] et fait de l'Ifriqiya une autre province turque. Non sans aléas dans les années à venir.

1536. Appelé par Constantinople, Barberousse s'éloigne, laissant Alger à son fidèle lieutenant Hassan Agha, un Sarde converti à l'islam. Mais son destin fabuleux ne s'arrête pas là. Le corsaire renégat sera promu grand amiral de la flotte ottomane. Envoyé comme ambassadeur auprès de François Ier, il sera reçu par le roi de France en sa bonne cité mariale du Puy-en-Velay. Finalement, ce rescapé de tant de batailles mourra paisiblement à Constantinople en 1548, peu après avoir épousé une jeunesse.

A bien des égards, ce Khaïr ed-Din dit Barberousse se présente en premier bâtisseur de l'Algérie moderne. Il pose sa capitale, qui lui donnera son nom. Il ébauche l'assise territoriale du pays. Il impose un pouvoir central et une certaine unité.

Aujourd'hui pourtant, son action est bien mal reconnue [2]. Est-ce parce que le fils du potier n'était ni arabe ni berbère ? Est-ce parce qu'il ajoutait un nom de plus, celui des Turcs, à la litanie déjà longue des occupants ? Tous ces facteurs doivent jouer. L'œuvre réelle est occultée. Ce corsaire renégat n'en a pas moins fondé un Etat qui à compter de 1587 sera connu sous la désignation de Régence d'Alger.

Barberousse a donc cédé la place à son fidèle Hassan Agha pour aller occuper de hautes fonctions à Constantinople. Son successeur se trouve bientôt confronté au plus redoutable danger que connaîtra la Régence jusqu'en 1830.

Comme ses aïeux les Rois Catholiques, Charles Quint [3] est attiré par le Maghreb. Il y voit le prolongement naturel de l'Ibérie. Les deux terres ont tant de similitudes : même luminosité, même ardeur solaire,

1. Les Hafcides s'efforceront de revenir avec l'aide des Espagnols.
2. Seul à Alger le nom d'une prison perpétuait son souvenir.
3. Il est le fils de Jeanne la Folle, fille des Rois Catholiques et épouse de Philippe le Beau, archiduc d'Autriche.

mêmes paysages souvent. Et prendre pied en Afrique, quelle revanche ! C'est prolonger la Reconquista au profit de la Chrétienté et de l'empire espagnol.

En 1535, l'empereur enlève Tunis qu'avait occupé Barberousse. Il ne s'y attarde pas. Il est trop loin de chez lui. Il préfère regarder vers Alger et ses rivages. Ne tient-il pas déjà Oran et Bougie ?

A l'automne de 1541, 22 000 hommes embarquent, direction Alger. Pourtant Andrea Doria, le commandant de la flotte, a prévenu le souverain : il faut reporter l'expédition. Les côtes nord-africaines sont dangereuses en cette saison. Mais Charles Quint reste sourd aux conseils de son marin génois, pourtant reconnu roi de la mer. Il a hâte de saisir Alger qui le brave avec ses Turcs et ses corsaires.

Le 23 octobre, les navires espagnols jettent l'ancre à l'embouchure de l'Harrach, un peu à l'est d'Alger. Dès le lendemain, l'armée se porte sur la ville défendue par Hassan Agha. Charles Quint établit son quartier général au marabout de Sidi Iacoub, sur les hauts immédiatement au sud de la cité. La flotte bloque le port. Les troupes débarquées serrent de partout. A l'intérieur des murs, l'inquiétude règne. La puissance des assaillants s'annonce redoutable.

Brutalement, le 25 au soir, le ciel se noircit. La tempête se déchaîne. Une pluie glacée cingle les envahisseurs mal abrités. En mer, de nombreux bâtiments sont drossés au rivage. La fortune de Charles Quint bascule avec la tourmente. Les averses ininterrompues mouillent la poudre, rendant inutilisables les canons et les mousquets. Le ravitaillement n'arrive pas. Les rencontres tournent au désavantage des Espagnols.

L'empereur se résigne. Il se replie sur le cap Matifou, où l'attendent les bâtiments qui ont échappé au déchaînement des flots. Le rembarquement marque l'échec de l'expédition. Près de la moitié de l'armada initiale a disparu.

Ce désastre signe un événement capital pour le Maghreb central. L'histoire ne se refait pas, mais que serait-il advenu si Charles Quint, trois cents ans avant Bourmont, avait planté la croix sur Alger ? Ce Maghreb central aurait-il alors été précipité dans l'orbite de l'Europe occidentale ? Aurait-il été christianisé, même à son corps défendant ? Ce n'est pas impossible. Les compagnons de Charles Quint n'étaient pas des tendres. Ils ont eu l'occasion de le manifester outre-Atlantique. Leur tempérament, les mœurs de l'époque les conduisaient à placer les vaincus devant un choix simple : se convertir ou périr. Après quoi d'Alger, le mouvement aurait fait tache d'huile.

Le choix défectueux de la date de débarquement, une mauvaise tempête en ont décidé autrement. La Régence d'Alger restera turque et musulmane.

De cette tentative avortée ne subsiste que le nom du fort dressé sur l'emplacement du campement de Charles Quint : Sultan Kalassi en turc, Fort-l'Empereur en français. Les habitants préféreront Bordj Moulay Hassan, du nom du dey qui l'avait fait construire à la fin du XVIe siècle. La chute de ce fort coiffant la ville marquera en 1830 le succès des Français. L'emplacement choisi par Charles Quint était donc bon.

*

Barberousse a laissé à ses successeurs un Etat à consolider et à étoffer. L'échec de Charles Quint leur autorise des ambitions, les Espagnols prenant du recul au Maghreb.

En 1552, ceux qui sont regardés comme les « Turcs » enlèvent Bougie, ultime garnison espagnole dans l'est algérien. L'ancienne capitale des Beni Hammid ne gagne pas au change. Ses rapports avec Pise et Gênes étaient fructueux. Elle n'aura plus guère que la course comme ressource.

L'année suivante, Aroudj est vengé. Tlemcen réoccupée par un Zyanide passe définitivement aux mains des héritiers du corsaire. Les contours de la Régence d'Alger prennent forme.

Mais la formation de l'entité territoriale algérienne ne se comprend qu'au regard de ce qui se déroule à l'est comme à l'ouest. Pratiquement depuis les origines, le Maghreb central est serré dans un étau. La pression provient tantôt du Levant (Romains, Byzantins, Arabes), tantôt du couchant (Vandales, Almoravides, Almohades) Pour se fixer, le périmètre algérien a besoin que la poussée extérieure disparaisse ou se stabilise.

En 1574, après une période chaotique, les Turcs d'Alger occupent à demeure La Goulette et Tunis. En 1587 l'Ifriqiya, devenue Tunisie, s'inscrit dans la trilogie des trois Régences d'Alger, de Tunis, de Tripoli [1]. Gouvernée par un pacha, elle n'échappe pas aux querelles de personnes. Le commandant des janissaires (dey) et le chef des tribus et des troupes proposées à la levée de l'impôt (bey) se disputent le pouvoir [2]. Ce n'est qu'en 1705 que, malgré son ascendance turque [3],

1. Occupée par les Turcs à partir de 1551. Voir plus bas.

2. La terminologie peut prêter à confusion. A Tunis, le pouvoir finit par appartenir à un bey. A Alger, il sera entre les mains d'un dey (les trois beys d'Oran, Constantine et Médéa étant ses subordonnés).

Evidemment bey à Tunis, dey à Alger sont deux autorités bien distinctes, n'ayant pour point commun que leur lointaine obédience envers le sultan de Constantinople.

3. La dynastie husseinite régnera jusqu'en 1957, renversée à cette date par Habib Bourguiba, qui a proclamé la République.

le bey Hussein Ibn Ali parvient à établir une dynastie héréditaire intégrée au pays. Lui et ses successeurs auront l'habileté de continuer à reconnaître la suzeraineté nominale de Constantinople.

Jusqu'à l'avènement de la Régence de Tunisie, la frontière occidentale de l'Ifriqiya n'était pas fixée. Les derniers souverains hafcides s'intéressaient à Bône, à Constantine. Les conflits qui se prolongent au XVIe siècle pour déterminer qui possédera le Constantinois instaurent une ligne de séparation. Celle-ci, pas toujours définitive, laisse La Calle, Souk Ahras, Tébessa côté Régence d'Alger. La conquête française trouvera une situation à peu près stabilisée, à une réserve près. Les marches orientales du Constantinois sont incontrôlées. La région au sud de Souk Ahras, immense zone de parcours pour les troupeaux, voit circuler des nomades qui n'ont en aucun cas conscience de changer de pays.

Turcs d'Alger et de Tunis relevant de la même origine et du même suzerain ne peuvent être qu'à demi des frères ennemis. Leurs conflits, qui ne manquent pas, sont condamnés à être limités.

A priori, il en va tout autrement côté marocain. Le Maghreb extrême n'est en rien rattaché à l'empire ottoman. Ses habitants voient dans les Turcs des ennemis inconciliables.

Successeurs laborieux des Mérinides, les Wattasides au milieu du XVIe siècle cèdent le pas à la dynastie saadienne, venue des oasis du Draa. Ces Saadiens n'hésitent pas à s'allier aux Espagnols pour contrer Alger. Après eux, les Alaouites [1] du Tafilalet ont le même comportement. Au XVIIIe siècle, Zidan, le fils du célèbre Moulay Ismaïl, réussit même un raid contre Tlemcen. Mais Saadiens ou Alaouites ne sauraient représenter pour les Turcs un véritable danger. Par xénophobie, leur pays s'est replié sur lui-même. De plus, il se divise. Il n'est rien de commun entre le bled es-maghzen et le bled es-siba. Aux frontières, Portugais et Espagnols demeurent présents et menaçants. Quant aux Turcs d'Alger, leurs moyens restent trop limités pour s'aventurer au-delà de la Moulouya. Comme à l'est, les positions se figent dès la fin du XVIe siècle. Tlemcen est côté algérien, Oujda côté marocain. Au sud, la situation des confins algéro-tunisiens se reproduit. Il faudra attendre Bugeaud et Lyautey pour que les frontières se précisent.

Dans l'extrême sud enfin, le désert s'affirme un monde à part. Le grand courant caravanier n'est plus [2]. Le Sahara, univers lointain et ignoré, n'a rien de commun avec la Régence d'Alger.

---

1. La dynastie alaouite, regardée comme descendante du Prophète et toujours en place au Maroc, s'installe en 1660.

2. Il subsistera mais très atténué et orienté vers le Maroc et la Tunisie. Alger n'en-

De ce survol rapide, un fait ressort : un demi-siècle après l'arrivée de Barberousse à Alger, le Maghreb central a pris le contour physique qu'il conservera.

*

Cet embryon d'Etat qu'a constitué Barberousse doit évidemment être gouverné. Avant son départ en 1536, Khaïr ed-Din en était le chef incontesté. Après lui, les responsables de la Régence sont, sous le titre de beylerbeys, nommés par un firman du sultan. A ce poste de vice-roi – et même de roi tout court, car Constantinople est loin –, on voit Hassan Agha, déjà cité, Hassan Pacha, fils de Barberousse [1], et d'autres plus ou moins connus : Hassan, un Corse, Ramdan, un Sarde, Hassan Veneziano, un Vénitien. Manifestement, plusieurs appartiennent à ces corsaires renégats en position de force à Alger. Leur nomination s'explique. Le plus notoire est Euldj Ali, un Calabrais, qui élimine définitivement les Hafcides de Tunis.

A leur autorité sur Alger même, ces beylerbeys en ajoutent une sur Tunis et Tripoli. C'est en un sens reconnaître et récompenser le rôle joué par Barberousse et ses successeurs dans l'implantation turque au Maghreb.

A la mort d'Euldj Ali en 1587, Constantinople transforme le statut encore mal défini de ses conquêtes nord-africaines. Celles-ci sont érigées en provinces ottomanes sous le sigle de Régence d'Alger, Tunis et Tripoli. En principe, elles doivent être administrées par un pacha, en fonction pour trois ans.

Mais la férule de la Sublime Porte ne tarde pas à se révéler de plus en plus une fiction. Le vrai pouvoir n'est pas entre les mains des pachas investis par Constantinople. Il appartient à ceux qui détiennent les armes. Il se dispute entre la milice des janissaires (l'Odjaq) et la corporation des capitaines corsaires (Taïfa des Raïs).

Les janissaires sont ces soldats fournis régulièrement par Constantinople. Authentiques Turcs, aussi rustres que courageux, ces « bœufs d'Anatolie », comme les raillent les corsaires, constituent un corps privilégié. Ils possèdent des casernes bien tenues et bénéficient d'un ordinaire particulier. Leur chef, l'agha, est un personnage de premier plan. Mais ces prétoriens ont l'humeur chatouilleuse. Renverser les

---

tretient pas de relations directes avec l'Afrique noire. Une fois par an remontent seulement des plumes d'autruche et un peu de poudre d'or négociées contre des grains par un israélite venu en limite du Sahara.

1. Par deux fois en fonction.

marmites en signe de révolte fait partie de leurs usages courants. Leur conseil – le divan – veut faire entendre sa voix et imposer les chefs qui lui plaisent.

A l'image des fils du potier de Mytilène, les corsaires sont en grande majorité des renégats, enfants des provinces misérables du bassin méditerranéen. Rares y sont les Turcs et les Maghrébins. Ils jouissent d'un grand succès, faisant par leurs prises la fortune de la ville. Un ancien captif écrit :

> « A leur retour, tout Alger est content, parce que les négociants achètent des esclaves et des marchandises apportées par eux et que les commerçants vendent aux nouveaux débarqués tout ce qu'ils ont en magasin d'habits et de victuailles ; on ne fait rien que boire, manger et se réjouir[1]. »

La rivalité janissaires-corsaires est l'histoire du pouvoir dans la Régence d'Alger jusqu'à l'arrivée des Français. Au gré des émeutes et des assassinats, l'un ou l'autre camp l'emporte. Il serait fastidieux d'en énumérer les détails. Rappelons-en les principales étapes :

– *1587-1671.* Période des pachas. Derrière ces dignitaires, le divan ou l'agha sont les véritables maîtres. Avec eux, les janissaires semblent l'emporter.

– *1671-1710.* Période intermédiaire. En 1671, sous l'influence des corsaires, est créé le poste de dey[2], chef civil nommé en principe à vie. Théoriquement cohabitent alors trois personnages : le pacha, à la fonction de plus en plus honorifique ; l'agha, chef militaire ; le dey, responsable administratif.

– *1710-1830.* Période des deys. Le dey Baba Ali expulse le pacha et regroupe tous les pouvoirs en sa personne. Mais la charge n'est pas sans dangers. Sur trente deys jusqu'en 1830, quatorze succèdent à un prédécesseur assassiné ou égorgé[3].

Toutes ces mutations répondent au recul que les maîtres d'Alger accentuent vis-à-vis de Constantinople. Leur Régence se présente en Etat indépendant repoussant les ingérences. Mais le Grand Seigneur

1. Haedo, bénédictin captif à Alger de 1577 à 1581, qui a rapporté ses souvenirs.
2. Dey signifiant « oncle ou tuteur ».
3. Le 11 décembre 1754 est à cet égard une journée mémorable. Le dey Ben Beka est tué alors qu'il payait la solde des janissaires. Tous les promus du jour pour lui succéder sont aussitôt assassinés. Les années 1805-1816 sont aussi sanglantes : 30 août 1805 : dey Mustapha égorgé ; 7 novembre 1805 : dey Ahmed décapité ; 7 février 1809 : dey Hadj Ali el-Rossa étranglé ; 22 mars 1815 : dey Hadj Ali étranglé ; 7 avril 1815 : dey Mohammed Kharnadji étranglé ; 8 octobre 1816 : dey Omar étranglé.

est une puissance dont il serait dangereux de se démarquer trop ouvertement. La façade de la vassalité persiste, entretenue par l'envoi rituel de présents. Elle apporte en compensation son contingent régulier de janissaires, indispensables à la domination militaire du pays.

Avec l'arrivée des deys, l'administration se précise. Elle distingue nettement les quatre provinces qui s'étaient progressivement instaurées et qui, pour trois d'entre elles, correspondent à trois grandes régions de l'Algérie.

Le dey garde sous sa coupe directe le « *Dar es-sultan* », soit Alger même, la plaine de la Mitidja et le littoral méditerranéen jusqu'à Ténès. Sous sa dépendance, trois beys se partagent les trois beylicks de Constantine, du Titteri et d'Oran [1]. Au-dessous d'eux, des caïds munis de pouvoirs civils et militaires sont censés diriger les tribus.

Durant trois cents ans, les Turcs se maintiendront ainsi avec une infrastructure administrative et militaire excessivement ténue. Leur contingent est marginal par rapport à l'ensemble du pays : 15 000 hommes environ. Une telle longévité a de quoi surprendre, quand on songe aux révoltes qui n'ont cessé de dresser les Berbères contre les divers occupants. Comment et pourquoi ce pouvoir turc a-t-il pu subsister aussi longtemps ?

L'édifice repose sur des bases relativement simples. Le régime ne tient véritablement que quelques villes : Alger, Bône, Constantine, Mascara, Médéa, Oran à partir de 1792, et de rares garnisons [2], plus un petit nombre de bordjs sur les axes principaux. Les janissaires y sont suffisamment nombreux pour se faire craindre et respecter. Pour eux, la vie humaine ne pèse pas beaucoup...

Dans le reste du pays se retrouve la vieille distinction des bleds maghzen et siba. Dans la Régence, on parle du bled el-Turk et du bled el-baroud, le pays des Turcs et celui de la poudre. Le bled el-Turk recouvre à peine le sixième du pays. Le bled el-baroud, lui, vit en totale indépendance [3].

---

1. Avec pour capitales : Constantine pour le beylick de Constantine ; Médéa pour le beylick du Titteri ; Mazouna puis Mascara et enfin Oran pour le beylick d'Oranie (Mazouna se situe sensiblement à 50 km au sud-ouest de Ténès).

Les trois départements d'Alger, d'Oran et de Constantine créés par la France en 1870 correspondent sensiblement à ces trois beylicks (le département d'Alger englobant le « Dar es-sultan » et la région d'Orléansville à l'ouest).

2. Aumale (Sour el-Ghozlane), Berrouaghia, dans l'Algérois ; Sétif, Bouira, Msila, dans le Constantinois ; Tlemcen, Mazouna, El-Bordj, Mostaganem, en Oranie (ces derniers sites sont tenus par des Koulouglis).

3. Une enquête réalisée peu après l'arrivée des Français établit que sur 516 tribus, 230 regardées comme maghzen ou soumises ne contrôlent que 16 % du territoire. Le tableau ci-après fait ressortir que l'autonomie était le cas général dans le Constantinois.

Dans ce contexte, quelle peut être l'incidence du facteur religieux dans le calme apparent de la Régence ? Il n'est certainement pas à sous-estimer.

Turcs et autochtones pratiquent un islam de même rite. Celui-ci les conduit à faire allégeance au calife ottoman, chef temporel mais aussi spirituel de leur communauté. La prière est dite en son nom. Nul croyant ne saurait l'oublier. Autant d'éléments générateurs de soumission envers le pouvoir turc.

En 1830, des officiers français s'étonneront. Ils interrogeront des fellahs de la région de Médéa pour leur demander pourquoi « ils avaient payé le tribut et s'étaient soumis si longtemps aux Turcs plus sévères qu'eux, Français ». Leurs interlocuteurs leur répondront que « la ressemblance de religion les y avait insensiblement accoutumés, et qu'ils ne souffriraient jamais dans leur pays d'autre Dieu que le grand Prophète ! ».

Bien des révoltes passées s'appuyaient sur des ferments d'opposition religieuse (donatistes, Kharidjites, etc.), qui n'existent plus. Le creuset de l'islam et l'absence d'opposition doctrinale contribuent ainsi à renforcer la présence turque ou à la rendre tolérable. Le recours au djihad contre le dey et son régime n'aurait pas de justification.

Chacun trouve son compte à cette situation de semi-anarchie. Deys et beys règlent leurs propres affaires, très souvent sanglantes, dans leurs villes. Les tribus maghzen ou des colonnes expéditionnaires dénommées Mehallas assurent chaque année les rentrées d'impôts près des tribus soumises. Pendant longtemps, cet impôt restera modéré donc tolérable. Les charges sont limitées et le dey à Alger récupère de copieuses taxes sur les prises. Quant aux tribus semi ou totalement indépendantes, pourquoi bougeraient-elles ? Dans leurs montagnes ou sur leurs hauts plateaux, elles se régentent à leur guise. L'aspiration de toujours du peuplement berbère, si arabisé soit-il, est satisfaite.

Cette absence généralisée d'autorité supérieure centralisée favorise la création de véritables fiefs aristocratiques ou religieux [1]. A l'ouest,

Groupes	*Alger*	*Titteri*	*Oran*	*Constantine*	*Total*
Maghzen	19	14	46	47	126
Tribus soumises	11	23	56	14	104
Chefs semi-indépendants	20	12	29	25	86
Tribus indépendantes	23	14	26	138	201
					517

(Etat et société au Maghreb, *op. cit.*, p. 54.)

1. Voire démocratiques comme en Grande Kabylie où des assemblées locales (djemaa) dirigent les tribus.

ceux-ci sont essentiellement théocratiques : confrérie des Derkaoua en Oranie, secte Tidjaniya dans le sud algérois, zaouias aux multiples facettes[1]... A l'est, de grandes familles se sont imposées : Ben Gana dans la région de Biskra, Mokrani du Hodna aux Bibans, Ben Ali Cherif dans la vallée de la Soummam...

Ces clivages se manifesteront durant la conquête française. En Oranie, sous l'influence de leurs chefs religieux, les tribus mèneront la guerre sainte. Dans le Constantinois, les fils de grande « tente », bien traités par la France, se rallieront, entraînant les leurs.

Il est clair que cette présence turque ne s'assimile en rien à une colonisation. Elle n'est qu'une occupation militaire. Les envahisseurs précédents drainaient presque toujours avec eux des familles entières. Dans le cas présent, les janissaires turcs, que les « Maures » – c'est-à-dire les autochtones – doivent appeler « hauts et puissants seigneurs », sont des célibataires. Aucune femme turque ne les accompagne. Par la force des choses, certains métissages ont cependant lieu. Des unions avec les « Mauresques », mal acceptées par les chefs, naissent les Kouloughis, regardés comme une catégorie sociale inférieure. Ces Kouloughis peuvent être enrôlés mais n'ont pas accès à la milice.

Manifestement, les Turcs cherchent avant tout à se protéger. Si fraternisation et mariages mixtes étaient autorisés, ils perdraient vite le contrôle du pays. Le résultat de ce repli sur eux-mêmes se retrouve dans la diffusion du turc. Les occupants, faute de contacts avec la

---

1. Les décennies avant l'arrivée des Français voient une formidable floraison de confréries, dont certaines ont des origines très anciennes. On peut citer parmi les plus puissantes :

– Les Kadria, procédant d'un des plus grands marabouts de l'islam, Abd el-Kader.

– Les Chadeyla, fondés par El-Chadely, mort en 1258. De cet ordre est sortie la branche des Derkoua, qui doit son nom à Moulay El-Arbi, le Derkaoui, mort en 1822 aux environs de Fès. Le « Père du nationalisme algérien », Messali Hadj, appartiendra à une famille se réclamant des Derkoua.

– Les Tidjanya, issus du Marocain émigré Ahmed el-Tidjani, établi dans l'oasis d'Aïn Madhi aux environs de Laghouat.

– Les Rahmanya, fondés par Ben Abd el-Rahman, mort en 1794.

Toute une hiérarchie structure ces confréries, depuis le cheikh jusqu'à la multitude des khouan (frères) par les khalifa (lieutenants) et mokadem (prieurs). Une discipline très stricte les régit. Leur influence et leur force politique ne sont pas à négliger car elles représentent environ 300 000 fidèles (soit le dixième de la population en 1830). Leur éclatement servira les Français. Si les Kadria se rangent derrière Abd el-Kader, les Redjana lui sont hostiles. Les Taïbia, auxquels se rattachent kouloughis et tribus maghzen, préfèrent le camp français. Le facteur religieux contribue bien lui aussi au manque d'unité du pays même si celui-ci relève, en principe, de l'unique foi islamique.

population, ne divulguent pas leur langue. Le punique, le latin, l'arabe furent des langues importées et largement répandues. Le turc ne le sera pas.

Une telle organisation militaire, un tel éclatement généralisé, une telle absence de véritable centralisation ne sauraient façonner une unité nationale et générer une civilisation propre. L'Algérie des Turcs est une Algérie disloquée, où la majorité du pays est livrée à elle-même. Elle est vide aussi. Hormis des mosquées à Alger, quelques édifices comme le palais du bey de Constantine, elle ne présente pas d'œuvres d'art spécifiques [1]. Pas de personnalités marquantes dans les lettres, les sciences ou la politique. On cherche vainement une individualité hors du commun, une originalité. Rien. Les siècles turcs sont des siècles d'une infinie pauvreté. Pourquoi ? Les Turcs sont-ils seuls responsables de cette atonie ? La non-belligérance, la cohabitation avec les Turcs, sur le fond, sont significatives de l'absence totale d'un sentiment national. Chacun, dans sa petite sphère tribale, se satisfait du statu quo. Aucun chef d'envergure ne se lève pour réclamer la libération du pays. Aucun mouvement séditieux ne regroupe des populations dont la masse pourrait mettre à mal le lointain occupant. La raison en est simple : personne n'éprouve le sentiment ou le besoin d'un ensemble dépassant les collectivités immédiates. Le sens de la patrie n'existe pas au Maghreb central.

Pourtant, à côté, la Tunisie et le Maroc voient éclore une nation et une civilisation.

*

Des trois siècles turcs, la vision par le petit bout de la lorgnette a retenu un cliché : une cité barbaresque avec ses pirates, les Barbaresques [2], et ses captifs chrétiens. Oh, ce raccourci n'est pas totale-

1. Outre l'islam, l'art turco-algérien s'inspire de l'apport oriental des Turcs et des corsaires, de celui amené d'Espagne par les Morisques et celui des israélites venus d'Italie.

Au titre de l'architecture religieuse, on lui doit sur Alger : la mosquée d'Ali Bitchnin (devenue Notre-Dame-des-Victoires) de 1622 ; la mosquée de la Pêcherie (place du Gouvernement) de 1660 ; la mosquée de Sidi Abderrahmane Taalbi de 1696 ; la mosquée Ketchoua (devenue cathédrale d'Alger) de 1794.

Au titre de l'architecture civile, on compte surtout des palais citadins et des villas en campagne : le palais du bey el-Hadj Ahmed de Constantine (1826-1835) ; Dar Aziza bent el-Bey (archevêché) à Alger ; Dar Mustapha Pacha (Bibliothèque nationale) à Alger ; Dar es-Soul (hôtel de la division) à Alger, etc.

Partout se retrouvent les réminiscences du passé et les importations étrangères récentes (marbre, céramique, sculpture avec « l'anse de panier » et les colonnes).

2. Les termes Barbarie, Barbaresque utilisés par les Européens découlent natu-

ment faux. La course avec tout son environnement a sévi. Mais la vie de la Régence d'Alger du XVIe siècle au début du XIXe n'est pas que cela. Relations internationales, activités commerciales interfèrent largement dans son histoire.

Il y eut donc la course, cette piraterie maritime dans le bassin méditerranéen pour ramener butin et captifs. Elle existait avant Barberousse, mais celui-ci lui a donné essor et fait d'Alger sa citadelle. Le XVIIe est son âge d'or [1]. Elle fait la fortune de la cité barbaresque qui atteint 100 000 habitants, population des plus cosmopolite aux ethnies variées. On y compte des Maures, Algérois de souche, des Morisques en grand nombre, réfugiés d'Andalousie et de Grenade, des Levantins renégats, commerçants ou corsaires, des Koulouglis, ces métis de Turcs et de femmes indigènes, des Kabyles, manœuvres ou journaliers, des Mozabites habiles dans les métiers du petit négoce, des Noirs, anciens esclaves pour la plupart. Dans le ghetto s'entasse l'importante colonie juive, installée d'origine ou réfugiée d'Espagne comme les Morisques. Elle prend une part de plus en plus importante dans les affaires. Il y a aussi quelques marchands européens, à leurs risques et périls, et bien évidemment les Turcs de l'Odjaq et les corsaires. 25 000 à 30 000 captifs chrétiens croupissent à l'intérieur des murs. Au fil des ans passent parmi eux des noms connus, Cervantès, Regnard, Arago [2]. Tous ces malheureux [3] vivent dans l'espoir d'un

---

rellement de Barbare. L'abbé Poiret écrit en 1789 *Un voyage en Barbarie*... Un dictionnaire géographique édité à Lyon en 1806 spécifie : « Barbarie, grande contrée d'Afrique... »

Cette Barbarie, pour les Européens des siècles classiques, désigne le Maghreb et la Régence de Tripoli. Les habitants en sont naturellement les Barbaresques, appellation générique qui s'éloigne singulièrement de la réalité. Les vrais Barbaresques, marins et pirates, ne sont qu'une infime minorité par rapport à l'ensemble de la population.

1. Outre le butin et les rançons qu'elle procure, cette course a une incidence considérable sur la vie économique. Elle procure une main-d'œuvre corvéable bon marché. Elle jette des produits à bon compte sur le marché local. Elle pèse sur le monde du travail et réduit les débouchés de l'artisanat.

2. Le futur auteur de *Don Quichotte* est capturé en rentrant de la bataille de Lépante à laquelle il a participé et passe cinq ans à Alger (1575-1580). Regnard a raconté ses aventures dans son roman *La Provençale*. Capturé en mer après un voyage en Italie en 1678, il est emmené à Alger. Là, il est vendu à un certain Achmet Tabeur qui en fait son cuisinier et part avec lui à Constantinople. En 1681, racheté par sa famille il peut regagner la France.

Le savant Arago sera captif quelque temps en 1808.

3. Le sort des captifs chrétiens et en particulier le tableau des esclaves avançant enchaînés sous les coups de fouet sont à nuancer. Le pire se mêle toujours au moins mauvais. Les religieux qui quêtent des fonds pour les rachats noircissent volontiers pour apitoyer, d'où les descriptions traditionnelles. Sur le fond, il n'est pas de l'intérêt des Barbaresques de « détériorer la marchandise » qu'ils veulent revendre. En règle générale, les chrétiens sont relativement libres et leur condition dépend en bonne

éventuel rachat qui se fera attendre plusieurs années et parfois ne viendra pas. Rédemptoristes, trinitaires, lazaristes surtout se dévouent pour soulager leurs misères et servir d'intermédiaires dans les rachats [1]. Dans les rangs des lazaristes se dresse la haute figure de saint Vincent de Paul.

Au XVIIIe siècle, cette course décline. Les Européens s'imposent en Méditerranée occidentale. Les corsaires armés par l'ordre de Malte traquent les Barbaresques. Faute de recrues, les équipages embarquent des Turcs moins rompus aux métiers de la mer que les corsaires renégats. Les rivalités à la tête de la Régence se paient. Manifestement il manque la poigne d'un Barberousse, d'un Euldj Ali ou d'un Mezzomorto.

La flotte, de 24 vaisseaux en 1724, tombe à 8 barques et 2 galiotes soixante ans plus tard. Alger perd ainsi sa principale source de revenus. Peste et famines provoquées par une série de sécheresses précipitent son déclin. Elle compte à peine 30 000 habitants au début du XIXe siècle. Le nombre des captifs chute à 800 en 1780, remonte à 1 642 en 1816, mais n'est plus que de 122 en 1830.

Ce brigandage maritime irrite les puissances européennes même s'il n'est pas à sens unique. Des coups de colère entraînent des réactions brutales et des expéditions contre la cité barbaresque et ses intérêts.

– 1622 : les Anglais bombardent Alger.

– 1664 : une escadre de 16 navires avec 6 000 hommes de troupe sous les ordres du duc de Beaufort se présente devant Djidjelli. La ville est rapidement enlevée mais discordes et manque de moyens imposent trois mois plus tard un rembarquement sans gloire avec des pertes.

– 1665 : les Anglais bombardent à nouveau Alger.

– 1681 : le dey Baba Hassan déclare la guerre à la France suite au climat d'animosité qui règne entre les deux pays. Par rétorsion, Louis XIV ordonne d'attaquer Alger, opération menée à deux reprises en 1682 et 1683 par Duquesne et Tourville. Les dégâts provoquent la chute du dey, la prise du pouvoir par le célèbre corsaire Mezzomorto et la mort du consul, le père Le Vacher, et de vingt otages français attachés à la bouche de canons [2].

---

partie de leur maître. Beaucoup sont regroupés uniquement pour la nuit dans les bagnes où ils bénéficient d'une certaine liberté de culte.

1. Ces religieux obtiennent des sauf-conduits scrupuleusement respectés, le rachat des captifs produisant une manne particulièrement bénéfique.

2. Le canon meurtrier du père Le Vacher sera retrouvé en 1830 et baptisé La Consulaire. Cette pièce de 14 tonnes et 7 mètres de long sera ramenée en France en 1833 et se trouve actuellement à Brest.

– 1688-1689 : autres bombardements français par l'amiral d'Estrées et le chevalier Paul.

– 1770 : les Danois montent contre Alger une expédition qui échoue.

– 1775 : échec coûteux d'une expédition espagnole de 25 000 hommes, ayant débarqué comme Charles Quint à l'embouchure de l'Harrach.

– 1783-1784 : les Espagnols bombardent Alger à deux reprises, sans résultats effectifs.

– 1815 : les Etats-Unis obtiennent à coups de canon un traité favorable à leurs intérêts.

– 1816 : les escadres anglaise et hollandaise de Lord Exmouth et de l'amiral Van Cappellen agissant au nom des puissances européennes se livrent à un violent bombardement d'Alger qui fait un millier de tués. Mais ils obtiennent la libération de 1 200 captifs.

– 1825 : autre bombardement britannique.

Cette diplomatie intermittente de la canonnière n'apporte guère de résultats convaincants. Alger souffre à chaque intervention mais y gagne une réputation d'invincibilité. Les navires chrétiens disparus à l'horizon, les corsaires construisent de nouveaux chebecs et repartent sillonner les mers.

Sauf en 1816, les efforts sont trop dispersés. Les Européens, en conflit entre eux, sont incapables de s'unir pour étouffer la piraterie barbaresque. Manifestement aussi, l'ambiance n'est pas à pousser trop loin contre les infidèles musulmans. Pomponne, secrétaire d'Etat de Louis XIV, disait en parlant des croisades en terre d'islam : « Ce que je sais des croisades, c'est qu'elles ne sont plus de mode depuis saint Louis. »

*

Dans cette affaire, il est surtout autre chose. Personne n'ose avouer des intérêts politiques et commerciaux à ne pas compromettre. La France à cet égard n'est pas la dernière.

Jusqu'au début du XVIe siècle, elle n'était pas intervenue au Maghreb [1]. Tout change brutalement : pour lutter contre Charles Quint, François Ier ose l'alliance avec le Grand Turc. Le roi très-chrétien allié à l'Infidèle ! Ce réalisme politique scandalise mais le royaume y trouve son compte.

1. Si l'on excepte saint Louis et son frère en 1270.

En 1536, les capitulations apportent un prolongement diplomatique et commercial à la collusion militaire. La Régence d'Alger, dépendance de l'empire ottoman, est incluse dans ces accords. Dès lors, la France bénéficie d'une position préférentielle qu'elle conservera en dépit des coups de canon tirés sous Louis XIV.

En vertu de ces capitulations, un négociant marseillais, Thomas Lenche, établit vers 1560 à dix kilomètres à l'ouest de La Calle un comptoir qui sera appelé Bastion de France[1]. Le terme bastion est bien impropre. Ce comptoir destiné à la pêche au corail ne sera jamais une forteresse, ce qui explique ses vicissitudes suivant les humeurs du dey[2].

En 1564, un consulat de France est créé à Alger. Il est à l'origine de l'institution rendue célèbre par le fameux coup d'éventail du 29 avril 1827. Dans le texte du document l'établissant, le roi de France est désigné sous le qualificatif de Padichach, Empereur, titre que la Sublime Porte n'accordait à aucun prince chrétien.

Signe de ce rapprochement entre les deux rives de la Méditerranée, l'éventualité un moment retenue de voir un prince français devenir monarque à Alger. En 1572, sous Arab Ahmed pacha, Charles IX, pour contrer les Espagnols présents à Oran, envisage de donner un roi aux Algériens et pourquoi pas un roi d'origine française. François de Noailles, évêque de Dax et ambassadeur à Constantinople, s'entremet dans ce sens et propose la candidature d'Henri de Valois, duc d'Anjou et futur Henri III... La requête n'a pas de suite mais est révélatrice du climat existant.

La rivalité franco-espagnole incitait Charles IX à installer son frère à Alger. Mais l'Espagne de Charles Quint s'efface très vite. En Algérie même, ses revers s'additionnent. En 1555, elle perd Bougie. La déroute du comte d'Alcaudete devant Mostaganem en 1558 signe la fin de ses grandes ambitions algériennes. L'Espagne ne gardera qu'Oran

---

1. Sont souvent confondus les établissements français de La Calle et du Bastion de France. Les ruines du Bastion de France ou Vieille Calle sont à mi-distance entre La Calle et le cap Rosa.

2. L'histoire du Bastion de France est coupée d'incidents déclenchés par représailles sur ordre du dey ou par xénophobie des riverains. Édifié en 1559, il est détruit en 1568. Reconstruit en 1597, il est à nouveau détruit en 1604 ; abandonné, il est repris en 1620 et reperdu en 1623. En 1628, Napollon, un commerçant d'origine corse, en obtient la concession et le droit de pêche moyennant une redevance de 20 000 livres. La compagnie de Sanson Napollon emploie environ 800 personnes. Détruit en 1637, le Bastion est reconstruit en 1642 puis de nouveau abandonné en 1658. La paix voit sa restauration. Devenu trop exigu, il est définitivement abandonné en 1684. La Calle connaît un destin sensiblement identique. Le petit port est occupé de 1694 à 1799 puis de 1817 à 1827.

et Mers el-Kébir [1], ne jouant plus qu'un rôle secondaire dans la vie de la Régence. Outre-Méditerranée, la première place revient bien à la France.

Mais si l'Espagne est évincée, la France n'est pas seule à vouloir nouer des liens avec la Régence. Gênes, Livourne sont sur les rangs. Livourne au premier chef. Négociants marseillais et Juifs livournais seront les grands mandataires du commerce avec Alger et les autres places algériennes. Car contrairement à la course, Alger ne monopolise pas le négoce du pays. Collo, Bône, le Bastion de France, La Calle sont des points de « concession » particulièrement actifs. Naturellement, les foudres de Louis XIV portent un coup d'arrêt sensible avant que le traité de paix du 27 septembre 1689 rétablisse la concorde entre les deux rives de la Méditerranée. Les transactions reprennent et se développent. A l'exportation, au départ de la Régence, cuirs, cire, laine et en quantités moindres figues, dattes, tabac. Et principalement le corail et le blé. A l'importation, armes et denrées alimentaires.

En 1741, un édit de Louis XV crée la Compagnie d'Afrique, dont le siège est à Marseille. La compagnie possède des magasins à Bône, Collo et surtout un établissement à La Calle, qui à la fin de l'Ancien Régime est une petite bourgade peuplée en grande partie de Français. Elle détient le privilège de la pêche du corail mais sa fonction essentielle est l'achat de blés et de cuirs en Algérie orientale. Contrairement aux autres compagnies, elle n'est pas déficitaire et distribue régulièrement des dividendes. La Régence est aussi gagnante : elle récupère des devises, toutes ses exportations étant payées en piastres d'Espagne, le dollar de l'époque au Maghreb.

A l'exemple de la France, les autres Etats ne dédaignent pas d'entrer en relations avec Alger. Hollande, Grande-Bretagne, Suède puis États-Unis et Espagne possèdent des consulats à Alger, belles demeures sur les hauts de la ville.

Toute cette activité, course ou négoce, est fructueuse pour les dignitaires du régime qui prélèvent au passage des taxes substantielles. Chefs de l'Odjaq et patrons corsaires sont devenus d'importants propriétaires fonciers, en ville ou dans la campagne proche. Le dey ne s'oublie pas. Il est la clé de voûte de l'édifice financier de la Régence et se mue volontiers en banquier des israélites et des négociants européens. Cette mainmise des hauts responsables du pays sur le commerce et la finance n'est pas sans incidences. Elle exclut l'existence d'une autre classe intermédiaire, d'une élite bourgeoise

1. Abandonnées, on le sait, de 1708 à 1732 puis définitivement en 1792.

génératrice d'initiatives. Cette carence pénalisera lourdement l'Algérie, condamnée à n'être qu'un pays de ruraux ou de citadins de condition modeste.

La Révolution française n'apporte qu'un changement de nom à la Compagnie d'Afrique. Les révolutionnaires ont trop besoin d'elle pour se procurer les blés. Ils se contentent de la rebaptiser Agence d'Afrique. Jusqu'en 1799, il sera possible de continuer à importer des productions algériennes. En 1796, le Directoire ne se privera pas de faire rentrer une importante quantité de blé.

La campagne d'Egypte de Bonaparte met à mal l'édifice. La France se pose en ennemie du sultan. La Régence est entraînée dans le sillage de Constantinople. L'occasion est trop belle : la Grande-Bretagne, pour bien des raisons, se précipite dans la brèche et s'efforce d'accaparer le commerce réalisé avec les Français.

Le premier consul juge bon de rétablir une paix que les incursions en terre d'islam du général Bonaparte avaient perturbée. Le 17 décembre 1801, Talleyrand étant ministre des Affaires étrangères, un traité en bonne et due forme est signé entre le gouvernement français et la Régence d'Alger. Les clauses sont bonnes pour la France ; elle retrouve ses concessions d'Afrique, son consul et ses ressortissants bénéficient de positions privilégiées. Les temps fortunés de la Compagnie d'Afrique pourront revoir le jour.

Tout serait parfait s'il ne se glissait pas là une affaire de gros sous.

Le Directoire a donc acheté du blé en 1796, par le truchement de deux israélites algérois, Bacri et Busnach. Or Bacri et Busnach n'ont pas été payés. Pire, le dey, pour cette transaction, leur avait avancé les fonds nécessaires. Pratiquement tout se passe comme si le dey lui-même, qui n'a pas été remboursé par Bacri et Busnach, n'avait pas été payé. Cette créance envenime les bons rapports. A terme, elle sera prétexte à conflit.

Il y a cette vieille dette. Il y a encore les corsaires qui persévèrent. Il y a les Anglais qui tendent à supplanter les Français au plan commercial, à l'encontre du blocus continental décrété par l'Empereur. Bref, les rapports de la France avec la Régence se détériorent.

Pour régler le contentieux, Napoléon, qui n'est pas à une conquête près, envisage purement et simplement de reprendre le vieux dessein de Charles Quint : s'emparer d'Alger. Il envoie à cet effet sur le terrain en reconnaissance secrète le commandant du génie Boutin. Trop occupé sur le continent, l'Empereur ne donnera pas suite à ces projets, mais le travail de Boutin ne sera pas inutile. Vingt ans plus tard, il ressortira des cartons et sera la base du plan d'opérations français de 1830.

*

Au début du XIXe siècle, la Régence connaît des temps difficiles. La course a périclité et rapporte peu. Le commerce pâtit des guerres européennes et du blocus continental. Faute de rentrées[1], les deys augmentent la pression fiscale. Par réaction, des révoltes éclatent un peu partout dans un pays éprouvé par la peste et les famines, suite à des périodes de sécheresse[2].

Des émeutes souvent antisémites ensanglantent Alger. Plusieurs centaines de juifs sont tués dont Busnach, l'un des vendeurs de blé au Directoire. L'insurrection gagne l'arrière-pays. Les Turcs doivent abandonner Mascara. La garnison de Tlemcen reste longtemps assiégée dans le Méchouar. A Constantine, le bey est massacré. Les Bibans, le Titteri, et bien d'autres régions sont en pleine insurrection. En Oranie, les confréries religieuses attisent le mouvement anti-turc. L'autorité d'Alger est aussi incertaine que localisée.

La paix revenue en Europe en 1815, plusieurs puissances entendent profiter du désordre de la Régence pour arrêter une piraterie bien diminuée mais toujours vivante. Les émissaires du congrès d'Aix-la-Chapelle ayant été éconduits, la poudre parle. D'où l'intervention meurtrière de 1816 déjà évoquée.

Il est une autre victime notoire de ce raid anglo-hollandais. A l'instigation d'un certain Ali Kodja, l'Odjaq se soulève contre le dey Omar, jugé trop complaisant envers les alliés. Le 8 octobre 1816, Omar est étranglé et remplacé par Kodja.

Ce dernier, rendu prudent par la sédition qui l'a porté au pouvoir, abandonne son palais de la Janina dans les bas d'Alger. Il s'installe sur les hauts dans l'enceinte fortifiée de la Kassauba. C'est là que se déroulera la scène du coup d'éventail. Méfiant envers la milice, il s'entoure d'une garde de Kabyles et de Noirs. Mais il ne profite pas longtemps de sa situation. Le 1er mars 1818, la peste emporte ce despote sanguinaire et débauché. Lui succède Hussein dey, le futur interlocuteur de Deval et Bourmont.

L'Algérie turque n'a plus qu'une dizaine d'années devant elle.

En 1825, l'Anglais Neal renouvelle une action contre Alger. Sans

---

1. Le Divan et le dey prélevaient de 8 à 11 % sur les prises.

2. De 1784 à 1822, la Régence, comme l'ensemble du Maghreb, connaît plusieurs épidémies de peste généralement importée par des pèlerins. Elle pénètre dans les ports et se répand dans les campagnes. La disette dans la Régence est particulièrement sensible en 1805 pour cause de sécheresse et en 1815 suite à une invasion de sauterelles.

résultats. Plus que jamais, les Turcs et les corsaires sont toujours là, bravant les puissances occidentales. Le désaveu international envers la cité barbaresque servira bientôt les Français.

Le 20 octobre 1827, la Régence perd le gros de sa flotte, expédiée à Navarin pour soutenir l'escadre turque. Le coup est rude pour la Régence, de plus en plus absente des mers.

Mais quelques mois plus tôt s'était produit un incident lourd de prétextes et de conséquences.

Chapitre XII

PRENDRE ALGER

En 1815, les rapports se sont rétablis entre Paris et Alger. Ils seraient bons si ne se glissait de temps à autre le rappel de la dette du Directoire. Le dey de l'époque est mort mais ses successeurs n'oublient pas la vieille créance.

Le premier consul puis l'Empereur avait fait la sourde oreille à ce sujet. Louis XVIII a été plus conciliant : il a ordonné d'apurer les comptes avec les héritiers de Bacri et Busnach, ce qui a été fait.

Mais rien n'est simple en la matière. Les deux intermédiaires israélites avaient eux-mêmes des dettes en France. Leurs créanciers ont fait opposition sur leurs avoirs. En conséquence de quoi les sommes débloquées par le Trésor royal n'ont pu prendre le chemin d'Alger. Résultat essentiel de cet imbroglio financier et juridique : chacun clame son bon droit. Le gouvernement français estime avoir soldé son dû et se trouver en règle. Le dey, toujours impayé, se regarde lésé. Dans la pratique il n'a pas tort, et insiste régulièrement pour que justice lui soit enfin rendue.

*

Le consul de France à Alger est un certain Pierre Deval, personnage assez douteux. En droit, il représente les intérêts de la France. Dans la vie courante, il se soucie d'abord des siens. Il se targue d'excellents rapports qu'il qualifie d'amicaux avec Hussein dey, en place depuis 1818.

Chaque année, à la veille de l'Aïd el-Seghir, fête qui marque la fin du Ramadan, Deval a coutume d'aller présenter ses civilités au dey. Le 29 avril 1827, il effectue donc sa visite traditionnelle. Il a prévu d'en profiter pour évoquer la saisie de deux navires pontificaux et réclamer leur restitution.

Le printemps revenu, le dey reçoit ses visiteurs à l'intérieur de son palais forteresse de la Kassauba[1], dans la cour du Divan, patio dallé de marbre qu'égayent un citronnier et une fontaine. Il est assis sur une banquette disposée sous la galerie qui court sur trois côtés. Ses principaux dignitaires se tiennent près de lui.

Après les politesses d'usage, Deval ne tarde pas à aborder le dossier des navires pontificaux. Hussein dey, lui, pense à tout autre chose. Il a adressé une lettre au roi de France, Charles X, toujours pour son impayé, et s'irrite de n'avoir pas eu de réponse.

Que s'est-il alors exactement passé ? Les versions des deux interlocuteurs seront contradictoires. Le dey accusera Deval de grossièreté, lequel parlera d'injures et de violence. Un point est sûr : le ton a monté entre les deux hommes. Finalement, le dey s'est emporté. Il a donné au consul un coup d'éventail, de chasse-mouches très exactement.

Le geste n'a rien de protocolaire. Deval, consul de France, est un personnage important. A travers lui, le pays qu'il représente a été offensé. A Paris Villèle, président du Conseil, le comprend ainsi et amplifie l'incident. Il mande à Deval d'obtenir des excuses puis de quitter Alger. Simultanément, il expédie dans les eaux algéroises une division navale.

Une réaction aussi brutale est-elle à la mesure d'un simple geste de mauvaise humeur ? Elle se situe dans la logique du moment. Les Barbaresques ont mauvaise presse. L'ambiance n'est pas à supporter leurs facéties. Il ne déplaît pas à Villèle de montrer autour de lui qu'il sait prendre ses responsabilités et défendre l'honneur du pavillon national.

Le sang-froid retrouvé, le coup d'éventail pourrait s'oublier. Mais chacun se rebiffe. Hussein dey, fort de son droit de créancier impayé, refuse toute conciliation. Paris entend de son côté sanctionner l'ou-

1. Où sera installé durant la période française le musée Franchet d'Esperey sur la conquête de l'Algérie et l'armée d'Afrique.

trage. La Royale entame donc le blocus naval d'Alger. Le 16 juin, la guerre est déclarée au dey.

La marine seule ne saurait conclure. Bloquer l'entrée du port n'est pas étouffer la ville. Elle a d'autres accès. La conclusion s'impose chez les jusqu'au-boutistes : pour mettre les Barbaresques à la raison, il faut débarquer.

Le capitaine de vaisseau Collet, qui commande devant Alger, se souvient de la reconnaissance de Boutin en 1808. Le dossier est extrait des archives. L'émissaire de Napoléon avait tout prévu. Point de débarquement : presqu'île de Sidi Ferruch à vingt kilomètres à l'ouest d'Alger ; effectifs des troupes à mettre à terre : 30 000 hommes ; date de l'expédition : belle saison, au printemps de préférence pour éviter les trop fortes chaleurs.

Clermont-Tonnerre, le ministre de la Guerre, est séduit. Il veut s'engager mais ses collègues ne le suivent pas. Charles X hésite.

Une année s'écoule. Le blocus se prolonge sans résultats apparents, émaillé seulement de quelques incidents. En juillet 1828, pour en sortir, Paris tente une conciliation. Sous pavillon parlementaire, la *Provence* entre dans le port et La Bretonnière, son commandant, vient présenter au dey les exigences de son gouvernement. Le fond se veut assez modéré :

1. Mise en liberté des prisonniers français [1] ;

2. Envoi à Paris d'un officier de marque chargé d'exprimer au roi que dans ce qui s'était passé le 29 avril 1827, le dey n'avait aucune intention de l'insulter ;

3. Conclusion d'un armistice.

Se dirige-t-on vers une porte de sortie honorable pour les deux parties ? Non : le dey refuse tout compromis. La Bretonnière, excédé, se fait plus ferme et menace. Après trois jours de vaines négociations, il regagne son bord et reprend la mer. En s'éloignant, la *Provence* essuie une sévère canonnade. Plus de quatre-vingts coups de canon sont tirés des batteries turques. Avec sang-froid, La Bretonnière poursuit sa route et interdit la riposte.

Cette fois, le coup d'éventail est dépassé. L'insulte est manifeste. Le pavillon a été visé. Un tel outrage n'incite pas à la modération. A Paris la tension monte, mais sans résultats pratiques. Le gouvernement est trop divisé pour décider.

Eté 1829. Crise gouvernementale. Charles X, faute de mieux, fait appel au brelan de la fidélité : Polignac-La Bourdonnais-Bourmont.

1. Suite à un échouage de leur bâtiment, des marins français ont été capturés.

Un trio d'ultras dont les noms tintent fâcheusement aux oreilles des Français : « Coblence-Waterloo-1815 [1] », écrit le *Journal des Débats* en évoquant le passé des trois principaux ministres. La monarchie est discutée. Les élections qui approchent s'annoncent dangereuses pour le régime.

En toile de fond, l'affaire algéroise qui se traîne pénalise le pouvoir. Aucune solution, politique ou militaire, n'y a été apportée.

Deux ans plus tôt, défendant son projet d'intervention, Clermont-Tonnerre énonçait :

> « Si, au contraire, un résultat glorieux vient couronner cette entreprise, ce ne sera pas pour le roi un léger avantage que de clore la session de 1828 et de demander ensuite des députés à la France, les clefs d'Alger à la main. »

Demander des députés au pays les clefs d'Alger à la main ! L'idée fait son chemin. Bourmont, Haussez, ministres de la Guerre et de la Marine, en appuient l'idée. Charles X, à la longue, se laisse convaincre.

Le 31 janvier 1830, le Conseil des ministres approuve le principe d'une intervention française contre Alger. Les affronts à Deval et à La Bretonnière seraient enfin vengés. Trois ans après dans le premier cas. Rodrigue et Don Diègue avaient le sang plus chaud pour effacer l'opprobre d'un soufflet [2] !...

L'histoire enseignée aux jeunes Français retiendra longtemps cette image d'Epinal conduisant à Alger. Elle omettra seulement les délais d'intervention. Elle se gardera bien de révéler les motivations profondes des dirigeants français : les retombées électorales escomptées de cette nouvelle croisade en terre d'islam.

Seront également occultés les aspects financiers que des historiens futurs penseront découvrir. Depuis des décennies, les corsaires n'ont cessé de rançonner les navires marchands en Méditerranée. Un pactole a dû s'accumuler. Un fastueux trésor en bijoux, pièces d'or et d'argent, est certainement à saisir dans les souterrains du palais du dey. Il serait le bienvenu pour renflouer les finances royales.

On ne saurait écarter également l'influence des négociants marseillais. Le commerce de la cité phocéenne – comme celui de Toulon – souffre de la situation créée qui a vu l'arrêt quasi total des échanges

1. Polignac était à Coblence avec les émigrés royalistes ; Bourmont avait déserté avant Waterloo ; La Bourdonnais s'était signalé durant la Terreur blanche en 1815.
2. Voir *La Conquête de l'Algérie*, du même auteur chez le même éditeur.

entre les deux rives de la Méditerranée. Résoudre la crise au plus vite est âprement réclamé. Pour ce, le recours aux armes paraît la meilleure voie.

Charles X, prince assez mystique, n'a peut-être pas discerné tous ces dessous politiciens ou autres. Le côté croisade prime chez lui. Le vieux souffle des croisés a enflammé le descendant de saint Louis et emporté sa décision.

Cette dernière, par contre, a été facilitée par l'environnement international. La France de Charles X n'est pas celle de Napoléon Ier. Elle n'effraie pas une Europe qui vient d'imposer aux Turcs l'émancipation de la Grèce et n'est pas hostile à la disparition de la cité barbaresque. Ce vestige de la piraterie maritime est unanimement condamné, d'autant qu'il coûte cher[1]. Le dey et les Barbaresques rançonnent ouvertement les puissances chrétiennes. Paris s'efforce habilement de se donner le beau rôle, mais une réaction aussi brutale est-elle à la mesure d'un simple geste de mauvaise humeur ? Elle se situe dans la logique du moment.

Les Français se posent en justiciers des puissances européennes. Des observateurs étrangers sont prévus. Le seul écueil provient du coté de l'Angleterre, qui n'accepte pas un projet contrariant ses visées commerciales. L'affrontement entre les deux pays est difficilement évité.

Et les Turcs ? La Régence est fief ottoman. S'y aventurer est mar-

---

1. Les puissances européennes paient tribut ou remettent des présents pour éviter – sans certitude absolue – la piraterie algéroise.

– Les Deux-Siciles paient un tribut annuel de 24 000 piastres fortes et fournissent des présents évalués à 20 000 piastres fortes.

– La Sardaigne doit à l'Angleterre de ne pas payer de tribut mais à chaque changement de consul, elle donne une somme considérable.

– Les Etats de l'Eglise, protégés par la France, ne paient ni tribut ni présent consulaire.

– Le Portugal subit les mêmes conditions que les Deux-Siciles.

– L'Espagne donne des présents à chaque renouvellement de consul.

– L'Autriche, suite à une médiation de la Porte, est affranchie de tribut et des présents.

– L'Angleterre doit verser 600 livres sterling à chaque changement de consul.

– La Hollande est dans le même cas que la Grande-Bretagne, ainsi que les Etats-Unis, le Hanovre et Brême.

– La Suède et le Danemark fournissent annuellement des matériaux de guerre et des munitions pour une valeur de 4 000 piastres fortes. Ces Etats payent en outre tous les dix ans 10 000 piastres fortes et un présent à chaque renouvellement de consul.

– La France elle-même fait des cadeaux au dey à l'occasion de la nomination d'un nouveau consul.

La piastre forte, ou d'Espagne, équivaut sensiblement à 5 francs à l'époque.

Ce brigandage international ne doit pas être sous-estimé pour apprécier la responsabilité d'Alger dans l'intervention française et ses conséquences.

cher sur les plates-bandes de Constantinople. Mais la Porte, à la tête d'un empire malade, préoccupée par les Balkans, n'est pas susceptible de s'opposer aux ambitions françaises. Quant aux voisins immédiats – Tunisie, Maroc –, pourquoi se risqueraient-ils, malgré le lien islamique, à contrarier les desseins du puissant roi de France ?

*

Qui aura l'honneur de commander l'expédition ? La place est convoitée [1]. Elle finit par être attribuée à Bourmont. Cette désignation du ministre de la Guerre, féal de longue date de la monarchie, déclenchera bien des quolibets.

Les soldats fredonneront :

Alger est loin de Waterloo
On ne déserte pas sur l'eau
De notre général Bourmont
Ne craignons point la trahison.

L'amiral Duperré sera à la tête de la flotte. Il est regardé comme un opposant au régime mais son talent de marin est unanimement reconnu.

Courant mai, 36 450 hommes embarquent à Toulon et Marseille sur les 675 bâtiments [2] destinés au transport. Tout a été minutieusement étudié et préparé. Des barques à la proue pivotant sur des gonds ont été construites pour permettre le débarquement des pièces d'artillerie et des chariots.

*

En ces temps où la navigation est encore tributaire du souffle d'Eole, il est impératif d'attendre les vents favorables. Le 25 mai enfin, Duperré peut donner l'ordre d'appareiller, cap sur Alger. Sur Sidi Ferruch très exactement, afin d'appliquer le plan Boutin. De là, l'armée gagnera Alger par l'arrière-pays et abordera la ville par les hauts.

La mer se creuse devant la côte africaine. La flotte est contrainte de s'abriter quelques jours dans la rade de Palma. Ce n'est que le 13 juin au soir qu'elle s'ancre dans la baie à l'ouest de la presqu'île de Sidi Ferruch. Celle-ci, qui s'avance comme un immense champignon d'environ 1 500 mètres au large, constitue un promontoire abritant des vents.

1. Parmi les candidats possibles, des anciens de l'Empire : Marmont, Molitor, Clauzel, Marmont surtout.
2. Dont sept navires à vapeur.

14 juin 1830. Une date appelée à entrer dans l'histoire.

Il est un peu plus de quatre heures lorsque les premiers canots accostent. Déjà le disque solaire, en ce matin radieux et tiède, pointe au-dessus de l'horizon.

Leurs pères criaient : « Vive la République ! » ou « Vive l'Empereur ! ». Les soldats de Bourmont lancent « Vive le roi ! » en prenant pied sur la grève. En trente minutes, la division Berthezène est à terre. Un drapeau blanc, emblème de la monarchie, est bientôt hissé par les arrivants sur la tour de la Torre Chica qui domine la pointe de la presqu'île.

Le premier débarquement s'est opéré sans dommages. La division Loverdo suit. Des groupes hostiles surgissent de temps à autre mais n'insistent pas. Des fusillades crépitent sans se prolonger. Quelques boulets s'écrasent sur le sable du littoral ou dans les bruyères des pentes. La résistance n'est pas très vive.

Au soir du 14 juin, la presqu'île de Sidi Ferruch est solidement tenue. Les Français ont eu trente-deux tués ou blessés. Leurs adversaires, eux, ont emporté leurs morts.

*

Hussein dey connaissait les intentions de la France mais il ignorait le lieu de débarquement. Maintenant, il sait. Les Roumis sont à Sidi Ferruch, à moins d'une journée de cheval de son palais.

Le dey a confié à son gendre, l'agha Ibrahim, chef des janissaires, le commandement de l'armée. Les trois beys ont été convoqués pour le soutenir. Ils campent non loin du rivage. Les tribus voisines ont fourni des contingents. Au total, Ibrahim peut compter sur 40 000 combattants, 50 000 peut-être.

Boutin, fin tacticien, avait vu dans Fort-l'Empereur le point névralgique à enlever pour tenir Alger à sa merci. L'ancien campement de Charles Quint, à quelque deux cents mètres d'altitude, surplombe la ville. Qui se l'approprie peut effectivement écraser la ville sous les impacts de ses pièces d'artillerie.

La manœuvre pour y accéder est inscrite sur le terrain qui s'élève progressivement depuis les abords de Sidi Ferruch. Le cheminement naturel, presque direct, passe par les lieux dits Staoueli et Sidi Khalef.

Le commandant en chef s'accorde quelques jours. Il tient à mettre toutes ses troupes à terre et à assurer ses approvisionnements. Ce n'est qu'au matin du 19 qu'il entame sa progression.

Ibrahim a massé les siens sur la terrasse de Staoueli, à environ cinq kilomètres de la côte. C'est là qu'il pense stopper Bourmont, dont les objectifs sont clairs. Sa troupe est courageuse, trop peut-être, mais n'a aucune expérience d'une bataille de masse. Les Français ont du métier. Nombre de leurs officiers supérieurs sont des anciens de l'épopée impériale. Ils savent briser une attaque par le feu et mener une charge.

Sur les glacis légèrement broussailleux, les carrés de baïonnettes, les salves d'artillerie font la différence. L'engagement s'achève en débandade côté Ibrahim. La route d'Alger est ouverte.

Mais dans le camp des Turcs et des tribus, pas question de désarmer. Les cavaliers harcèlent les colonnes. Ils ont l'avantage de la surprise, de la connaissance des lieux, de la nervosité de leurs montures. Les fantassins profitent des ravinements, des murets de pierres sèches, de maisons hâtivement fortifiées pour fusiller les voltigeurs de tête. A hauteur de Sidi Khalef, le lieutenant Amédée de Bourmont, fils du commandant en chef, est mortellement atteint.

Le 29 juin, les avant-gardes françaises débouchent à courte distance de Fort-l'Empereur et dominent la cité barbaresque. En contrebas, les mâts des navires de Sa Majesté le roi de France piquettent la rade. Cette fois, Alger est prise au piège derrière ses remparts.

En fin de journée, Bourmont ordonne de commencer à ouvrir la tranchée. 26 obusiers ou mortiers s'apprêtent à pilonner le fort qui couvre la ville.

4 juillet, quatre heures du matin. Une fusée déclenche la canonnade générale. Les coups portent. La maçonnerie précaire des murailles résiste mal. Derrière les embrasures, les servants turcs sont progressivement décimés par les salves françaises. Soudain, vers dix heures, une gigantesque explosion ébranle l'édifice qui disparaît dans un nuage de fumée. Sultan Kalassi vient de sauter. Les fumées dissipées, les troupes du général Hurel se précipitent. Peu après, le drapeau blanc flotte sur l'une des tours.

Les Français maîtres de Fort-l'Empereur, Alger est sous leur feu. La résistance n'est plus possible et serait suicidaire. Hussein dey le sait. Au début de l'après-midi de ce 4 juillet, il envoie un parlementaire pour connaître les conditions du vainqueur. Bourmont les a préparées :

> « Le Fort de la Kassauba et tous les autres forts qui dépendent d'Alger et le port de cette ville seront remis aux troupes françaises le 5 juillet à dix heures du matin (heure française).
> Le général en chef de l'armée française s'engage envers SA le dey d'Alger à lui laisser la liberté et la possession de toutes ses richesses personnelles.

> Le dey sera libre de se retirer avec sa famille et ses richesses dans le lieu qu'il aura fixé. Tant qu'il restera à Alger, il y sera, lui et sa famille, sous la protection du général en chef de l'armée française. Une garde garantira la sûreté de sa personne et celle de sa famille.
> Le général en chef assure à tous les soldats de la milice les mêmes avantages et les mêmes protections. L'exercice de la religion restera libre ; la liberté des habitants de toutes les classes, leur religion, leurs propriétés, leur commerce, leur industrie, ne recevront aucune atteinte. Les femmes seront respectées, le général en chef en prend l'engagement sur l'honneur.
> L'échange de cette convention sera fait le 5, avant dix heures du matin. Les troupes françaises entreront aussitôt après dans la Kassauba et dans tous les autres forts de la ville.
> Au camp devant Alger, le 4 juillet 1830[1]. »

Hussein dey est contraint de s'incliner. Les Français sont les plus forts. Tout prolongement de la lutte conduirait à une hécatombe inutile.

Le 5 juillet, vers sept heures du matin, la convention de capitulation est définitivement signée. Le dey n'a obtenu qu'une grâce de deux heures : les Français entreront dans la ville à midi et non à dix heures.

C'est donc le 5 juillet 1830 que l'armée française pénètre dans Alger. Elle est destinée à y demeurer cent trente-deux ans presque jour pour jour. Qui pourrait le supposer en cette chaude journée d'été ? Ni Bourmont, ni ses officiers, ni leurs soldats. Pour l'heure, ils ont rempli leur mission. L'avenir ne leur appartient pas. Il sera ce que la France et les habitants de la Régence en feront.

Dans son ordre du jour du lendemain, Bourmont proclamera fièrement : « Vingt jours ont suffi pour la destruction de cet Etat dont l'existence fatiguait l'Europe depuis trois siècles ! »

Fatiguait ! Le terme est modeste, eu égard aux milliers et milliers d'Européens qui ont été détenus et sont morts dans la cité barbaresque.

Intra-muros, les troupiers français apprécient la fraîcheur des ruelles et des immeubles mais ils jugent la ville sale, malodorante et désordonnée. La discipline leur interdit une mise à sac à l'antique. Ni viols ni tueries donc. Mais qui ne voudrait emporter un souvenir de la cam-

1. Ce texte est celui de l'acte définitif de capitulation. La première mouture a été légèrement retouchée.

pagne, les cadres les premiers ? Bien des demeures ont été évacuées la veille ou l'avant-veille par leurs habitants paniqués. Se servir est facile. Rares sont ceux qui se gênent... Bien des pièces de valeur disparaîtront. L'intendant général Dennie se taillera une confortable fortune.

Bourmont prend personnellement possession de la Kassauba et du trésor du dey. Boudjouks algériens, quadrilles mexicains, piastres espagnoles couvrent largement les frais de l'expédition [1].

Pour les Turcs, grands vaincus, une page se tourne. Trois siècles de présence s'achèvent, même si dans l'immédiat les trois beys de l'intérieur sont encore en place. Comme fixé par l'acte de capitulation, le dey s'exile. Ministres, dignitaires l'ont précédé ou le suivent [2]. 1 500 janissaires célibataires s'en vont également avec un petit pécule, généreusement distribué par Bourmont. Les mariés sont autorisés à rester [3].

Manifestement, tous ces départs correspondent à une prise de possession de caractère définitif par la France, et non à une occupation militaire provisoire dans l'attente de la conclusion d'un traité de paix. Fort de la réprobation internationale à l'encontre du régime turc, Bourmont l'élimine totalement. Ce faisant, le commandant en chef et son gouvernement visent-ils plus loin [4] ? Ont-ils en vue l'amorce d'un empire africain ? Il est hasardeux de se prononcer. L'expédition avait initialement d'autres finalités. Celles-ci n'interdisent pas les ambitions territoriales. Par la suite, les incertitudes gouvernementales sur la conduite à tenir dans l'ex-Régence montreront durant longtemps l'absence d'idée directrice. Mais Louis-Philippe aura alors remplacé Charles X. Quelle aurait été la politique de celui-ci ? Qu'avait-il envisagé ? Autant de questions condamnées à demeurer sans réponses.

*

Alger tombée sous la coupe des Français ne signifie pas que la Régence soit sous leur domination.

---

1. Une partie non déclarée de ce trésor sera-t-elle par la suite récupérée par Louis-Philippe ? Certains le supposent sans preuves absolues.

2. Hussein dey emmène avec lui son harem, son gendre Ibrahim, des ministres et des serviteurs. En tout 110 personnes dont 55 femmes (il mourra à Alexandrie en 1838).

3. Une tentative d'insurrection fin juillet, qui a provoqué la mort de plusieurs soldats français, entraînera leur départ. Ceux qui resteront à Alger et Oran puis à Constantine finiront par s'engager dans l'armée française. Ils sont à l'origine des futurs bataillons et régiments de tirailleurs algériens.

4. Certains propos de Bourmont devant la Chambre de commerce de Marseille, avant son départ peuvent laisser supposer qu'il avait à titre personnel des arrière-pensées de domination durable. Des économistes ont aussi prôné de coloniser la Régence.

L'occupation sans combats de Bône[1] et Oran, où le bey Hassan accepte de s'éloigner, l'apparente soumission du bey du Titteri le 15 juillet ne sont pas plus significatives. Effectuant une reconnaissance jusqu'à Blida, à cinquante kilomètres au sud d'Alger, Bourmont est contraint de livrer un difficile combat pour se dégager de l'étreinte des tribus locales.

Si les Français veulent dominer le Maghreb central, ils devront se battre. Ahmed bey à Constantine, les tribus dans l'arrière-pays y sont résolus.

*

L'acte de capitulation signé au matin du 5 juillet 1830 renferme une clause capitale : « L'exercice de la religion restera libre... »

Cet engagement sera respecté. Sous réserve d'expropriation de plusieurs lieux de culte qui susciteront le mécontentement populaire[2]. Les pouvoirs français qui se succéderont en Algérie ne porteront pas entrave à l'exercice de la foi islamique.

Certains déploreront ce respect scrupuleux de la signature d'un général de Charles X. Ils verront – sans doute avec raison – dans l'islam un foyer essentiel de la résistance à la présence française.

Par contre, par anticléricalisme parfois, le texte du 5 juillet tendra à être appliqué sans compromis. Le clergé catholique, au fur et à mesure qu'il se manifestera, se heurtera de la part des autorités en place à un refus quasi systématique d'évangélisation de la masse indigène. Les conséquences seront évidentes. Les Européens seront catholiques, les Algériens musulmans. Une telle fracture religieuse, avec tout ce qu'elle implique en particulier au plan matrimonial, ne saurait rapprocher les communautés.

*

Où en est en 1830 ce pays que viennent d'aborder les Français ?

Un fait est incontestable. Le Maghreb central, devenu Régence d'Alger au XVIe siècle, est profondément islamisé. L'invasion arabe s'est produite il y a maintenant un grand millénaire. En une période aussi longue, la foi islamique, appuyée par toutes les formes d'autorité en place, a eu le temps de s'enraciner. Le christianisme jadis si

---

1. Bône devra être rapidement évacuée et ne sera réoccupée qu'en 1833.
2. Voir plus bas.

présent est depuis longtemps effacé et oublié. Le judaïsme par contre subsiste et s'est même développé. Il n'a pas souffert d'une quelconque collusion avec les puissances chrétiennes en lutte contre l'islam. Il a bénéficié de l'apport des réfugiés d'Espagne. Alger, Tlemcen, Constantine possèdent des communautés bien vivantes et souvent influentes [1]. Bacri et Busnach en sont un exemple.

L'islam s'est infiltré partout et le vieux fond berbère s'est arabisé. Il a pris des mœurs orientales. Curieusement cependant, l'arabe en tant que langue a rencontré de solides poches de résistance. Les noyaux berbères représentent environ le cinquième de la population. Grande Kabylie, Aurès sont les deux principaux mais des îlots disséminés subsistent à travers toute la Régence. Ils ne représentent parfois que quelques milliers d'individus, autant qu'on puisse les dénombrer : Hanencha au nord de Souk Ahras, Ouled-Sellem entre Batna et Sétif, Ouled Ali ben Saba aux environs de N'Gaous, Ben Menasser entre Miliana et Cherchell, Matmata dans l'Ouarsenis, Beni Haoua près de Ténès, Zerifa dans le Dahra...

Pourquoi ces tribus sont-elles restées fidèles à leur langue originelle ? Impossible de se prononcer. La montagne fournit une première explication dans certains cas, mais elle n'est pas présente partout. Cette cause supplémentaire de division du pays ne peut que se constater.

La population globale est estimée – on l'a vu – à environ trois millions d'habitants. C'est peu pour une superficie de l'ordre de deux cinquièmes de la France [2]. Les calamités, épidémies de peste, famines, viennent de contribuer à un tel dépeuplement mais le taux de mortalité, la modicité des terres effectivement cultivées en sont les principales raisons.

A l'endroit de cette population, les Français utiliseront durant longtemps une terminologie assez simpliste et erronée : ils appelleront Arabes ceux qu'ils regardent comme les descendants des lointains envahisseurs, et Kabyles les héritiers supposés des Berbères. A ces deux grandes divisions, ils joindront les Maures, brassage assez flou des citadins, où les réfugiés d'Espagne sont supposés l'emporter. Ils seront plus près de la vérité vis-à-vis des Kouloughlis [3], des juifs

1. Les juifs sont toutefois regardés comme une classe inférieure soumise à diverses obligations : ghetto, costume spécial, impôt particulier. Ils ne sont pas à l'abri d'émeutes antisémites comme celle ayant coûté la vie à Busnach. Leur ralliement futur à la cause française s'explique.

2. La France de 1830 compte 33 millions d'habitants.

3. Estimés à 20 000. Ils sont très présents à Tlemcen et Biskra. Ils composent la population de deux tribus importantes : celle de Zammora au sud de la Grande Kabylie, celle des Zouatua sur les rives des oueds Isser et Itouen, au sud-est d'Alger.

et des Noirs [1], ces derniers encore souvent esclaves à l'arrivée des Français.

95 % de ces habitants sont des ruraux s'adonnant à l'agriculture sous toutes ses formes. Les villes sont modestes, ayant eu fortement tendance à se dépeupler. Alger ne compte guère que 30000 âmes [2]. Constantine doit en avoir 25000. Les autres sont loin derrière. Tlemcen 12000, Mascara, Oran 10000, Médéa, Miliana 7000. Toute une série oscille entre 2000 et 3000 : Blida [3], Koléa, Msila, Mila, Bou Saada [4], Tebessa, Biskra, Mazouna, El Bordj, Nedroma. Bône et Cherchell, au même niveau, sont en pleine décadence. Les ports de Bougie, Djidjelli, Collo, Ténès, Dellys, sont tombés à moins de 2000, témoignage du marasme commercial. Un bilan global donne une population urbaine de 150000 personnes, soit 5 à 6 % de l'ensemble. La Régence est un monde rural.

Curieusement, dans ce pays de ruraux les villages sont peu nombreux. On les trouve principalement en Grande Kabylie, blocs compacts serrés sur les lignes de crête ou dans l'Aurès, tassés au fond des vallées. Comment ne pas le remarquer : les villages se situent là où l'élément berbère est resté quasiment intact dans sa langue et dans ses structures. Partout ailleurs, les regroupements n'intéressent que de petites unités : gourbis formant mechtas, tentes rassemblées en un campement provisoire.

*

Ce pays est-il prospère ou misérable ?

La course, les ventes de céréales, de cuirs, de laine, d'huile, ont jadis procuré de la richesse. Ces temps se sont éloignés. Encore profitaient-ils essentiellement aux dignitaires du régime turc et aux intermédiaires juifs. La situation de la Régence au début du XIXe siècle n'est pas reluisante.

Les guerres en Europe, le blocus continental décrété par Napoléon, l'attitude des grandes puissances devant la piraterie persistante ont

1. Peut-être 15000. Les Français aboliront l'esclavage bien que la mesure ne soit pas encore officialisée en France. (On sait que l'esclavage aboli par la Révolution, restauré par Bonaparte, a été définitivement aboli en 1848, sous l'impulsion de Victor Schoelcher.)

2. Certains auteurs avancent 50000.

3. Blida détruit par un tremblement de terre en 1825 comptait avant le séisme 7 à 8000 habitants.

4. Bou Saada, Biskra appartiennent géographiquement au Sahara, pays où commence la culture de la datte. Mais ces deux oasis payaient tribut aux Turcs et relevaient de la Régence.

isolé le pays. De lui-même le dey, après l'intervention de 1816, a rompu les relations commerciales avec la Grande-Bretagne. En Europe même, les blés russes concurrencent ceux du Maghreb.

La Régence, qui n'exportait plus que des blés et doit importer des produits manufacturés, présente une balance commerciale déficitaire. Elle n'a aucune activité industrielle et se cantonne dans des fabrications artisanales à usage local. Elle est réduite à une stricte économie de subsistance s'appuyant sur l'agriculture [1].

Cette dernière repose sur des structures anciennes héritées des migrations. La propriété peut être collective ou privée. Collective (*arch*), elle relève du patrimoine de la tribu. Privée (*melk*), elle constitue un bien familial demeurant en indivision pour éviter le morcellement. La première répond généralement à la vie pastorale et à la culture céréalière des hauts plateaux et des plaines. La seconde nourrit les sédentaires attachés à la polyculture et à un petit élevage dans les massifs du Tell, de Kabylie et de l'Aurès. Il suffit de parcourir plaines et vallées pour découvrir que tout est loin d'être cultivé. Bien des étendues ne sont que pâture ou à l'abandon.

Il serait excessif d'opposer le nomade, transhumant ou non, et le sédentaire. Les deux se complètent et s'imbriquent. Ils se retrouvent régulièrement en des points de rencontre qui, avec le temps, ont adopté pour patronyme la date du jour de marché : *souk el-tleta*, marché du mardi ; *souk el-arba*, marché du mercredi ; *souk el-khemis*, marché du jeudi [2]...

En ces lieux de négoce et de palabres, les uns apportent blé et laine, les autres légumes, huiles et fruits. S'y négocient chevaux, ânes et mulets [3], animaux indispensables aux transports et déplacements.

A côté de ces terres appartenant à la tribu ou à la famille se situent les propriétés de l'Etat (*azel*), des collectivités religieuses (*habou*) ou d'un grand propriétaire foncier (*haouch*). *Azel* ou *haouch* sont entre les mains du dey, des beys et de tous ceux qui se sont succédés à des postes d'influence depuis la mise en place du pouvoir turc. Les plus riches, les mieux entretenus se trouvent aux approches des villes [4].

1. La pêche n'intervient pratiquement pas dans la vie économique. L'absence de plate-forme continentale et la relative pauvreté de la faune marine méditerranéenne en sont les premières raisons.

2. Ainsi Souk el-arba Iraten : marché du mercredi des Beni Iraten, nom originel de Fort-National.

3. Et chameaux dans le sud.

4. Ces zones bien cultivées autour des villes ne s'étalent pas très loin. A Alger elles ne dépassent pas Birkadem et Pointe Pescade, soit en moyenne une dizaine de kilomètres à vol d'oiseau du centre ville.

Leurs propriétaires en tirent revenus et y ont établi de luxueuses résidences secondaires au milieu de la verdure. Ces domaines sont entretenus et cultivés par des khames, ainsi nommés parce qu'ils sont rémunérés au khames, soit le cinquième des récoltes. Prolétariat agricole des latifundia algériens, ces khames survivent plutôt mal que bien.

Ces métayers au cinquième sont à l'image du monde rural. A l'exception de l'habitat kabyle « en dur », aux toitures de tuile, l'habitat indigène révèle la modicité des moyens de ses locataires : gourbis en pierre ou en pisé pour les sédentaires, guitounes de toile pour les nomades sont leur lot. Les membres de la famille s'entassent dans ces demeures misérables et enfumées où brûle le kanoun au milieu de la pièce commune. Un siècle plus tard, tous ces gourbis « sans eau, sans gaz, sans électricité » n'auront guère changé. Ils seront même devenus le lot habituel du fellah (paysan) avec la régression du nomadisme. Les militaires français, durant la guerre d'indépendance, découvriront la misère des mechtas. Soldats de métier ou appelés du contingent, ils s'en offusqueront. Ils s'élèveront contre ce paupérisme et cette misère sociale que les Européens de la rue Michelet à Alger ou du boulevard Leclerc à Oran ignorent et ne perçoivent pas. Ils auront le réflexe de le leur reprocher. Une des causes du divorce Armée-Européens d'Algérie – par-delà une façade trompeuse – vient de là.

*

Pour le reste, la Régence en est encore au stade médiéval.

Il n'existe pratiquement pas d'infrastructures. Les ports, en déclin, ont des capacités limitées. Ils n'ont ni jetées ni quais dignes de ce nom. Le réseau des voies de communications repose sur des pistes pour piétons, chevaux ou mulets. Les voies à peu près carrossables s'arrêtent à quelques kilomètres des principales villes. Les grands ouvrages d'irrigation à la romaine ont disparu. Pas de barrages ni de canaux. Puits et sources fournissent l'eau potable [1] et sont les pôles de rassemblement et de détente des femmes vouées aux strictes tâches ménagères. L'islam, sur ce point, ne leur laisse pas de place dans la vie publique.

La médecine est au niveau de l'ensemble. Les blessures graves ne pardonnent pas. Les épidémies de peste, de choléra font des ravages.

Mais à cet égard l'Europe n'est guère plus en avance. Bugeaud

1. Les villes possèdent des canalisations d'eau menant aux principales fontaines.

mourra du choléra en 1849. Des milliers de soldats périront en Algérie faute de soins appropriés.

*

Existe-t-il enfin dans la Régence de 1830 une vie culturelle ?

Un bilan des années turques a déjà été avancé. Il est mince. Les traces d'une quelconque activité intellectuelle se cherchent sans grand succès. De grands noms de lettrés, de philosophes, de scientifiques, d'artistes font défaut. La Régence annonce parallèlement, comme l'ensemble du Maghreb, un retard technologique considérable sur l'Europe où l'industrialisation a déjà pris son essor. L'effondrement militaire de juillet 1830 à Alger n'est que le résultat de carences et d'infériorités en tous domaines, à commencer par l'insuffisance étatique.

Il est toutefois indéniable que des foyers culturels d'émanation religieuse se manifestent un peu partout. L'éclosion et le développement des confréries en sont un aspect. Les écoles coraniques, les tolbas, foisonnent. Si ces tolbas, administrées par les confréries, visent d'abord l'enseignement de l'islam, elles assurent un rempart non négligeable contre l'illettrisme et confortent le caractère islamique de la société. Les Français auront à compter avec elles.

*

Au total, le tableau de la Régence de 1830 ne déroge pas à l'image du pays. Les contrastes se succèdent. Autoritarisme localisé du dey et des beys mais autonomie anarchique de la majorité des tribus. Demeures cossues des nantis mais gourbis misérables du plus grand nombre. Terres bien cultivées mais vastes surfaces livrées aux pâtures et aux friches. Vide culturel mais ferveur religieuse.

Rien n'est absolu. Rien n'est collectif. Il n'est entre les hommes sur ce sol morcelé qu'un seul lien, l'islam. Mais il est capital. S'y adjoint encore le vieux levain des révoltes berbères : le refus de l'autorité étrangère.

Chapitre XIII

ABD EL-KADER ADVERSAIRE DES FRANÇAIS

Dans la cité barbaresque aux mains des soldats de Bourmont, vainqueurs et vaincus se retrouvent face à face.

Les structures turques ont volé en éclats. Ministres, hauts fonctionnaires sont partis. Pourtant, la ville a besoin d'être administrée. Nécessité fait loi. Faute de mieux, les généraux français ont recours aux services d'israélites ou d'opportunistes. Choix malheureux. Ni les uns ni les autres ne sont bien vus. Les Algérois n'apprécient pas de se retrouver sous la tutelle de Juifs qu'ils regardaient hier comme une caste inférieure.

Sans vergogne, pour motifs de sécurité ou simplement pour se loger, l'armée occupe des demeures laissées vacantes par la fuite de leurs propriétaires. Des locaux religieux, des mosquées sont également réquisitionnés. D'entrée, l'occupation étrangère se fait pesante.

Dans une ville où la présence militaire est imposante, il ne saurait être question de résistance armée. Une tentative de soulèvement provoque cependant plusieurs morts dans un poste français [1].

A quelques jets de pierre au-delà des remparts, l'insécurité prévaut.

1. Tentative qui provoque l'exil des janissaires encore présents à Alger.

A chacune de leurs sorties, les patrouilles françaises échangent des coups de feu avec des cavaliers indigènes. S'implanter extra-muros exige d'être solidement protégé. Manifestement, l'ingérence étrangère n'est pas acceptée.

Très vite Bou Mezrag, le bey du Titteri, revient sur sa décision de soumission. Il se proclame en lutte contre l'envahisseur.

Le 27 juillet, les représentants des tribus de la Mitidja se réunissent près du cap Matifou. Un appel à la résistance à l'unanimité est lancé.

*

Quelques jours après son entrée à Alger, Bourmont reçoit le bâton de maréchal pour prix de son succès. Mais dès la fin du mois, les « Trois Glorieuses » contraignent Charles X à l'exil et le nouveau maréchal à l'imiter. Louis-Philippe devient roi des Français. Les cinq fils de ce monarque bourgeois seront de vrais soldats. Ils influenceront leur père et joueront un rôle déterminant dans la conquête complète de l'Algérie.

Vieux lignard de la Révolution et de l'Empire, réintégré dans l'armée par Louis-Philippe, Clauzel remplace Bourmont sans directives gouvernementales précises sur la conduite à tenir. Mais il n'est pas de tempérament à faire tapisserie. Aussi fougueux qu'intéressé, il multiplie les initiatives personnelles dans l'intention d'affermir la présence française.

Pour punir Bou Mezrag de son revirement, il lance une expédition sur Médéa. L'opération réussit, non sans peine. La colonne Clauzel se heurte à une farouche défense pour franchir le tenïa (col) de Mouzaïa qui permet de passer l'atlas blidéen. A son retour, elle trouve les rues de Blida jonchées de cadavres. La garnison laissée à l'aller a été attaquée par les tribus environnantes et a souffert pour se dégager. Pensant asseoir son influence sur le Titteri, Clauzel a intronisé à Médéa un nouveau bey, Mustapha ben Ourad. Celui-ci, les faits le prouveront, n'est qu'un enfant perdu en pays hostile.

La situation n'est pas plus brillante en Oranie. Soutenues par le sultan du Maroc, les populations du Tlemcenois se sont soulevées contre les Turcs et les Kouloughs qui ont trouvé un refuge précaire dans le Méchouar[1] de Tlemcen. Même situation à Mostaganem. A

1. Le Méchouar, « lieu où l'on tient conseil », représente en quelque sorte la « cité interdite » de Tlemcen. Protégé par une enceinte fortifiée, ce vaste espace rectangulaire de 490 m sur 280, au sein même de la ville, abrite les édifices royaux. Construit à partir de 1145, il fut la résidence des Abdelwahides.

Mascara, les derniers ressortissants turcs ont été massacrés. Les Français, eux, sont pratiquement assiégés à Oran.

Ces difficultés militaires conduisent Clauzel à envisager une solution politique. Des beys appartenant à la famille husseinite de Tunis seraient installés à Oran et à Constantine. Ils seraient les vassaux de la France et paieraient tribut.

Clauzel a été trop remuant et en a pris trop à son aise avec Paris. Début février 1831, il est rappelé et des décisions tombent : 10 000 hommes outre-Méditerranée, pas plus. Le général Berthezène est promu commandant « de la division d'occupation ». Ce titre à lui seul signifie la modestie des ambitions.

*

Paris ne sait donc que faire de cette ébauche de conquête[1] d'un pays qui se refuse. Les Français n'occupent pratiquement qu'Alger et Oran. Tout le reste relève de pouvoirs locaux plus ou moins importants. Chaque ville, chaque tribu présentent un cas d'espèce.

Berthezène est un soldat honnête et discipliné. Il applique les consignes reçues et fait la chasse aux spéculateurs qui n'ont pas tardé à se manifester. Avec lui pas d'expansion, pas de colonisation synonyme de grivèlerie et d'exploitation de la population.

Berthezène demeure moins d'un an à Alger. Fin 1831, il est remplacé par un revenant de l'ère napoléonienne : le général Savary, duc de Rovigo, l'homme des basses œuvres et de l'exécution du duc d'Enghien. Le personnage est brutal, cynique et se préoccupe essentiellement de l'Algérois[2]. Voirol, son successeur intérimaire, aura sensiblement la même attitude. Ni l'un ni l'autre ne regardent vraiment vers l'Oranie. Pourtant c'est là, dans l'ancien beylick d'Oran, où les chefs religieux ont influence et autorité, que l'avenir s'élabore.

*

Un peu à l'ouest de Mascara, dans l'oued El-Hammam, Mahdi el-Din règne sur la guetna (campement) familiale. Ce vieil homme est unanimement respecté pour son érudition et sa rigueur religieuse. Aussi n'a-t-il pas eu de difficultés à entraîner sa tribu, les Hachem, contre les infidèles d'Oran. La guerre, larvée au départ, s'est élargie à l'Oranie centrale car Mahdi el-Din a tout autant jeté l'anathème sur

1. Qui lui vaut également des soucis avec la Grande-Bretagne.
2. Sous Savary, Bône est cependant occupée en mars 1833.

tous ceux qui se sont ralliés aux Français, Koulouglis à Tlemcen, autochtones à Arzew et Mostaganem. L'affrontement a souvent pris l'aspect d'une lutte tribale ou ethnique.

Mahdi el-Din est un pieux marabout. Nul ne le conteste. Est-il vraiment le chef de guerre ? De par son âge, de par sa formation, il se présente plutôt en « homme de livre » qu'en « homme de poudre ». Le combat exige un vrai guerrier.

De sa seconde épouse Lalla Zohra, la préférée paraît-il, le vieux mokkadem a un fils. Ensemble, ils ont fait le pèlerinage à La Mecque. Ce fils, Abd el-Kader, peut donc arborer le titre envié d'El-Hadj, le pèlerin. Il vient de révéler son ardeur dans les combats récents. Madhi el-Din l'estime digne de conduire le djihad en son nom. Le 23 novembre 1832, son vœu est ratifié : Abd el-Kader est officiellement proclamé sultan par les tribus rassemblées dans la plaine d'Eghris.

Sultan ! Le jeune chef montre tout de suite sa sagacité. Ce titre risquerait de heurter le puissant voisin et allié marocain. Abd el-Kader décide donc de se contenter de celui d'émir, une dignité nimbée des splendeurs et des mystères de l'Orient dont il se réclame. Quelques jours après son élection, il fait son entrée dans Mascara destinée à devenir sa capitale.

Mais qui est-il exactement, ce fils de Madhi el-Din appelé à tenir un si grand rôle dans l'histoire de sa terre natale ?

Il est jeune : vingt-quatre ans [1]. L'homme est de petite taille, bien proportionné. Il se tient droit, très droit. Les tableaux d'Abd el-Kader à un âge plus avancé donnent de lui une vision erronée. Le personnage apparaît lourd, empâté. Il faut le voir mince silhouette dans l'éclat de sa jeunesse, merveilleux cavalier svelte et intrépide. Il fait corps avec sa bête, caracolant follement avec elle. Les chevaux seront l'une de ses passions et sa monture lui sauvera plus d'une fois la vie. Il aime répéter les propos du poète : « Un verre de liqueur enivrante est placé entre les deux oreilles d'un pur coursier. »

Le visage ovale est mat, prolongé par une élégante barbe noire. Le regard parfois s'éclaire de traits fulgurants. Une autorité naturelle émane du personnage toujours vêtu simplement mais avec soin. Il est l'émir et entend être traité comme tel.

L'intelligence est vive. Elle voit juste et loin. Elle n'exclut ni la ruse ni l'habileté. Les qualités d'administrateur sont à la mesure de

1. Avec une incertitude : est-il né en 1806, 1807 ou 1808 ? 1808 est la date la plus souvent retenue. Léon Roches, son ancien secrétaire, est précis. Il fixe le 15 du mois du Redjeb de l'an 1223 de l'hégire, soit le 6 septembre 1808. Ayant vécu de longs mois dans l'entourage d'Abd el-Kader, il peut avoir tiré cette précision de la tradition familiale, mais il a souvent fabulé.

cette vivacité intellectuelle. Abd el-Kader n'aura de cesse de bien structurer son fief. La détermination, la noblesse de caractère ne sont pas moindres. Malgré les revers et les défections, il reviendra toujours sur la brèche pour regrouper encore et toujours les indécis.

Le talent oratoire n'est pas absent. Abd el-Kader frappe son auditoire par des images fortes et colorées. Il sait y mêler poésie, érudition et références mystiques.

La vie emplie de dévotion et de piété impressionne son entourage. Constamment, il se présente tel qu'il est : un croyant attaché à sa foi et à sa religion.

En étudiant l'existence d'Abd el-Kader, un rapprochement vient à l'esprit. A six siècles de distance, sous d'autres cieux, sous une autre croyance, cet émir musulman est un nouveau Louis IX, ce roi de France mieux connu sous le nom de saint Louis. Tous les deux apparaissent d'abord et surtout en hommes de foi. Celle-ci sous-tend leurs pensées et leurs actes. Saint Louis a le regard fixé sur l'Eternel et l'Evangile, Abd el-Kader sur Allah et le Coran. Il ne s'en cache pas : « Je gouvernerai avec le livre de la loi à la main ! Et si la loi me l'ordonnait, je ferais moi-même une saignée derrière le cou de mon propre frère », annonce-t-il sitôt intronisé.

Pour preuve de sa détermination, il fait décapiter quelques assassins et crever les yeux à un brelan de pauvres diables, voleurs de leur état.

Ainsi en sera-t-il toujours. Prince d'un autre âge, œuvrant sous le seul signe de sa foi, disciple d'Allah jusqu'au fanatisme, justicier implacable pour ne pas dire cruel. Il ignore la grande loi de l'Evangile dont saint Louis savait tempérer son intransigeance religieuse. Son combat s'inscrit dans la logique de ses certitudes.

> « Lorsqu'on est chrétien, on doit vivre avec les chrétiens ; lorsqu'on est musulman, on doit vivre avec les musulmans ; et c'est un crime de cohabiter avec les chrétiens. »

Sa règle politique, dans son perpétuel appel au djihad, se situe là. Soutenu par ses coreligionnaires, celui qui se présentait comme « une épine dans l'œil des Français » aurait pu réussir.

*

Abd el-Kader sait où il veut en venir : fonder un royaume musulman. Songe-t-il pour autant à constituer un Etat algérien ? Non. A priori, non. Il n'a pratiquement jamais évoqué l'entité algérienne. On n'y trouve référence que dans sa lettre aux juristes de Fès en 1836.

Watan el Jazair[1], écrit-il. Sans plus. Le sentiment religieux l'emporte chez lui sur le sentiment national. En 1847, sur le point d'être complètement vaincu, il se détournera de l'Algérie et rassemblera ses ultimes forces pour se tailler un fief musulman au Maroc.

*

Dans son combat, le jeune émir possède un avantage. Ses adversaires français sont divisés et continuent d'hésiter sur l'orientation à donner à leur conquête.

Au début de 1833, le général Desmichels a remplacé à Oran le général Pierre Boyer que ses exactions ont fait surnommer Pierre le Cruel. Voirol, son supérieur hiérarchique, n'est qu'un intérimaire et réside loin. Desmichels peut mener sa politique à sa guise, n'en référant qu'à Paris.

Abd el-Kader campe au lieudit Le Figuier, à huit kilomètres au sud d'Oran. Audacieusement, pour marquer sa résolution, il tente une attaque contre la ville. Mais il manque d'expérience pour ce type d'opération. Son neveu Si Tayeb est mortellement blessé. Ses contingents découragés se dispersent.

Desmichels profite de cet échec. Le 4 juillet 1833, il occupe Arzew, dont le cadi Ahmed ben Tahar a été tué par Madhi el-Din pour trop de sympathie envers les Français. De là il s'avance sur Mostaganem où des connivences lui ouvrent les portes. A l'automne les deux tribus, ex-maghzen, des Douairs et des Smelas se rangent à leur tour derrière lui. En peu de temps, le Français a marqué des points. Il contrôle la côte oranaise et s'est assuré de puissants soutiens.

Rien n'est réglé pour autant. D'un côté, Desmichels reste rivé à ses ports. D'un autre, Abd el-Kader voit ses visées contrariées par ce général entreprenant. Une trêve lui serait utile pour étayer son jeune pouvoir. Cinq cavaliers français faits prisonniers par l'émir donnent motif à discussion. Deux israélites, intéressés pour leur négoce, s'entremettent. Desmichels, peu informé des coutumes du pays, se laisse piéger. Il appose son sceau sur la note préliminaire que lui présentent les émissaires de l'émir. Il contrôle mal le texte définitif signé le 26 février 1834 et rédigé sur deux colonnes. Les deux versions, la française et l'arabe, ne correspondent pas.

Desmichels pense avoir servi la paix et fait d'Abd el-Kader un allié voire un vassal de la France. Il a surtout donné la partie belle à son interlocuteur. L'émir se voit reconnaître la liberté d'acheter du maté-

1. « Nation algérienne. »

riel de guerre. Il contrôle le commerce des céréales par Arzew[1]. Il obtient d'envoyer des consuls près des Français. (La réciproque est vraie.) C'est bien là une marque d'authentique souveraineté.

Voirol n'approuve pas les accords passés par son lointain subordonné mais Paris les entérine. L'arrêt des combats en Oranie satisfait le gouvernement de Louis-Philippe qui s'interroge sur le sort à donner à sa conquête. Une commission d'enquête envoyée sur place dans le courant de l'année[2] condamne les méthodes employées mais conclut au maintien de la présence française.

> « L'honneur et l'intérêt de la France lui commandent de conserver ses possessions sur la côte septentrionale d'Afrique. »

Le traité Desmichels paraît aller dans ce sens. En juillet, une ordonnance royale faisant suite à une recommandation de la commission institue un gouverneur général doté des pouvoirs civils et militaires pour « les possessions du nord de l'Afrique ». Le 29 juillet, le vieux général Drouet d'Erlon – soixante-neuf ans – est désigné comme premier titulaire du poste. En septembre, il s'embarquera pour Alger.

*

Abd el-Kader, grâce au traité avec Desmichels, a les mains libres. Mieux même, les Français lui livrent de l'armement : quatre cents fusils et bientôt deux obusiers. De quoi lui procurer une supériorité sur tous ceux qui récusent sa férule et ses objectifs.

> « Ses coreligionnaires étaient trop habitués à vivre repliés sur eux-mêmes, avec pour seul horizon les limites étroites du territoire de la tribu et pour seules perspectives un avenir qui n'excédait guère le quotidien. Ils étaient aux antipodes des idées qui l'animaient »,

écriront des historiens de l'émir[3]. Oui, elle s'allonge, la liste de tous les récalcitrants : les Beni Amer, proches de chez lui, les Bordjia, les Angad, les Douairs et les Smelas de Mustapha ben Ismaïl, qui voue une haine terrible à Abd el-Kader, les Ouled Sid el-Aribi, les Sbea, les Flittas, les Koulouglis de Tlemcen, etc.

Par les armes et la persuasion, l'émir parvient à s'imposer dans une

1. Clause plus ou moins secrète.
2. Voir plus bas.
3. Abd el-Kader, *op. cit.*, p. 132.

bonne partie de l'Oranie, sauf évidemment chez Mustapha ben Ismaïl et au Méchouar de Tlemcen. Ses succès l'incitent à pousser vers l'est. Miliana l'accueille triomphalement mais à Médéa il doit faire donner les canons de Desmichels et les têtes volent. Moussa, qui a remplacé l'éphémère bey nommé par Clauzel, s'enfuit aux confins du désert. Généreux, Abd el-Kader lui renvoie son harem et ses bagages.

Ces gains territoriaux, parfois chèrement acquis, permettent au fils de Mahdi el-Din de dominer l'Oranie centrale et l'Algérois occidental. Selon le traité passé avec Desmichels, il n'aurait pas dû s'avancer aussi loin vers l'est. Mais les armes ont parlé en sa faveur. A Alger, Drouet d'Erlon s'est contenté de bougonner.

*

A la tête maintenant d'un large royaume, Abd el-Kader conforte Mascara comme capitale. A six cents mètres d'altitude, au centre du triangle Oran-Tlemcen-Médéa, la cité est bien située. La mer est proche. La vallée du Chélif s'ouvre à courte distance. Passés les monts de Saïda, Tiaret et les hauts plateaux s'atteignent aisément.

Plus encore que d'une capitale, l'émir se dote d'une armée qui pendant une dizaine d'années tiendra la dragée haute aux troupes françaises. Il l'articule en trois corps : fantassins, cavaliers, canonniers. Le chef de ces derniers porte sur ses vêtements : « Quand tu lances, c'est Dieu qui frappe. » Point n'est besoin de chercher loin l'auteur de cette maxime.

Tous ceux-là forment les réguliers, c'est-à-dire les permanents. Au plus fort, ils seront environ 8 000. Presque tous proviennent de la plaine ou des hauts plateaux. Ils seraient donc plutôt arabes que berbères, mais cette distinction a-t-elle encore un sens, hormis en Kabylie et dans l'Aurès ?

Les fantassins bruns, « les askers », du nom de la couleur de leurs burnous, sont les plus redoutables. Ils toisent de haut les fantassins aux burnous blancs originaires de l'est. Abd el-Kader les a organisés en bataillons d'environ un millier d'hommes. Disciplinés, aguerris, ils s'efforcent de manœuvrer à l'européenne.

Sur sa cavalerie en uniforme rouge, Abd el-Kader a porté lui-même un jugement :

> « Elle savait qu'elle ne valait rien pour le choc, mais elle se croyait sans rivale pour le combat individuel, la guerre d'embuscade et de surprise et pour le service d'éclaireurs. Elle ne regardait pas comme un déshonneur de fuir devant

des forces même inférieures, sa fuite n'étant souvent qu'une tactique. Faire beaucoup de mal à l'ennemi sans en recevoir elle-même, voilà le principe que je lui avais enseigné. »

Les canonniers, par manque de matériel, sont relativement peu nombreux[1].

Est-il d'ailleurs de l'intérêt d'Abd el-Kader d'engager une bataille classique contre les unités françaises ? Ses pièces d'artillerie se justifient essentiellement contre ses opposants algériens. A côté des réguliers, fer de lance autant que chiens fidèles, interviennent les supplétifs fournis par les tribus. Cet apport fait masse, tout en restant tributaire de la fortune du moment. Si l'émir est victorieux, les occasionnels affluent. Dans le cas contraire, ils renâclent.

A tous égards, Abd el-Kader entend imposer une stricte discipline qui n'est pas toujours respectée lors des razzias. Cartes, vin, tabac, prostitution sont interdits. Matin et soir, le muezzin appelle à la prière.

Pour entretenir l'exaltation et rehausser l'éclat des parades a été constituée une nouba, avec hautbois, timbales, grosses caisses. Il n'y a pas de musiques spécifiques. A défaut, cette nouba joue des airs turcs ou andalous.

Tous les combattants sont naturellement courageux[2] mais ils sont sensibles à l'évolution de la bataille. Si celle-ci tourne mal, ils flottent et se débandent. Là se situera l'une des plus grosses difficultés de l'émir : regrouper et redynamiser les siens au lendemain des coups reçus. Dominer cette perpétuelle remise en question ne sera pas son moindre mérite.

*

« Dépositaire de l'autorité royale », Drouet d'Erlon est donc arrivé à Alger courant septembre 1834 en qualité de gouverneur général. Cette fonction se perpétuera jusqu'en 1956, date de la nomination d'un ministre résident général, le socialiste Robert Lacoste. Desmichels, fort contesté pour son traité, part en janvier 1835, remplacé par Trézel. Trézel n'a pas toujours le sens politique mais c'est un soldat sans compromissions. Colonel à Waterloo, il y a perdu un œil et a été à nouveau blessé en 1833 en occupant Bougie[3].

---

1. 60 si l'on en croit Léon Roches, servant quatre pièces de 6 et deux obusiers.
2. Pour récompenser les plus braves, Abd el-Kader institue une décoration « mohamédienne » appelée Ciat el-Mohammedya. Cette médaille est une plaque circulaire garnie d'un plus ou moins grand nombre de doigts (5 à 7) suivant le grade.
3. Il sera à nouveau blessé devant Constantine en 1836.

De longue date, Abd el-Kader n'apprécie pas que deux tribus de l'ex-maghzen turc, les Douairs et les Smelas, se soient placées dans l'orbite française. Début juin 1835, il envoie El-Mezani, l'un de ses lieutenants, les châtier. Celui-ci revient, ramenant prisonnier Ismaïl Ould Kadi, neveu de Mustapha ben Ismaïl. Trézel sur-le-champ réagit en homme d'honneur :

> « Si nous laissons maltraiter ceux qui sont venus à nous, courageux et désintéressés, nous ne sommes pas dignes de leur estime et nous déméritons. »

Ses actes suivent ses propos. Une prompte intervention sauve Ould Kadi. Cette libération représente pour l'émir un camouflet. Sans plus attendre, il prépare sa riposte. Trézel, pour sa part, est bien décidé à briser le jeune chef, qui prend trop d'influence. Résolument, il entre en campagne alors qu'Abd el-Kader réunit des contingents fournis par les tribus.

La première rencontre a lieu le 26 juin sur les bords de l'oued Sig. Les Français n'en sortent pas victorieux et perdent le colonel Oudinot.

La journée du 28 n'est pas meilleure. Trézel, ayant opté pour un retour sur Arzew, engage sa colonne sur la rive de la Macta. Abd el-Kader l'y attend en force. Dans la mêlée pour s'ouvrir un passage, les Français laissent 352 tués, une bonne quantité de fusils et un obusier sur le terrain.

L'émir peut clamer sa victoire. Il l'a emporté en rase campagne et cette bataille de la Macta s'est soldée par un lourd revers de son adversaire.

*

Dans cette affaire malheureuse, si localisée soit-elle, la France voit un véritable affront. Sur les conseils de son fils aîné, le duc d'Orléans, Louis-Philippe nomme Clauzel gouverneur général.

Le 15 août 1835, en pleine canicule, le nouveau gouverneur met le pied à Alger pour un second séjour. A soixante-trois ans, il a gardé l'impétuosité mais aussi l'imprévoyance d'un sous-lieutenant, dira de lui l'un de ses subordonnés [1]. Partisan affirmé de la domination absolue de l'ex-Régence, il est résolu à conquérir l'intégralité du pays. Pour ce, il est décidé à s'en prendre d'abord à Abd el-Kader avant de se retourner vers l'est.

Avec Mascara pour premier objectif, il quitte Oran avec 6000

1. Changarnier.

hommes dont 600 supplétifs algériens et 300 Turcs[1]. Cette double présence prouve que les Français ont su trouver des alliés.

Abd el-Kader sent sa capitale menacée. Il s'empresse de la fortifier et de rallier ses troupes. En bataille rangée, les carrés de l'armée française bien soutenus par l'artillerie brisent sans rémission les charges des cavaliers algériens. Le 3 décembre, Clauzel se montre le plus fort. Son adversaire se disperse, découvrant Mascara. Abd el-Kader ne saurait livrer la ville intacte. Destructions et pillages se succèdent. La colonie israélite, qui a renoncé à fuir, en est la grande victime.

Le 6 décembre, Clauzel pénètre à l'intérieur des murs. Le butin est impressionnant. Il comprend en particulier l'artillerie de l'émir. Cependant le commandant en chef ne peut se maintenir. Il a enfreint ses directives et l'hiver ne dissimule pas sa présence. Les Français se replient sur Oran, emmenant avec eux les israélites de la ville. Ceux-là ont définitivement choisi leur camp.

Dans l'immédiat, Abd el-Kader s'annonce le grand vaincu. Sa troupe a lâché pied. Sa capitale a été sacrifiée. Son pouvoir vacille. Son autorité est contestée. Certains le traitent de « Sultan de la broussaille ». Plusieurs de ses lieutenants l'abandonnent.

Mais il ne renonce pas. Clauzel éloigné, il réapparaît dans Mascara et clame ouvertement qu'il poursuit la lutte.

*

Après un court répit Clauzel, infatigable, reprend la piste avec Tlemcen pour second objectif. L'ancienne capitale des Abdelwahides est devenue plus que jamais un haut lieu. Turcs et Koulouglis s'y maintiennent, toujours retranchés dans le Méchouar et faisant des sorties audacieuses pour se ravitailler. Mustapha ben Ismaïl les a rejoints.

Abd el-Kader, misant sur la vieille hostilité vis-à-vis des Turcs, a rassemblé de nouvelles forces. Mais, comme devant Mascara, impossible d'arrêter une troupe de métier. Au terme de près de six années d'un siège à rebondissements, le Méchouar est délivré. Abd el-Kader vient de subir une autre défaite. Avant de quitter les lieux, Clauzel y laisse une garnison de 500 volontaires sous les ordres d'un capitaine appelé à faire parler de lui : Louis-Eugène Cavaignac.

*

1. Ces Turcs viennent des anciennes garnisons du bey d'Oran. Ils se sont ralliés et sont à l'origine des futurs régiments de tirailleurs algériens de l'armée française.

Sur les bases de ses succès à Mascara et Tlemcen, s'estimant tranquille du côté d'Abd el-Kader, Clauzel se sent à même de porter ses ambitions vers l'est.

Le Constantinois a seulement été effleuré, avec l'occupation de Bône et de Bougie. A Constantine, Ahmed bey se maintient comme aux plus beaux temps de la Régence. Ce bey, koulougli d'origine, a réussi à s'intégrer dans le paysage local. Il n'est pas l'intrus.

Pour mener ses intentions à bien, Clauzel doit au préalable obtenir un blanc-seing de Paris. C'est pourquoi il s'embarque pour la France, passant le commandement par intérim au général Rapatel. Avant de s'éloigner, il laisse des consignes, dont celle de ravitailler Cavaignac isolé à Tlemcen. Sur place, le général d'Arlanges, nouveau patron à Oran, exécute mal. Il part avec des effectifs trop faibles. Abd el-Kader, qui a remonté la pente, l'attend en force, le repousse et lui inflige des pertes.

Une fois encore, Paris ne peut accepter ce camouflet. Trois régiments de ligne partent pour Oran sous les ordres d'un certain général Thomas Robert Bugeaud de La Piconnerie, ancien, entre autres, des campagnes napoléoniennes en Espagne. De cette lointaine expérience, Bugeaud a tiré enseignement. Tranchant sur ses prédécesseurs, il préconise « légèreté et mobilité » contre un adversaire perpétuellement fluide.

Trompant Abd el-Kader sur ses desseins, il parvient tout d'abord à ravitailler Tlemcen puis il accepte résolument le combat. Le 6 juillet 1836, sur les bords de la Sickack, il inflige à l'émir, qui perd 1200 hommes [1], un revers cuisant.

Bugeaud a montré ce qu'il savait faire. Il est promu lieutenant-général [2] et, météore éphémère, rentre en France fin juillet, mission accomplie. Abd el-Kader peut se refaire.

*

Clauzel a regagné Alger avec un feu clignotant qu'il interprète comme un feu vert. Le 18 novembre, il part de Bône avec 7000 hommes, le duc de Nemours, second fils du roi, à ses côtés. Il s'en va trop faible et surtout trop tard. Pluie et neige l'attendent sur les hauts plateaux. Pourtant, il a confiance. Il se fie aux dires de Yusuf, jeune aventurier que son audace et son yatagan ont propulsé aux premières

1. Plus de 130 prisonniers transférés à Marseille.

2. Général de division, le plus haut grade de l'armée française à l'époque avant la dignité de maréchal de France.

places. Il l'a même nommé avant l'heure bey de Constantine, Yusuf lui assurant que ses connivences lui ouvriront les portes de la cité.

Il n'en est rien. Sur son oppidum, la ville refuse d'accueillir les Français. 2 500 combattants les attendent, bien retranchés derrière les remparts sous la poigne de fer de Ben Aïssa, le lieutenant d'Ahmed bey. Ce dernier est resté au-dehors avec ses cavaliers, pour menacer les arrières des assaillants.

Pour accéder à l'antique Cirta cernée par le Rhummel, il n'est qu'un mouvement de terrain prolongeant le Coudiat Aty, situé à quelque cinq cents mètres au sud-ouest de la porte principale. Mais c'est un glacis battu par la mitraille. Il faudrait de l'artillerie pour organiser une contrebatterie. A défaut, Clauzel se résout à une attaque par surprise, de nuit, en empruntant l'unique pont sur le Rhummel. La tentative, désordonnée, ne débouche pas.

Il faut se résigner à lever le siège. Clauzel ordonne la retraite. Une retraite difficile où se distingue le bataillon Changarnier du 2ᵉ léger.

Le bilan est lourd : 880 hommes sont portés disparus, tués ou blessés, abandonnés aux poignards des guerriers d'Ahmed bey. 1 200 mourront d'épuisement ou de maladie.

Clauzel paie son échec et est rappelé. Le 12 février 1837, le lieutenant-général Damrémont est désigné pour le remplacer.

Sur le terrain, le « téléphone arabe » a tôt fait de répandre la nouvelle de la défaite devant Constantine. Les Français sont loin d'être invincibles. A l'autre bout du pays, Abd el-Kader en tire une nouvelle énergie pour entraîner les siens.

*

Damremont trouve sur place un corps expéditionnaire d'environ 30 000 hommes et une situation qui ne peut être regardée comme brillante. Si le drapeau tricolore flotte sur Alger, Bône, Bougie, Mostaganem, Arzew, Oran, Tlemcen et un peu dans la Mitidja, partout la défensive est de rigueur.

En France, l'échec devant Constantine est regardé comme un désastre à réparer. Il y va de l'honneur du pays et de la monarchie. Les fils du roi [1] pressent leur père, car ils sont partie prenante. Le duc d'Orléans était à Mascara, le duc de Nemours à Constantine. Bientôt, leurs cadets les rejoindront. Ils sont persuadés que la gloire glanée en Afrique peut rehausser le prestige de la famille d'Orléans. Derrière

1. Louis-Philippe a cinq fils : les ducs d'Orléans, de Nemours, d'Aumale, de Montpensier et le prince de Joinville, le marin.

eux, tous les jeunes officiers, Changarnier, Lamoricière, Bedeau... qui se font un nom en Algérie, les poussent dans le même sens. Les affaires dans ce dossier ne perdent pas leurs droits, à commencer par le négoce marseillais qui y trouve très largement son compte. Du coup, Damremont va disposer d'autres moyens que Clauzel. Il écopera aussi de quelques cactus comme Bugeaud, renvoyé en Oranie en mars 1837.

En fait, le gouvernement à Paris tergiverse. Il veut effacer le revers de Constantine mais dans le même temps donne instruction à Bugeaud de chercher un accord avec Abd el-Kader. Il crée également une dualité de pouvoirs sur le terrain. Bugeaud à Oran court-circuite Damremont, son supérieur à Alger. Le précédent Desmichels se reproduit.

Le 30 mai 1837, Bugeaud signe de sa propre autorité avec l'émir un traité qui portera le nom de traité de la Tafna, en raison du modeste cours d'eau près duquel le Français a planté son camp. Le plus grave n'est pas dans ce cavalier seul du commandant en Oranie. Comme avec Desmichels, les deux versions française et arabe divergent.

Dans les grandes lignes, tout paraît clair. La France se réserve la frange littorale de l'Oranie et la Mitidja avec Alger. Elle abandonne l'îlot de Rachgoun et Tlemcen à l'émir qui administrera les provinces d'Oranie, du Titteri et la partie de l'Algérois non attribuée aux Français. Sur ces bases le commerce est libre, des agents consulaires seront échangés, les biens des uns et des autres respectés.

Le fait est incontestable. La France, par Bugeaud interposé, permet à Abd el-Kader d'effectuer un formidable bond en avant. Elle le reconnaît comme souverain régnant avec prérogatives correspondantes, et ce sur une large moitié de l'ancienne Régence. Le fils de Madhi el-Din se pose désormais en véritable chef d'Etat aussi bien chez lui qu'à l'extérieur. Il prend carrure internationale. L'avenir paraît lui appartenir. Alors, va-t-on au Maghreb vers un nouvel Etat sous Abd el-Kader ? Pourquoi non ! A l'heure où de nouveaux pays – Belgique, Grèce – voient le jour, tout s'annonce possible.

Damremont, à Alger, n'apprécie pas l'action de son relatif subordonné. Les officiers de Bugeaud, plus vertement, estiment que leur patron s'est fait « cornichonner » [1]. Toutefois, il avait délégation. Aussi le 13 juin, sur l'avis favorable du gouvernement, la Chambre ratifie le traité de la Tafna.

Cependant certaines clauses secrètes ne sont pas encore connues,

1. Bugeaud, pressé d'en finir et de regagner la métropole, a par précipitation ou intérêt personnel fait la partie belle à son interlocuteur. A l'époque, il se déclare hostile à la conquête et à la colonisation de l'Algérie.

qui pèsent sur la mémoire du futur duc d'Isly. Ont été convenus l'exil des chefs qui se sont ralliés à la France, la livraison à l'émir de 3 000 fusils et d'une certaine quantité de poudre. A aussi été incluse la remise de 100 000 boudjouks, promise à Bugeaud pour l'entretien des chemins vicinaux d'Excideuil, commune dont le général est le député [1]...

Tous ces dessous, si peu honorables soient-ils pour le signataire français, n'en sont pas moins secondaires. Il est par contre un article 2 autrement plus lourd de conséquences.

Où se situe la limite orientale de la domination française dans l'Algérois ? Le texte français, en cet article 2, mentionne : Mitidja bornée à l'est jusqu'à l'oued Kheddara [2] et « au-delà » ; la version arabe stipule seulement jusqu'à l'oued Kheddara. Comment interpréter cet « au-delà » ? Pour les Francais, il leur ouvre la porte vers le Constantinois. Pour Abd el-Kader, il correspond à une frontière territoriale. Les faits vont se charger de révéler le côté litigieux et explosif de cet « au-delà », surtout avec la prise de Constantine pour laquelle Damremont a été envoyé.

Les erreurs de Clauzel ne sont pas oubliées. Les effectifs ont été portés à 11 000 hommes, bien pourvus en artillerie placée sous les ordres du général Valée, regardé comme le meilleur artilleur de son temps. La colonne quitte Bône le 1er octobre, les fortes chaleurs terminées et avant la saison des pluies.

Au terme d'une approche pénible, Damremont occupe les croupes de Mansourah [3] et du Coudiat Aty qui dominent la ville, et fait aussitôt entreprendre les travaux de siège. Ahmed bey a maintenu son dispositif de l'année précédente. Avec plus de 3 000 cavaliers, il s'efforce de harceler l'ennemi, tandis que Ben Aïssa stimule la défense à l'intérieur de l'enceinte.

Au matin du 9, depuis le Coudiat Aty, Valée déclenche ses tirs. Ses pièces de 24 sont des engins redoutables pour l'époque. Les canonniers turcs, stoïques, sont décimés à leurs créneaux.

Trois jours durant, la canonnade se poursuit. Une brèche commence

1. Le pot aux roses découvert, le gouvernement refusera d'y donner suite. Mustapha ben Ismaïl, en tête sur la liste d'exil, sera promu maréchal de camp (général de brigade), devenant ainsi le premier et le seul Algérien à accéder à un aussi haut rang de l'armée française (il y en aura toutefois un autre, le général Rafa, nommé à la fin de la guerre d'indépendance).

2. Appelé aussi oued Boudouaou. Long d'environ 40 km, il coule sensiblement sud-nord à 30 km à l'est d'Alger, arrosant la commune de l'Alma. Aujourd'hui, il porte le nom de Boudouaou dans son cours inférieur et Kheddara en sa partie supérieure.

3. De Mansourah aux remparts, il y a environ 800 mètres.

à prendre forme dans la muraille face au Coudiat Aty[1]. Au matin du 12, se portant aux avant-postes pour en reconnaître l'état, Damremont trouve la mort de Turenne. Valée, le plus ancien, prend aussitôt le commandement en vue de l'assaut décisif que la mort du commandant en chef retarde de quelques heures.

A l'aube du 13, le ciel est clair. Trois vagues françaises sont en place. De part et d'autre de la brèche, Turcs et Algériens attendent. Lamoricière, qui commande la première charge, se dresse une hache à la main et lance : « Zouaves en avant ! Vive le roi ! »

La mêlée dans les décombres, la fumée, les ruelles, les maisons éventrées par les obus, durera trois heures. A neuf heures, le succès est acquis. Ben Aïssa s'enfuit. Des dizaines et des dizaines de malheureux sont précipités dans le vide en tentant de s'échapper par les falaises du Rhummel.

Les Français l'ont emporté mais la victoire leur a coûté cher : 500 tués dont Damremont, Perregaux, Combes. Valée, récompensé, est promu maréchal et remplace l'infortuné Damremont comme gouverneur général.

Par cette prise de Constantine, la France a fait un grand pas en avant dans la conquête de l'Algérie. Avec Constantine, Bône et bientôt Philippeville, créée de toutes pièces sur le site de l'ancienne Rusicade, elle est maintenant bien implantée dans l'est algérien. Ahmed bey cherche refuge dans l'Aurès et n'est plus dangereux. Ben Aïssa se ralliera rapidement. Sept ans après le débarquement de Bourmont à Sidi Ferruch, le seul adversaire de taille pour s'opposer à une mainmise française totale sur le Maghreb central s'appelle Abd el-Kader.

*

Habilement, Abd el-Kader profite de la paix et du statut que lui confère le traité de la Tafna.

Il divise son royaume en huit khalifas ou provinces : Tlemcen, Mascara, Miliana, Médéa, du Hamza[2], de la Medjana[3], des Zibans, de l'ouest saharien.

Le point fort de son territoire est évidemment l'Oranie, où seuls les ports sont aux mains des Français[4]. Dans l'Algérois, il encercle la

1. D'où le nom futur de place de la Brèche donné à l'esplanade principale de la ville, là où se situait la brèche.

2. Région des vallées des oueds Isser et Sebaou, à l'ouest de la Grande Kabylie.

3. La Medjana est la partie occidentale des hauts plateaux constantinois. Chef-lieu Bordj Bou Arreridj.

4. Sauf Rachgoun.

Mitidja avec Miliana, Médéa, les vallées du Hamza. Il n'est que l'est algérien à lui échapper vraiment. La Grande Kabylie refuse sans ambiguïté de lui faire allégeance et les Français occupent Constantine. Néanmoins, l'émir n'a pas renoncé. Il pousse des tentacules vers Biskra et les hauts plateaux. Globalement, il contrôle plus de la moitié du pays. Sa faiblesse provient de la mer. Il est tributaire des ports français ou d'un long cheminement par le Maroc.

Abd el-Kader – c'est la marque du chef – sait s'entourer. Ses adjoints, dans l'ensemble, sont de qualité. Bou Hamidi, khalifa de Tlemcen est loyal, humain, fidèle. Berkani à Médéa est un vrai guerrier mais il travaille pour lui. A Miliana, Ben Allal, le chef borgne, dit « Sidi Embarek », est peut-être le meilleur chef de guerre. Il répondra avec hauteur aux offres d'aman de Bugeaud :

> « Du djebel Dakla à l'oued Fodda, je commande, je tue, je pardonne. En échange de ce pouvoir que j'exerce pour la gloire de Dieu et le service de mon seigneur le sultan, Abd el-Kader, que me proposes-tu ? Mes Etats que la poudre pourra me rendre, comme elle me les a pris ! De l'argent et le nom de traître ! »

Il y a aussi Ben Salem, le Kabyle, dans le Sebaou, Ben Thami, beau-frère d'Abd el-Kader, rusé, cruel même, à Mascara. Pour les tâches diplomatiques, l'émir peut compter sur Mouloud ben Arrach, mais celui-ci n'a rien de l'homme de guerre. Abd el-Kader dira de lui à cet égard : « Pour la poudre, sa femme lui est supérieure ! »

Sous tous ces khalifas, l'émir investit aghas, caïds et cheikhs pour diriger des tribus plus habituées à la discipline qu'à la soumission. Les Français agissent de même dans les régions qu'ils contrôlent, en particulier dans le Constantinois. Le ralliement des principaux chefs locaux, Ben Aïssa de Constantine, Ben Gana dans le Sud-Constantinois, Mokrani sur les hauts plateaux, Farhat ben Saïd, « chef du désert », vers Biskra... leur permet à eux aussi d'implanter cette hiérarchie fort utile pour, entre autres, le paiement de l'impôt.

Ah, l'impôt ! Abd el-Kader en a encore plus besoin que Valée. Son impécuniosité sera son talon d'Achille. Aussi il insiste pour faire rentrer l'achour, la zecca[1], la maouna, contribution exceptionnelle pour le djihad. Mais ses sujets se montrent réticents. Son indigence ne l'empêche pas de battre monnaie et de couler des Mohamedia, des pièces de Mahomet.

L'émir s'était d'abord fixé à Mascara. Bientôt il préférera Tagdempt,

1. *Achour*, dîme coranique sur les moissons ; *zecca*, impôt sur le bétail.

sur le site de l'ancienne Tahert. En s'implantant sur les lieux de la capitale du royaume berbère des Rostémides, a-t-il conscience de se rattacher à une racine profonde de son pays ? Il obéit plutôt à des considérations militaires en se situant assez loin à l'abri d'une menace française directe. De même, il implante d'autres bases, également éloignées, en limite nord des hauts plateaux : Sebdou, Saïda, Thaza, Boghar, Bel Kheroub et même Biskra en bordure du Sahara.

Ce prince, qui a monté très vite depuis sa guetna oranaise, vise haut. Il se regarde comme chef d'Etat et entend en posséder les attributs. Il entretient des relations diplomatiques avec le Maroc, l'Egypte, la Syrie, la Turquie. Avec ces pays musulmans, ses contacts semblent logiques. Mais il agit de même avec la Grande-Bretagne et naturellement la France. Un officier, le capitaine Daumas, qui parle l'arabe, assure à Mascara les fonctions de chargé d'affaires auprès de lui de 1837 à 1839.

Pour renforcer son armée, l'émir recrute des Européens avec mission de lancer des fonderies et des arsenaux. Ses ateliers sont nécessairement modestes mais lui fournissent une partie de la poudre et des armes dont il a besoin.

Le fils de Madhi el-Din a hérité de son père non seulement sa foi mais encore son amour des lettres. A côté de ses encouragements aux zaouïas, il attache du prix aux livres, développe sa bibliothèque, reçoit d'Alger des journaux français qu'il se fait traduire.

Il a compris le poids de la propagande et laisse colporter les poèmes qui chantent ses louanges et parlent de revanche sur l'infidèle :

> « C'est moi qui suis El-Hadj Abd el-Kader,
> Fils de Madhi el-Din, il importe que vous sachiez mon nom.
> Je ne vise point la grandeur... Je ne veux aucun des prestiges auxquels vous pensez.
> Nous entrerons dans Alger, nous chasserons l'Infidèle... »

S'imagine-t-il nouveau Tarik partant à la conquête du continent chrétien, lorsqu'il entend ses fidèles proclamer :

> « Nous repasserons la mer avec des bateaux...
> Nous envahirons le pays de l'impie. Nous le sèmerons de mosquées...
> La religion de la croix s'éclipsera, rentrera dans le fourreau. »

Ce monarque, car il en est un, avec une cour et un gouvernement, se veut justicier. Ses verdicts sont rapides, parfois impitoyables. Quelques gestes indiquent la sentence. Main levée, la prison ; mains à l'horizontale, décapitation ; mains abaissée vers le sol, bastonnade.

L'appel n'existe pas. La sanction est exécutoire. Les têtes tombent dès la sortie de la tente où l'émir a installé son tribunal.

*

Abd el-Kader ne profite pas seulement de la paix de la Tafna pour développer les structures de son régime. Il règle ses comptes avec tous ses coreligionnaires qui contestent son autorité. Et ceux-là restent légion.

Il y a les Ouled Naïl, dans le sud du Titteri. Pour les mater, Abd el-Kader lance une expédition qui pousse jusqu'à Bou Saada.

Il y a les Kouloughlis, en limite orientale de la Mitidja. Leur chef Biram a été investi comme caïd par les Français. La vengeance de l'émir est terrible. Ses réguliers et ses supplétifs mettent la contrée à feu et à sang. Biram prisonnier est promené sanglant dans son fief avant d'être décapité.

Il y a la puissante confrérie de Tidjani à Aïn Madhi, oasis à trois cents kilomètres au sud d'Alger. Le siège d'Aïn Madhi dure plusieurs mois avant qu'Abd el-Kader, ni vainqueur ni vaincu, se résigne à laisser Tidjani et les siens quitter les lieux qui seront ensuite dévastés. Un Tidjani ne renoncera jamais à regarder Abd el-Kader comme son pire ennemi.

Il y a envers et toujours le bloc kabyle, insensible aux appels et aux menaces. Ces Kabyles-là parlent de régaler l'émir de couscous noir (la poudre) s'il persiste à vouloir leur réclamer l'impôt.

*

Valée, de son côté, partisan d'une conquête intégrale, poursuit son chemin. Il développe ses garnisons surtout dans le Constantinois, auquel il s'intéresse particulièrement. Il fait occuper Djidjelli, Sétif, Djemila, Mila. Il fonde Philippeville, on l'a vu[1]. Le ralliement des grands feudataires facilite l'administration française. Les Turcs de Ben Aïssa s'engagent. On circule librement de Constantine à la côte.

Progressivement, le peuplement des Européens entamé dès 1830 s'étoffe. Ils sont déjà 25 000 en 1838. Les plus courageux ont commencé à se risquer dans le bled pour défricher et cultiver.

Le gouverneur général se préoccupe donc spécialement du Constantinois mais le bât le blesse : ses liaisons avec la province orientale

1. Philippeville aura une croissance exceptionnelle et sera au départ une cité presque exclusivement française : 3 400 habitants en 1840, 5 500 en 1847.

ne sont réalisées que par mer. Il voudrait bien que Mitidja et Sétifois soient d'un seul tenant.

Mais comment procéder ? Il connaît l'ambiguïté de l'article 2 du traité de la Tafna. Il sait qu'Abd el-Kader n'est pas absolument dans son tort lorsqu'il affirme que le texte signé avec Bugeaud limite la présence française à l'oued Kheddara.

Paris intervient. Le grand virage a été pris. Les temps ne sont plus aux hésitations. L'occupation restreinte est dépassée. Posséder l'intégralité de l'Algérie fait partie des ambitions du gouvernement de Louis-Philippe. Les pressions sur Abd el-Kader pour l'amener à se montrer conciliant ne débouchent pas. Un voyage diplomatique à Paris de Mouloud ben Arrach, une mission d'un envoyé de Valée auprès de l'émir se terminent dans l'impasse. Pour ce dernier, pas question de toucher au traité de la Tafna. Sinon, ce sera la guerre.

Cette guerre, la souhaite-t-il ? Impossible de se prononcer sur les apparences. La paix le sert mais il existe chez lui et dans son entourage un esprit de croisade contre l'infidèle. Son propre fanatisme religieux le pousse au djihad et à y exhorter ses fidèles afin de se débarrasser des Roumis. Alors est-il sincère, ou se donne-t-il le beau rôle, lorsqu'il écrit à Louis-Philippe pour lui certifier qu'il désire l'entente avec le puissant roi des Français ?

Valée, lui, bien décidé à pousser la conquête à son extrême, s'y prépare, intensifiant sa politique des grands feudataires. Il n'est pas paradoxalement sans vision lointaine, suggérant la mise sur pied d'une armée composée en grande majorité d'autochtones « jusqu'à ce que la puissance arabe, développée elle-même par la civilisation, réclamât une indépendance que la prudence ne permettrait peut-être pas de lui refuser ». Lyautey ne dira pas autre chose.

A l'automne 1839, le duc d'Orléans, héritier du trône, se rend en inspection en Algérie. Le gouverneur général parvient à le convaincre de se joindre à lui dans une expédition destinée à démontrer la présence française dans l'est algérien. Le 16 octobre, les deux hommes quittent Constantine à la tête de 5 000 cavaliers et fantassins. Après Sétif, scindant leur troupe en deux et trompant les augures, au lieu de marcher vers le nord ils piquent résolument vers l'ouest. Le 28 octobre, ils franchissent les Portes de fer [1] que d'aucuns s'imaginaient infran-

1. Il existe en fait deux défilés pour franchir les Bibans. Le plus évasé est celui dit de Bab el-Kebir – les grandes portes – par où coule l'oued Chebba. La route nationale, la voie ferrée Alger-Constantine l'emprunteront par la suite. A environ deux kilomètres au nord-est, s'ouvre celui dit Bab el-Seghir – les petites portes – de l'oued Bou Kton. Les guides algériens firent emprunter à Valée et au duc d'Orléans ce dernier passage.

chissables. Après les gorges de l'oued Bou Kton, ils débouchent dans la somptueuse vallée de la Soummam. Un autre paysage s'ouvre à eux. Les villages kabyles se serrent sur les crêtes. Les bosquets d'oliviers où s'ébattent des volées de grives égayent les bords de la rivière.

La marche sur Alger se poursuit sans grandes difficultés. Sur la fin du parcours seulement des cavaliers de Ben Salem, le khalifa d'Abd el-Kader, viennent tirailler de loin. Au terme d'une course de cinq cents kilomètres, le 2 novembre, les voyageurs font une entrée triomphale dans Alger. Sur les murs de la ville, l'autorité militaire fait placarder des affiches :

> « SAR monseigneur le duc d'Orléans et monsieur le maréchal gouverneur général sont arrivés hier au Fondouk, venant de Constantine [1]. »

*

L'événement est d'importance. Il précipitera l'entrée dans la guerre totale avec Abd el-Kader. Il ne doit pas en faire oublier un autre : le 14 octobre 1839, deux jours avant que Valée et le duc d'Orléans ne quittent Constantine, le ministre de la Guerre a pris une décision :

> « Le pays occupé par les Français dans le Nord de l'Afrique sera, à l'avenir, désigné sous le nom d'Algérie. En conséquences, les dénominations d'ancienne Régence d'Alger et de possessions françaises dans le Nord de l'Afrique cesseront d'être employées dans les actes et les correspondances officielles. »

Le Maghreb central possède désormais un nom. N'en déplaise à ses détracteurs, la France a déjà apporté cela outre-Méditerranée.

*

Dans son périple au-delà de l'oued Kheddara, Valée s'est affranchi de la Tafna et a bravé l'émir. Ce dernier tient le prétexte ou le mobile que peut-être il attendait pour une guerre à laquelle ses fidèles le pressaient.

Le 17 octobre, de Mascara, il adressait aux habitants de Djidjelli une missive pour leur annoncer que la paix n'existait plus entre lui et

1. Fondouk, à 25 kilomètres au sud-est d'Alger, marque l'entrée dans la Mitidja.

les Français et que sous peu il proclamerait le djihad. A l'annonce du passage des Portes de fer par Valée, il s'écrie :

> « Louanges à Dieu ! L'infidèle s'est chargé lui-même de rompre la paix ! A nous de lui montrer que nous ne redoutons pas la guerre. »

*

La guerre décisive avec Abd el-Kader est déclenchée. L'affrontement impitoyable durera huit ans.

Tornade dévastatrice, la tribu des Hadjoutes s'abat sur la Mitidja. Les détachements isolés sont décimés. Les fermes européennes flambent, les colons sont massacrés avec leurs familles. Dans l'improvisation, le dispositif français se resserre autour d'Alger.

Valée n'aligne que 40 000 hommes. A la hâte, il réclame des renforts. Louis-Philippe et Thiers, arrivé au gouvernement le 1er mars 1840, demeurent partisans d'une Algérie française à tout prix. 10 000 fantassins, 4 000 cavaliers embarquent pour l'Algérie. Sur place même, spahis, gendarmes maures, compagnies de Koulouglis, goums, harkas fournis par les tribus ralliées assurent plus que d'excellents auxiliaires.

Les hostilités sont déclenchées. Les faits d'armes se succèdent, où le courage s'équilibre de part et d'autre. Combat d'Oued el-Alleug le 31 décembre 1839, où l'émir perd trois drapeaux. Défense de Mazagran en février 1840, où les 140 zéphirs du capitaine Lelièvre repoussent les réguliers et les supplétifs de Ben Thami.

Valée a fait le choix de tenir les places fortes. Non sans difficultés, il occupe Médéa, Miliana, Mascara... Cette stratégie exige du monde et ne permet pas de conclure. Abd el-Kader domine le bled. Omniprésent, suivant les circonstances il accepte l'affrontement ou se contente de harcèlements.

A la Chambre, le député Bugeaud s'insurge contre un immobilisme sans issue apparente. Il parle d'une autre politique. Il prône la mobilité pour traquer l'adversaire.

A la longue, ses propos trouvent un écho. L'absence de résultats décisifs, les pertes font le reste. Valée est déboulonné. Le 29 décembre 1840, Guizot, nouveau chef du gouvernement, fait parapher au roi le décret nommant le lieutenant-général Bugeaud gouverneur général de l'Algérie.

*

Ah, il n'est pas commun, ce personnage entrevu à la Sickack et à la Tafna.

Ce grand gaillard de petite noblesse périgourdine est resté vigoureux et résistant, en dépit de ses cinquante-sept ans et de ses cheveux blancs qui le feront surnommer « Bou Chiba », le Père la blancheur. Les longues chevauchées par tous les temps n'ont pas raison de sa solide constitution.

Il est d'abord un soldat. Caporal à Austerlitz, colonel en 1814, il fut d'un courage à toute épreuve. Civil malgré lui de 1815 à 1830, rappelé au service par Louis-Philippe, il aime le métier des armes. Il goûte l'odeur de la poudre, la fumée des bivouacs, les parades majestueuses dans le hennissement des chevaux.

Il n'est pas qu'un militaire courageux. Dans la vie civile, il s'est montré un gentleman-farmer avisé. Elu député, il s'est révélé habile pour se hisser à la première place à Alger. Ses adversaires lui reprochent son ambition, sa cupidité. Ils lui collent des étiquettes plus ou moins justifiées : geôlier de la duchesse de Berry, bourreau [1] de la rue Transnonain pour briser le populaire insurgé, signataire délictueux du traité de la Tafna.

Ces aspects négatifs n'empêchent pas l'autre côté de la médaille : un solide bon sens qui refuse les chimères, une ouverture d'esprit pour s'adapter et innover. Là où ses prédécesseurs ont marqué le pas, il l'emportera. Certes, il aura obtenu de Paris les moyens nécessaires (plus de 100 000 hommes). Certes, il s'appuiera sur des méthodes contestables. Mais en quelques années, il brisera la puissance de l'émir et l'amènera à rémission.

Dans le Constantinois, la France a des alliés. Bugeaud ne s'y attarde pas. Il donne la priorité à l'Oranie, fief d'Abd el-Kader.

Abandonnant la formule des forteresses chère à Valée, il joue la mobilité et la destruction systématique du potentiel de son adversaire. Il prend et détruit Tagdempt, la capitale de l'émir, puis Saïda, Boghar, Haza. Partout les récoltes, les troupeaux des tribus fidèles à Abd el-Kader sont l'objet de terribles razzias.

Tlemcen, Sebdou tombent à leur tour. Les Hadjoutes, ces terribles dévastateurs de la Mitidja à l'automne 1839, sont rayés de la carte. Devant cette puissance impitoyable, les ralliements se multiplient, de l'Ouarsenis à la Kabylie occidentale.

A la fin de 1842, le gouverneur général présente un tableau flatteur de son action. Il se fait fort de posséder la libre circulation sur les six septièmes du pays. Il vante le développement régulier de la

1. Ce dont Bugeaud se défendra âprement.

Mitidja, où la sécurité est revenue. A Miliana, Mascara, Tlemcen, le commerce reprend.

Tout n'est pas faux, mais Abd el-Kader n'est pas encore terrassé. En plein hiver, il surgit dans l'Ouarsenis pour châtier les Beni Ouragh qui sont passés dans le camp des Français. Dans le Cherchellois, Berkani relance la lutte, entraînant les Beni Menasser.

Mais, décidément, la roue tourne. Le 16 mars 1843 au matin, le duc d'Aumale à la tête de quelques poignées de cavaliers surprend la smala. La smala, c'est la capitale mobile de l'émir depuis qu'il a perdu Tagdempt et Mascara. Ce vaste campement de toile renferme la famille, les serviteurs, les biens d'Abd el-Kader. Ce dernier n'était pas là ce jour-là et pour lui le coup est sévère. La majeure partie de ses proches, ses archives sont aux mains des Français. Il n'est plus qu'un nomade en quête de soutien.

Quelques semaines plus tard, Aumale sera récompensé en la personne de son chef promu maréchal[1]. Maréchal, bientôt le caporal d'Austerlitz devra encore à l'Algérie d'être fait duc...

*

1844. La France contrôle de mieux en mieux l'Algérie. Elle aligne ses garnisons de Tlemcen à Guelma. D'autres s'édifient en des positions stratégiques et donneront naissance à des villes nouvelles : Batna, Aumale, Orléansville, Sidi Bel Abbès, Tiaret, Marnia... Au printemps, Tidjani opte pour la France. Les Flissas dans l'Algérois viennent faire soumission au lieu dit par la suite « Camp du Maréchal[2] ».

Abd el-Kader est de plus en plus isolé. L'aide qu'il ne trouve plus auprès des siens, il pense l'obtenir du sultan du Maroc. Il lui plaide le djihad, rappelle les ambitions marocaines sur le Tlemcenois. Réfugié dans la région d'Oujda, au Maroc donc, il lance des incursions contre Marnia et Sebdou.

L'affaire prend dès lors une dimension internationale. Par son accueil, le Maroc s'est fait l'allié d'un ennemi de la France.

Bugeaud a pleine conscience de la coalition Marocains-Abd el-Kader qui s'est nouée contre lui sur la Moulouya. Il n'est pas de tempérament à ne pas réagir. Résolument, avec 10 000 hommes, la fine fleur de ses unités, il se porte sur Oujda.

Le colonel Foy lui apporte l'ordre formel du gouvernement de ne

1. Il sera lui-même promu lieutenant-général.
2. Aujourd'hui Tadmaït.

pas franchir la frontière mais le maréchal n'a cure de directives émanant des Parisiens loin des faits. Il entre en territoire chérifien et le 14 août, sur les bords de l'oued Isly, remporte sur les Marocains venus au secours d'Abd el-Kader une victoire sans appel.

Paris s'est vu forcer la main mais s'empresse de la reprendre car l'Angleterre gronde. Le traité de Tanger du 10 septembre 1844 rétablit la concorde entre la France et le Maroc. En son article 4, il stipule :

> « Hadj Abd el-Kader est mis hors la loi dans toute l'étendue de l'Empire du Maroc aussi bien qu'en Algérie. Il sera, en conséquence, poursuivi à main armée par les Français sur le territoire de l'Algérie et par les Marocains sur leur territoire, jusqu'à ce qu'il soit tombé au pouvoir de l'une ou l'autre nation. »

Ce ne sera là qu'une clause de style.

Par contre, la convention de Lalla Marnia en mars 1845, qui entend régler les litiges autour du tracé incertain de la frontière entre l'ancienne Régence et le Maroc aura d'autres incidences. L'article 4 prévoit :

> « Dans le Sahara (désert), il n'y a pas de limites territoriales à établir entre les deux pays, puisque la terre ne se laboure pas et qu'elle sert aux Arabes des deux empires qui viennent y camper pour trouver les pâturages et les eaux qui leur sont nécessaires. Les deux souverains exerceront, de la manière qu'ils l'entendront, toute la plénitude de leurs droits sur leurs sujets respectifs dans le Sahara. Et, toutefois, si l'un des deux souverains avait à procéder contre ses sujets, au moment où ces derniers seraient mêlés avec ceux de l'autre Etat, il procédera comme il l'entendra sur les siens, mais il s'abstiendra envers les sujets de l'autre gouvernement.
> Ceux des Arabes qui dépendent de l'Empire du Maroc sont : les M'beia, les Beni Guil, les Hamian-Djenba, les Eumour-Sahara et les Ouled Sidi Cheikh el-Gheraba.
> Ceux qui dépendent de l'Algérie sont : les Ouled Sidi Cheikh el-Cheraga et tous les Hamian, excepté les Hamian-Djenba susnommés. »

L'article 5 répartit les ksours, les villages fortifiés des sud algérien et marocain.

Cette imprécision due à la mobilité tribale engendrera des confrontations frontalières entre les deux pays. Lyautey en saura quelque chose cinquante ans plus tard. L'Algérie devenue indépendante, le différend se poursuivra.

*

Après l'Isly, Bugeaud pense avoir définitivement partie gagnée. Hormis les Kabyles, toujours large tache sombre sur sa carte ainsi que le cœur de l'Aurès et quelques oasis inviolées du sud, l'Algérie lui appartient. Abd el-Kader erre au-delà de la frontière.

C'est compter sans l'énergie farouche du fils de Madhi el-Din et le vieux fonds d'hostilité aux infidèles de nombreux éléments de la population.

Au printemps 1843, un jeune marabout, Mohammed ben Abdallah, dit Bou Maza (l'homme à la chèvre), soulève le Dahra et l'Ouarsenis de part et d'autre de la vallée du Chélif. Bou Maza sera défait et se soumettra mais entre-temps se sera produit l'épisode tragique des enfumades du Dahra [1].

Bou Maza n'est pas sorti du djebel et la répression n'a été qu'à demi périlleuse pour les soldats de Bugeaud. Soudain, alors que le soleil de septembre finit de brûler les pentes asséchées, un revers sévère jette l'émoi dans le camp français et déclenche une insurrection d'envergure.

Au début du mois, Abd el-Kader franchit avec plusieurs milliers d'hommes la frontière et se porte dans le massif des Traras, entre Tlemcen et la mer. Le colonel Montagnac, commandant d'armes à Djemaa Ghazaouet (Nemours), a écho de sa présence. Ce sabreur sans états d'âme et que la gloire émoustille croit pouvoir renouveler le coup d'éclat de la smala. Résolument, il se lance à la recherche de l'émir avec 354 chasseurs du 8e bataillon d'Orléans et 64 cavaliers du 27e hussard.

L'affaire se termine en tragédie sur les flancs du djebel Kerkour. Montagnac est tué, sa maigre colonne décimée. Si le dernier carré des chasseurs retranché dans la Kouba de Sidi Brahim y gagne une auréole d'héroïsme, l'écho du désastre français résonne à travers l'Algérie. Il retentit d'autant plus qu'il est suivi d'un second à Aïn Temouchent, où un détachement de 200 hommes est fait prisonnier.

En quelques semaines, le pays s'embrase contre les Français. Abd el-Kader vole d'un djebel à un autre pour attiser l'incendie contre l'infidèle. Quinze ans après le débarquement à Sidi Ferruch, en dépit d'apparences trompeuses, une grande partie de l'Algérie se dresse contre la France.

*

1. Voir plus bas.

Bugeaud prenait quelque repos en métropole. Sitôt l'explosion connue, il court au canon et entre en campagne. Dix-huit colonnes, derrière Lamoricière, Cavaignac, Bedeau, Yusuf, Saint-Arnaud, fusent de partout pour traquer l'émir et mater les insurgés.

Commencent dix mois de course folle entre Abd el-Kader et ses adversaires. Du Tlemcenois aux contreforts kabyles par l'Ouarsenis et l'Atlas blidéen, l'émir ne cesse de prêcher le djihad, activant les révoltés, sanctionnant les tièdes.

Les Français sont trop forts, trop nombreux, mieux organisés. Abd el-Kader a fait appel en vain à l'opinion internationale. Quelle nation oserait se brouiller pour lui avec la France ? En décembre, il échappe de peu à Yusuf. A plusieurs reprises encore, il manque d'être tué ou capturé. Progressivement, ses fidèles le lâchent. Il doit s'enfoncer vers le sud. Finalement, il est contraint de se réfugier à nouveau au Maroc, où séjourne sa deira[1] qui a remplacé sa smala. A l'automne 1846, le calme est rétabli sur l'Algérie, à l'exception des poches où l'armée française ne s'est pas encore hasardée.

*

Cette phase des combats a connu un drame. Les rescapés du Kerkour et d'Aïn Temouchent, faits prisonniers, ont été regroupés à la deira. Pour ne pas reconnaître l'émir, Bugeaud refuse toutes négociations à leur sujet. Ces 280 malheureux à nourrir et à garder sont une charge. Abd el-Kader se bat au loin et ses lieutenants se partagent. Bou Hamidi propose de les libérer mais Ben Thami est le chef en titre. Dans la nuit du 24 au 25 avril 1846, les prisonniers sont massacrés[2]. Ne sont épargnés que les officiers et sous-officiers, qui seront en novembre libérés contre rançon.

Ce crime révolte l'opinion publique française. Il pèsera lourd sur le sort futur de l'émir qui en sera, à tort, regardé comme le responsable.

*

1847. Février. Ben Salem, le khalifa d'Abd el-Kader pour la Kabylie, demande l'aman[3]. Avril. Bou Maza, l'insurgé de l'Ouarsenis, l'imite.

Ce sont des signes qui ne trompent pas. La méthode Bugeaud, avec

---

1. Petite smala.
2. Sauf deux qui parviennent à s'échapper.
3. En septembre, il embarquera avec sa famille pour s'installer à Damas.

ses colonnes mobiles, ses razzias dévastatrices, sa perpétuelle pression sur l'ennemi, a payé. Cette victoire sur le terrain n'empêche pas le maréchal d'être las. Il sent trop l'animosité contre lui. « Les Bédouins de Paris », comme il les appelle, le dénigrent et repoussent les principes de colonisation militaire qui lui tiennent à cœur. Fin mai, après une dernière expédition contre les Beni Abbès du Djurdjura occidental, il donne sa démission. Le 5 juin, il s'éloigne à jamais de l'Algérie après avoir déclaré à ses soldats : « Ma santé et d'autres motifs puissants m'ont obligé de prier le roi de me donner un successeur. »

Ce successeur, en septembre, s'appellera le duc d'Aumale, le vainqueur de la smala. Le prince est jeune (vingt-cinq ans), mais il est intelligent et déjà expérimenté. Il a dirigé avec application la province de Constantine.

Abd el-Kader, à cette heure, est un exilé. Il s'est installé en terre marocaine, sur la rive gauche de la Moulouya.

Malgré ses échecs, il reste tenace. Ce fief islamique qu'il n'a pu constituer en Algérie, pourquoi ne pas le fonder au Maroc, pays fragile, aux structures vulnérables ? Abd el-Kader, chef religieux, jouit d'un grand prestige près des tribus du Maroc oriental. Il intrigue et travaille pour se faire introniser.

Le sultan Moulay Abd el-Rahman n'est pas dupe. Il s'indigne du comportement de cet « agitateur » qui complote contre son trône. Pour le mettre à raison, son fils Si Mohamed quitte Fès avec 15 000 hommes. Discrètement, les Français soutiennent les Marocains et les approvisionnent en munitions.

Pour le farouche lutteur, il n'est plus grand choix. D'un côté, l'armée marocaine. D'un autre, l'armée française sous Lamoricière. Pris entre deux feux, il décide avant tout de sauver ses proches. Le 21 décembre, grâce au sacrifice de ses derniers réguliers, il force le passage sur la Moulouya et se rapproche du territoire algérien. Au matin du 24 décembre, sur les pentes du Kerkour, site tragique des combats de septembre 1845, il fait sa soumission à Lamoricière. Quelques heures plus tard, à Djemaa Ghazaouet, il la confirme au duc d'Aumale arrivé peu auparavant.

Dans l'esprit du duc comme dans celui de Lamoricière, le vaincu partira pour la France puis, de là, pour un exil de liberté en Turquie. Ils s'y sont engagés, persuadés d'être suivis par leur gouvernement.

24 décembre. Veille de Noël, fête chrétienne. Apparemment, la Croix l'emporte sur le Croissant en Algérie, terre d'islam. Avec la reddition d'Abd el-Kader, la France a perdu son principal adversaire, celui qui depuis quinze ans était le grand artisan de la résistance contre sa présence.

*

Vercingétorix algérien, Abd el-Kader s'est bien battu mais comme le chef gaulois il n'a pu faire l'unité autour de lui. Ses coreligionnaires se sont divisés et ne l'ont pas tous suivi.

Le bloc kabyle n'a pas bougé et a refusé franchement de le suivre. Des tribus entières, les Douairs, les Smelas, les Smouls, les Segnia, les Ouled Azig, les Ouled Mechaouch, etc., se sont faits les auxiliaires des Français et se sont rangés à leurs côtés.

A tous niveaux, Clauzel, Valée, Bugeaud... ont pu recruter et trouver pour les servir des chefs et des soldats. Les unités naissantes qui feront par la suite la gloire de l'Armée d'Afrique, zouaves, tirailleurs, spahis..., n'ont jamais manqué de volontaires.

Le Maghreb central s'est montré égal à lui-même. Chacun a œuvré pour soi, à commencer par Ahmed bey et les grands féodaux du Constantinois. L'unité n'a jamais existé, malgré la puissance du sentiment religieux contre les infidèles. Abd el-Kader, trop souvent, a été lâché par les siens. Il n'a dû qu'à son extraordinaire énergie, à la vivacité de sa foi islamique de ne pas renoncer et de poursuivre la lutte jusqu'à ce matin cruel de décembre 1847.

*

Le duc d'Aumale n'a guère le temps de bénéficier de la fonction qui fait de lui le grand administrateur de cette conquête dont, avec ses frères, il a été un ardent promoteur. La révolution de février 1848 chasse les Orléans. La Seconde République force le duc à l'exil.

Les généraux se succèdent au gouvernement général à Alger, tandis que Louis-Napoléon, élu président de la République, complote pour accéder à l'empire. Pour mener ses visées à bonne fin, il a besoin d'un homme sûr. Saint-Arnaud, qui en a l'étoffe, n'est que général de brigade. Au printemps 1851, une campagne en Petite Kabylie, région toujours insoumise, lui permet d'acquérir une étoile supplémentaire. A l'automne, il sera promu ministre de la Guerre. Le pion prévu par Louis-Napoléon sera en place le 2 décembre, grâce à une opération plus politicienne que militaire en Petite Kabylie.

*

Le coup d'Etat a réussi. Le prince-président marche vers l'empire. Sur cette route, rentrant de Bordeaux il fait étape à Amboise.

Les engagements formels du duc d'Aumale et de Lamoricière

n'ont pas été tenus par les gouvernements successifs, celui de Louis-Philippe et ceux de la Seconde République. A leur décharge, l'ombre sanglante des prisonniers de la deira. La France continue d'en accuser Abd el-Kader. L'émir est donc resté prisonnier à Toulon d'abord, puis à Pau et enfin à Amboise.

C'est là que le futur Napoléon III, le 16 octobre 1852, lui notifie en personne sa libération. Le geste est généreux et habile. Il fera désormais d'Abd el-Kader un ami fidèle de la France et des Français [1].

*

Pour finir d'asseoir leur domination, les Français n'ont plus qu'à soumettre les derniers irréductibles, les Kabyles, qui se refusent à eux comme hier à Abd el-Kader.

Au préalable, à l'automne 1852, deux colonnes convergent sur Laghouat, où un ancien khalifa de Tlemcen pour la France, Mohammed ben Abdallah, a soulevé la tribu des Larba. L'oasis est enlevée au terme d'un siège sanglant où le général Bouscaren est mortellement blessé. Peu après, Si Hamza, bachagha des Ouled Sidi Cheikh Cheraga, entre dans Ouargla. En novembre 1854, le général Desvaux occupe Touggourt.

Biskra. Touggourt. Laghouat. Ouargla : le Sahara septentrional est sous contrôle français. Cependant, le vrai problème de la pénétration saharienne reste entier.

*

L'armée était partie se battre en Crimée. Ce n'est qu'en mai 1857 que le gouverneur général Randon peut enfin s'attaquer au bastion kabyle.

40 000 hommes sont à pied d'œuvre. Retranchés sur leurs lignes de crête, les Kabyles se défendent avec rage. Le 24 juin 1857, la prise d'Icheridène coûte aux Français 400 tués, dont 30 officiers. Cette journée est l'une des plus sanglantes de la conquête. Au total, l'occu-

1. Abd el-Kader se retirera à Damas où il mourra en 1883. Il recevra de la France une pension de 100 000 francs portée à 150 000, chiffre considérable pour l'époque. Un rapport de la Cour des comptes signalait qu'en 1979 cette rente toujours versée aux héritiers d'Abd el-Kader s'élevait à 1 300 000 nouveaux francs. L'action d'Abd el-Kader en 1860, lors de la révolte druze, où il sauvera de très nombreux chrétiens, lui vaudra la grand-croix de la Légion d'honneur.

En 1966, l'Algérie indépendante de Houari Boumedienne fera revenir à Alger les cendres de celui qui reste pour elle le plus illustre de ses patriotes.

pation de la Grande Kabylie se paiera de 1 500 tués et blessés dans les rangs de Randon. Combien en face ?

La Grande Kabylie soumise, 1857 marque le terme officiel de ce qui est dénommé la conquête de l'Algérie. Un terme qui ne signifie en aucun cas que la paix soit au fond des cœurs des vaincus, même si le drapeau tricolore flotte de Marnia à La Calle.

Chapitre XIV

LES GERMES DE LA DISCORDE

En 1857, l'Algérie est regardée comme conquise, situation dans l'ensemble exacte. Fait marquant, pour la première fois de son histoire, elle est unifiée dans sa quasi-intégralité.

Les maîtres précédents du pays, qu'ils soient numides, romains, vandales, byzantins, arabes, almoravides, abdelwahides, turcs ou autres, ne pouvaient prétendre qu'à une domination partielle ou relative. Leur mainmise était fragmentaire. En aucun cas, ils ne s'immisçaient partout. La France, elle, a dépêché ses soldats jusqu'aux extrémités les plus reculées. Même le rude Aurès a été pénétré. Même la farouche Kabylie a plié. Bientôt, les administrateurs et les colons français prolongeront la présence militaire.

L'avènement est d'importance. Il rompt avec un long héritage de séparatisme régional ou tribal, d'unité jamais réalisée. Il laisse présager qu'enfin le Maghreb central, par occupant interposé, se transformera en un bloc compact et unifié.

*

Est-ce à dire que cette présence française qui s'est imposée par les armes est unanimement acceptée et que l'adhésion des cœurs est acquise ? Non ! Pour deux raisons essentielles :

– la rigueur impitoyable de la conquête ;

– l'introduction d'un peuplement européen, phénomène à double tranchant.

Les germes initiaux de la future discorde se situent là. Les braises de la révolte couveront longtemps avant de se ranimer. Un point est sûr : elles ne s'éteindront pas.

*

UNE GUERRE IMPITOYABLE

1830-1857. La lutte sans merci s'est prolongée durant un quart de siècle. Même si les combats ne se sont pas poursuivis partout durant cette période, l'Algérie française s'est d'abord façonnée dans le sang. Les bases de l'édifice en resteront marquées. Terrible évidence souvent occultée par le colonialisme triomphant de l'entre-deux-guerres.

La conquête a coûté très cher à l'armée française. A maintes reprises, combats, épidémies [1] ont vidé les rangs. La prise d'Alger, à elle seule, a réclamé à Bourmont 3 000 tués et blessés, nombre de ces derniers ne survivant pas. La maladie, les semaines suivantes, doublera le prix payé.

Il n'existe évidemment aucune statistique côté Turcs et Algériens. Sauf cas d'espèce, l'expérience prouve que les pertes se situent dans un rapport de un à trois, voire de un à cinq. La puissance de feu, la discipline, le métier des Français expliquent ces écarts face à un adversaire courageux mais souvent désordonné. Devant Alger, Turcs et Algériens ont ainsi pu perdre dans les 10 000 à 15 000 hommes.

Ces chiffres, ces estimations plus exactement, ne valent que pour la courte période de l'entrée dans Alger. Par la suite, les mêlées se sont succédé. Combats en rase campagne, embuscades, défenses et assauts acharnés des places de Constantine, Tlemcen, Zaatcha [2], Laghouat, etc., se réglant par des flots de sang dans un camp comme dans l'autre. La seule retraite de Constantine en 1836 s'est soldée par plus d'un millier de morts chez Clauzel.

---

1. Ou intempéries. En janvier 1846, la colonne du général Levasseur, prise dans une tempête de neige au sud de Sétif, laisse 150 morts de froid. Les témoins parleront d'un véritable épisode de la retraite de Russie.

2. La prise de Zaatcha, le 2 décembre 1852, aurait fait 2 300 victimes, hommes, femmes, enfants, selon le colonel Pein (*Lettres familières sur l'Algérie*).

En décompte global, le bilan des pertes françaises, qui n'a jamais été établi avec précision, se situe, entre les tués au combat, les décédés suite à blessures ou maladies, plus près de 200 000 que de 100 000 [1].

Le bilan est pire en face, surtout en y adjoignant les victimes civiles des razzias, des cités enlevées, des représailles de toute nature. Alors 500 000 morts ? Un million ? Rien ne permet de privilégier un total plutôt qu'un autre. Les pertes françaises étant presque exclusivement militaires [2], si le ratio de un à trois est retenu, 500 000 morts algériens semblent une approche d'ensemble aussi terrible que raisonnable.

Devant ce décompte, une conclusion s'impose. Une population algérienne de trois millions d'habitants en 1830 est généralement admise. Un Algérien sur six aurait donc disparu durant la conquête française. Un tel holocauste laisse obligatoirement des traces.

En faut-il un exemple ?

Visitant en 1888 le pays des Traras, cette région côtière d'Oranie où s'étaient déroulés les combats de Sidi Brahim en 1845, le géographe Charles de Mauprix fait une curieuse découverte.

Il remarque un certain nombre de petits tumuli en pierres sèches récemment blanchies à la chaux. Il ne s'agit pas de tombes de marabouts et le lieu n'est pas un cimetière. Mauprix questionne le caïd qui élude sa réponse. Le garde champêtre n'est pas plus loquace. Le khodja [3], pressé de questions, se montre évasif et prudent.

« Ce sont des gens qui sont morts.

– Mais comment morts ? Ils ont été tués ?

– Oui, tués.

– Par qui ?

– Oh, tu sais, il y a longtemps. »

Mauprix insiste et la réponse toujours reste vague.

« Eh bien, il y a longtemps, une bataille !

– Mais alors, puisqu'il y a longtemps, comment se fait-il que les pierres aient été blanchies récemment ?

– Je ne sais pas. »

Le khodja sait, et par recoupements Mauprix comprend. Il écrit dans son compte rendu de voyage :

> « Chaque année, à l'anniversaire des combats, les Arabes viennent fêter les héros qui sont tombés pour la défense de

---

1. La liste des généraux et colonels français tués en Algérie est éloquente : généraux Damremont, Perrégaux, Bouscaren, Barral, Géry, Fitzjames, de Caraman ; colonels Combes, Oudinot, de Maussion, Berthier, Illens, Montagnac.
2. La colonisation de l'Algérie a par contre coûté très cher en vies humaines, suite essentiellement aux maladies et épidémies.
3. Secrétaire.

> leur pays en tuant des Roumis détestés. Les pères racontent les faits à leurs enfants, citent les noms des morts et perpétuent la haine contre nous et l'espoir d'une vengeance[1]. »

Le caïd, le garde champêtre, le khodja de l'endroit, tous à la solde des Français, n'ignoraient rien et se taisaient, complices tacites et peut-être approbateurs.

On en était là soixante ans après l'entrée dans Alger. La tradition qui se transmet dans les familles constitue en milieu rural une mémoire tenace. Le fait est bien connu. Rien ne prouve que les années suivantes aient estompé ce pieux hommage rendu aux combattants tombés contre les Français et derrière lui toute sa signification cachée.

*

Une guerre est toujours cruelle. La conquête de l'Algérie n'échappe pas à la règle, une règle où les lois, plus ou moins conventionnelles, sont tout de suite abolies.

Dès leurs premiers pas sur le sol algérien, les Français découvrent et comprennent. Malheur à celui qui s'égare ou s'éloigne des rangs ! Un coup de yatagan a tôt fait de lui trancher le col. Malheur aux blessés abandonnés sur le terrain ! Leurs cadavres seront retrouvés en triste état. Malheur aux prisonniers tombés entre les mains de l'ennemi[2] ! La mort ne survient qu'au terme de longs tourments. Les cantinières ne sont pas épargnées. Un témoin rapporte :

> « Ces Bédouins sont d'effroyables gens, ils coupent une tête avec un plaisir féroce dont il est difficile de se faire une idée. Jugez-en. Dans la chaleur du combat, ils se contentent de saisir le prisonnier, de détacher sa tête du tronc et de l'emporter ; mais quand ils peuvent prendre leur temps, ils commencent par abattre les deux poignets, puis ils coupent les oreilles, puis tailladent la nuque de manière à faire un tatouage sanglant, puis enfin, ils abattent le nez. Ce n'est qu'alors que leur victime cesse de souffrir en ayant le col coupé. Un de nos gens a été délivré de leurs mains après avoir supporté une bonne part de ce traitement. Ses poignets lui étaient restés, son nez et sa nuque se recollent à

1. Charles de Mauprix, *Six mois chez les Traras*, Le Tour du Monde, Hachette, 1889.
2. Il y aura quelques exceptions dues à la présence d'Abd el-Kader, qui à plusieurs reprises rendra même des prisonniers.

l'hôpital, mais ses oreilles sont demeurées sur le champ de bataille[1]. »

Le ton est donné. Dans cet univers de haine, personne ne retient son bras. Souvent même, les chefs incitent à frapper fort. Savary et Bugeaud ne sont pas les derniers sur cette voie.

Au printemps 1832, Savary lance une terrible expédition punitive sur la petite tribu d'El-Ouffia, implantée dans la partie orientale de la Mitidja. Il lui reproche d'avoir dépouillé, selon lui, les envoyés du cheikh de Biskra venus solliciter l'aide de la France contre Ahmed bey. Le chef de tribu, fait prisonnier, est exécuté. Les hommes, les femmes, les enfants sont massacrés sans discernement.

Cette tuerie, au passif des Français, ne sera pas oubliée. Ferhat Abbas y fera plusieurs fois allusion, notamment en 1931 dans *Le Jeune Algérien*[2].

Bugeaud exploitera à fond un mode de guerre qui finira par payer, la razzia. Certes, le terme razzia n'est pas d'origine française. Il n'est que la dénomination arabe de la terre brûlée, utilisée au Maghreb bien avant l'apparition de Bourmont. Le 4 mai 1830, Ahmed bey écrivait de Constantine à Hussein dey :

> « J'ai fait une razzia sur une ferka des Oulad Saïd, en révolte contre le cheikh de l'Aurès. Je lui ai pris 2000 moutons, 2000 chèvres, 600 bœufs, 70 bêtes de charge. J'ai coupé 500 têtes... »

Ahmed bey omet uniquement de préciser – son interlocuteur le sait – que les 500 têtes appartiennent aussi bien à des femmes et des enfants qu'à des hommes.

Bugeaud fait donc de la razzia l'une de ses principales tactiques pour annihiler les forces vives de l'émir : « Il faut empêcher les Arabes, de semer, de récolter, de pâturer », ordonne-t-il.

Ses subordonnés exécutent avec application. Leurs correspondances fournissent des documents instructifs :

« Je pille, je brûle, je dévaste, je coupe les arbres, je détruis les récoltes : le pays entouré d'un horizon de flammes et de fumée me rappelle un petit Palatinat en miniature » (Saint-Arnaud).

« Pendant que la cavalerie donne la conduite à l'ennemi, l'infanterie s'arrête pour incendier les gourbis et gaspiller l'orge, le blé, etc., qu'on trouve en abondance dans les silos et qu'on ne peut emporter faute de transports » (duc d'Aumale, 1841).

---

1. Paul Raynal, *L'expédition d'Alger. Lettres d'un témoin*, SEGMC, Paris, 1930.
2. *Le Jeune Algérien*, La Jeune Parque (Garnier Frères) ; réédité en 1981.

« Nous sommes restés plusieurs jours à ce bivouac, détruisant les figuiers, les récoltes et nous ne sommes partis que lorsque le pays a été entièrement détruit » (maréchal des logis de Castellane, 28 mars 1844).

« J'ai cru remplir consciencieusement ma mission, ne laissant pas un village debout, pas un arbre, pas un champ » (futur maréchal Forey, alors lieutenant-colonel, le 26 avril 1843). Il ajoute, lucide : « Est-ce mal ? Est-ce bien ? Ou plutôt est-ce un mal pour un bien ? C'est ce que l'avenir décidera. »

Des chefs s'indignent : Wimpfen, Canrobert, Castellane, mais aucun ne se risque à briser sa carrière pour autant. La razzia fait partie de l'art de la guerre.

Comment dans de telles conditions les populations pourraient-elles accueillir favorablement ces envahisseurs qui sont de surcroît des infidèles ? Les officiers ne sont pas dupes de leurs sentiments.

« Ces peuples, quoiqu'on puisse dire ailleurs, nous exècrent », reconnaît le commandant Canrobert en 1844.

En juin 1847, il n'a pas changé d'avis : « Ces gens-là nous exècrent. »

LES ENFUMADES DU DAHRA

Dans cette fureur pour détruire, à tout prix, l'adversaire ressort les épisodes appelés les enfumades du Dahra. En 1843, Bou Maza a soulevé l'Ouarsenis et surtout le Dahra, massif côtier truffé de cavités, au nord de la vallée du Chélif. 4000 hommes, sous Pélissier, Saint-Arnaud[1] et Sidi el-Aridi[2], traquent les insurgés. Les directives de Bugeaud sont formelles : « Si ces gredins se retirent dans leurs cavernes, fumez-les à outrance comme des renards. »

Ce qui se produit. Une partie de la tribu révoltée des Ouled Riah se réfugie dans une grotte du Dahra, profonde d'environ cent quatre-vingts mètres. Les Ouled Riah utilisent de longue date cet abri séculaire. Il leur servait à échapper aux mehallas des deys. Pris au piège, ils envisagent un moment de demander l'aman. Les négociations ayant échoué, Pélissier, afin de précipiter le dénouement, fait allumer un brasier à l'entrée de la caverne. Un courant d'air active le foyer et entraîne à l'intérieur un flux brûlant de fumée. Le lendemain, près de 500 morts, de tous âges et tous sexes, asphyxiés, seront dénombrés[3].

1. Alors colonel et lieutenant-colonel.
2. Khalifa de la France pour les tribus soumises de la vallée du Chélif, à la tête d'un goum de plus de 200 cavaliers.
3. 760 selon un officier espagnol attaché à l'état-major de Pélissier.

Révélée, cette affaire secoue la Chambre. Bugeaud couvre son subordonné. Le ministre de la Guerre ne le désavoue pas.

Deux mois après, intervient une tragédie identique dans le nord du massif. Les Sbea ont cherché refuge dans une autre grotte. Faute de possibilités de conciliation, Saint-Arnaud fait murer les entrées et n'en dissimulera pas les résultats :

« Le 12, je fais hermétiquement boucher les issues, et je fais un vaste cimetière. La terre couvrira à jamais les cadavres de ces fanatiques. Personne n'est descendu dans les cavernes, personne... que moi ne sait qu'il y a là-dessous cinq cents brigands qui n'égorgeront plus les Français. » Un rapport confidentiel a tout dit au maréchal, simplement, sans poésie terrible ni images. Il ajoute : « Ma conscience ne me reproche rien. J'ai fait mon devoir de chef, et demain je recommencerai, mais j'ai pris l'Afrique en dégoût. »

Le dossier des emmurés de Saint-Arnaud restera confidentiel. Paris n'en apprendra rien sur-le-champ. Par contre, les tribus voisines n'ignoreront pas le sort de leurs coreligionnaires.

Cette guerre à outrance n'est pas l'apanage d'un seul camp. Abd el-Kader et ses khalifas, Bou Maza et les insurgés de toutes origines pratiquent la razzia contre les tribus qui se rallient aux Français. Les atrocités se partagent, les haines s'enracinent.

Le souvenir de cette férocité réciproque ne s'estompera pas. On le constatera dans les mémoires des Européens et leur crainte de « l'Arabe ». La constatation sera analogue chez ceux que la terminologie dénommera Arabes, indigènes et, sur la fin, Français musulmans.

L'Algérie sera par la suite regardée à juste titre comme le fleuron des colonies françaises. Il sera cependant oublié qu'elle fut la terre où la conquête fut la plus longue et la plus sanglante. Le fossé de sang sera-t-il jamais comblé ? Il est permis d'en douter. La haine du Roumi se transmettra dans les gourbis. Sinon, comment expliquer les déferlements populaires de mai 1945 dans le Constantinois et du 20 août 1955 à Philippeville ? Le djihad, si mobilisateur soit-il, n'en est pas la seule origine.

*

UNE PRESENCE ET UNE COLONISATION A DOUBLE TRANCHANT

Les razzias, les enfumades s'inscrivent dans le cadre général du fait guerrier, que l'évolution technique conduira aux bombardements aériens des zones urbaines, à l'emploi des gaz asphyxiants et du napalm [1].

Avec le temps, avec la relève des générations, le passé est malgré tout susceptible de s'estomper. Les peuples, hier ennemis, peuvent se réconcilier dans la mesure où les signes concrets de la discorde disparaissent. La France et l'Allemagne en fournissent une illustration. N'interfèrent plus l'Alsace et la Lorraine ou les horreurs nazies.

Tel n'est pas le cas en Algérie. Après avoir défait l'Etat barbaresque, occupé quelque temps Alger et ses abords, mis en place un nouveau régime, les Français auraient pu s'éloigner. Les traces de leur passage se seraient estompées. Loin de là, les vainqueurs s'incrustent. En relativement peu de temps, en dépit des hésitations initiales, ils marquent leur volonté de s'implanter, dépassant le stade de leur victoire militaire originelle.

Sans trop savoir exactement où elle va, l'occupation du pays se met en place, avec Bourmont, Clauzel, Berthezène, Savary, Voirol... Chacun possède son style. A l'humanisme d'un Berthezène s'oppose le cynisme d'un Savary. Devant les échos contradictoires lui parvenant d'outre-Méditerranée, le 7 juillet 1833 Louis-Philippe nomme une commission d'enquête afin d'établir ce qu'il en est exactement. C'est cette commission qui conclut au maintien de la présence française [2] mais ses attendus préalables sont accablants. Bien des historiens ne les ont pas rapportés, par crainte d'altérer l'image d'un colonialisme porteur de progrès et de développement. Ne pas mentionner les conclusions de la commission de 1833 ainsi que bien d'autres faits postérieurs, c'est refuser de vouloir comprendre les origines profondes du 1er novembre 1954. Cette observation sur des fautes et des erreurs ne doit pas pour autant éliminer les mérites le cas échéant. Comment, par exemple, ne pas relever le dévouement et le sacrifice des médecins militaires en faveur des Algériens lors des épidémies de choléra de 1849-1850 ? La commission, à son retour, écrit donc :

> « Si l'on s'arrête un instant sur la manière dont l'occupation a traité les indigènes, on voit que sa marche a été en contradiction non seulement avec la justice, mais avec la raison.
> C'est au mépris d'une capitulation solennelle, au mépris des droits les plus simples et les plus naturels des peuples, que nous avons méconnu tous les intérêts, froissé les mœurs et les existences, et nous avons ensuite demandé une sou-

1. Sans parler de l'arme atomique.
2. Voir plus haut, chap. 13.

mission franche et entière à des populations qui ne se sont jamais complètement soumises à personne.

Nous avons réuni au Domaine les biens des fondations pieuses, nous avons séquestré ceux d'une classe d'habitants que nous avions promis de respecter, nous avons commencé l'exercice de notre puissance par une exaction ; nous nous sommes emparés des propriétés privées sans indemnité aucune ; et, de plus, nous avons été jusqu'à contraindre des propriétaires, expropriés de cette manière, à payer les frais de démolition de leurs maisons et même d'une mosquée.

Nous avons loué des bâtiments du Domaine à des tiers ; nous avons reçu d'avance le prix dû, et, le lendemain, nous avons fait démolir ces bâtiments, sans restitution ni dédommagements.

Nous avons profané les temples, les tombeaux, l'intérieur des maisons, asile sacré chez les musulmans. On sait que les nécessités de la guerre sont parfois irrésistibles, mais on devrait trouver dans l'application des mesures extrêmes des formes de justice pour masquer tout ce qu'elles ont d'odieux.

Nous avons envoyé au supplice, sur un simple soupçon et sans procès, des gens dont la culpabilité est toujours restée plus que douteuse depuis ; leurs héritiers ont été dépouillés. Le gouvernement a fait restituer la fortune, il est vrai, mais il n'a pu rendre la vie à un père assassiné.

Nous avons massacré des gens porteurs de sauf-conduits ; égorgé, sur un soupçon, des populations entières qui se sont ensuite trouvées innocentes ; nous avons mis en jugement des hommes réputés saints du pays, des hommes vénérés, parce qu'ils avaient assez de courage pour venir s'exposer à nos fureurs, afin d'intercéder en faveur de leurs malheureux compatriotes ; il s'est trouvé des juges pour les condamner et des hommes civilisés pour les faire exécuter.

Nous avons plongé dans les cachots des chefs de tribus, parce que ces tribus avaient donné asile à nos déserteurs ; nous avons décoré la trahison du nom de négociation, qualifié d'actes diplomatiques de honteux guets-apens ; en un mot, nous avons débordé en barbarie les barbares que nous venions civiliser, et nous nous plaignons de n'avoir pas réussi auprès d'eux[1] ! »

1. *Procès-verbaux et rapports*, Paris, 1834, p. 333 et suiv.

Jugement sans complaisance, rédigé par des mains françaises !

Les mosquées transformées en lieux de culte catholique [1], en hôpitaux et casernements, sont certainement le point le plus mal supporté par un peuple scellé à sa foi.

Parallèlement, l'arrivée d'un nouveau peuplement porteur d'autres mœurs, d'une autre croyance, avec ses exigences et son sentiment de supériorité d'appartenir au camp des vainqueurs, ne peut qu'accentuer les rancœurs.

Les premiers civils arrivés sous Clauzel, Berthezène, Savary, sont encore relativement peu nombreux et n'ont pas bonne presse. En voyant nombre d'entre eux s'installer comme cafetiers ou tenanciers de tripots, les soldats les baptisent volontiers « vendeurs de goutte »...

Progressivement le flot s'étoffe, de l'ordre de 2000 par an. A l'arrivée de Bugeaud en février 1841, ils ne seront encore que 29000, ces Européens partis chercher outre-Méditerranée une autre vie, hors d'un vieux continent en crise politique et sociale. La majorité provient des pourtours du Bassin méditerranéen et s'installe d'abord dans les ports, Alger, Oran, Bône, Philippeville, à un degré moindre Bougie, Mostaganem, Djidjelli. Commerçants, artisans, fonctionnaires, spéculateurs pas toujours scrupuleux, ils façonnent ces villes à l'européenne. Alger voit naître la future place du Gouvernement [2], percer la rue Bab Azoun, dépasser les remparts turcs. Ces opérations « à la Haussmann » avant l'heure s'effectuent aux dépens des anciens sites et souvent aussi des occupants (d'où les observations de la commission d'enquête).

A tous ces nouveaux venus – comme à l'armée et à l'administration –, il faut des demeures, des locaux et bientôt des terres avec le démarrage de la colonisation agricole, dans le Sahel d'abord, puis en Mitidja.

Les propriétés des Turcs ou des exilés ne soulèvent pas de difficultés : l'Etat se les approprie, comme il s'attribue les biens de l'ancienne Régence et des fondations religieuses (*habou*). Les Domaines les rétrocèdent dans de bonnes conditions pour le Trésor. De leur côté, les propriétaires algériens se persuadent que les Français ne resteront pas. Ils leur vendent, généralement à bas prix, pensant tout récupérer à leur départ. La désillusion sera cruelle, ces évictions, de gré ou de

1. Ce qui ne se produira pas uniquement à Alger (où la mosquée Ketchawa est transformée en cathédrale Saint-Philippe) mais à Constantine, Oran, Blida, etc.

2. Initialement place Royale. La statue du duc d'Orléans, fondue dans le bronze des canons turcs, y est érigée en 1845. Cette statue est aujourd'hui devant l'hôtel de ville de Neuilly.

force, devenant fait acquis. Pendant des années, les yaouleds algérois entendront le taleb[1] psalmodier la complainte des vaincus :

O regrets sur Alger, sur ses palais
Et sur ses forts qui étaient si beaux !
O regrets sur ses mosquées, sur les prières qu'on y priait,
Et sur les chaires de marbre
D'où partaient les éclairs de la foi !
O regrets sur les minarets, sur les chants qui s'y chantaient,
Sur ses tholbas[2], sur ses écoles, et sur ceux qui lisaient le [Coran.
O regrets sur ses zaouïas[3] dont on a fermé les portes,
Et sur ses marabouts tous devenus errants
O regrets sur Alger, sur ses maisons,
Et sur ses appartements si bien soignés !
O regrets sur la ville et la propreté
Dont le marbre et le porphyre éblouissaient les yeux
Les chrétiens les habitent, leur été a changé !
Ils ont tout dégradé, les impurs !
La caserne des janissaires, ils en ont abattu les murs,
Ils en ont enlevé les marbres.

Après avoir visité Alger en 1844, un « touriste » écrira :

> « Il se passe d'étranges choses dans les yeux, sur le front sévère de ces Arabes, témoins muets de notre établissement, de nos triomphes, de nos progrès. Il y a des mystères de mépris, de douleur, et d'ironie sur ces fronts. Accroupis sur des pierres, à des détours de rue, à des coins solitaires, ces hommes m'apparaissent comme des Jérémies pleurant sur la chute d'Alger et l'invasion étrangère[4]. »

Les terres ne manquent pas, dans un pays peu peuplé. Des bonnes et des mauvaises ! Les bonnes appartenaient aux Turcs, à des grands propriétaires, à des communautés religieuses ou à des tribus. Plus rarement à des particuliers. Les mauvaises correspondent aux étendues laissées en friche où règnent palmiers nains, genêts, micocouliers, lentisques, jujubiers, cactus, aloès, ronciers et broussailles. Parfois elles ne présentent que des zones marécageuses, comme dans une bonne

1. Le lettré, qui sait lire.
2. Pluriel de *taleb* : les lettrés.
3. Congrégation religieuse.
4. Poujoulat, *Voyage en Algérie*, *op. cit.*, p. 17.

partie de la Mitidja. Certaines de ces terres qui donnent l'impression d'abandon ne sont pas inutiles. Elles servent de pâtures et relèvent du domaine tribal.

Plus encore que l'habitat urbain, la surface agricole va opposer les deux communautés, appelées au fil de l'implantation coloniale à vivre côte à côte. Des transactions s'effectuent, certaines régulières, d'autres beaucoup moins. Les besoins croissant, l'administration distribue des lots, fruits de diverses spoliations, biens turcs, biens habous surtout, séquestres à titre de châtiment sur les révoltés. Les tribus perdent alors quantité de leurs bonnes terres ou de leurs aires de pâture.

Ces attributions à la colonisation ne signifient pas que la suite soit facile pour les bénéficiaires. Faire fructifier implique de défricher, de fertiliser un sol souvent délaissé depuis longtemps. Il existe des zones maudites à drainer, à assécher, à conquérir sur les marécages. La création du village de Boufarik [1], les cultures de la Mitidja, des plaines de Bône ou d'Oran fournissent un bel exemple de l'acharnement des colons européens. Acharnement toujours lourdement sanctionné par les maladies, les épidémies, les assassinats, les enlèvements, les massacres. Ainsi, pour revenir à Boufarik, en mai et juin 1840 14 colons y sont enlevés, 42 tués. En 1841, 106 sur 450 meurent de maladies ; en 1842, 92 sont emportés par le paludisme.

Dans ces premières décennies de la colonisation s'ancrent chez les uns et chez les autres des à priori définitifs. Les Algériens accusent : « Cette terre, c'est la nôtre, on nous l'a volée ! » Les Européens répliquent : « Cette terre, c'est notre travail, notre sueur, notre sang ! »

Impossible dialogue, condamné à se durcir et se perpétuer. Les nouveaux arrivants réclament sans cesse de quoi cultiver. Les autochtones se trouvent progressivement contraints de se replier sur des zones déshéritées ou montagneuses.

De cette époque naît également un sentiment qui persistera : les massacres de colons, qu'ils proviennent des Hadjoutes ou des divers révoltés, hantent les esprits. La peur de « l'Arabe » sera une constante plus ou moins avouée dans le cœur des Européens. Leurs réactions en découlent. Ils feront tout pour demeurer les plus forts et affirmer leur suprématie en dépit d'une infériorité numérique qui ne leur échappe pas.

*

1. Et de beaucoup d'autres. Boufarik sur le lieudit Souk el-Tenin, marché du lundi, ne comprenait aux origines qu'un marché, un puits, une kouba et quatre vieux trembles.

Ces Européens n'étaient donc que 29 000 à l'arrivée de Bugeaud. Celui-ci n'a pas caché ses intentions : « La conquête serait stérile sans la colonisation. »

Sa devise répond à ses préoccupations : *Ense et Aratro* (Par le fer et la charrue).

La colonisation intensive s'ouvre ainsi sous son impulsion et s'accélère durant la décennie 1840. Les émigrants débarquent et s'installent naturellement au plus près de leurs rivages de départ : Espagnols en Oranie, Italiens, Maltais dans le Constantinois... Le second semestre 1848 voit un apport de 20 502 personnes [1], envoyées en Algérie par un gouvernement soucieux de se débarrasser des éléments turbulents de la capitale au lendemain de la fermeture des ateliers nationaux. Des statistiques « officielles », suspectes dans leur précision, donnent au 31 mars 1849 117 332, dont 54 958 Français, les étrangers étant alors majoritaires [2].

L'élan est donné. Il ne faiblira pas, drainant outre-Méditerranée des immigrés sociaux en quête d'un univers meilleur, mais aussi des exilés politiques. Les 6 000 républicains déportés en Algérie après le coup d'Etat du 2 décembre 1851 seront de ceux-là.

La sécurité assurée, la colonisation s'oriente profondément vers l'intérieur. De nouvelles cités s'édifient et se peuplent autour de postes militaires : Philippeville, Aumale, Sidi Bel Abbès [3], Batna, Orléansville, etc. Des centres dits de colonisation se construisent, transformant complètement le paysage rural. 700 villages seront ainsi créés. Au fil des années apparaissent :

– Boufarik, déjà cité, le plus ancien et le plus célèbre [4].
– En 1840 : Delly-Ibrahim, Kouba.
– En 1841 : Birmandreis, Birkadem.
– En 1843 : Guyotville, Cheragas.
– En 1844 : Staoueli, Damremont, Saint-Antoine, Valée.
– En 1846 : Mazagran, Sainte-Barbe du Tlelat.
– En 1848 : Castiglione, Novi, Valmy, Saint-Cloud, Gastonville, Jemmapes.

La liste complète serait trop longue, toujours synonyme de formidables efforts et de nouvelles tombes. Si quelques-uns de ces villages conservent leurs patronymes d'origine – Aïn Sultan, Aïn Arnat –, la

1. La moitié seulement restera. 3 400 mourront rapidement.
2. Soit 35 222 Espagnols, 8 115 Italiens, 6 040 Allemands, 8 908 Anglo-Maltais, 882 Maltais.
3. C'est à la fin de novembre 1843 que le 3e bataillon du 1er régiment de la Légion vient s'établir à Sidi Bel Abbès où Bugeaud a décidé « la création d'un poste ».
4. Le centre de colonisation de Boufarik est créé par Clauzel le 27 septembre 1836.

grosse majorité évoque un grand moment ou un grand nom de l'histoire nationale : Valmy, Fleurus, Marengo, pour la Révolution et le Consulat ; Bugeaud, Lamoricière, Valée, pour la conquête ; Corneille, Arago, Pasteur, pour les arts et les sciences [1].

Par le développement économique apporté, cette colonisation bouleverse et enrichit le pays, même si elle s'effectue en large part au détriment des populations locales dépouillées de leur patrimoine. Suivant les périodes, elle prend plusieurs aspects.

Il y a l'immense foule des immigrants aux mains vides. Ceux-là n'ont souvent que leur courage pour bagage. Beaucoup, anciens citadins, ont tout à découvrir et à apprendre. A côté de tous ces pauvres hères, intervient la colonisation capitaliste. Bugeaud les dénommera « colons aux gants jaunes », ces humanistes comme le baron de Vialar qui investissent leur fortune pour acheter des hectares, implanter des familles et faire œuvre sociale. Les grosses sociétés qui se manifestent à partir du Second Empire – Compagnie genevoise, Société algérienne – n'ont pas les mêmes visées. Les hectares concédés ne débouchent pas toujours sur des constructions de villages et des implantations européennes [2].

Aux uns comme aux autres se pose constamment le problème déjà évoqué : l'attribution de terres. Pour y remédier, l'administration a largement recours aux confiscations sur les révoltés : 168 000 hectares saisis aux Hadjoutes après les ravages de 1839, 446 000 aux Kabyles après la révolte de Mokrani en 1871. Le choc causé chez les spoliés ne s'effacera pas.

Sous Randon, gouverneur général de 1852 à 1858, intervient un principe aussi subtil que spécieux. Il vise à « fixer les tribus au sol en les condensant » et à récupérer des terres « jugées mortes ». Sur la base des ratios métropolitains du moment, trois hectares par habitant sont jugés suffisants. L'excédent, estimé inutile ou non entretenu, devient disponible. Une telle pratique dite du cantonnement ne tient compte ni des jachères ni des besoins en pâtures des nomades. Elle soulève encore la colère et la rancœur des expropriés auxquels elle n'apporte que de maigres compensations [3]. Les révoltes s'expliquent.

---

1. Tous ces villages ont été débaptisés après l'indépendance pour prendre souvent le nom d'un héros de la guerre. Ainsi Condé Smendou est devenu Zighout Youssef en mémoire de l'ancien commandant de la wilaya 2 tué en 1956 ; Bizot, Didouche Mourad, commandant de la wilaya 2 tué en 1955 ; Paul Cassaigne, Benabdelmalek Ramdane, tué le 1er novembre 1954.

2. Bugeaud tente également de lancer, suivant une idée qui lui tient à cœur, une colonisation militaire « à la romaine ». Il ne sera pas suivi.

3. Cette spoliation se poursuivra, avec d'autres modalités. En 1928, les colons d'un village des environs de Médéa demandent à l'administration d'augmenter la

*

Ce pays qui se francise est à administrer avec deux grandes masses à conduire. D'un côté, celle des Algériens au fur et à mesure de leur soumission, de l'autre, celle croissante des Européens.

L'armée, à l'heure des combats, bénéficiait d'un pouvoir sans réserves. La paix s'établissant, elle a tendance à vouloir conserver ses prérogatives, d'autant qu'au départ presque tout repose sur elle. Outre la sécurité à préserver, elle assure la logistique de la colonisation naissante. Omniprésente, elle est indispensable. Nouvelles cités édifiées aux carrefours stratégiques, voies de communication, ouvrages d'art, bâtiments publics sont son œuvre.

Cette réalité incontournable assoit le « pouvoir du sabre ». Partout, depuis le gouverneur général à Alger, les militaires sont aux commandes. Avec l'éloignement de la menace « arabe », les colons civils acceptent mal cette tutelle. Les rapports se tendent. En bien des cas, l'armée toise de haut les immigrés aux noms à consonance étrangère ou les exilés politiques regardés comme des révolutionnaires. Elle se sent loin d'individus qui ont en outre à ses yeux le tort de gruger les indigènes. Si elle a eu la main lourde durant les diverses phases de la conquête, elle n'entend pas opprimer les vaincus. Au contraire, elle s'applique à les protéger, Bugeaud le premier. Le 1er juillet 1844, le gouverneur général expédie en prison pour un mois le « sieur Mangot qui a pour habitude de maltraiter les Arabes »[1].

Il ne s'agit là que d'un exemple du divorce entre mondes civil et militaire. Le premier aspire à la paix, au profit, le second à la gloire, au pouvoir, sans écarter des préoccupations sociales. Dans les unités indigènes, les rapports sont bons entre encadrement européen et recrues.

Les Bureaux arabes créés en 1833[2] répondent à cet état d'esprit. Ils ont mission d'assurer « une administration juste et régulière des tribus » et une « augmentation du bien-être chez les indigènes »[3]. Toute

surface de leurs lots de terre et font intervenir leur député. La réponse du gouverneur général dit en substance : « Mon administration a demandé aux indigènes de la région de vous vendre leur terre de gré à gré. Ceux-ci ont obstinément refusé. Dans ces conditions, nous allons procéder à leur expropriation pour utilité publique. » Signé Pierre Bordes.

1. Lettre du 1er juillet 1844 du général Bugeaud au procureur général Dubodau à Alger.

2. Supprimés par Valée en mars 1839, rétablis par Bugeaud en 1841, les Bureaux arabes disparaîtront pratiquement après 1870, sauf dans les Territoires du Sud (ils étaient alors 41 plus 15 annexes).

3. Expression du commandant Daumas, figure marquante des Bureaux arabes.

une phalange d'officiers arabisants : Lamoricière, Duvivier, Marey-Monge, Pélissier de Reynaud, Richard, Lapasset, Daumas, Hanoteau, Chanzy, etc., œuvrera dans ce sens. Un certain paternalisme autoritaire, des erreurs, des fautes même n'empêcheront pas le corps des Bureaux arabes dans son ensemble de travailler en faveur des populations indigènes en s'opposant souvent aux exigences des colons. Les SAS durant la guerre d'indépendance s'inscriront dans leur lignage.

L'institution par la Seconde République en décembre 1848 de trois départements [1] correspondant sensiblement aux trois provinces héritées de la Régence n'altérera guère le « pouvoir du sabre ». Sous réserve d'une brève interruption, le gouverneur général restera un militaire de haut rang. Il faudra attendre les lendemains du 4 septembre 1870 pour que l'armée perde sa prééminence.

Cette Seconde République, à l'existence si brève soit-elle, introduit toutefois en Algérie deux mesures d'importance : elle abolit l'esclavage, libérant ainsi les esclaves noirs de leurs maîtres arabes [2] ; elle engage le début du rattachement de plusieurs branches de l'administration locale (justice, instruction publique, cultes) à l'autorité ministérielle. Elle amorce ainsi un mouvement d'assimilation à la métropole réclamée par les colons mais qui ne trouvera sa pleine conclusion qu'en 1881.

Trois députés sont aussi envoyés à la Chambre et déjà se manifeste un courant qui persistera sous le Second Empire chez les Européens. Ils s'affirment républicains. Contrairement à la métropole, le oui pour le rétablissement de l'Empire ne l'emportera que de justesse en 1852. Les grandes villes, Alger, Oran, Constantine, votent contre. Faut-il dire que seuls les citoyens français participent au scrutin ? Ni les étrangers ni les indigènes n'y ont accès.

1. Soit Alger, Oran, Constantine. Dans ce cadre les territoires dits civils, correspondant aux zones pacifiées et pénétrées par les Européens, y sont comme en métropole divisés en arrondissements et communes avec sous-préfets et maires nommés dans les petites communes. Les conseils généraux ne seront institués qu'en 1858 par Napoléon III. Les territoires militaires demeurent sous la férule complète des généraux et des officiers.

2. Mesure adoptée le 27 avril 1848. En Algérie, les esclaves noirs étaient estimés à encore environ 18000. Leurs maîtres arabes seront dédommagés.

Chapitre XV

ALGERIE FRANÇAISE (1857-1919)

Si militairement l'Algérie française commence le 14 juin 1830, politiquement elle s'ouvre en 1857, une fois la pacification acquise ou supposée telle. Sur les bases évoquées : conquête impitoyable, colonisation exigeante, elle se poursuivra jusqu'au 1er novembre 1954. Entre 1857 et 1954, elle connaîtra deux à-coups majeurs, les révoltes de 1871 et de mai 1945, entrecoupés de tornades dont il serait erroné de minimiser l'importance. En ces décennies françaises, le pays se transforme et se développe profondément mais, en dépit des apparences, il ne se francise pas dans les cœurs.

*

LES VELLEITES DE NAPOLEON III

Napoléon III s'intéresse à l'Algérie. L'empereur est un humaniste loin d'avoir le cœur sec. Il a dans son entourage immédiat deux hommes qui connaissent bien le pays : Fleury, son aide de camp, et Thomas-Ismaël Urbain, économiste saint-simonien. Le second surtout, auteur d'une brochure, *L'Algérie pour les Algériens*, aura sur lui une grande influence.

En vue de sortir de la phase strictement militaire et d'aborder les mutations politiques et administratives, Napoléon III décide par le décret du 2 juin 1858 la création d'un ministère de l'Algérie et des Colonies. Le poste confié à un civil doit permettre de s'échapper du « pouvoir du sabre » entre les mains du gouverneur général, militaire depuis les origines.

L'application se heurte au choix du titulaire de la fonction. Le prince Napoléon, nommé à cause de sa parenté avec l'Empereur, bien qu'intelligent, manque de rigueur, de droiture, d'ardeur au travail. Démissionnaire au bout d'un an, il est remplacé par le comte de Chasseloup-Laubat, grand commis de bonne volonté. Mais diriger l'Algérie de Paris représente un système trop lourd, trop éloigné des réalités. Dès 1860, Napoléon III revient au principe du gouverneur général, véritable vice-roi, aux pouvoirs accentués. Deux maréchaux, Pélissier, Mac-Mahon, occuperont successivement le poste, rencontrant sur leur route trois écueils : des révoltes, une colonisation européenne de plus en plus hostile aux militaires, la volonté impériale de faire évoluer le statut de la colonie et de ses habitants.

Si les Français, avec la soumission de la Grande Kabylie, se croyaient définitivement quittes des révoltes algériennes, ils se trompaient lourdement. A la fin de 1857, le triangle Collo-Djidjelli-El-Milia, la vallée de l'oued Kebir s'embrasent. 4000 hommes sont expédiés sur place. Simultanément Si Sadok el-Hadj, marabout de l'Ahmar Khaddou, cette muraille de 2000 mètres d'altitude coupée de profonde fissures au nord-est de Biskra, déclenche le djihad. Début 1859, 3000 hommes repartent en campagne. Six mois plus tard, une autre explosion survient sur la frontière occidentale, avec la complicité des Marocains. Des troupes sont dirigées sur Marnia et Nemours. Partout les séditions sont brisées par de solides razzias mais sur le front marocain, le choléra enlève 3000 hommes, le cinquième de l'effectif.

1860. Une insurrection éclate dans le Hodna et gagne à nouveau la Petite Kabylie. Des colons européens sont tués. La division de Constantine et une brigade venue d'Alger sont nécessaires pour rétablir le calme.

Ces divers mouvements, les doléances des colons sont-ils à l'origine de la décision de Napoléon III d'aller se rendre compte sur place personnellement de ce qu'il en est ? En 1860, il effectue un premier voyage en Algérie. Ses propos publics se veulent généreux :

> «... notre premier devoir est de nous occuper des trois millions d'Arabes que le sort des armes a fait passer sous notre

domination. Elever les Arabes à la dignité d'hommes libres, répandre sur eux les bienfaits de l'instruction, améliorer leur existence en faisant sortir de cette terre tous les trésors que la Providence y a enfouis et qu'un mauvais gouvernement laisserait stériles, telle est notre mission ; nous n'y faillirons pas. Quant à ces hardis colons qui sont venus implanter en Algérie le drapeau de la France et avec lui tous les arts d'un peuple civilisé, ai-je besoin de dire que la protection de la métropole ne leur manquera jamais ? »

Le propos s'affirme sans ambiguïté. Le souci du mieux-être des Arabes s'accompagne de celui de la protection des colons.

Trois ans plus tard, dans une lettre publique au maréchal Pélissier, l'Empereur précise sa pensée. Ses intentions sont aussi bien économiques que politiques.

« La terre d'Afrique est assez vaste, les ressources à développer sont assez nombreuses pour que chacun puisse y trouver place et donner un libre essor à son activité, suivant sa nature, ses mœurs et ses besoins. Aux indigènes l'élevage des chevaux et du bétail, les cultures naturelles du sol. A l'activité et à l'intelligence européennes, l'exploitation des forêts et des mines, les dessèchements, les irrigations, l'introduction de cultures perfectionnées, l'importation de ces industries qui précèdent ou accompagnent toujours les progrès de l'agriculture. Au gouvernement local, le soin des intérêts généraux, le développement du bien-être moral par l'éducation, du bien-être matériel par les travaux publics. A lui, le devoir de supprimer les réglementations inutiles et de laisser aux transactions la plus entière liberté. En outre, il favorisera les associations de capitaux européens, et en négligeant désormais de se faire entrepreneur d'émigration et de colonisation, comme de soutenir des individus sans ressources, attirés par des concessions gratuites.
Voilà, monsieur le maréchal, la voie à suivre résolument, car, je le répète, l'Algérie n'est pas une colonie proprement dite, mais un royaume arabe. Les indigènes ont, comme les colons, un droit égal à ma protection, et je suis aussi bien l'empereur des Arabes que l'empereur des Français. »

« Royaume arabe » : que faut-il exactement entendre par là ? Napoléon III, par ce terme, reconnaît la spécificité algérienne, sans cependant aller plus loin au plan des institutions politiques. Cette vision, si floue soit-elle, ne saurait évidemment lui concilier les faveurs des Européens.

Toujours préoccupé par l'Algérie, Napoléon III effectue au printemps 1865 à travers tout le pays un second voyage qui l'amène dans une nouvelle lettre, à Mac-Mahon cette fois, à confirmer ses idées. Il écrit le 20 juin :

> « Deux opinions contraires, également et par cela même erronées, se font la guerre en Algérie. L'une prétend que l'expansion de la colonie ne peut avoir lieu qu'au détriment des indigènes ; l'autre, qu'on ne peut sauvegarder les intérêts des indigènes qu'en entravant la colonisation. Réconcilier les colons et les Arabes, prouver par les faits que ces derniers ne doivent pas être dépouillés au profit des premiers et que les deux éléments ont besoin de se prêter un concours réciproque, telle est la marche à suivre. Ce pays est à la fois un royaume arabe, une colonie européenne et un camp français. Il est essentiel de considérer l'Algérie sous ces trois aspects : au point de vue indigène, colonial et militaire. »

Ces vues théoriques ont néanmoins quelques incidences pratiques. Des sénatus-consultes apportent des solutions concrètes.

Celui du 22 avril 1863 entend affermir les droits à propriété des indigènes tant au niveau individuel qu'à celui de la tribu. Il instaure le douar, entité administrative correspondant en principe au territoire d'une tribu[1]. Celle-ci est rendue propriétaire du « territoire dont elle a la jouissance permanente et traditionnelle, à quelque titre que ce soit ». Une telle mesure devrait porter un coup d'arrêt à l'expansion européenne au préjudice du patrimoine tribal. Elle contribuera par contrecoup à accentuer le fossé entre le régime et les Européens.

Le sénatus-consulte de 1863 avait valeur sociale et administrative. Celui du 14 juillet 1865 va plus loin. Il définit le statut des indigènes.

> « L'indigène musulman est français ; néanmoins il continuera à être régi par la loi musulmane. Il peut être admis à servir dans les armées de terre et de mer. Il peut être appelé à des fonctions et emplois civils en Algérie. Il peut, sur sa demande, être admis à jouir des droits de citoyen français ; dans ce cas, il est régi par les lois civiles et politiques de la France[2]. »

---

1. En 1870, 667 douars seront délimités pour 372 tribus. Des tribus ont donc été dissociées.
2. Ce texte restera en vigueur jusqu'à la loi du 7 mai 1946 qui reconnaîtra à tous les ressortissants des territoires d'outre-mer la qualité de citoyen.

Une semence généreuse peut produire des fruits amers. Napoléon III a ouvert la porte de la citoyenneté française à ceux qui sont désormais sujets français. Faut-il encore pour en franchir le seuil faire abandon de son statut personnel coranique. Pour un musulman, un tel abandon apparaît celui de sa foi, une véritable apostasie. Très rares seront ceux qui oseront ce pas. Ils ne seront que 194 en octobre 1870 à être regardés comme « naturalisés », c'est-à-dire à être devenus pleinement citoyens français.

Les israélites sont confrontés à la même alternative. Ils ne seront avant 1870 que 398 à accéder à la citoyenneté. Leur refus rejoindra celui des musulmans.

Napoléon III espérait aller de l'avant et apporter un plus à l'ensemble de la population indigène. Pourtant, la fin de son règne sera tragique sans qu'il en soit responsable.

En février 1864, Ben Hamza, bachagha des Ouled Sidi Cheikh dans le Sud-Oranais, déclenche le djihad et marche sur Géryville. Le colonel Beauprêtre, commandant du cercle de Tiaret, se porte à sa rencontre. Surpris dans la nuit du 8 avril, trahi par ses goumiers et ses spahis, il périt avec le reste de son détachement. L'affaire est sérieuse. Plusieurs colonnes convergent vers les lieux et se heurtent à près de 5 000 cavaliers alors que l'insurrection gagne le nord et la région de Mostaganem. Des renforts doivent être envoyés de France. Ce n'est qu'à la fin du mois de juin que l'insurrection qui a gagné plusieurs tribus est enfin maîtrisée. (Cette révolte a peut-être incité Napoléon III à son second voyage en Algérie.)

Le calme ne dure pas. Tout le sud de l'Algérie s'agite à nouveau à l'automne, atteignant le Constantinois. Octobre connaît de sévères combats. Des fermes européennes sont incendiées en Oranie. Le retour au calme exige cette fois encore plusieurs semaines. Mais les tribus se sont divisées, toutes n'ont pas suivi. Comme à l'accoutumée, l'écho des explosions se répand dans toute la colonie européenne, entretenant sa vigilance et sa crainte de l'Arabe.

Il y eut le cycle infernal révoltes-répressions. A partir de 1866, des cataclysmes naturels s'abattent sur le pays. En 1866, une invasion de sauterelles, véritable plaie d'Egypte et phénomène sans précédent, dévore les moissons et réduit à la misère les populations du Tell. Le 21 janvier 1867, un tremblement de terre anéantit en vingt secondes plusieurs villages de la Mitidja. Peu après, une épidémie de choléra enlève les indigènes par milliers. A l'été, la sécheresse frappe à son tour, détruisant les récoltes. Avec l'hiver, les neiges et des pluies abondantes recouvrent ou inondent les pâturages. Le bétail meurt, faute de nourriture.

Devant la quasi-absence de récoltes, 1867 et 1868 sont des années terribles. Les réserves sont épuisées. Les chefs s'endettent et perdent une partie de leur fortune. La famine s'abat sur la population indigène et aurait fait au moins 300 000 victimes [1]. Le sud est le plus touché.

Le gouvernement général s'efforce de remédier à ces calamités, mais ses secours assez décousus n'enrayent guère les fléaux. Les colons, mieux protégés par la qualité de leurs terres, accusent les Bureaux arabes d'incurie.

Cette misère généralisée entraîne des mouvements de compassion, en particulier à l'archevêché d'Alger, donnant au titulaire amples occasions de s'employer. Appelé en Algérie en 1867 par Mac-Mahon, Mgr Lavigerie est arrivé en terre d'islam avec une âme de croisé. Il ne cache pas vouloir évangéliser :

> « Il faut relever ce peuple, il faut renoncer aux erreurs du passé, il faut cesser de le parquer dans le Coran, comme on l'a fait trop longtemps, comme on veut le faire encore, avec un royaume arabe prétendu ; il faut lui inspirer, dans ses enfants du moins, d'autres sentiments, d'autres principes. Il faut que la France lui donne, je me trompe, lui laisse donner, ceux de l'Evangile, en le mêlant à notre vie ou qu'elle le chasse dans les déserts loin du monde civilisé »,

écrit-il en 1868. Résolument, il entreprend de mettre ses formules en application et développe un catholicisme militant qui inquiète Mac-Mahon et ses officiers. Ils craignent pour la paix civile et refusent de contrer la foi islamique.

« On ne convertit pas un musulman », affirme le général du Barail, fort de plus de vingt années de présence en Algérie.

La famine offre à Mgr Lavigerie une opportunité. Le prélat s'efforce de ravitailler les malheureux et de recueillir les orphelins [2]. Naturellement il entend christianiser ces enfants [3].

Le conflit est engagé entre l'archevêque et l'administration. Napoléon III, tiraillé entre ses principes et les catholiques français dont sa

1. La population indigène passe de 2 700 000 en 1866 à 2 125 000 en 1872, conséquence de la famine, des épidémies et des insurrections.

2. A leur intention, en 1869, Mgr Lavigerie achète des terrains dans la vallée du Chélif et y crée Saint-Cyprien-des-Attafs qui comptera 2 000 habitants en 1939. En 1874 y sera ouvert le premier hôpital spécial à l'intention de la population musulmane. En 1875 sera créé Sainte-Monique, à six kilomètres de Saint-Cyprien.

3. Plusieurs de ces enfants deviendront prêtres, certains médecins ou instituteurs ; beaucoup mourront jeunes, victimes des misères supportées avant d'avoir été recueillis.

propre épouse, couvre discrètement Mac-Mahon qui contrecarre les visées du bouillant archevêque. La querelle se poursuivra après la chute du Second Empire. Mgr Lavigerie persistera, fondera les Pères blancs, lancera l'évangélisation en Grande Kabylie[1]. Les pouvoirs publics, par prudence d'abord, par anticléricalisme ensuite, lui feront obstacle.

A l'exception de quelques noyaux en Grande Kabylie, l'évangélisation sera un échec. L'Algérie restera musulmane et sa religion sera certainement pour elle la citadelle de son identité[2].

Néanmoins, en dépit des incertitudes et des difficultés, les années 1857-1870 confirment le développement de la colonisation. Les Européens, français ou étrangers, seront près de 240 000 en 1870, ayant pratiquement doublé depuis le départ de Bugeaud.

Sous l'influence de Napoléon III, cette colonisation prend un aspect capitaliste dont le bilan ne sera pas nécessairement heureux. Les grosses sociétés – Compagnie genevoise près de Sétif, Société algérienne dans le Nord-Constantinois, Société de l'Habra et de la Macta en Oranie... – se préoccupent plus de profits que de véritables implantations de nouveaux villages.

L'Algérie n'en connaît pas moins de grands travaux dans tous les domaines. Est par exemple réalisé à Alger le boulevard de l'Impératrice, futur boulevard de la République, première vision du voyageur arrivant par bateau. Les voies ferrées apparaissent : la ligne Alger-Blida est inaugurée en 1862, Philippeville-Constantine en 1870, Alger-Oran sera terminée en 1871.

*

1. En 1884, les Pères blancs auront ouvert 9 écoles, 7 pour les garçons, 2 pour les filles. Trente ans plus tard, ils posséderont, toujours en Grande Kabylie, 8 couvents avec 29 Pères, 6 couvents de Sœurs blanches avec 83 Sœurs, 14 dispensaires et 8 hôpitaux où plus de 110 000 malades des deux sexes recevront des soins annuellement, et 11 écoles avec plus de 1 000 enfants. Ces centres de prosélytisme religieux obtiendront quelques résultats, avec en 1916 815 néophytes, 150 catéchumènes et 94 mariages chrétiens célébrés dans l'année.

L'écrivain Jean Amrouche (1906-1962) naîtra dans une famille chrétienne de la vallée de la Soummam qui sera obligée de s'exiler devant l'hostilité des Algériens vis-à-vis des convertis.

Le cas d'Augustin Ibazizen, autre Kabyle converti, devenu conseiller d'Etat, montre qu'évangélisation signifiait francisation, expliquant l'ostracisme des musulmans à l'encontre de ceux qu'ils qualifient de muturmis, « des retournés ».

2. Inversement se produiront quelques conversions à l'islam. Le peintre Etienne Dinet (1861-1929), l'écrivain Isabelle Eberhardt (1877-1904) seront de ceux-là. Leur vie n'est pas sans analogie. Fascinés par les paysages du sud, ils s'y installeront et y mourront.

LA FRONDE EUROPEENNE
ET LES REVOLTES ALGERIENNES (1870-1871)

L'Algérie de 1870 est convalescente. Elle se remet lentement des terribles années de crise et de famine. Manifestement, elle a besoin de paix.

Soudain, des soubresauts plus ou moins violents agitent la colonie. Tous ont une origine immédiate : l'effondrement du Second Empire au lendemain de la capitulation de Sedan. L'avènement aussi brutal qu'imprévu de la République, troisième du nom, le 4 septembre 1870, provoque une onde de choc à double incidence outre-Méditerranée. L'une sur les Européens, l'autre sur les Algériens.

L'Algérie, c'est-à-dire le corps électoral français, avait voté non au plébiscite du 8 mars 1870. L'abdication de Napoléon III, la proclamation de la République sont donc célébrées avec allégresse. Dans les grandes villes, le petit peuple descend dans la rue et en prend possession. Les militaires sont regardés comme responsables de la défaite en métropole. Le général Esterhazy, nommé gouverneur général intérimaire, accueilli par des cris et des insultes, doit se réfugier sur un bâtiment de la Royale. Le préfet d'Alger, débordé, démissionne. Pour suppléer au vide administratif régnant à Alger, le gouvernement désigne une commission extraordinaire. Bouret, le responsable nommé pour la diriger, est vite dépassé. Le préfet d'Oran, Alexis Lambert, intronisé à son tour, ne réussit pas mieux.

Dans ce climat semi-révolutionnaire, l'avocat Guillermoz, ancien transporté politique de 1848, prend à Alger la tête d'un comité de défense et est élu maire de la ville, accaparant de fait le pouvoir. L'autorité militaire, rejetée de longue date, disparaît dans la capitale algérienne tombée entre les mains des citadins les plus exaltés.

Cette agitation n'empêche pas le gouvernement de Défense nationale de Gambetta, réfugié à Tours, de prendre des décisions appelées à bouleverser la situation existante.

Le gouverneur général, dépendant du ministre de la Guerre, est supprimé. Un résident relevant de l'Intérieur le remplace. Le titulaire sera à priori un civil, amenant la disparition du fameux « pouvoir du sabre » et des Bureaux arabes [1] honnis par les colons.

Les distinctions entre territoires civils, mixtes, militaires sont abolies. Chaque département devient territoire civil. Théoriquement, une page se tourne.

---

1. Ils se prolongeront par la suite sous le nom d'affaires indigènes dans les territoires militaires.

Le 24 octobre, sur proposition d'Isaac-Adolphe Crémieux, ministre de la Justice, est signé un décret portant son nom. Les juifs algériens obtiennent la citoyenneté française, mesure répondant à l'équité. Depuis le début, la communauté israélite s'est placée dans l'orbite française. En 1835, les malheureux s'éloignant de Mascara avec Clauzel avaient choisi leur camp.

D'emblée, une interrogation surgit : pourquoi l'honneur d'accéder à la citoyenneté française est-il accordé aux seuls israélites ? Les élites algériennes, les chefs traditionnels ressentent douloureusement la discrimination. Ils sont en droit de s'étonner de se voir évincés, comme les militaires qui versent généreusement leur sang. Les tirailleurs de Crimée, du Mexique ou des combats sur le front français s'annoncent aussi méritants que les négociants de Tlemcen ou de Constantine. En privilégiant ses coreligionnaires, Crémieux a allumé un dangereux brûlot. On s'en rendra compte entre autres à Constantine, le 5 août 1934.

Une autre mesure, d'apparence démocratique, faussera le cours de la justice. L'institution du jury livre aux colons les autochtones poursuivis devant les cours d'assises. Les réactions passionnelles, le racisme écriront certains, influenceront les verdicts, notamment lors de la répression de l'insurrection de 1871.

*

Toutes ces prescriptions gouvernementales finiront par s'appliquer mais le climat de fronde qui souffle sur Alger et les autres cités à majorité européenne conduit dans l'immédiat à d'autres orientations.

Le 7 novembre, le maire d'Alger télégraphie à Paris : « La devise du pays en Algérie sera *Fara da se* », allusion directe au slogan du nationalisme italien. Peu après le Comité de défense demande l'évacuation des troupes d'Algérie. Le 26 février 1871, l'association « La Solidarité » n'envisage ni plus ni moins que la sécession. Au printemps 1871 paraîtra dans les librairies algériennes une brochure intitulée *L'autonomie algérienne et la République fédérale*. L'auteur, P. Fawtier, écrit :

> « L'Algérie aspire à l'émancipation complète de la commune et de la province. »
> « Donc, il nous faut essayer ce qui a réussi ailleurs du self-gouvernement, comme moyen de colonisation. »

L'Algérie se dirige-t-elle vers une autonomie sous obédience de colons ? Certains peuvent le penser ou l'envisager, d'autant qu'à cette date les étrangers sont majoritaires par rapport aux Français de souche [1].

Les manifestants de la rue Bab Azoun ou de la place du Gouvernement n'ont pas conscience des réalités profondes d'un pays où la conquête s'achève à peine, où des troubles ont éclaté, où le pouvoir français est fragile. Quatre-vingt-dix ans plus tard, d'autres manifestants de la rue Michelet ou des facultés ignoreront à leur tour la trame incontournable du bled. Ils penseront résoudre leur dilemme dans le cadre urbain... L'histoire, éternel recommencement !

L'orage qui va s'abattre dans la partie orientale de l'Algérie aura tôt fait de ramener à une plus juste appréciation des choses. L'Algérie européenne ne saurait exister sans la France et son armée.

*

Tout débute à l'ouest au début de 1871. Les Ouled Sidi Cheikh, refoulés au Maroc après leurs diverses révoltes, reprennent la lutte sous la direction de Si Kaddour. Vaincus près du Puits de Magoura [2], ils refluent de l'autre côté de la frontière.

Cette alerte, qui n'aura pas de suite en Oranie, est significative du désordre ambiant. Partout, les Algériens prennent conscience de la diminution du potentiel militaire français. Les régiments de ligne sont partis pour la métropole [3]. Les officiers sont contestés par les civils. La chute de Paris révèle la faiblesse de la France. Les temps paraissent favorables à une remise en cause de l'occupant.

Le 23 janvier 1871, les spahis de Moudjeben, près de Boghari, et ceux d'Aïn Guettar (Gambetta), au sud de Souk Ahras, refusent de prendre la direction des ports d'embarquement pour la France. Des cadres européens sont massacrés. Dans le prolongement, des mutineries éclatent à Bou Hadjar (Lamy) et au Tarf [4]. Dans la même région, la tribu des Hanenchas se soulève. Quatorze colons sont assassinés. Souk Ahras est bloquée durant plusieurs jours. Cette première flambée, sur fond de pillages et d'assassinats d'Européens, peut être contrôlée assez vite. Les rebelles s'enfuient en Tunisie.

---

1. L'Histoire ne se refait pas. Pour que l'issue finale eût été autre et que se dessinât une évolution type Amérique du Nord ou du Sud, il eût fallu un peuplement européen plus important et sans doute un autre amalgame avec l'élément autochtone. Sauf à recourir à la formule américaine : « Il n'est de bon Indien qu'un Indien mort !... »
2. 100 kilomètres au sud-ouest de Tlemcen.
3. Il reste moins de 50 000 hommes sous les armes, miliciens européens compris.
4. 30 et 60 km au nord-est de Souk Ahras.

L'incendie reprend le 4 février en Petite Kabylie. Les Ouled Aïdoun se portent contre El-Milia. Le blocus de la petite cité sur les bords de l'oued Kebir sera brisé avec l'aide de tribus rivales.

Le foyer principal éclate là où à priori il n'était pas redouté : en Medjana, chez Mokrani. Ce Mohammed el-Hadj el-Mokrani est le fils de Mokrani qui, en 1839, avait permis à Valée et au duc d'Orléans de franchir les Portes de fer sans embûches. Bachagha de la Medjana[1], commandeur de la Légion d'honneur, reçu à plusieurs reprises à Compiègne par Napoléon III, il fait partie de ces féodaux sur lesquels l'armée s'est appuyée. Mais ce grand seigneur s'est aigri. Ses prérogatives ont été laminées par les ingérences françaises. De plus, il s'est endetté. Durant la famine de 1867-1868, il a hypothéqué ses biens pour subvenir aux besoins des siens. Mac-Mahon, alors gouverneur général, lui avait promis de l'aider mais il n'est plus là. Mokrani est seul face à ses créanciers.

Cet homme de poudre, qui en juillet 1870 sollicitait de marcher au combat pour soutenir la France, récuse le pouvoir civil qui s'instaure à Alger.

« Moi un soldat, je n'obéirai ni à un marchand ni à un juif. » Il s'estimait le féal de Napoléon III, sans plus. « J'ai engagé ma parole à un homme [Napoléon III] mais je ne l'ai pas engagée au gouvernement qui le remplace. »

Aussi Mokrani se sent-il libre, alors que la défaite française sur le continent ouvre des horizons nouveaux.

Il tient cependant à se montrer gentleman. Il a l'élégance de prévenir, renvoyant son burnous de bachagha et sa cravate de commandeur de la Légion d'honneur.

Le 16 mars, il lance son attaque contre Bordj Bou Arreridj. La cité est occupée et pillée, civils et militaires réussissant cependant à se réfugier dans le bordj et à s'y maintenir. Cet échec relatif se double d'un autre. Mokrani comptait sur des adhésions. Les tribus des Ouled Naïl et des Ouled Mokhtar Cheraga ne suivent pas. A Biskra, Ben Gana fait connaître son opposition au mouvement.

Quoi qu'il en soit, l'affaire est grave. Le 29 mars Thiers, chef du gouvernement, nomme gouverneur général le vice-amiral Gueydon. L'insurrection indigène exige un militaire, n'en déplaise aux Européens. En outre, face à Paris insurgée depuis le 18 mars, l'homme fort des Versaillais ne veut pas voir se créer un autre abcès outre-Méditerranée. Catholique, légitimiste, Gueydon s'annonce capable de fer-

---

1. La Medjana est la partie occidentale des hauts plateaux constantinois entre les massifs des Bibans et du Hodna. Bordj Bou Arreridj en est le principal centre.

meté et en même temps de souplesse pour briser les séditions de toutes origines.

Car déjà, sur le terrain, la révolte a pris une autre ampleur. Elle s'est élargie avec l'entrée en scène du marabout El-Haddad et de son fils Si Aziz.

L'effacement des militaires, la perspective d'un pouvoir civil ont été très mal perçus chez les Algériens. Ils voient leurs principaux adversaires, les colons, devenir les maîtres. En Kabylie, la soumission n'est pas si lointaine : une douzaine d'années seulement. Le vieux marabout El-Haddad, quatre-vingts ans, y est resté très influent. Ayant derrière lui la puissante confrérie des Rahmanîya, il se présente en pilier de la résistance contre l'occupant. Son grand rival, Ben Ali Cherif, marabout de Chellata, fait figure de « renégat » pour son apparente docilité vis-à-vis des Français et a perdu son crédit.

Les militaires – traduire : les officiers des Bureaux arabes – ont-ils jeté de l'huile sur le feu alors que la tension montait en Kabylie, comme certains auteurs l'avancent ? Il est improbable qu'ils aient attisé une révolte antifrançaise. Par contre, des propos malheureux, des emportements irréfléchis ont pu laisser supposer qu'ils comprenaient une hostilité à un régime civil qu'ils étaient les premiers à désapprouver [1].

Le 8 avril, Si Aziz, au nom de son père El-Haddad, proclame le djihad. A cet appel, 150 000 Kabyles se soulèvent. En quelques jours l'Algérie orientale, des environs d'Alger à la presqu'île de Collo, entre en rébellion. L'Alma, Bordj Menaïel, Palestro, Tizi Ouzou sont pillées et incendiées. Dra-el-Mizan, Fort-National, Dellys, Djidjelli, Bougie, El-Milia, Mila, sont attaqués et assiégés durant quelque temps ainsi que vers le sud Sétif et Batna. A Palestro cinquante civils européens sont affreusement massacrés. A l'extrémité occidentale de la Mitidja, entre Cherchell et Miliana, les Beni Menasser se révoltent également. La voie ferrée Alger-Oran [2] est menacée près de Bou Mefda.

Désormais, deux luttes sont engagées. L'une, de caractère féodal, derrière Mokrani qui se bat afin de pouvoir mieux composer et défendre ses intérêts. L'autre, populaire et religieuse, derrière El-Haddad et Si Aziz pour éliminer les Roumis.

---

1. L'agitation européenne a pris en quelques endroits une tournure quasiment révolutionnaire. Des écoles religieuses sont fermées et transformées en écoles laïques. A Alger, la pharmacie des Sœurs qui distribuaient des médicaments et des secours à des centaines d'indigents de toutes confessions est également fermée. Les autochtones sont surpris et choqués par ce sectarisme antireligieux qu'ils ne comprennent pas.

2. Elle n'est pas encore terminée. En venant d'Oran, elle s'arrête à Lavarande.

La première ne se prolonge pas très longtemps. Mokrani, rapidement, n'a plus grand monde autour de lui. Le 5 mai, il est tué au combat, dans l'oued Soufflat, près d'Aïn Bessem[1]. Son frère Bou Merzag poursuit seul la lutte. Epuisé, il sera finalement intercepté près de Ouargla le 20 juin 1872.

La seconde révolte est autrement plus dangereuse, eu égard aux effectifs incriminés et à la nature du terrain. La guerre avec la Prusse étant terminée, dès la fin avril des unités arrivent de France[2]. A l'exemple de Bugeaud, Gueydon lance des colonnes mobiles pour dans un premier temps dégager les villes, les villages, les bordjs encerclés. Palestro, Tizi Ouzou et beaucoup d'autres vivent des heures tragiques avant d'être secourus. Les affrontements en Kabylie rappellent ceux de 1857. Icheridène s'avère à nouveau un haut lieu de mêlées sanglantes.

Mais devant la réaction française, les chefs religieux se divisent et bien des insurgés se résignent. Si Aziz se rend fin juin. El-Haddad l'imite à mi juillet. En Grande Kabylie, la résistance cède définitivement en septembre. Les derniers combats auront lieu dans le Hodna, non loin des ruines de la Qaala des Beni Hammad.

C'en est fini d'une insurrection qui n'a pas échappé aux aspects des précédentes révoltes : manque d'unité à tous niveaux ; division des tribus ; importance du facteur religieux ; hostilité traditionnelle envers l'étranger. Seule une partie de l'Algérie a bougé. L'Oranie est restée calme. Les chefs se sont partagés. Les uns, comme Mokrani ont prôné le mouvement. D'autres, comme Ben Ali Cherif, ont joué double jeu. D'autre enfin, comme Ben Gana, sont restés fidèles à la France.

200 000 Algériens se sont opposés à 80 000 Français et à leurs auxiliaires. Le camp français annoncera 2 686 victimes. Comme toujours, l'incertitude prévaut de l'autre bord. Dans ce genre d'insurrection, les fusils partent facilement et mélangent volontiers coupables et innocents.

Inexorable, la répression s'abat. Gueydon se voulait inflexible : « Agir comme à Paris, on juge, on désarme ; les Kabyles ne sauraient prétendre à plus de ménagements que les Français. »

Les révoltés ont semé tant d'atrocités que les colons aspirent à se venger. A Palestro, les Européens tombés entre leurs mains ont été littéralement rôtis vivants... Il n'y a pas à s'étonner que les jurés des

1. Combat mené par le 23e BCP envoyé de France.

2. 9 régiments de ligne, 4 de zouaves, 3 de tirailleurs, 3 de chasseurs d'Afrique, 2 de spahis, 2 d'artillerie, 2 de génie, 3 bataillons de chasseurs et la Légion étrangère.

cours d'assises soient implacables ou qu'à Aïn Yaghout [1], par exemple, les miliciens exécutent sans jugement trente-six prisonniers. Les condamnations à mort ou à des peines d'emprisonnement tombent. Plus d'une centaine de condamnés, dont Bou Merzag et Si Aziz, seront déportés en Nouvelle-Calédonie où ils côtoieront les insurgés de la Commune [2].

Cette rébellion dénommée kabyle ou de Mokrani est lourde de conséquences. Le fossé de haine se creuse un peu plus entre les deux communautés. D'un côté comme de l'autre, on n'oublie rien. Les femmes kabyles réciteront à leurs enfants :

> « *Ils ont semé la haine dans les villages.*
> *Nous l'avons engrangée et il en reste encore.*
> *C'est comme l'abondante récolte d'un champ fraîchement incendié.* »

Le poète Ismaïl Asikhiou écrira :

> « *Terrible fut l'année 1871.*
> *Annoncée par le livre sacré.*
> *La justice s'évanouit ainsi que la liberté.* »

La révolte de mai 1945 dans le Constantinois retrouvera les limites géographiques de celle de 1871.

Au sang versé s'ajoutent pour les Algériens les sanctions à supporter. 36,5 millions sont exigés des tribus révoltées. 450 000 hectares de terres leur sont confisqués et passeront à la colonisation. Beaucoup d'anciens propriétaires sont ruinés et ramenés au rang de khames ou d'ouvriers agricoles [3].

La Grande Kabylie perd les prérogatives qu'elle avait réussi à conserver en 1857. Les djemaa, assemblées régentant les tribus, sont supprimées.

L'armée, même si son intervention a été indispensable pour briser la révolte, est mise en accusation. Elle est suspectée d'avoir joué avec le feu, d'avoir soutenu initialement les grands féodaux et, comble, de n'avoir pas assumé la répression avec suffisamment de rigueur.

---

1. 35 km au nord-est de Batna.
2. Lors de la révolte canaque de 1878, ces déportés algériens feront dans l'ensemble cause commune avec les Européens. Beaucoup obtiendront d'être amnistiés. Bou Merzag sera à Paris en 1885 aux obsèques de Victor Hugo (il mourra à Alger en 1905).
3. Faisant une tournée dans le massif du Babor (Petite Kabylie) en 1872, le lieutenant Angot, chef d'annexe de Takitount, constate qu'une partie du bétail a été vendue pour payer les contributions de guerre imposées après l'insurrection.

L'ère de la colonisation triomphante commence. Pendant trois quarts de siècle, les Européens seront les vrais maîtres de l'Algérie. Pour eux, réflexe humain d'expérience, la sécurité primera. Celle-ci passera à leurs yeux par la complète domination des autochtones. L'avenir, du reste, leur montrera à cet égard qu'il importe de demeurer vigilant.

*

1871-1914. LE TRIOMPHE DES COLONS

L'échec des insurrections de 1871 signifie pour les Algériens que leur avenir immédiat passe par la France. Ils doivent se résigner à subir la férule étrangère et s'en accommoder.

Les Européens, tout autant, ont compris. L'alerte a été trop chaude pour qu'ils évoquent à nouveau une quelconque sécession. Leur destin est lié à la France, même si plus de la moitié de ces émigrants sur le sol algérien n'est pas de sang français. Le Second Empire disparu, il leur est plus aisé de revenir à leurs vieilles réclamations : abolition du « pouvoir du sabre », assimilation aux structures métropolitaines. Ces mutations qu'ils réclament s'effectueront en dix ans. Après Gueydon puis Chanzy, dernier gouverneur arabophone, Albert Grévy ouvrira la longue série des gouverneurs généraux civils, témoignage éclatant des changements intervenus.

Au plan administratif, l'Algérie française prend une organisation qui, à quelques variantes près, persistera jusqu'au 1er novembre 1954. Les trois départements envoient à Paris six députés et trois sénateurs [1]. Les communes dites de plein exercice avec municipalité élue sont instaurées partout où la présence européenne est jugée suffisante. Ailleurs, les communes mixtes remplacent en 1880 les fameux Bureaux arabes exécrés par les colons [2]. Des administrateurs civils, véritables potentats locaux, détrônent les militaires avec des pouvoirs discrétionnaires, s'appuyant sur ce qui sera appelé le code de l'indigénat. Ils peuvent ainsi infliger aux indigènes des amendes et des peines de prison (cinq jours au maximum) pour des faits ne relevant pas du code français :

– Propos contre la France et son gouvernement,
– Refus ou inexécution du service de garde et de poste-vigie,

1. Avec pour seuls électeurs les citoyens français. Edouard Drumont, l'auteur de *La France juive*, sera élu député d'Alger en 1898.
2. Il y aura 300 communes de plein exercice et 78 communes mixtes.

– Inobservation des décisions administratives portant attribution des terres collectives,
– Retard dans le paiement des impôts,
– Détention pendant plus de vingt-quatre heures d'animaux égarés,
– Asile donné à toute personne étrangère circulant sans permis,
– Habitation isolée en dehors du douar sans permissions, campement sur les lieux prohibés,
– Départ de la commune sans avertissement, départ de résidence sans passeport,
– Tapages, scandales et autres actes de violence,
– Réunion sans autorisation de plus de vingt personnes à l'occasion de zerda ou ziara (pèlerinage et repas publics),
– Exercice non autorisé de la profession de « lerrer » (ou instituteur primaire), etc. [1]

La suppression de ce code de l'indigénat, spécifique à l'Algérie, deviendra très vite l'une des réclamations majeures des élites algériennes.

Les décrets de 1881 [2] confirment la politique des rattachements. Les grands services de l'administration sont « rattachés » aux ministères métropolitains correspondants. Suivant le mot de Jules Ferry, le gouverneur général, toujours en place, ne demeure « qu'un beau nom et un grand souvenir ». Au plan pratique, les colons régentent la vie locale. A Paris par leurs parlementaires, sur place par leur mainmise sur les banques, la presse, les affaires et les divers rouages de l'Etat.

Cette politique d'assimilation quasi aveugle n'est pas sans dangers. Dans le peuplement, les coutumes et moyens d'existence du plus grand nombre, l'Algérie n'est pas la France. Venu en 1892, à la tête d'une commission sénatoriale, enquêter dans les départements algériens, Jules Ferry a tôt fait de s'en rendre compte. Prenant appui sur les impôts locaux et les articles du code forestier appliqué en Algérie à l'instar de la métropole, il dénonce dans son rapport les errements constatés.

> « La commune de plein exercice, c'est l'exploitation de l'indigène à ciel ouvert ! Il était habituel jusqu'à l'arrivée

1. Ce code de l'indigénat prend ses origines dans le décret du 29 juillet 1874 relatif à l'organisation de la justice en Kabylie. Il vise à renforcer l'autorité de l'administration civile appelée à remplacer les Bureaux arabes. Fixé par une loi en 1881, il sera remanié en 1888, 1890, 1904 et 1914.
2. Décrets des 11 mars et 26 août 1881.

de M. le gouverneur général Cambon de donner en dot aux communes de plein exercice récemment créées, trop pauvres avec leur poignée de colons européens pour trouver en elles-mêmes les ressources d'une vie municipale sérieuse, de vastes sections de communes indigènes destinées à engraisser leurs budgets. Annexés à la commune française, de par nos lois, en petite minorité dans le conseil municipal, les douars subventionnent les travaux et les progrès du centre européen sans jamais se ressentir des bienfaits de cette civilisation dont leurs impôts font les frais. Telle commune habitée par 300 Français prospère et se développe depuis qu'on l'a dotée de 13 000 indigènes. Telle petite ville de 1 200 âmes a 29 000 Kabyles à absorber... »

Plus encore, l'apôtre de l'école laïque s'indigne de la situation créée par le code forestier et il explique pourquoi :

« Tandis que la forêt du continent n'est habitée que par les gardes forestiers qui la surveillent, la forêt du Tell et des Hauts-Plateaux est peuplée ; on y vit, on y meurt, on y sème, on y laboure. C'est là que campe depuis des siècles une race pauvre et sobre, mi-nomade, mi-pastorale, dont les troupeaux forment la seule richesse, qui vit du lait de ses chèvres ou de ses chamelles, fabrique ses tentes avec leurs poils, tisse les guenilles pittoresques dont elle couvre sa misère avec la laine de ses moutons. Elle y a des douars, des gourbis, des mosquées, des cimetières. C'est dans la forêt que, de temps immémorial, ce peuple de pasteurs, qui se chiffre par centaines de mille, prend le bois qui sert à cuire les aliments, à entretenir les misérables huttes, à confectionner un primitif araire ; c'est là que se rencontrent les sources d'eau vive, c'est là que le bétail trouve en été un abri contre la chaleur, en hiver contre le froid, et en tout temps le pâturage. »

Résultat pour Ferry de l'application stricte de la loi française :

« L'indigène forestier, qu'il le sache ou non, le plus souvent sans le savoir est toujours en état de délit. Comme le juste, il pèche au moins sept fois par jour. »

Cette contradiction entre la vie séculaire et la législation conduit au pire. Des gardes forestiers sont assassinés. Des fellahs sont condamnés à des peines d'amende, de prison et même à mort.

Les conclusions de Ferry et de la commission sénatoriale trouvent peu à peu un écho. Le principe des rattachements est condamné. Le gouverneur général renoue avec ses prérogatives et reprend barre sur les grands services, sans pour cela véritablement influencer le fonctionnement aux mains des Européens. La loi de 1900 donne à l'Algérie son autonomie financière. Déjà, le 23 août 1898, ont été instaurées les Délégations financières, petit parlement croupion ayant vocation de faire entendre la voix des contribuables sur la fiscalité. Les élus européens sont de statut majoritaires [1] et peuvent conforter leur pression sur la vie locale. Dotée de la personnalité civile, l'Algérie française se situe ainsi à la croisée de deux chemins. Elle n'est ni la France ni une colonie. Elle présente une spécificité liée à l'existence d'un fort peuplement non indigène.

*

Ce peuplement prend effectivement un formidable essor entre 1871 et 1914. Alsaciens, Lorrains [2] ayant opté pour rester français sur une terre française, lot habituel d'immigrants du pourtour méditerranéen, excédent démographique contribuent à le gonfler.

Les étrangers prédominaient ou équilibraient les nationaux, mais la loi du 23 juin 1889, par l'institution de la naturalisation systématique, altère ces rapports. Deviennent français les enfants nés en France d'étrangers nés en France, ou les enfants nés en France ou en Algérie de parents nés à l'étranger et qui au moment de leur majorité ne déclinent pas la qualité de Français. Sur ces bases le recensement de 1906 donnera :

– Français d'origine : 278 976
– Naturalisés par décret : 119 646
– Étrangers : 216 996 [3].
– Israélites naturalisés par la loi Crémieux de 1870 : 64 645.

Soit 680 263 Européens ou assimilés, à côté de 4 550 000 indigènes [4].

Les Français de souche ne représentaient donc au départ que la minorité du colonat européen. Au fil des années, ce dernier façonnera une communauté originale, essentiellement latine, fortement teintée

1. 48 contre 21 membres algériens, dont six désignés par le gouverneur général.
2. Ils seront environ 5 000 mais tous ne resteront pas.
3. Soit Espagnols : 149 828, Italiens : 45 374, Maltais : 10 993, Autres : 10 861. L'Oranie compte le plus fort pourcentage d'étrangers. Les Français de souche ne sont que 86 000 sur 269 000.
4. Le rapport le plus favorable à l'élément européen sera de 1 à 6,7 en 1914.

de sang espagnol à l'ouest, italien et maltais à l'est. Expansive, entreprenante, heureuse de vivre sous le chaud soleil d'Afrique, elle se regardera chez elle dans un pays où elle n'a ménagé ni ses efforts ni ses sacrifices. La Seconde Guerre mondiale accolera à ses enfants une épithète qu'elle adoptera d'enthousiasme : les Pieds-Noirs.

Au lendemain de 1871 plus encore qu'auparavant, cette colonisation s'engage profondément dans le bled [1], assurant l'implantation de nouveaux villages. Se créent alors Bordj-Menaïel, Cassaigne, Rouffach, Haussonvillers, Taher, Rabelais, Bedeau, Catinat, Gounod, Lamartine, Bourbaki, Montagnac... Rouffach, mais aussi Strasbourg, Metz (Akbou), La Robertsau, noms évocateurs qui rappellent les racines des pionniers du lieu.

Dans les premiers temps, l'agriculture était axée principalement sur les céréales et les cultures vivrières. Puis le coton est essayé, sans grand succès. Le tabac est plus heureux ainsi que les agrumes, richesse de la Mitidja et de la plaine bônoise, à l'irrigation possible. La crise du phylloxéra en métropole, à la fin des années 1870, précipite le développement de la vigne qui fera la fortune de la colonie. De 13 000 hectares en 1879, le vignoble passe à 168 000 en 1904 [2], fournissant un vin riche en alcool, largement utilisé pour les coupages avec les crus du Languedoc-Roussillon.

*

Les Algériens ont naturellement tendance à courber le dos. 1871 a montré que les révoltes étaient vouées à l'échec. Malgré sa défaite face à la Prusse, la France affiche une puissance et une présence difficiles à contrer.

Des troubles interviennent pourtant de temps à autre, témoignage de la sujétion mal acceptée. En 1876, une insurrection éclate dans l'oasis d'El-Amri, à quarante kilomètres au sud-ouest de Biskra. Elle est réprimée par les spahis. Fin mai 1879, à l'appel du marabout

1. Se repose le problème des terres déjà évoqué. Le séquestre sur les terres kabyles survient fort à propos et dégage des surfaces dont certaines seront remises aux Alsaciens-Lorrains. En 1873, la loi Warnier, du nom de son promoteur le docteur Warnier, député d'Alger, permettant de sortir de l'indivision traditionnelle, apporte en toute légalité la possibilité de racheter des biens algériens. Les spéculateurs, la plupart israélites, en profitent sans vergogne. Cette loi Warnier sera funeste à la propriété indigène. Elle ne sera pas un des moindres abus ayant contribué à dresser les indigènes contre les colons. « La loi française a fait exploser la propriété indigène », écrit le professeur Goinard, peu suspect pourtant de sympathies anticolonialistes (*L'œuvre française*, *op. cit.*, p. 153).

2. Il couvrira 400 000 hectares en 1939.

El-Hammama, une partie de l'Aurès s'agite. Plusieurs bataillons des 1er et 3e RTA sont nécessaires pour ramener le calme. En 1881, les Ouled Sidi Cheikh refont parler d'eux, sous l'impulsion de Bou Amama, marabout de Moghar dans le Sud-Oranais. Soixante-dix ouvriers espagnols, avec leurs épouses pour certains, travaillant sur des chantiers d'alfa, sont massacrés par les insurgés. La campagne, sous la direction du colonel de Négrier, exigera près d'un an d'efforts. Une fois la répression achevée, pour mieux contrôler cette région des confins algéro-marocains, sera fondé le poste de Mecheria et réalisée la voie ferrée menant à Aïn Sefra[1]. Le Mzab qui a ravitaillé les rebelles est annexé.

La révolte des Ouled Sidi Cheikh est la dernière sédition d'envergure avant la Seconde Guerre mondiale. Après quoi la paix et le calme semblent s'instaurer, troublés toutefois par des incendies de récoltes de colons et quelques assassinats : un colon à Youks-les-Bains près de Tebessa, des forestiers en Kabylie. Mais les tisons ne sont pas éteints. En 1901, de violents incidents éclatent à Margueritte (Aïn Turki), petit village près de Miliana. La tribu des Rihra s'insurge. Plusieurs colons sont tués. La méfiance européenne ne saurait s'éloigner.

*

Avec l'entrée dans le XXe siècle, les Français accusent soixante-dix années de présence en Algérie. Leur position paraît immuable. Qui oserait en douter ? Cette pérennité manifeste provoque chez les Algériens des sentiments divergents.

Certains – encore peu nombreux, qui seront appelés Jeunes Algériens – estiment que l'avenir appartenant à la France, la seule voie possible impose de se hisser au niveau des vainqueurs. Ils réclament pour leurs coreligionnaires et pour eux-mêmes les droits dévolus aux Européens, s'indignant qu'un Espagnol illettré, naturalisé de fraîche date, puisse voter et eux non. Ceux-là ont eu, il est vrai, l'opportunité de passer par l'école française. En 1890 a été créé l'enseignement pour les « indigènes », qui s'est heurté à bien des hostilités. Les Oulémas et de nombreux Algériens y voient « l'école du diable », car elle est celle des infidèles. Ils en refusent le principe. Les colons – pas tous – n'y sont pas moins hostiles. Ils craignent que l'instruction ne débouche sur une émancipation ou une perte de main-d'œuvre. « Le jour où tous les indigènes seront instruits, les colons n'auront plus

1. Elle arrivera à Colomb Béchar en 1905.

d'ouvriers dans leurs campagnes », écrit *La Dépêche algérienne* en 1908. Le congrès des colons, la même année, vote à l'unanimité une motion : « L'instruction primaire des indigènes doit être supprimée. »

Malgré ces oppositions des deux bords, l'école française devient une réalité. Le dévouement d'instituteurs exemplaires supplée souvent aux diverses carences. Les Pères blancs qui n'ont pas renoncé ont ouvert vingt et un établissements en Grande Kabylie. En 1914, 48 000 enfants algériens fréquenteront l'école laïque. Certes, ils ne représentent que 5 % des Algériens scolarisables, pourcentage encore très faible [1], mais ils assurent la formation d'une première élite. Né en 1899, Ferhat Abbas sera élève du collège de Philippeville et ne s'exprimera qu'en français.

A l'opposé de ces candidats à la francisation que représentent les Jeunes Algériens, se dresse un autre groupe. Ceux-là sont saisis d'un sentiment d'impuissance devant la domination française. Alors ils partent. Ils le font d'autant plus qu'à partir de 1907 surgit une crainte : la conscription.

L'idée est dans l'air à Paris là encore, en dépit de l'opposition fondamentale des Européens. *La Dépêche algérienne* du 5 novembre 1907 s'insurge : « Vous allez apprendre à tous les bicots à manier le fusil... On en fera des déracinés, de la graine de pillards et d'assassins. »

Mais la menace allemande ne cesse de croître. La France a besoin de poitrines. Le projet prend tournure et entraîne chez les Algériens des mouvements de départ. On l'appellera à tort l'exil de Tlemcen. La cité des Abdelwahides n'en a pas la primeur. L'exode débute en Medjana en 1910 [2]. Il ne gagne Tlemcen qu'en 1911. L'ampleur du phénomène intéressant des centaines de familles [3] amène l'administration à s'interposer et à le stopper.

« L'exil de Tlemcen » n'interrompt cependant pas le processus engagé à Paris. La conscription des Algériens est définitivement adoptée le 31 janvier 1912. Le service sera de trois ans (il n'est encore que de deux ans pour les Européens) [4]. Le remplacement, vieille pratique de l'Ancien Régime, est autorisé. Les appelés tirés au sort, en principe 5 % des effectifs incorporables, recevront une prime de 250 francs.

Cette conscription est reçue de manière très inégale. Les Jeunes Algériens s'en félicitent. Ils y voient un pas en avant vers l'égalité

1. Par contre 116 000 jeunes Européens, soit la quasi-intégralité, sont scolarisés.
2. Des départs ont déjà eu lieu en 1874 et 1893.
3. La plupart gagnent la Syrie.
4. La loi de trois ans en 1913 mettra les deux communautés à égalité sur ce plan.

entre indigènes et Européens [1]. A ce titre, ils dénoncent la prime de 250 francs altérant le caractère égalitaire de la mesure. Les Oulémas, les pieux musulmans, protestent.

*

C'est un pays divisé qui affronte la guerre. Deux communautés s'y côtoient, travaillent ensemble, mais demeurent éloignées.

En 1914, les Européens sont un peu plus de 750 000. Ils ont de plus en plus tendance à vivre dans les villes. S'il est de grosses fortunes, la majorité d'entre eux n'est qu'un petit peuple aux revenus modestes.

Les Algériens approchent 4 700 000, installés en majorité dans le bled. Chez eux aussi existent de grosses fortunes, grands propriétaires ou négociants avisés. La masse inculte et miséreuse vit rivée à sa tâche d'ouvrier agricole chez un colon ou un coreligionnaire, lorsqu'elle ne subsiste pas de son lopin de terre ou de son troupeau. Tous ces fellahs ont fini par s'habituer à la présence française, même si au fond d'eux-mêmes ils la subissent.

A côté se situent quelques catégories relativement marginales et bien marquées :

– Les exilés, presque tous kabyles, partis chercher du travail en France. On les estime à environ 13 000 ;

– Les nantis qui profitent du système, comme les grands caïds du Sud-Constantinois, les Ben Gana ou les Ben Chenouf. Honorés, décorés, avec leurs burnous et leurs médailles, ils font figure de vitrine présentable. Ils s'alignent avec application lors des cérémonies officielles. Avec le temps, ils seront désignés sous le qualificatif de « béni-oui-oui » ;

– Les opposants, qui se manifestent plus ou moins ouvertement. Les Oulémas ne cachent pas que l'islam leur interdit de pactiser avec les Roumis. Mohammed Belkhen (1835-1905), le chantre des Ouled Sidi Cheikh [2], s'est joint à eux et de son verbe incisif a fustigé les traîtres. Si Mohand (1845-1900), qui sera appelé le Verlaine kabyle, a dénoncé lui aussi les misères du temps et les collaborateurs [3].

En marge de ces exilés, nantis ou opposants, les Jeunes Algériens paraissent incarner l'avenir. Sans renoncer à leur foi islamique, ils ont

1. Confirmé par une série de mesures adoptées en septembre 1912 en faveur des anciens militaires : suppression du code de l'indigénat ; droit de vote aux élections municipales ; accès aux emplois dits réservés (gardes champêtres, etc.).

2. Déporté à Calvi en 1884, il a vécu neuf ans en exil.

3. Son père a été fusillé en 1871. Un membre de sa famille a été déporté en Nouvelle-Calédonie.

opté pour la culture française et ce qu'elle représente. A bien des égards, ils personnifient ce qu'aurait pu produire une assimilation généralisée par un développement de l'enseignement et un rejet de la discrimination raciale. Hadj Cherif Cadi, né en 1867 aux environs de Souk Ahras, a fréquenté l'école française. En 1887, s'étant engagé à devenir français à vingt et un ans, il est reçu à Polytechnique, numéro 142 sur 225. Il est le premier « indigène » admis à l'école de la rue Descartes. Marié à une Française, il est chef d'escadron en mars 1913, seul officier supérieur algérien[1], car il est citoyen français. Cette carrière ne l'empêchera pas d'effectuer le pèlerinage à La Mecque en 1913. Parcours sensiblement identique chez Mohammed Ben Si Ahmed Ben Cherif (1879-1921), entré à Saint-Cyr en 1897. Lui aussi se veut français tout en restant musulman. Il publiera en 1920 le premier roman algérien en langue française[2], *Ahmed Ben Mostapha, goumier*, ouvrage écrit « pour exalter la gloire d'une nation qui a su réveiller les élans chevaleresques d'un peuple jadis endormi ».

Dans leur intégration à la patrie française, ces cas font exception. En Algérie même, un racisme qui n'annonce pas son nom[3], l'ostracisme de l'islam, en particulier au sujet de la condition féminine[4], interdisent de véritables rapprochements et accentuent les clivages nés de la conquête. Les mariages mixtes sont rares : 82 de 1905 à 1914, presque toujours d'Algériens avec une Européenne. La fusion raciale ne se produit pas, interdisant le rapprochement des communautés.

*

1. Il n'est pas toutefois le premier officier supérieur algérien. Le lieutenant-colonel Ben Daoud (colonel le 11 juillet 1888), ancien Saint-Cyrien, a commandé le 3e régiment de spahis de 1885 à 1889.

2. Par souci publicitaire et pour éviter l'antisémitisme, le roman *Saâda la Marocaine*, d'Elissa Rhaïs, paru chez Plon en 1919, fut présenté comme l'œuvre d'une femme, « musulmane de notre Algérie », ayant pris le voile des femmes de l'islam et étant « sortie du harem pour conter des histoires en français », mais Elissa Rhaïs était juive.

3. Les apparences sont sauves. Il n'est pas dans la vie courante d'apartheid officialisé, à condition d'excepter le code de l'indigénat, le suffrage électoral, l'accès à la hiérarchie civile ou militaire, etc.

4. L'islam interdit le mariage d'une musulmane avec un chrétien. La supériorité de principe de l'homme sur la femme laisse supposer que le mari influencera son épouse au plan religieux. L'inverse n'est donc pas accepté. « Les hommes ont autorité sur les femmes en vertu de la préférence que Dieu leur a accordée sur elles », dit le Coran (IV, 34).

Curieux Maghreb ! En regardant une carte, il paraît reposer sur deux socles plantés l'un à l'est jusqu'à Ghadames, l'autre à l'ouest jusqu'à l'embouchure du Draa. Rompant avec sa silhouette générale de table à deux pieds, une outre gigantesque, grossièrement en forme de losange, pend sous le Maghreb central d'Aïn Sefra à Biskra : le Sahara. Par cet apport de 1 981 762 km^2, l'Algérie passe à près de 2 200 000 km^2. En surface, elle fait figure de troisième puissance africaine, immédiatement après le Soudan et la République démocratique du Congo (ex-Zaïre).

Cette hypertrophie récente a bouleversé le destin de l'Algérie moderne.

*

En 1857, le drapeau tricolore flotte sur Biskra, Bou Saada, Laghouat, Aïn Sefra. Là où commence la culture de la datte commence le Sahara, énoncent les géographes. La France est ainsi déjà installée au Sahara puisque ces oasis, au souffle du vent, s'animent du bruissement de leurs palmiers-dattiers. Ces arbres en sont la principale richesse, avec la quasi-disparition du commerce transsaharien de l'Afrique noire vers le Maghreb [1].

Tenir les portes d'entrée septentrionales de l'espace saharien ne signifie pas le contrôler. Préoccupés avant tout de la conquête du Tell et des hauts plateaux, Bugeaud et ses successeurs se sont peu aventurés vers le sud lointain. Celui-ci garde tout son mystère et son immensité, à l'heure où le moteur commence à peine à balbutier. 2 000 kilomètres de Biskra à Zinder aux approches du Tchad, 4 000 des rivages atlantiques à la vallée du Nil.

Ce monde en marge, ce désert suivant le vocable habituel, est le royaume du sable, de la rocaille, du vent, des températures excessives, de l'aridité sans fin, de la soif. Il ne s'égaie que des taches vertes des oasis qui le piquettent de-ci de-là, lorsque l'eau surgit.

Les occupants du Maghreb, à l'exception des Marocains, ne se sont guère souciés d'accaparer ces étendues sans frontières précises, hormis celles façonnées par le climat. Les Romains ne s'y étaient prati-

1. Si le commerce transsaharien, en particulier celui des esclaves, se poursuit, il s'est orienté vers l'Afrique orientale, point de départ vers les pays arabiques. La voie marocaine est tombée en désuétude et n'a plus son activité d'antan à l'époque de la splendeur de Sijilmassa.

quement pas hasardés, les Turcs encore moins [1]. Les chevaux des cavaliers français se sont arrêtés à leurs limites nord. Abd el-Kader se contentait d'y chercher refuge lorsque les colonnes de Bugeaud le pressaient de trop près. Il n'était pas question pour lui de s'y établir. Ces milliers et milliers de kilomètres carrés appartiennent aux rares habitants des lieux : sédentaires dans les oasis, nomades là où il est possible de nourrir les troupeaux, Chaambas dans le nord, Touaregs dans le sud [2].

Le mystère, la légende accompagnent ces Touaregs, altiers chameliers, hommes bleus au visage aux deux tiers masqué par le « litham », Berbères métissés et islamisés, ils ne sont certainement pas les premiers hôtes du Sahara. Fractionnés en petites tribus, caravaniers souvent, pillards parfois, pasteurs presque toujours, ils dominent le Sahara méridional et central, tenant en soumission les sédentaires des oasis. Les Français ne le savent pas encore, mais ils le découvriront très vite. Plus que les distances, l'obstacle pour s'approprier le Sahara s'appelle les Touaregs. Pour en venir à bout, les Français pourront compter sur leurs vieux adversaires du nord, les Chaambas.

*

Commandant d'armes à Laghouat après la prise de la ville en 1852, le commandant du Barail songe à s'enfoncer plus avant. Il pousse jusqu'au M'Zab, refuge millénaire des Kharidjites après la chute de Tahert. Il n'est pas suivi par ses chefs et reçoit l'ordre de regagner sa base de départ. De même, en 1873, le général de Galliffet atteint El-Golea et doit faire demi-tour. Les militaires maugréent. Les politiques, au lendemain de la conquête, n'ont cure de ces horizons de sable ou de roche [3].

Pourtant, des audacieux s'y risquent. Agé à peine de vingt ans, Henri Duveyrier atteint Ouargla et El-Golea en 1861, avant de rentrer par Ghadamès, Ghat et Mourzouk. Il montre la voie que suivront après lui Say, Largeau, Soleillet, Foureau. Ces voyages ne sont pas inutiles. Ils apportent un éclairage sur le pays et ses habitants.

*

1. Même s'ils s'efforcent de prélever l'impôt sur les pasteurs transhumants du Sahara septentrional vers les hauts plateaux.
2. A la fin du XIXe siècle, la population globale du Sahara est estimée à 500 000.
3. Appelés erg pour les étendues de sable et de dunes, reg pour celles de cailloux et de roches.

Khaïr ed-Din, dit Barberousse.
Il ouvre trois siècles turcs.

Hussein Dey.
Le dey du coup d'éventail.

Bourmont,
le vainqueur
d'Alger.

Abd el-Kad
le Vercingétorix algéri

Bugeaud, le conquérant
de l'Algérie.

Le bachagha Boualam,
chef de file des
Algériens profrançais.

Messali Hadj,
le père du
nationalisme
algérien.

Ferhat Abbas, premier président du Gouvernement provisoire de la République algérienne.
Ahmed Ben Bella, premier président de la République algérienne.

Mohammed Boudiaf, le président assassiné.

Si Salah, le commandant
de la wilaya 4,
qui rencontra de Gaulle
à l'Elysée le 10 juin 1960.

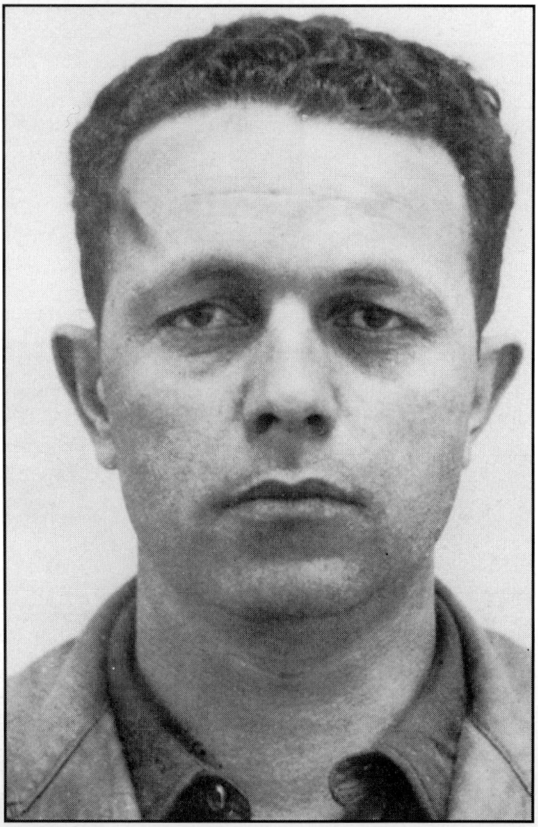

Abane Ramdane,
le véritable chef du
FLN de l'intérieur,
assassiné par les siens
en décembre 1957.

Krim Belkacem,
le négociateur d'Evian,
assassiné
à Francfort
en 1970.

Houari
Boumedienne,
maître de
l'Algérie
de 1965 à 1979.

Le général de Gaulle,
acteur majeur
du final de
l'Algérie française.

Le général Salan,
le chef des derniers
partisans de
l'Algérie française.

Chadli Ben Djedid, président de fait ou président potiche, de 1979 à 1992.

Aït Ahmed, le chef de f
du courant kaby

Abassi Madani, le numéro un du FIS.

En 1871, la France perd l'Alsace et la Lorraine. A partir de 1880, sous l'impulsion de Gambetta, Jules Ferry, puis Eugène Etienne, elle s'efforce de compenser outre-mer, en Afrique en particulier, sa grandeur perdue sur le continent. Présente au Sénégal depuis l'Ancien Régime, elle s'enfonce au Soudan, « le pays des Noirs ». En 1894 Joffre, après avoir bousculé la résistance touareg, entre dans Tombouctou, la cité visitée par René Caillié en 1828. En 1881, le traité du Bardo prolonge vers l'est la présence française en Afrique du Nord. Relier les deux Afrique françaises, la blanche et la noire, devient non plus un rêve mais une ambition.

A partir de 1878, des projets ont été élaborés pour la construction d'un chemin de fer transsaharien. Partie pour reconnaître un tracé possible, la mission Flatters est tombée en 1880 dans une embuscade touareg et a été décimée. Ce désastre, suivi de l'assassinat d'explorateurs et de missionnaires, a porté un coup à la pénétration saharienne, en dépit de l'installation au M'Zab en 1882, vœu ancien de du Barail.

A la fin du XIXe siècle, l'orientation donnée à l'empire colonial ne permet plus d'éluder. Le rail atteint Aïn Sefra en 1887, Biskra en 1888. Le Niger de Tombouctou est français. Faire du Tchad la clé de voûte des possessions africaines – Algérie-Tunisie, Sénégal-Soudan, Congo-Oubangui – ne relève plus de l'utopie. Le contexte international l'autorise. L'accord franco-anglais du 5 août 1890 a précisé : « Le gouvernement de Sa Majesté britannique reconnaît la zone d'influence de la France au sud de ses possessions méditerranéennes jusqu'à une ligne de Say [1] sur le Niger à Barroua [2] sur le Tchad. »

Lord Salisbury, Premier ministre de la reine Victoria, se gaussait en apposant sa signature : « Ce sont là des terres légères où le coq gaulois trouverait de quoi gratter ! » Il ne croyait pas si bien dire. Soixante ans plus tard, le coq gaulois fera jaillir, sous ses ergots, gaz et pétrole, nouveaux pactoles des temps modernes. Sans toutefois en profiter longtemps.

Au début de 1898, un large programme est acquis. Trois missions convergeront vers le Tchad, l'une au départ du Gabon, une seconde au départ du Sénégal, une troisième au départ de l'Algérie.

Les enseignements de l'échec de Flatters ne sont pas oubliés. La mission Foureau-Lamy, qui quitte Biskra le 27 juillet 1898 pour traverser le Sahara et rallier le lac Tchad, est solide : 332 hommes dont

---

1. Say : 50 km au sud-est de l'actuel Niamey.
2. Barroua, sur les bords du Tchad, à environ 250 km au nord-ouest de N'Djamena (ex-Fort-Lamy).

212 tirailleurs et 13 spahis algériens [1]. Les guides sont des Chaambas dirigés par El-Hadj Abd El-Hakem, compagnon de Foureau depuis des années.

Malgré les distances, le climat, les Touaregs – il y a quelques combats –, le 28 juillet 1899, presque un an jour pour jour après leur départ de Biskra, Lamy et ses compagnons aperçoivent la haute pyramide du minaret de la Messeldge d'Agadès. Pour la première fois, les Français ont réalisé en force la traversée nord-sud du Sahara. Le désert a été vaincu.

Dès lors, la conquête du Sahara se précipite. Le 29 décembre 1899 forçant le destin et les ordres reçus, le capitaine Pein est entré à Aïn Salah, 1 000 kilomètres au sud d'Alger. Le 1er mai 1902, le goum du capitaine Cottenest décime un fort rezzou touareg au puits du Tit, sur les flancs ouest du Hoggar. Ce combat du Tit, revers sévère pour les hommes bleus, assoit la prépondérance des armes françaises.

Pein, Lamy, Cottenest : ces Sahariens ont déblayé le chemin. La mainmise française s'est élargie et prend forme. Le 24 décembre 1902, sont officiellement créés les Territoires du Sud, entité administrative placée sous la férule du gouverneur général à Alger. Ils comprennent quatre circonscriptions : Aïn Sefra, Laghouat, Ouargla, les oasis, placées sous autorité militaire, régime qui subsistera jusqu'en 1947.

Il appartiendra à Laperrine, nommé commandant supérieur des oasis sahariennes, de terminer l'ouvrage. Mêlant la diplomatie à l'action des compagnies sahariennes [2], assisté par la haute figure de Charles de Foucauld, en huit années de commandement, de 1902 à 1910, il finit d'assurer le contrôle du Sahara central et oriental. Le 20 janvier 1904, Moussa ag-Amastane, aménokal du Hoggar, vient faire allégeance à Aïn Salah. Les Touaregs ne représentent plus un danger majeur.

*

Les militaires appellent ces rivalités d'armes des « querelles de boutons ». Ces « querelles de boutons » prennent de l'ampleur. Coloniaux « montant » du Soudan et métropolitains de l'armée d'Afrique « descendant » d'Algérie s'opposent quant à leurs zones d'influence

1. L'ossature est fournie par le 1er RTA de Blida (l'élément européen ne compte que 42 officiers, sous-officiers et hommes de troupe). Cette mission Foureau-Lamy met une fois de plus en exergue la fidélité et la valeur des tirailleurs algériens, tous engagés volontaires. A aucun moment ne se pose un problème disciplinaire.

2. Créées le 1er avril 1902.

respectives. Paris s'interpose. Ce faisant, la puissance coloniale fixe des frontières destinées à devenir celles de futurs Etats [1].

Ces limites sont relativement faciles à établir au sud, puisque les Français sont seuls en présence. Sont ainsi définies, à partir de la corne orientale de l'Adrar des Iforas, deux lignes sensiblement nord-ouest et nord-est, la première en direction du cap Noun, la seconde vers Ghat. Elles établissent les frontières des Territoires au sud avec le Niger et le Soudan, futur Mali [2]. Le Tassili-Oua-n-Ahaggar marque la pointe méridionale du Sahara algérien.

A l'est comme à l'ouest, les données sont plus délicates : la France a en face d'elle plusieurs partenaires.

Au début du XXe siècle, la Libye est encore sous domination des Turcs avant que l'Italie ne la leur arrache en 1912. Paris doit finalement traiter avec Rome pour fixer une frontière qui intéresse également la Tunisie française. Les négociations laisseront Ghadamès et Ghat côté libyen, Edjelé et le Tassili-n-Ajjer côté français [3].

La situation est autrement plus complexe à l'ouest. Interfèrent la France, le Maroc, et également l'Espagne qui s'installe au Rio de Oro. Avec le Maroc, la convention de 1845 n'a statué que sur environ 150 kilomètres à partir de la côte. Au-delà du Teniet el-Sassi, les textes restent flous. S'appuyant sur leur passé, les Marocains ont des prétentions sur le Touat et Tindouf. Des pillards marocains [4] ne se privent pas de lancer des incursions dans le Sud-Oranais. A cet effet, et pour y remédier, Lyautey sera nommé à Aïn Sefra en 1903 et s'installera à Béchar, en mouvance marocaine [5]. Finalement, le Maroc et la Mauritanie étant tombés sous domination française, la frontière algéro-marocaine au Sahara, fixée par le colonisateur, se situera sur le Draa [6]. Figuig sera marocain, Colomb Béchar et Tindouf étant rattachés au Sahara algérien.

---

1. Décisions ministérielles des 7 juin 1905 et 20 juin 1909.
2. Niger et Soudan relèvent alors de l'Afrique occidentale française et des troupes coloniales.
3. Accord définitif franco-italien en 1909. L'Italie se rallie de fait aux conventions franco-anglaises du 14 juin 1898 et 26 mars 1899 sur les limites des zones d'influence dans la région.
4. Largement manipulés par Bou Amama, l'agitateur de 1881 qui s'est réfugié au Maroc.
5. Des accords franco-marocains de 1902 confirment l'historique marocain de Béchar.
6. La convention franco-espagnole du 27 novembre 1912 ayant la première fixée cet oued Dra comme frontière énonce :

« Article 2... Au sud du Maroc, la frontière des zones française et espagnole sera définie par le thalweg de l'oued Draa, qu'elle remontera depuis la mer jusqu'à sa rencontre avec le méridien 11° ouest de Paris ; elle suivra ce méridien vers le sud jusqu'à sa rencontre avec le parallèle 27° 40'de latitude nord. »

*

La conquête française du Sahara débouche sur la possession d'une étendue de deux millions de kilomètres carrés aux frontières absolument artificielles. Ce patrimoine est strictement le fruit du fait colonial. Il ne répond à aucune unité géographique ou politique, hormis son caractère désertique. Pour des raisons de facilités économiques et militaires, le colonisateur l'a rattaché à l'Algérie, sans imaginer ses conséquences lointaines.

En quittant l'Algérie en 1962, la France aurait pu répartir son bien saharien entre ses « enfants coloniaux » riverains : Tunisie, Algérie, Maroc, Mauritanie, Soudan, Niger. Elle les déshéritera tous au profit d'un seul : l'Algérie. Ce legs préférentiel est capital. Faute d'exploiter l'agriculture, l'industrie, ses richesses minières, le tourisme, l'Algérie moderne ne subsiste que par l'apport du sous-sol saharien.

*

LA GRANDE GUERRE

Survient ce conflit que les contemporains dénommeront la Grande Guerre. Chez les Français d'Algérie la ferveur patriotique rejoint celle des métropolitains. 155 000 seront mobilisés[1], 22 000 laisseront leur vie pour la sauvegarde de la Mère Patrie. Les étrangers se montrent plus réservés. Leurs fils espèrent qu'à vingt-deux ans, âge où ils devront opter ou non pour la nationalité française, la guerre sera terminée. Ils ont tendance à ignorer les bureaux d'engagement.

La France, en lutte contre une Allemagne de 55 millions d'habitants, n'en compte que 40. En Algérie, les Européens étant normalement mobilisés, des effectifs supplémentaires ne peuvent provenir que des indigènes. Au 2 août 1914, 28 390 d'entre eux servent dans l'Armée d'Afrique en tant qu'engagés et 3 878 comme appelés. De tels chiffres sont relativement modestes pour une population de 4 700 000 individus[2]. Le gouvernement général et ses services entre-

---

Cette portion du méridien 11° ouest, entre le Draa et la diagonale nord-ouest piquant sur le cap Noun, reste aujourd'hui la frontière entre le Sahara algérien et le Rio de Oro devenu marocain. Il coupe nord-sud la hamada du Draa.

1. Ils partent en principe pour les zouaves et les chasseurs d'Afrique, unités nord-africaines à recrutement européen. Quatre régiments de zouaves reviendront avec la fourragère rouge.

2. Recensement de 1911.

prennent une intense campagne de recrutement à double volet : volontariat, conscription.

Les résultats de ces efforts, s'appuyant aussi bien sur de bonnes paroles que sur des primes et la conscription, ne seront pas si mauvais : en quatre ans, l'armée française recrutera 86 519 engagés et 82 751 appelés. De 120 000 à 125 000 auraient participé aux combats. Suivant des statistiques parfois contestées, 19 075 auraient été tués, 6 096 portés disparus, près de 72 000 blessés et 8 779 mutilés [1].

L'incertitude prévaut sur les mobiles profonds des engagements. Attrait du métier militaire et de ses à-côtés matériels ? Attachement envers la France ? Désir de se hisser au niveau des Français par l'une des rares portes utilisables ? Tout a pu jouer. Depuis la création des unités de tirailleurs et de spahis, la France n'a jamais manqué de volontaires algériens. Outre en Algérie même, elle en a employé en Crimée, en Italie, en Indochine, en Chine, en Tunisie, à Madagascar, en Afrique noire, au Tchad, au Maroc. La guerre de 1914-1918 lui apporte une preuve supplémentaire de la réceptivité de ses appels aux armes.

Par contre la conscription, déjà mal acceptée avant la guerre, l'est encore plus les hostilités advenues. Elle provoque dans le pays une vague de protestations, d'insoumissions et de révoltes comme l'Algérie n'en avait pas connu depuis longtemps.

Les premiers incidents à l'occasion d'opérations de recensement et de mobilisation éclatent dans les Beni Chougran, commune mixte de Mascara en septembre 1914. Un chasseur d'Afrique est tué. Deux autres faits prisonniers sont retrouvés mutilés et émasculés. Des renforts doivent être envoyés dans la région Mascara-Tiaret. Des combats se prolongeront durant le mois d'octobre avant que l'ordre soit rétabli.

La révolte qui éclate à l'automne 1916 dans le Sud-Constantinois est autrement plus importante. Les pouvoirs publics y verront plusieurs origines : conscription, action de marabouts, mots d'ordre turco-allemands.

Le refus du service militaire est certainement la raison fondamentale. Les Algériens n'ignorent pas le prix des combats sur le front français et les hécatombes du début de la guerre et de Verdun. Les parents s'effraient. Le bruit a couru de la suppression du droit au remplacement. Les riches se sont sentis vulnérables à leur tour. Des membres de familles aisées se découvriront parmi les révoltés.

Les mots d'ordre turco-allemands ont certainement joué. Si l'appel au djihad lancé par le sultan de Constantinople allié des Allemands

1. Chiffres du ministère de la Guerre.

n'a guère été entendu et encore moins suivi, Turcs et Allemands n'ont pas renoncé à dresser le Maghreb musulman contre la France chrétienne. En 1916 a été créé à Berlin un comité pour la liberté de l'Afrique du Nord, qui diffuse ses slogans. La situation est explosive en Tripolitaine. Les Senoussis mènent une lutte acharnée contre les Italiens ainsi que contre les Français du Sahara oriental. Le poste de Djanet doit être évacué. Le Père de Foucauld est assassiné le 1er décembre 1916. Les échos de ces difficultés françaises ont pu parvenir dans le Sud-Constantinois, région de l'Algérie la plus proche, et y susciter des espoirs de revanche.

Quant à l'action des marabouts, si elle eut effectivement lieu, elle ne fit que s'inscrire dans leur rejet traditionnel des Roumis.

A ces raisons sans doute essentielles s'ajoute aussi la création récente de nouveaux centres de colonisation dans la région de Batna, Bernelle, Corneille, Edgar Quinet, Condorcet, N'Gaous...

L'agitation prend forme en octobre 1916. Deux Européens et un caïd sont assassinés dans la commune mixte du Belezma, au nord-ouest de Batna. Des fermes sont attaquées, des fils téléphoniques coupés.

Les mesures de conscription s'accentuant, les manifestations tournent à l'insurrection. Dans la nuit du 11 au 12 novembre, des centaines d'insurgés s'en prennent au bordj de Mac-Mahon. Le sous-préfet de Batna, l'administrateur de la commune mixte d'Aïn Touta sont tués, des boutiques juives ou mozabites pillées. Le lendemain un garde forestier est tué.

Devant l'ampleur du mouvement, d'importants renforts sont envoyés sur les lieux. Les 72e et 91e RI arrivent de France. Au total près de 16 000 hommes participent aux opérations de « ratissage » et de répression. Cinq mois seront nécessaires pour étouffer une sédition qui englobe une bonne partie de l'Aurès et de ses abords [1]. Les massifs du Belezma, du Metlaoui, du Metlili, du Zellatou, de l'Ahmar Khaddou sont les plus touchés avec les communes mixtes de Barika, Mac-Mahon et Arris, sans qu'il y ait de véritable unité entre les diverses zones.

Le bilan des victimes et des pertes est assez incertain. De 18 à 28 tués chez les Européens et la troupe, de 200 à 300 chez les Algériens. Des condamnations suivront. Mohammed ben Noui, condamné à mort, sera exécuté en public à Mac-Mahon.

---

1. L'insurrection remonte au nord de l'Aurès, frappant les communes mixtes d'El-Madher, Chemora, Aïn Kercha, Aïn Fakroum. Le quadrilatère de l'Aurès, Kenchela-Batna-Biskra-Khanga-Sidi-Nadji, n'est pas le plus touché. Une large part de la sédition se déroule en dehors : Belezma, Metlili, Fedjouj, etc.

L'insurrection terminée, une certaine insécurité persistera dans l'Aurès [1]. La commune mixte d'Arris, en plein cœur du massif, sera toujours regardée comme sensible. Les maisons forestières auront tendance à s'assimiler à des blockhaus. Y être affecté présentera un caractère disciplinaire. Enfin, si l'on en croit certains témoignages, de jeunes révoltés de 1916 seront, la cinquantaine passée, parmi les premiers à monter au maquis le 1er novembre 1954.

Si les émeutes du Constantinois sont de loin les plus graves, toute l'Algérie se ressent de ce refus de la conscription, les insoumis y colportant leur révolte. Deux gendarmes sont assassinés près de Rabelais dans l'Algérois, une vingtaine de colons dans le Constantinois en 1917. Des « loyalistes », des caïds, des « adjoints indigènes » connaissent le même sort. Les caïds Ali Ben Chenouf dans le Constantinois et Ahmed Aït Medhi, en Kabylie sont parmi les victimes les plus notoires. Les zones montagneuses, Grande et Petite Kabylie, Dahra, massif de Collo deviennent dangereuses. Bien des routes du Constantinois sont peu sûres.

Il est certain que pour l'ensemble de la population européenne aussi bien qu'algérienne, les années de guerre s'avèrent difficiles. La pénurie de bateaux [2] rend les communications précaires avec la métropole. Les importations vitales font défaut. La consommation d'électricité est réglementée. Les exportations diminuent. Vins, légumes, agrumes attendent sur les quais des transports aléatoires. La pénurie de main-d'œuvre à tous niveaux se fait sentir avec la mobilisation et le recrutement de travailleurs pour la métropole [3].

Pourtant, malgré ces difficultés de la vie courante, malgré ce refus de la conscription, la France n'a pas à se plaindre de ses sujets algériens. Les tirailleurs se battent et se battent bien. Deux régiments – 2e et 7e RTA – reviendront avec la fourragère rouge, synonyme d'au moins six citations à l'ordre de l'armée ; quatre arborent la fourragère jaune de la médaille militaire (quatre citations à l'ordre de l'armée).

Les désertions au front sont peu nombreuses. La plus grave, celle du lieutenant Boukabouya du 2e RTA, qui serait parti avec soixante-dix-huit sous-officiers et hommes de troupe, est sans lendemain.

---

1. Le douar Ouled Aouf, dans la commune mixte d'Aïn Touta, se soulèvera à nouveau en 1926.

2. Nombreux sont torpillés par les Allemands.

3. La France fait aussi appel à la main-d'œuvre algérienne, soit par volontariat, soit par recrutement administratif. 109 000 Algériens, à 85 % kabyles, travaillent ainsi en métropole, marquant le véritable début d'une émigration à peine amorcée avant la guerre.

Boukabouya n'est pas suivi dans ses appels à le rejoindre. L'attitude des prisonniers est tout aussi digne : sur 7 000 Algériens faits prisonniers, à peine 5 % accepteront d'aller servir dans les rangs de l'armée ottomane au titre de la lutte commune contre l'infidèle.

Cette loyauté, ce dévouement envers la France ont des explications. En premier lieu la fraternité d'armes, le comportement humain, souvent admiré, des cadres français. Puis l'accueil réservé aux « Turcos » par la population métropolitaine, qui tranche avec le racisme supporté en Algérie. Qu'ils soient militaires ou travailleurs civils, les Algériens découvrent dans l'ensemble une France chaleureuse, ingénieuse et puissante. Ils y sont sensibles. Des liens se créent. Des idylles se nouent qui ne seront pas toutes heureuses à l'expérience. Y a-t-il enfin chez certains Algériens la volonté d'égaler les vainqueurs ou de se former pour une éventuelle revanche ? Ce ne sont là qu'hypothèses avancées sans fondements probants.

Personne ne le présageait, mais ces années de campagne donnent naissance à une nouvelle couche sociale : les anciens militaires foncièrement attachés à la France. Certes les anciens combattants existaient, vivier de caïds, gardes champêtres et autres « adjoints indigènes ». Mais tous provenaient des luttes coloniales. Cette fois, ces Algériens venus sur le front français ont eu le sentiment de se battre pour une patrie. Fêtés, honorés, pensionnés souvent, ils sont rentrés fiers de leurs galons le cas échéant, et plus sûrement de leurs médailles. Ces vieux soldats que l'intérêt et l'affection rangent derrière le drapeau tricolore [1] seront pour la France des sujets fidèles. Ils élèveront leurs fils dans le même esprit. Nombre de ces derniers opteront pour la carrière des armes.

Au final, ce que redoutaient bien des Européens ne s'est pas produit : les Algériens n'ont pas profité de la guerre mondiale pour se révolter. Cependant, la grande peur ne s'est pas atténuée. Beni Chougran, Aurès, insécurité en régions montagneuses, attentats isolés ont alimenté la vieille appréhension face à « l'Arabe ». Celle-ci, en certains endroits, a éloigné les colons de leurs terres. Pour les Français, eu égard à la mobilisation, à l'insécurité, aux difficultés économiques,

---

1. Ces sentiments seront renforcés par des réalisations pratiques obtenues, à l'initiative de leurs anciens chefs, en faveur des militaires algériens : Dar el-Askri (Maisons du Soldat), Comité des Amitiés africaines, créé en 1935 et présidé par le maréchal Franchet d'Esperey. Les comités locaux des Amitiés africaines, soutenus par les pouvoirs publics, mènent à bien, en France comme en Algérie, un important travail d'assistance médicale, juridique et sociale. Ces aides vivement appréciées confortent les militaires algériens en l'existence d'une France juste et d'un ordre militaire égalitaire bien distinct de l'ordre colonial.

14-18 marque une régression de la petite colonisation rurale. Le bled perd un peu de sa présence européenne.

Pour les deux communautés, la guerre accentue également un phénomène décelé avant 1914. La concentration foncière s'accélère au détriment de la petite propriété. Elle induit une paupérisation chez les Algériens et l'exode rural évoqué chez les Européens. La physionomie de l'Algérie de 1954 se profile : un bled algérien, des villes où se concentre un peuplement européen. Devenus des citadins, les Européens n'auront pas conscience de la misère profonde des fellahs et sous-estimeront leur poids.

La guerre a souligné tout autant l'insuffisance du développement industriel du pays et sa dépendance vis-à-vis de la France et de l'Europe. Ce n'est là que la rançon normale du pacte économique colonial.

Chapitre XVI

LA MONTEE DU NATIONALISME (1919-1954)

La guerre a bouleversé les fondements de la vie politique algérienne. Comment ne pas tenir compte des services rendus et des sacrifices supportés par les « indigènes » ?

Clemenceau le reconnaît ouvertement : « Il faut sanctionner ces gens-là », annonce-t-il.

La loi Jonnart du 4 février 1919 et ses décrets d'application sont dans le droit fil de cette intention. Le collège électoral municipal indigène est porté de 57 000 à 421 000. Dans les conseils généraux, les représentants musulmans passent de 20,7 % au tiers. En principe, toutes les fonctions civiles deviennent libres, hormis celles « d'autorité ». Les pensions militaires sont alignées sur celles des Français. Enfin les possibilités d'obtention de la citoyenneté française s'entrouvrent légèrement [1].

Ce sont là de petits pas. Ils élargissent surtout le champ de la vie politique locale. Sur le fond, ils n'éliminent ni le code de l'indigénat ni le code forestier. Ils exigent toujours l'abandon du statut coranique pour devenir citoyen français et maintiennent les distorsions dans les

1. 7 817 naturalisations supplémentaires interviendront entre 1919 et 1936.

droits au commandement dans l'armée [1]. Les réformes adoptées sont relativement mineures. Les Jeunes Algériens ne se privent pas de le clamer.

En ces années d'après-guerre, la France perd alors sa plus grande occasion pour faire évoluer sa colonie algérienne sans cataclysme majeur. Elle est victorieuse, respectée. Son armée est regardée comme la première du monde. Dans le contexte, devenir Français s'annonce un honneur. Cette occasion manquée, Charles de Gaulle l'évoquera en juin 1961 devant un aréopage militaire traumatisé par l'évolution de l'Algérie française : « La francisation, possible il y a quarante ans, ne l'est plus aujourd'hui... » Les mutations ne s'effectueront pas. Sous l'influence de l'habituel groupe de pression d'outre-Méditerranée, le statu quo restera en vigueur. Pas question d'aller plus loin. Le code de l'indigénat abandonné en juillet 1919 sera rétabli dans les deux ans. On assiste même dans l'Algérois à une résurgence du vieux courant autonomiste de 1871. Certains milieux européens évoquent une « Constitution algérienne » [2]. Mais ils ne sont pas suivis.

*

Par-delà ces mesures de caractère politique, le quotidien de l'immédiat après-guerre s'avère encore difficile. En 1920-1921, la sécheresse provoque une nouvelle famine qui aurait occasionné près de 30 000 victimes. Elle déclenche aussi une poussée d'émigration vers la métropole. Le déficit budgétaire de la colonie aggrave la situation née de la guerre. Des mouvements de grève se produisent, réunissant – fait nouveau – des Européens et des musulmans. Les élections locales laissent apparaître l'émergence d'un sentiment national qui n'ose trop avouer son nom. Il préfère camper sur le terrain de l'émancipation civique et sociale des individus.

Le premier représentant de ce courant est un homme de prestige. Celui que l'on appellera l'émir Khaled est un petit-fils d'Abd el-Kader. Saint-Cyrien, il a quitté l'armée assez vite comme capitaine. Son ascendance, son passé militaire, son port altier lui confèrent d'emblée autorité. Ses propos trouvent écho lorsqu'il réclame l'accession à la citoyenneté française sans abandon du statut coranique, la repré-

1. Elle compte en 1921 229 officiers indigènes dont 13 capitaines, grade plafond.
2. Plusieurs projets sont présentés dans ce sens, dont l'un par le sénateur de Constantine Cuttoli qui prévoit un conseil colonial de 60 Européens et 20 musulmans. Gustave Mercier, président des Délégations financières, demande « le droit de nous administrer nous-mêmes ».

sentation des « indigènes » au Parlement, la suppression des communes mixtes et du code de l'indigénat. Résolument, il plaide pour une véritable égalité entre les deux communautés. Il a même tenté plus : en mai 1919, il s'est rendu à Paris à la tête d'une petite délégation afin d'exposer ses revendications. Econduit par le gouvernement, il ose se retourner vers Wilson, le président des Etats-Unis venu en France signer le traité de Versailles. Il n'hésite pas à parler du droit des Algériens à l'autodétermination. Quarante ans avant Charles de Gaulle !

L'émir a-t-il été trop loin ? S'est-il par trop aventuré du côté des communistes avec lesquels on l'a vu faire liste commune ? Nombre de ses amis le lâchent. D'aucuns le traitent « d'agitateur ambitieux ». Les soucis personnels l'handicapent. Assez désemparé, il négocie durant l'été 1923 avec le gouvernement général un exil « volontaire » en contrepartie du règlement de ses dettes. Précurseur sur la route du nationalisme, l'émir Khaled ne comptera plus dans la vie politique algérienne, même s'il fera encore de-ci de-là quelques brèves apparitions.

*

Le petit-fils d'Abd el-Kader a malgré tout semé. Après lui, les positions vont se préciser. D'un côté, les tenants de la francisation. D'un autre, ceux qui n'hésitent pas à envisager une Algérie algérienne.

Pourtant, dans les années 1920, cette dernière perspective paraît très lointaine voire irréaliste. La France se dresse si forte, si bien drapée dans son rôle de colonisateur porteur d'ordre et de civilisation ! La bonne conscience sur ce plan est quasi générale. L'Exposition coloniale de 1931 à Paris, qui verra défiler vingt-six millions de visiteurs, est le grand indicateur de cette fierté impériale et de l'engouement populaire devant l'outre-mer. Les Français de 1930 ne sont pas massivement enclins à se séparer de leurs possessions coloniales.

Le fameux « centenaire de l'Algérie » en fournit un autre témoignage. Un siècle s'est écoulé depuis le débarquement à Sidi Ferruch. Ce centenaire offre à la France l'occasion de célébrer ce qu'elle a réalisé dans l'ancien pays barbaresque.

L'Algérie a effectivement bien changé depuis 1830. Ce n'était au temps des deys qu'un pays moyenâgeux, sans développement économique, sans voies de communication, sans assistance médicale, sans cités ni ports dignes de ce nom, à l'agriculture archaïque. L'Algérie sous drapeau tricolore s'est d'abord peuplée. Elle compte maintenant 6 400 000 habitants dont 880 000 Européens [1], citadins à 80 %. Les villes

1. Majoritairement français suite à la loi de 1889, mais 150 000 sont encore étrangers.

se sont agrandies, embellies. D'autres se sont créées. Alger, Oran, Bône, Philippeville sont d'authentiques ports bien agencés.

Les voies de communication essentielles ont été réalisées. Un réseau routier irrigue le Tell et l'arrière-pays. La liaison ferroviaire est assurée d'est en ouest, se raccordant aux réseaux marocain et tunisien, avec des pénétrantes vers le sud en direction de Biskra ou de Colomb Béchar. L'ensemble représente 4 200 kilomètres de voies ferrées.

La vie économique repose principalement sur l'agriculture. La vigne procure 50 % de cette richesse agricole. L'Algérie est devenue le quatrième producteur mondial de vin.

Par contre, l'industrie n'a pas démarré. L'énergie est rare. 280 000 tonnes annuelles de charbon seulement à Kenadza. Mais les exploitations minières, bien que d'inégale valeur, sont nombreuses : fer de l'Ouenza ou de Beni Saf, phosphates de Tocqueville, plomb de Sidi Kamber en Petite Kabylie, etc. Quant aux richesses sahariennes, elles sont encore à découvrir.

Ces résultats, dont Alger et la Mitidja donnent au visiteur la vision, sont incontestables. Ils permettent aux Européens de répéter en toute bonne foi : « Cette terre est nôtre, c'est nous qui l'avons fécondée. » Le reste implique de gratter le vernis...

La population « indigène » a tiré bénéfice de cet apport extérieur. Sa croissance démographique s'explique d'abord par les moyens mis en place par la France : hôpitaux, dispensaires, vaccinations, etc. De même, sous un autre angle, une élite musulmane a pu s'instruire et s'élever.

L'envers du décor, c'est la masse trop souvent oubliée. Les développements agricoles et urbains se sont rarement effectués à son profit. Ce peuplement rural à 90 % est celui du fellah, aux vêtements rapiécés ou en guenilles, rivé à sa glèbe ingrate ou aux travaux dans les domaines des colons ou des coreligionnaires fortunés. Son habitat ne s'est guère amélioré. Dans le bled, le gourbi est son lot. A la périphérie des grands centres commencent à apparaître les bidonvilles, surnommés « villages nègres » dans le jargon local. A Alger, si la Kasbah a conservé son pittoresque du temps des Turcs – on y tournera *Pépé le Moko* –, ses logements y perpétuent le même inconfort et la même insalubrité. Surtout, et là est le fait le plus grave, l'enseignement ne touche guère qu'une faible proportion de jeunes Algériens. A peine 6 % fréquentent l'école. Sur 2 000 étudiants à la faculté d'Alger, les musulmans ne sont qu'une centaine.

Il serait aussi injuste qu'erroné de ne voir dans le peuplement européen qu'un rassemblement de nantis. S'il est de grosses fortunes, la majorité constitue la foule de ceux dont Albert Camus, l'enfant de Mondovi dans la plaine de Bône, pourra dire : « L'Algérie n'est pas le pays d'un million de colons fumant cigare et roulant en Cadillac. » Son niveau de vie est reconnu inférieur d'environ 15 % à celui des métropolitains. Il n'en est pas moins globalement décent.

Il existe assurément une oligarchie de potentats : les Borgeaud, les Blachette, les Morel, les Lavie, les Schiaffino, etc. Présents par leur clientèle à tous les postes importants de la politique, de la presse, des affaires, ils dominent la vie de l'Algérie et imposent leurs vues. Ceux-là tuent la colonie à leur profit.

Dans la vie courante, le fossé créé dès les lendemains de 1830 persiste. Sans qu'existe un apartheid officiel, deux peuplements cohabitent sans se mêler, interdisant tout brassage racial. Toujours la crainte ou le sentiment de supériorité chez l'Européen. Toujours le mur de l'islam et au fond des cœurs une vieille rancœur qui chez l'Algérien ne guérit pas, faute de refermer la plaie.

Ces fractures n'empêchent pas un phénomène paradoxal. « Chacun d'entre nous a au moins un ami musulman », écrira en substance Jacques Chevallier, ancien maire d'Alger, en 1958[1]. C'est à peu près vrai. Des familles françaises, en 1945, en 1955, durant la guerre d'indépendance, devront la vie à l'avertissement discret mais ferme d'un Algérien ou d'une Algérienne. A l'encontre, d'autres seront massacrés par des voisins ou des employés près desquels ils vivaient depuis trente ans[2].

Au bilan un constat se dresse, amer, terrible, que le quart de siècle précédant le 1er novembre 1954 n'altérera pas : si la France en Algérie a réussi une implantation matérielle essentiellement bénéfique à une minorité européenne, elle a échoué au plan humain. Les Algériens profitent très mal de sa présence. Au fond d'eux-mêmes, ils le lui reprochent sévèrement. Lorsque la France s'en rendra compte, il sera

1. *Nous Algériens*, ouvr. cité.

2. Preuve du bien-fondé de l'assertion de Jacques Chevallier, les amitiés rapportées dans leurs mémoires par des nationalistes algériens. Messali Hadj rend hommage à une fidèle amie de sa famille, Mme Couétoux, qui l'avait beaucoup aidé. Abderrahmane Farès évoque avec plaisir ses liens de camaraderie et d'amitié, de jeunesse et d'âge mûr, avec des Européens. Ferhat Abbas de même. Est-il à rappeler le cas de Kaïd Ahmed, futur commandant Slimane et futur ministre, élevé comme leur fils avec leurs propres enfants par un couple d'instituteurs français de Tiaret.

De tels exemples pourraient se multiplier. Messali Hadj parle aussi d'un professeur de Tlemcen, M. Perdrise, distribuant une partie de son traitement aux yaouleds infortunés.

trop tard. Négligé souvent, méprisé parfois, plus d'un Algérien choisira de faire son destin sans elle.

Dans les festivités du centenaire, dans l'euphorie de la gloire coloniale, bien peu prennent conscience de l'envers du décor. Il y en a pourtant quelques-uns, comme le gouverneur général Maurice Violette [1]. Ils prêcheront dans le désert.

*

L'Algérie est maintenant entrée dans la dernière décennie de l'avant-guerre. En ces années, les options des Algériens se précisent et s'inscrivent noir sur blanc. Les uns pour l'intégration pure et simple à la France, les autres pour l'indépendance. Entre eux s'intercalent les religieux tendant vers un nationalisme modéré et les communistes dont la démarche incertaine déroute les sympathisants.

Le courant assimilationniste a pour chefs de file Bendjelloul et Ferhat Abbas, deux enfants du Constantinois. Le premier est né à Constantine en 1896, le second près de Taher, petit village de colonisation de Petite Kabylie, en 1899. Leur parcours n'est pas sans analogie. Bendjelloul est médecin dans sa ville natale, Ferhat Abbas pharmacien à Sétif.

Les réformes de 1919 ont permis d'accroître sensiblement le nombre d'élus algériens dans les assemblées locales. En 1931, après une campagne contre « les candidats vendus à l'administration », Bendjelloul est élu conseiller général de Constantine. Dans son département où la présence européenne est la plus faible, où l'influence des idées propagées par la Zitouna de Tunis et Habib Bourguiba est sensible, il prend deux ans après la tête d'une Fédération des Elus musulmans du Constantinois qu'il a formée. Sa Fédération fera école. L'Algérois, l'Oranie auront les leurs. Aucun nationalisme absolu ne transparaît alors chez Bendjelloul et ses amis. Tous leurs écrits et propos du moment témoignent d'autres volontés : égalité, assimilation.

Ferhat Abbas sera le grand porte-parole de ces revendications. Ancien président de l'Association des Etudiants musulmans d'Afrique du Nord, il s'est lancé très tôt en politique. Etabli à Sétif, il parvient à être élu conseiller général, conseiller municipal, délégué financier. Son ambition le conduit à briguer la députation. Fils d'un caïd commandeur de la Légion d'honneur, homme de culture française, marié à une Française, ne s'exprimant que dans la langue des salons parisiens,

---

1. Voir plus bas.

il voit son avenir et celui de ses coreligionnaires uniquement dans le giron de la France.

Cette vision ne l'empêche pas de plaider en faveur de son peuple. Il dénonce avec virulence sa condition. Dans son ouvrage, *Le Jeune Algérien*, paru en 1931, il écrit :

> «... Il est malheureusement vrai que, derrière cette façade, il y a la torche de résine qui remplit de sa puanteur le gourbi de branchages et de fange ; il y a le trou plein de vase et de pourriture où toute une mechta vient s'abreuver ; il y a des hommes que rongent des plaies fétides ; il y a la famille qui se nourrit d'herbe ; il y a le coup de cravache qui tue ; il y a la rivière sans pont où l'on se noie ; il y a enfin, ô honte ! une politique algérienne qui, en toute connaissance de cause, tend à maintenir cette situation intolérable et se glorifie des résultats acquis. »

De ce tableau, non sans fondements et outrances, il effectue subtilement un transfert de responsabilités. La France, foyer des idéaux de Liberté, Egalité, Fraternité, n'est pas en cause. Le colonat seul est coupable. Ce tour de passe-passe lui permet d'attester sa foi en la patrie française. Dans les lignes fameuses de *L'Entente*[1], sous le titre « La France, c'est moi », il énonce :

> « Si j'avais découvert la "nation algérienne", je serais nationaliste... Et cependant je ne mourrai pas pour la "patrie algérienne", parce que cette patrie n'existe pas. Je ne l'ai pas découverte. J'ai interrogé l'histoire, j'ai interrogé les vivants et les morts ; j'ai visité les cimetières : personne ne m'en a parlé. Sans doute ai-je trouvé "l'empire arabe", "l'empire musulman", qui honorent l'Islam et notre race. Mais ces empires se sont éteints. Ils correspondaient à l'Empire latin et au Saint Empire romain germanique de l'époque médiévale. Ils sont nés pour une époque et une humanité qui ne sont plus les nôtres... Nous avons donc écarté une fois pour toutes les nuées et les chimères pour lier définitivement notre avenir à celui de l'œuvre française dans ce pays. Nous l'avons écrit. La sauvegarde de cette œuvre est le pivot de notre action politique. »

« Lier notre avenir à celui de l'œuvre française ! » L'éloge se double d'une aspiration. Ferhat Abbas n'est pas le seul à s'exprimer de la

1. *L'Entente, journal des élus* du 23 février 1936.

sorte. L'écrivain Abdelkader Hadj Hamou (1891-1953) rêve d'une « Algérie à jamais française » tout en devant rester musulmane. L'instituteur kabyle Zenati tient un langage identique : « Il n'y a qu'une politique possible en Algérie, c'est la politique française sans restriction, qui se manifeste par une collaboration loyale en vue d'une assimilation lointaine des autochtones. »

Ce credo de tous ces candidats à la patrie française n'est pour eux qu'une raison supplémentaire d'exiger une égalité absolue pour tout. Tous ceux-là correspondent à une élite aisée et francisée. Ils ne sont qu'une faible minorité dont il est difficile de jauger l'influence, en dépit du statut d'élu de beaucoup.

*

A l'opposé de ce courant francophile, bourgeois et élitiste, il en existe un autre, éminemment populaire et nationaliste. Il provient aux origines de la communauté émigrée en métropole. Un homme l'anime qu'Habib Bourguiba, en 1959, saluera du titre de « Père du nationalisme algérien » : Messali Hadj.

Le rôle ambigu de Messali Hadj après le 1er novembre 1954, son éviction de la scène politique par un FLN victorieux ne sauraient estomper l'importance historique du personnage. Pendant un quart de siècle, de 1926 au début des années cinquante, il est le vrai tenant et l'authentique porte-drapeau de l'idée nationale. Les militants nationalistes qui engagent en novembre 1954 le combat contre la France furent tous à un moment ou à un autre ses disciples, d'Aït Ahmed Hocine à Ahmed Ben Bella par Mohammed Khider, Larbi Ben M'Hidi, Rabah Bitat, Didouche Mourad, Krim Belkacem, Mohammed Boudiaf, Abane Ramdane ou Amirouche.

De son vrai nom Ahmed Messali, Messali Hadj est né en 1898 à Tlemcen dans une famille modeste mais profondément croyante. Appelé au service militaire en 1918, il se retrouve en France durant trois ans. Démobilisé comme sergent, il décide de s'y fixer. Les distorsions qu'il a constatées dans les rémunérations entre Algériens et Français ont provoqué chez lui un premier et vif ressentiment. A Paris il vit de petits travaux, fait la connaissance de celle qui deviendra son épouse, Emilie Busquant [1], et commence à militer.

En 1925, à l'instar de nombreux camarades émigrés, il adhère au

1. En 1934 Emilie Busquant confectionnera en son domicile, rue du Repos dans le XXe arrondissement de Paris, le premier drapeau national algérien, vert, blanc, rouge.

PCF et fait partie de l'équipe qui met sur pied L'Etoile nord-africaine, premier mouvement nationaliste algérien. Il devient très vite secrétaire général d'une organisation qui prend racine et se développe au départ dans la communauté kabyle de la région parisienne.

En novembre 1929 l'ENA, qui compte environ 4000 adhérents et vient de rompre avec le PC, est dissoute par les pouvoirs publics. Le discours de Messali Hadj, affiché depuis le Congrès anti-impérialiste de Bruxelles en 1927[1], ses revendications immédiates et son programme politique ne pouvaient qu'attirer les foudres à la veille du « Centenaire de l'Algérie ».

REVENDICATIONS IMMEDIATES

1. Abolition immédiate de l'odieux code de l'indigénat[2] et de toutes les mesures d'exception.
2. Amnistie pour tous ceux qui sont emprisonnés, en surveillance spéciale ou exilés pour infraction au code de l'indigénat ou pour délit politique.
3. Liberté de voyage absolue pour la France et l'étranger.
4. Liberté de presse, d'association, de réunion, droits politiques et syndicaux.
5. Remplacement des délégations financières élues au suffrage restreint par un Parlement national algérien élu au suffrage universel.
6. Suppression des communes mixtes et des territoires militaires, remplacement de ces organismes par des assemblées municipales élues au suffrage universel.
7. Accession de tous les Algériens à toutes les fonctions politiques sans aucune distinction, fonction égale, traitement égal pour tous.
8. L'instruction obligatoire en langue arabe ; accession à l'enseignement à tous les degrés ; création de nouvelles écoles arabes. Tous les actes officiels doivent être simultanément rédigés dans les deux langues.
9. Application des lois sociales et ouvrières. Droit au secours de chômage aux familles algériennes en Algérie et aux allocations familiales.

---

1. On y a vu l'Indien Nehru, l'Indochinois Hô Chi Minh, l'Indonésien Hatta...
2. Le code de l'indigénat a été définitivement supprimé et abrogé en 1927 mais cette disparition n'a pas gommé les inégalités devant la conscription, les droits civiques, le statut des fonctionnaires, à commencer par celui des militaires.

PROGRAMME POLITIQUE

1. L'indépendance totale de l'Algérie.
2. Le retrait total des troupes d'occupation.
3. Constitution d'une armée nationale, d'un gouvernement national révolutionnaire, d'une Assemblée constituante élue au suffrage universel – Suffrage universel à tous les degrés et éligibilité dans toutes les assemblées par tous les habitants de l'Algérie – la langue arabe considérée comme langue officielle.
4. La remise totale à l'Etat algérien des banques, des mines, des chemins de fer, des forts et services publics accaparés par les conquérants.
5. La confiscation des grandes propriétés accaparées par les féodaux alliés des conquérants, les colons et les sociétés financières, et la restitution aux paysans des terres confisquées. Le respect de la moyenne et petite propriété. Le retour à l'Etat algérien des terres et forêts accaparées par l'Etat français.
6. L'instruction gratuite obligatoire à tous les degrés en langue arabe.
7. La reconnaissance par l'Etat algérien du droit syndical, d'association et de grève, l'élaboration des lois sociales.
8. Aide immédiate aux fellahs pour l'affectation à l'agriculture de crédits sans intérêts pour l'achat de machines, de semences, d'engrais ; organisation de l'irrigation et amélioration des voies de communication, etc.

Indépendance ! Istiqlal ! Messali Hadj, le premier, a osé clamer ce que quelques-uns seulement se risquaient à murmurer. Ce maître mot trouve tout de suite impact dans la communauté émigrée et apporte à son auteur des bataillons de fidèles. Par contre, en Algérie il lui est difficile d'atteindre une masse souvent inculte et isolée dans le djebel. Initialement, Messali Hadj n'obtiendra audience que dans les villes ainsi qu'en Grande Kabylie. Les émigrés en sont pour la plupart originaires. Ils y colportent ses slogans.

L'ENA dissoute n'en continue pas moins sous l'impulsion de Messali Hadj. Un nouveau journal, *El Ouma*, remplace le précédent l'*Ikdam*. En 1933, Messali – le fait deviendra rituel – relance l'ENA sous un autre nom. La Glorieuse Etoile nord-africaine durera une bonne année avant de connaître à son tour la dissolution un an plus tard.

A la longue, le meneur nationaliste ne peut échapper aux poursuites judiciaires devant la virulence de son verbe. On l'a entendu conclure une réunion parisienne par un véritable appel aux armes :

> « Beaucoup d'entre vous ont servi dans l'armée impérialiste, celle qui massacre vos parents et qui combat encore aujourd'hui vos frères marocains [1]. Au moins que l'enseignement que vous avez acquis puisse vous servir bientôt contre ceux qui vous l'ont de force enseigné. »

Arrêté le 1er novembre 1934, Messali écope de six mois de prison qu'il purge intégralement. Ses deux fidèles lieutenants auront la même peine. Ces hommes ouvrent la voie à la longue série de détenus politiques algériens locataires du 42 rue de la Santé [2].

Les élus comme Bendjelloul et Ferhat Abbas sont majoritairement de souche bourgeoise. Les messalistes de souche populaire.

Entre eux, l'Association des Oulémas [3] répond à une aspiration religieuse toujours très vive en Algérie. Son chef de file s'appelle Abdelhamid Ben Badis, autre enfant du Constantinois. Celui-ci, sans parler ouvertement de rupture avec la France, appelle à l'union sous le signe de l'islam et de l'arabisme. Il répond avec vigueur aux allégations de Ferhat Abbas sur la patrie algérienne :

> « Nous avons cherché, nous aussi, dans l'histoire et dans le présent et nous avons constaté que la nation algérienne musulmane s'est formée et existe, comme se sont formées toutes les nations de la terre. Cette nation a son histoire, illustrée des plus hauts faits ; elle a son unité religieuse et linguistique, sa culture et ses traditions. Nous disons ensuite que cette nation algérienne musulmane n'est pas la France, ne peut être la France et ne veut pas être la France. Il est impossible qu'elle soit la France, même si elle veut l'assimilation. »

Ces propos sous-tendent un certain nationalisme, mais à l'encontre de Messali Hadj, Ben Badis n'envisage l'indépendance qu'à long terme :

> «... Il est fort possible qu'un jour vienne où l'Algérie atteindra un degré très élevé dans le progrès moral et matériel, transformation qui changera la politique coloniale en géné-

1. C'est la fin de la pacification dans le sud marocain.
2. Voir du même auteur chez le même éditeur, *42 rue de la Santé. Une prison politique*.
3. Docteurs de la loi.

ral et celle de la France en particulier. La France traitera alors l'Algérie comme l'Angleterre traita le Canada, l'Australie, Le Cap. L'Algérie jouira alors d'une large indépendance et la France pourra alors compter sur elle comme une nation libre peut compter sur une autre nation libre. Voilà l'indépendance telle que nous la concevons, et non l'indépendance sanglante et incendiaire, telle que se la représentent nos adversaires criminels. C'est sur cette indépendance que nous pouvons compter, avec le temps et avec la volonté de la France [1]. »

Au passage, la charge contre les messalistes traités d'adversaires criminels est sans indulgence. Ben Badis reste un modéré. L'évolution des Oulémas interviendra progressivement, certains disciples allant beaucoup plus loin que le maître. Tawfiq el-Madani, aussi religieux que nationaliste, définira une formule que les jeunes musulmans des écoles coraniques martèleront : « L'islam est ma religion ; l'arabe est ma langue ; l'Algérie est ma patrie. »

Cette trilogie assoit les bases du nationalisme algérien qui s'édifiera sur elles.

*

Les Européens relèveront l'ostracisme confessionnel d'un tel credo écartant toute possibilité de cohabitation amiable avec les non-musulmans. La vigueur de leurs réactions devant toute libéralisation de la vie politique algérienne trouve là une autre explication. Ils se doutent qu'une Algérie algérienne musulmane signifiera leur déracinement. L'avenir prouvera qu'ils voyaient juste. Dans l'Algérie de cette fin du XXe siècle, la présence d'un Européen ne se conçoit que dans l'abri d'un solide bunker. Sinon éclate la tragédie de Notre-Dame de l'Atlas [2].

*

Les communistes appartiennent également au paysage politique algérien, ayant après la guerre créé une section locale dépendant du PCF. Le Parti communiste algérien autonome [3] n'apparaît qu'en 1935, sans sortir pour cela d'une certaine marginalité. Sa doctrine, ni « assi-

1. Ech-Chibab (juin 1936).
2. Voir p. 369.
3. Dans la mesure où un parti communiste a la possibilité d'être autonome.

milationniste » ni nationaliste, pèche par son incertitude. Elle est trop vague pour séduire les Algériens. Elle ne peut attirer que par ses aspects sociaux. Des Européens y sont sensibles, tout en s'inquiétant des réformes envisagées par les amis de Maurice Thorez. Ce dernier pourtant se contentera de parler en 1939 « d'une nation en formation ». Finalement ce n'est qu'en milieu urbain [1] et dans quelques centres miniers que les communistes recueillent une audience. La faiblesse de leur implantation explique leur futur échec de 1956.

*

Les Européens, à l'instar des métropolitains, oscillent de l'extrême droite à l'extrême gauche tout en se montrant – à quelques exceptions près – viscéralement attachés à l'Algérie française. A côté d'eux, combien d'Algériens se rangent résolument derrière les élus, Messali Hadj, les Oulémas ou le PCA ? Très peu en pourcentage certainement. L'analphabétisme, l'isolement rural, les affres du quotidien ne leur permettent guère de grandes préoccupations politiques. Sans oublier, une fois encore, que la France paraît si forte, si bien enracinée ! Comment la braver ? Il faudra attendre les bouleversements nés de la Seconde Guerre mondiale pour qu'interviennent les grands bouillonnements.

*

Cette léthargie de l'immense majorité n'exclut pas les poussées de fièvre. Les scissions existant entre les diverses ethnies se manifestent avec violence.

Le 3 août 1934, un militaire israélite en état d'ébriété se soulage contre le mur de la mosquée de la rue Combes à Constantine. L'incident est aussitôt considéré comme une provocation et une insulte par les musulmans. Pourtant, vingt-quatre heures s'écoulent avant l'explosion.

Le 5 au matin, une foule croissante et semblant obéir à un mot d'ordre déferle sur le centre ville. Encouragée par les youyous des femmes, elle s'en prend aux demeures des israélites. Leurs magasins sont pillés et dévastés. Tous les isolés rencontrés sont massacrés. L'ordre est difficile à rétablir dans une cité aux rues étroites. Il faut

1. Bab el-Oued, Hussein-Dey, à Alger, seront regardés comme des banlieues rouges. Sidi Bel Abbès aura une municipalité communiste.

faire appel à la troupe qui ouvre le feu. En fin de journée, le bilan s'établit à vingt-cinq morts israélites, dont six femmes et trois enfants. Presque tous ont été égorgés. Deux musulmans ont été tués par balles. Les blessés s'élèvent à une centaine.

Cette flambée brutale de violence et d'antisémitisme dépasse le cadre de Constantine. Au-dehors de la ville, deux voyageurs juifs sont mis à mort. Une femme est arrachée de justesse aux émeutiers avec un bras cassé.

A Aïn Beida, gros bourg au sud de Constantine, tous les magasins israélites sont saccagés. Le maire de la ville est blessé.

A Chateaudun du Rhummel, sur la route de Sétif, dans la nuit du 6 au 7 août, quatre-vingt-trois israélites ne sont sauvés que par l'intervention de la population européenne.

A Bizot, un cultivateur est massacré. Au Hamma, un vieillard est tué à coups de couteau.

Dans ces tueries, les pouvoirs publics croient déceler un mouvement organisé dépassant l'exaltation née du comportement malheureux d'un militaire éméché. Ils le mettent au compte de la campagne antifrançaise déclenchée en métropole par Messali Hadj et ses partisans. Ils évoquent une réunion tenue le 28 mars à Levallois-Perret où une assemblée d'environ six cents Algériens, à l'appel de Messali Hadj, a scandé :

> « A mort les roumis de Paris !
> A mort la France !
> Le feu à la capitale !
> La désertion chez les tirailleurs !
> Les Français à la porte de la Tunisie, de l'Algérie, du Maroc !
> Prenons leurs terres et poussons-les à la mer ! »

A ces accusations, les Algériens rétorquent en mettant en cause l'administration. En opposant systématiquement brimades et oppressions aux réclamations des élites musulmanes, le gouvernement général est le grand responsable des désordres survenus. Sous la plume de Zenati, on peut lire dans *La Voix indigène de Constantine* du 27 septembre 1934 :

> « Il en est résulté un mécontentement général que l'administration algérienne a soigneusement dissimulé. Contenu et comprimé ce mouvement vient de se manifester par l'explosion de Constantine. »

Est-ce vraiment la seule raison ? Douteux. Le contentieux franco-algérien ne se résorbe pas au fil des années.

Ces événements de Constantine, des troubles disséminés, les craintes accentuées des Européens accusant l'administration de laxisme et exigeant plus de fermeté ont pour conclusion le décret Régnier[1].

Publié le 5 avril 1935, il vise « à réprimer les manifestations contre la souveraineté française, la résistance active ou passive contre l'application des lois, décrets, règlements ou ordres de l'autorité publique ».

Un tel texte ne saurait, dans l'immédiat, conduire à plus de libéralisme.

*

Au printemps 1936, le succès du Front populaire conduit élus, Oulémas et également communistes à essayer d'en tirer profit. Ils décident de se regrouper en un congrès musulman et mettent au point une « charte revendicative du peuple algérien musulman » pour réclamer :

– La suppression des lois d'exception,
– Le rattachement pur et simple de l'Algérie à la France,
– Le maintien du statut personnel,
– L'instruction obligatoire pour tous,
– L'égalité des traitements,
– La suppression du code forestier,
– Le suffrage universel,
– Des mesures d'ordre social, etc.

Ces revendications sont bien éloignées du nationalisme de Messali Hadj. Manifestement, les élites bourgeoises des élus et des Oulémas ont choisi la France. Les communistes ont approuvé et se sont raccrochés à elles à cause du caractère social du programme.

Pour faire entendre leur voix, les organisateurs ont prévu un grand rassemblement au stade municipal à Alger le 7 juin. Plusieurs milliers de personnes y affluent. Cette manifestation a un côté historique. Elle constitue une première. Les vaincus de 1830 et d'après se réunissent pour démontrer qu'ils existent et pour se faire entendre.

Messali Hadj n'était pas partie prenante. A une seconde réunion, le 2 août, il s'invite de lui-même. Il est difficile de refuser la parole au chef de l'ENA qui fait un peu figure de martyr de la cause algérienne. Il a passé six mois en prison et vient de connaître une année d'exil forcé en Suisse. L'orateur, dans sa vision d'indépendance, est acclamé

1. Du nom du ministre de l'Intérieur du moment.

par les 20 000 participants. La classe politique algérienne doit désormais compter avec lui. Dès sa première apparition publique sur sa terre natale, Messali Hadj s'est imposé en figure marquante.

*

Au lendemain du rassemblement du 7 juin, une délégation s'était rendue à Paris. Reçue assez favorablement, elle avait pu le 2 août rapporter des perspectives encourageantes.

Léon Blum, président du Conseil, souhaite effectivement améliorer la condition des « indigènes » algériens. Maurice Violette, ministre d'Etat dans son gouvernement, l'incite dans ce sens. Il connaît bien le dossier pour avoir été gouverneur général de l'Algérie et avoir dû abandonner son poste car jugé trop libéral par les colons. Avant son départ, il n'avait pas craint de lancer à ses détracteurs :

> « Prenez garde ! Les indigènes d'Algérie, par votre faute sans doute, n'ont pas encore de patrie ; ils en cherchent une. Ils vous demandent la patrie française. Donnez-la-leur vite ou, sans cela, ils en feront une autre. »

Vision prémonitoire !

Les intentions gouvernementales se concrétisent dans le célèbre projet Blum-Violette élaboré fin 1936, qui prévoit pour certains musulmans « l'exercice des droits politiques des citoyens français, sans qu'il en résulte aucune modification de leurs statut ou de leurs droits civils ». En principe, 20 à 25 000 personnes devraient être concernées : anciens officiers et sous-officiers, décorés pour faits de guerre, titulaires de diplômes universitaires (brevet élémentaire et au-dessus), représentants officiels du commerce et de l'agriculture, élus, médaillés du travail. Le projet retient également « la représentation de l'Algérie à la Chambre des députés, à raison d'un député par 20 000 électeurs inscrits ou fractions de 20 000 ».

Ce n'est qu'un petit pas par rapport à l'ensemble de la population algérienne. Il a cependant valeur de test. Des extensions sont en droit d'être escomptées, surtout avec le développement de l'instruction.

A l'annonce de ce projet Blum-Violette, les Européens d'Algérie se déchaînent. Leurs parlementaires[1] s'activent. Les injures fusent · « Blum au poteau ! A mort les juifs ! Les métèques en Palestine. »

L'abbé Lambert, député d'Oran et porte-parole de l'intransigeance, écrit : « Tous les anti-Français sont pour le projet Violette. »

1. A l'exception d'un seul député socialiste.

En métropole, les conservateurs s'inquiètent. Une partie des radicaux ne suit pas. Tout ce tintamarre porte. Le 15 octobre, le gouvernement présente son projet à la Chambre. Devant le tumulte, il le retire et n'ose pas l'appliquer par décret, comme le conseille René Capitant.

Cette reculade gouvernementale devant la pression européenne en Algérie est lourde d'avenir. Vingt ans plus tard, les Européens penseront pouvoir continuer à imposer leurs vues. Ils réussiront en février 1956, puis en mai 1958, cette fois avec l'aide de l'armée. Ils croiront renouveler en janvier 1960 avec les barricades d'Alger. Ils se heurteront alors à une personnalité d'une autre trempe au sommet de l'Etat. Leur déconfiture précipitera leur fin.

*

Plus grave encore, cette mise au placard crée chez les Algériens « assimilationnistes » une immense déception. Ferhat Abbas écrit des lignes prophétiques :

> «... je déclare que si des réformes substantielles, politiques et économiques ne viennent pas immédiatement consacrer une situation de fait résultant d'un siècle de colonisation, ce n'est pas le projet Blum-Violette que nous enterrerons, c'est l'œuvre tout entière de la France qui sombrera... Il n'est que temps d'agir... Sans réformes, nous assisterons dans un quart de siècle au plus grand désordre que l'Algérie ait connu depuis l'Antiquité. »

Le francophile Zenati avoue avec tristesse : « Soyons francs et disons loyalement que la France n'a presque plus d'indigènes avec elle. »

Pourtant Ferhat Abbas ne désarme pas. Dans un appel en faveur de son propre mouvement, l'Union populaire algérienne (UPA), il persévère dans sa fidélité à la patrie française, sans rien renier de son programme :

> « Adhérer à l'UPA est un devoir pour tout Algérien sujet français qui se réclame de la nationalité française, de la culture française, et des libertés françaises. Nous sommes certains que chacun voudra accomplir ce devoir et contribuer ainsi à la victoire prochaine des libertés républicaines sur l'impérialisme colonial. »

*

L'attitude du gouvernement, l'insuccès pratique des élus ne peuvent que servir Messali Hadj. Un Messali Hadj qui s'est lui opposé formellement au projet Blum-Violette jugé par trop insuffisant. Un Messali Hadj qui ne met pas de sourdine à ses diatribes. Contrecoup de l'inquiétude qu'il inspire, son ENA est à nouveau dissoute le 25 janvier 1937. Habitué à de semblables péripéties, il crée six semaines plus tard le Parti du Peuple Algérien (PPA), avec le même slogan : Indépendance !

Ce jeune PPA s'implante en Algérie même et y glane des succès électoraux. Maître Ahmed Boumendjel, avocat de Messali et futur négociateur de Melun et d'Evian, est élu au conseil municipal d'Alger.

A la longue, Messali finit par repayer en personne les craintes qu'il suscite. Arrêté le 27 août 1937, il est condamné à deux ans de prison pour « reconstitution de ligue dissoute, provocation des indigènes à des désordres, manifestation contre la souveraineté française ». Son internement ne l'empêche pas en octobre 1938 d'être élu au conseil général d'Alger, à une écrasante majorité, preuve de son audience en milieu « indigène »[1].

Il n'est pas seul à connaître la prison Barberousse d'Alger puis celle de Maison-Carrée. En ces années 1937, 1938, 1939, nombre de ses militants écopent de un à deux ans d'emprisonnement, pour des motifs analogues à ceux de leur chef. Parmi eux, Abdallah Filali qui se montrera constamment fidèle à Messali Hadj et sera assassiné par le FLN en 1957. La prison crée des liens. Tous ces internés constitueront des noyaux durs à la base des futurs affrontements.

*

Vingt ans à peine après que le clairon Sellier, au matin du 11 novembre 1918, eut sonné le cessez-le-feu, le canon tonne à nouveau en Europe. Les Français reprennent les armes pour lutter contre l'Allemagne et le nazisme.

Si certains exprimaient des doutes, ils se trompaient : massivement, les sujets algériens de la France répondent présent. Le docteur Bendjelloul demande à servir comme combattant de l'avant. Ferhat Abbas se porte volontaire, écrivant dans *L'Entente* :

> « Ma place est sous les drapeaux aux côtés de mes camarades de régiment. »

1. Election annulée par la préfecture d'Alger.

Le cheikh Belahouel, chef de l'importante confrérie des Kadria, prescrit à ses disciples :

> « Le moment est venu pour nous musulmans de répondre à l'action de la mère patrie contre la force brutale et la tyrannie étrangère et d'affirmer notre dévouement à la cause française. »

La mobilisation s'effectue sans heurts [1], hormis des cas d'insoumission en Grande Kabylie, suite à la propagande du PPA.

La seule fausse note provient du côté des messalistes. *El Ouma*, le journal du parti, écrit : « L'AFN n'est rattachée au territoire français par aucun sentiment si ce n'est la haine... »

La réplique gouvernementale ne se fait pas attendre. Messali Hadj, libéré le 27 août, reprend le 4 octobre le chemin des prisons. 28 de ses fidèles le suivent. Le PPA est dissous [2].

Au début de 1939, des dirigeants du PPA [3] ont fondé le CARNA, « Comité d'action révolutionnaire nord-africain ». Ils entendent s'allier à l'Allemagne nazie pour leur action contre la France et gagner l'indépendance [4]. Une telle attitude sera toujours condamnée par Messali Hadj. Elle n'en sera pas moins suivie par plus d'un militant nationaliste [5]. Dans l'immédiat, elle ne peut qu'inciter les pouvoirs publics à se défier du PPA.

*

Comme en 14-18, appelés et engagés algériens se battent courageusement sur le front français en mai-juin 1940. Avec la défaite, près de 60 000 d'entre eux sont faits prisonniers [6]. Le bilan global des pertes demeure incertain. Le ministère de la Guerre annonce 5 400 morts nord-africains, nombreux étant des combattants de la 1re division

1. Au 1er janvier 1939, 67 875 Algériens étaient sous les drapeaux dont 20 300 appelés. Avec les 80 000 réservistes rappelés, 150 000 Algériens environ se retrouvent sous l'uniforme à la mobilisation. Le pourcentage de mobilisés est donc relativement faible pour une population de 6 500 000 individus, et nettement inférieur à celui des Européens qui sont tous mobilisés comme les métropolitains.

2. Le PCA connaît le même sort, comme le PCF, conséquence de la collusion communistes-nazis après le pacte Staline-Ribbentrop du 23 août 1939.

3. Parmi eux Mahmoud Abdoun, membre du Comité directeur et futur trésorier du FLN.

4. Six responsables du CARNA se rendent en Allemagne et effectuent un stage de sabotage en juin-juillet 1939.

5. Voir plus bas.

6. La majorité est internée dans les Frontstalags de la zone occupée. 11 685 Algériens seront encore prisonniers fin 1943.

marocaine, décimée à Gembloux. Tout donne à penser que les Algériens, tirailleurs et spahis, ont eu 2500 à 3000 tués, le 2e RSA au sud-ouest de Sedan, le 6e RSA au Luxembourg ayant été parmi les unités les plus éprouvées. 2600 est l'estimation la plus souvent retenue, les Européens ayant eu pour leur part 2700 morts.

*

La France a été battue. Sa perte de prestige est sensible. Au Maghreb, le général Weygand, promu proconsul, en tant que Délégué du gouvernement s'efforce d'y remédier. Cultivant l'esprit de revanche au sein de l'armée d'Afrique, il mène non sans succès une politique de fierté nationale auprès des partisans traditionnels de la France. Weygand est estimé. Philippe Pétain, devenu chef de l'Etat, est populaire. L'impact de ces deux militaires de haut rang est certain, aussi bien près de la population européenne qu'algérienne.

Vichy a lancé sa Révolution nationale qui se veut un vaste programme de rénovation morale et matérielle d'un pays battu. Les mesures antisémites s'y intègrent. Le 7 octobre 1940, le décret Crémieux d'octobre 1870 est aboli [1]. Les juifs d'Algérie perdent une citoyenneté française acquise soixante-dix ans plus tôt, presque jour pour jour. Ils se retrouvent sujets français, à l'instar des musulmans, mais à l'encontre de ces derniers ils sont régis par le droit civil métropolitain.

Le coup est douloureux pour la communauté israélite d'Algérie [2]. Le « maintien dans la famille française » constituait la pierre de base de sa vision politique.

Les musulmans assimilationnistes s'inquiètent. Alors qu'ils réclament pour eux-mêmes la citoyenneté française, une telle décision ne risque-t-elle pas de leur être préjudiciable ? Quant aux Européens, de vieux relents d'antisémitisme en ont conduit à se féliciter de la mesure. Au plan pratique, les israélites se détourneront d'un régime qui pour l'heure ne déplaît pas en Afrique du Nord. Les plus résolus se tourneront vers la Résistance. Ils tendront à faciliter le débarquement du 8 novembre 1942 [3]. Après quoi ils appuieront l'accession de De Gaulle au pouvoir.

1. Mesure faisant suite à la loi Alibert du 3 octobre 1940 sur le statut des juifs. Le décret Crémieux ne sera rétabli que le 20 octobre 1943.

2. Au recensement de 1931 110127 juifs vivaient en Algérie, avec un taux de croissance démographique élevé (2 à 3 % seulement n'étaient pas français).

3. Derrière le docteur Aboulker, les juifs fourniront le gros des éléments participants à la neutralisation des édifices publics à Alger dans la nuit du 7 au 8 novembre 1942.

*

Si l'on fait abstraction des difficultés économiques, des portraits de Philippe Pétain qui fleurissent généreusement, l'Algérie d'après juin 1940 donne l'impression de vivre sans discontinuité. Elle semble destinée à demeurer hors de la guerre, même si ses rivages sont témoins du drame de Mers el-Kébir le 3 juillet. Les populations de toutes origines sont calmes. Les autorités ont à priori la situation bien en main. L'ordre français n'est pas remis en cause. Les commissions d'armistice germano-italiennes, marque extérieure de la défaite, ne sont pas trop voyantes. Dans ce contexte de relative quiétude éclate pourtant une mutinerie inattendue.

LA MUTINERIE DU RML (régiment de marche du Levant) 25 janvier 1941

L'historiographie officielle de l'Algérie se penche beaucoup sur les événements tragiques de mai 1945. Curieusement, elle passe sous silence un précédent sanglant quatre ans plus tôt.

En janvier 1941, le RML, unité de formation récente, est en instance de départ pour la Syrie et le Liban. Il comprend environ 3 000 hommes en principe volontaires pour le Levant, mais 800 ont malgré tout été désignés d'office. La majeure partie du régiment a été regroupée à Maison-Carrée, dans la banlieue est d'Alger. Cette petite cité est devenue un point sensible. Le PPA y est solidement implanté et elle représente pour les nationalistes un symbole. Messali Hadj et une vingtaine de ses militants sont internés dans le centre pénitentiaire de la ville.

Une mauvaise ambiance règne au sein du RML. Les désignés d'office maugréent. Les inégalités de solde en faveur des Français excitent les rancœurs entretenues par des propagandistes du PPA. Des cadres indigènes encouragent peut-être les mécontents. Un capitaine qui sera arrêté par la suite et condamné a-t-il attisé un foyer qui couvait ? Les Italiens et les Allemands des commissions d'armistice ont-ils manœuvré des pions ? Les causes du soulèvement sont multiples mais l'incertitude persiste sur sa véritable origine : fronde militaire ou révolte nationaliste ? Les deux sans doute. L'encadrement français, enfin, n'a certainement pas été à la hauteur du climat existant.

La sédition éclate le 25 janvier au soir. Des centaines de tirailleurs se ruent hors de leur casernement, massacrent les sentinelles, pillent les magasins d'armes. On entend crier « Djihad ! Djihad ! », « Tirailleurs, défendons nos droits ! ».

En quelques minutes, on compte une dizaine de morts.

Répandus dans Maison-Carrée, les mutins s'en prennent aux passants. Plusieurs dont certains musulmans sont tués. Des personnels de la mairie, des civils font cause commune avec les insurgés.

Sous la direction du sous-préfet et des autorités militaires, la répression s'organise rapidement. Gendarmes, chasseurs d'Afrique, GMR, automitrailleuses interviennent. La majorité des révoltés n'insiste pas et regagne le cantonnement. Une centaine d'irréductibles tiraillent toute la nuit avant d'être interpellés à court de munitions. Quelques-uns parviennent à s'échapper et à prendre le maquis. Certains ne seront jamais repris.

La révolte a fait officiellement une vingtaine de morts et plusieurs dizaines de blessés. 570 tirailleurs seront mis en cause. 146 comparaîtront devant un tribunal militaire, 27 seront condamnés à mort, plusieurs exécutés. Le RML sera dissous et remplacé par le 13e RTA.

La mutinerie localisée s'est avérée très mal préparée, facilitant la réaction. Ce témoignage du malaise existant amène le ministre à relever les soldes et indemnités des « indigènes ». En dépit de la célébration avec éclat du centenaire de la création des tirailleurs et spahis [1], la crise des engagements et rengagements constatée atteste de la poursuite du mécontentement.

*

LA COLLABORATION ALGERO-ALLEMANDE

La révolte du RML a éclaté au grand jour. Les Allemands l'ont-ils suscitée ? A défaut d'une réponse absolue à cet endroit, il est acquis que durant toute la guerre ils ont drainé les sympathies et la complicité de nombreux Algériens. Si peu de ces derniers s'engagent par idéologie pure, bien des nationalistes voient dans l'Allemagne une possibilité de soutien dans la lutte à mener contre la France.

La propagande allemande en direction du Maghreb existait avant septembre 1939. Elle s'intensifie avec la déclaration de guerre. Radio-

---

1. Centenaire assez artificiel. Le bataillon de tirailleurs indigènes d'Alger et du Titteri est créé le 1er août 1842, en vertu de l'ordonnance du 7 décembre 1841, avec des compagnies indigènes formées dans la province d'Alger et composées de Kouloughlis, d'Arabes et de Kabyles (des bataillons indigènes d'Oran et de Constantine sont formés à la même date). Les 1er, 2e, 3e RTA ne seront constitués que le 1er janvier 1856 à partir des bataillons indigènes préexistants. Les spahis réguliers d'Alger sont créés par ordonnance royale du 10 septembre 1834. Le 1er RSA, suite à l'ordonnance royale du 21 juillet 1845, est formé à Blida en octobre 1845, de même que les 2e et 3e RSA à Oran et dans le Constantinois.

Berlin et Radio-Stuttgart émettent en arabe et en français. En octobre 1939, elles dénoncent l'arrestation de Messali Hadj et des principaux dirigeants du PPA, attitude appréciée par les amis des intéressés.

Après la défaite de juin 1940 et avec l'occupation apparaît « Paris Mondial », utilisant l'ex-station Radio coloniale à ondes courtes, qui s'exprime également en kabyle. Le jour de sa mise en service, le présentateur annonce : « Par un juste retour des choses, les voix musulmanes que la France a étouffées en Afrique du Nord pourront désormais se faire entendre de Paris, sa capitale. » Si le nombre d'Algériens propriétaires de postes récepteurs est faible (9 833 en 1941 dont 4 545 à Alger), le « téléphone arabe » prend le relais.

En décembre 1940, les Allemands mettent sur pied en zone occupée un bureau de propagande. Des anciens du PPA l'animent : Radjef Belkacem, vieux compagnon de route de Messali Hadj, Ighesbouchen Mohammed [1], Si Larbi, le docteur Benthami, Ahmed Belghoul, ex-homme de confiance de l'émir Khaled, etc. Sous l'égide de l'occupant sont élaborés les émissions et les tracts destinés à être diffusés de part et d'autre de la Méditerranée.

L'action ne se limite pas à la stricte propagande. A Alger, les commissions d'armistice s'efforcent d'enrôler des agents. Elles utilisent en particulier d'anciens prisonniers de guerre endoctrinés et supposés évadés. Le contre-espionnage veille. 562 agents algériens seront arrêtés avant le 8 novembre 1942, 69 exécutés [2]. Est fusillé à Alger le 27 mai 1941 Ahmed Bouras, président des scouts musulmans algériens. Il était accusé de s'être efforcé de se procurer des armes auprès des Allemands [3].

La politique de collaboration freinait un peu les menées allemandes, en Afrique du moins. Du moins en principe. Après le débarquement allié, les masques tombent définitivement. En métropole comme en Afrique du Nord, les Allemands s'efforcent de recruter. Ils ont tellement besoin d'effectifs.

En France, El-Maadi, ancien capitaine et ancien cagoulard, fonde un Comité musulman de l'Afrique du Nord puis, au début de 1944, organise une brigade nord-africaine de 300 hommes destinée à lutter contre la Résistance française. En avril 1944, la Milice recrute 180 Algé-

1. Radjef et Ighesbouchen, tous les deux kabyles, sont aussi speakers à Radio-Mondial.

2. Dont Ouadani Abdelkader, adjudant au 1er RTA de Blida. Faux évadé, il transmettait des renseignements sur l'Armée d'Afrique. Il est fusillé à Alger au début de 1941.

3. Les Allemands n'aiment pas distribuer des armes. A défaut le CARNA, précédemment évoqué, reçoit 300 000 francs.

riens qui, incorporés dans la franc-garde, iront sévir en Limousin. En métropole toujours, deux lieutenants de Messali Hadj, Si Djilani et Amar Khifer, créent une Union des Travailleurs nord-africains, inféodée à Marcel Déat, grand chantre de la collaboration. Ils regrouperont environ 3 000 membres. Autre témoignage de l'activité pro-allemande, 6 300 volontaires algériens iront volontairement travailler dans l'organisation Todt. Mais dans leur cas, le facteur économique a certainement doublé les sentiments politiques. Faut-il enfin rappeler que l'équipe des tortionnaires Bony-Laffont comptera en ses rangs quelques Algériens ?

Sur le sol algérien, les hostilités n'ont guère d'incidence directe. Les Allemands ont leurs bases de départ trop loin. Leur offensive en direction de Tebessa, à partir du sud tunisien, n'atteint pas la frontière. Leurs raids aériens sur Alger, en dépit de leur côté meurtrier, ne présentent qu'un caractère intermittent et cesseront pratiquement une fois la Tunisie libérée. Leur recrutement pour le front tunisien sera aléatoire. La phalange africaine du lieutenant-colonel Cristofini est à base de Tunisiens. Le bataillon algérien formé par la Wehrmacht avec des prisonniers maghrébins est plus riche de déserteurs que de héros. Il sera décimé en avril-mai 1943. Quant aux agents parachutés en Algérie même, ils se limitent à quelques guides des commandos largués sur les arrières.

Ces échecs d'ensemble ne sauraient dissimuler la germanophilie certaine d'une bonne partie de la population. Des chants pro-hitlériens, largement diffusés, seront découverts en Grande Kabylie. Des Allemands évadés des camps de prisonniers du Constantinois trouveront longtemps accueil et refuge dans des douars de Petite Kabylie ou de l'Algérois.

Les Algériens germanophiles sont donc relativement nombreux. Certains s'engageront même dans la Waffen SS ou comme agents secrets – ce sera le cas de Mohammedi Saïd, futur colonel de la wilaya 3 et futur ministre[1]. Ce comportement extrême contraste avec celui de Messali Hadj, toujours farouchement hostile à une collusion avec les nazis. Il contraste aussi avec le comportement au feu des Algériens de l'armée française. Les désertions sont rares et le moral habituellement élevé[2].

*

1. Il sera condamné à mort après la Libération et gracié. Au maquis, il aimera se faire photographier avec un casque allemand sur la tête.

2. Ce moral marquera une chute lors des durs combats d'hiver dans les Vosges et en Alsace.

Ferhat Abbas est un obstiné. Après quelques mois de silence, il adresse au maréchal Pétain un rapport daté du 10 avril 1941 et intitulé *L'Algérie de demain*. La forme de ce libelle est plus que déférente, respectueuse.

L'élu de Sétif dresse d'abord un bilan. Ce dernier est loin d'être négatif au plan économique. Ferhat Abbas le reconnaît : « Matériellement, l'Algérie a pris la physionomie d'une terre d'Europe. Elle peut facilement rivaliser – quant à sa production – avec la France méridionale. »

Cette modernisation donnerait satisfaction si n'avait été omise une donne essentielle. Et là, Ferhat Abbas accuse. D'un côté, la grosse colonisation, dont il affirme : « La noblesse française de 1789 ne jouissait pas d'une position aussi extraordinairement forte. » D'un autre côté, « six millions d'orientaux », « une poussière d'individus » vivant en plein Moyen Age. Ils constituent un immense prolétariat agricole, à moins de venir s'entasser dans les villes. Ils sont « la main-d'œuvre à bon marché qui, dirigée par les Européens, a réalisé la prodigieuse richesse actuelle de l'Algérie ». Pour eux, ni décret Crémieux, ni décret de 1889 (sur la naturalisation des étrangers). Pour ceux qui réussissent à s'extraire, impossible d'aller loin. « La loi leur interdit la fonction d'autorité. »

Et l'auteur de la lettre au maréchal Pétain d'écrire en première conclusion : « Au siècle de la locomotive et de l'avion, le spectacle d'une multitude déguenillée est une absurdité historique. »

Impitoyable constat dont aucun militaire arpentant le djebel, moins de quinze ans plus tard, ne contestera le bien-fondé !

La suite du texte est dans la logique des aspirations traditionnelles : développement agraire, instruction pour tous, égalité, équipement, etc. Les suggestions pratiques, comme la création d'une « caisse du paysannat pour le reclassement des fellahs », ne manquent pas.

La réponse de Pétain est polie mais évasive[1]. Le dossier algérien n'avance pas. Tout reste rivé à l'évolution de la guerre mondiale.

*

Le fait nouveau survient le 8 novembre 1942, avec le débarquement allié en AFN. Après quelques moments d'atermoiements, l'Afrique française (AFN, AOF) reprend les armes auprès des Anglo-Américains. Alger devient la capitale de la France coloniale, œuvrant pour libérer la métropole.

1. Un autre rapport adressé par le docteur Bendjelloul au maréchal Pétain et à Pierre Laval connaîtra le même sort.

Cet épisode de près de deux ans – novembre 1942-août 1944 – s'inscrit dans l'esprit des Français. L'Algérie où siégeait le CFLN[1], l'Algérie où se rassemblaient et s'équipaient les armées de Juin, de De Lattre, de Leclerc[2], appartient au patrimoine national. Comment la France aurait-elle pu jouer son rôle dans sa libération sans Alger ? Ce passé, récent en 1954, explique nombre de réactions face à l'éventualité d'une scission des départements algériens.

Si les Anglo-Américains se présentent en libérateurs, ils apportent avec eux – les Américains surtout – des éléments de nature à impressionner les Algériens : une puissance militaire qui fait paraître bien modeste celle de la France ; un anticolonialisme qui flétrit sans ambages la présence française en AFN. La France pour sa part, à cette époque, ne se montre pas sous son plus beau jour. L'assassinat de Darlan, le duel Giraud-de Gaulle, les règlements de comptes politiques entre gaullistes et pétainistes ne grandissent pas son image. Bref, que ce soit le fait des Alliés ou des Français eux-mêmes, le prestige de la France est mis à mal en Algérie même comme il ne l'a jamais été, même par la défaite de juin 1940.

Ferhat Abbas, jusqu'alors si francophile, connaît son chemin de Damas. Ne s'est-il pas fourvoyé dans sa quête vaine d'une patrie française ? Sans relâche, il multiplie les contacts. Il rencontre Robert Murphy, le représentant de Roosevelt à Alger, auprès duquel il trouve un encouragement discret. Fort de ce viatique – et d'autres très certainement –, ayant regroupé cinquante signatures d'élus, il présente le 31 mars 1943 au gouverneur général Marcel Peyrouton un mémoire intitulé *L'Algérie devant le conflit mondial – Manifeste du peuple algérien.*

S'il revient longuement sur son analyse déjà maintes fois exprimée sur la condition des Algériens, il exprime cette fois d'autres revendications :

> « Le peuple algérien demande dès aujourd'hui... la condamnation et l'abolition de la colonisation... ; l'application pour tout le pays... du droit des peuples à disposer d'eux-mêmes ; la dotation d'une Constitution propre à l'Algérie et garantissant :
> 1. La liberté et l'égalité absolue de tous ses habitants sans distinction de race et de religion ;

---

1. Constitué le 3 juin 1943 à Alger.
2. Même si la 2e DB s'est formée à Temara au Maroc, bien de ses éléments, en particulier les incorporés provenant des chantiers de la Jeunesse, étaient originaires d'Algérie.

2. La suppression de la propriété féodale par une grande réforme agraire et le droit au bien-être de l'immense prolétariat agricole ;
3. La reconnaissance de la langue arabe comme langue officielle au même titre que la langue française ;
4. La liberté de la presse et du droit d'association ;
5. L'instruction obligatoire et gratuite pour tous les enfants des deux sexes ;
6. La liberté du culte pour tous les habitants et l'application à toutes les religions du principe de la séparation de l'Eglise et de l'Etat.
Et surtout "la participation immédiate et effective des musulmans algériens au gouvernement de leur pays". »

Manifestement Ferhat Abbas a viré de cap. Pourquoi ? On épiloguera longtemps sur sa déception devant l'immobilisme français et sur l'incidence des « bonnes paroles » alliées. De la francisation, son aspiration des années trente, il est arrivé à la conception de nation algérienne. Il n'est plus très loin des thèses de Messali Hadj et des Oulémas. Sous réserve des questions de préséance des chefs, un regroupement nationaliste s'avère possible.

Giraud, qui a succédé à Darlan, n'est ni de tempérament ni d'humeur à débattre des problèmes politiques algériens soulevés par Ferhat Abbas et ses amis. Ces derniers sont purement et simplement éconduits.

Après juin 1943 et l'arrivée de De Gaulle à Alger, les interlocuteurs sont d'une autre stature que le « brave général » rivé en parfaite sincérité à « Un seul but, la victoire ». Catroux, nommé gouverneur général, connaît bien le Maghreb où il a accompli une bonne partie de sa carrière. Lucide, il a compris qu'une évolution était nécessaire, ce qui ne l'empêche pas, en vieux baroudeur impérial, de vouloir tenir son rang face aux colonisés.

Devant les revendications répétées de Ferhat Abbas, il l'expédie en résidence forcée dans le sud ainsi qu'Abdelkader Sayah, président de la section musulmane des Délégations financières. Ayant par Catroux interposé manifesté son autorité, le CFLN se sent plus fort pour élaborer certaines réformes. De Gaulle les présente lui-même le 12 décembre à Constantine avant qu'elles soient concrétisées par l'ordonnance du 7 mars 1944.

La teneur correspond, à quelques virgules près, à une seconde mouture du projet Blum-Violette. Mais en mars 1944, il est trop tard. Déception d'avant-guerre, défaite de juin 1940, débarquement allié, manœuvres alliées en sous-main, dissensions internes françaises sont passés par là. Les Algériens qui se préoccupent de la chose politique ne sauraient se satisfaire d'un saupoudrage de droits civiques au profit de quelques-uns. Elus de Ferhat Abbas, Oulémas, messalistes, unanimes, font bloc pour condamner l'ordonnance du 7 mars 1944 qu'ils jugent dépassée. Le ton et l'ambiance se durcissent.

Ferhat Abbas, qui tient à rester dans la légalité, crée le 14 mars l'association des « Amis du Manifeste et de la Liberté » pour clamer ses exigences. Messali Hadj, libéré du bagne de Lambèse et placé en résidence surveillée à Reibell (Chellala) dans le sud algérois, ordonne à ses militants d'intensifier leur propagande sur le slogan de l'indépendance. Dans un climat matériel rendu de plus en plus difficile par suite de la guerre et des pénuries, l'agitation nationaliste s'accentue. Au moment même où l'Algérie se vide de troupes.

*

Au lendemain du 8 novembre 1942, l'Afrique du Nord française a donc effectué sa rentrée dans la guerre. Rentrée qui implique obligatoirement un engagement militaire de l'Algérie.

C'est du reste l'Algérie qui, par le truchement du XIXe CA algérien, fournit le gros des effectifs français engagés en Tunisie. A la reprise des combats, ce XIXe CA comptait 53 740 hommes [1], pour les deux tiers algériens, le reste relevant du recrutement et de l'encadrement traditionnel de l'armée d'Afrique : métropolitains, Européens d'Algérie et légionnaires. Au total, 30 167 Algériens participent à la campagne [2]. 2 530 sont tués ou portés disparus [3] dans des combats où l'héroïsme supplée à la carence de l'armement moderne.

La Tunisie libérée, un long chemin demeure encore à parcourir. Giraud ayant obtenu des Américains des armes afin de participer à l'effort de guerre, le CFLN a besoin de combattants. Il est ainsi appelé à réclamer des populations d'Algérie, aussi bien européenne qu'autochtone, une contribution exceptionnelle.

Les chiffres dès lors sont moins formels, mais les grandes masses sont connues. La mobilisation générale débute en juillet 1943. Vingt-cinq classes d'Européens seront appelées. 120 000 Français d'Algérie

1. L'armée de terre, avant 1939, relevait du XIXe CA à trois divisions : Alger, Oran, Constantine. Il faut évidemment y adjoindre les forces navales et aériennes presque exclusivement à base d'Européens.

2. Sur 80 000 environ engagés dans la campagne.

3. Sur 4 500 tués français.

partiront pour les campagnes d'Italie, de France, d'Allemagne. A leurs côtés se battront environ 130 000 Algériens [1], dont 80 000 engagés.

Tous, unis dans les rangs du CEF d'abord, de la 1re armée et de la 2e DB ensuite, se couvriront de gloire. Les tirailleurs de la 3e DIA, la division des trois croissants [2], écriront sur les pentes des Apennins quelques-unes des plus belles pages d'héroïsme de l'histoire de l'armée française. Ces enfants de la vieille Numidie que leur chef, le général de Montsabert, qualifie de par leur origine d'héritiers de la IIIe Augusta enlèveront le Monna Casale (1 395 mètres) le Monna Acqua Fondata (1 325 mètres), s'accrocheront au Belvédère [3] avant de forcer la ligne Gustav et de marcher sur Rome.

Le chemin de la victoire jusqu'au 8 mai 1945 coûte cher. Les Français d'Algérie manifestent à nouveau leur attachement à une Mère Patrie que certains découvrent en mettant le pied sur le sol de France. 10 000 tombent. Les Algériens laissent 6 000 des leurs. Les monuments aux morts d'Algérie unissaient hier dans un même hommage Saïd et Jacques, Ahmed et Henri. Ils partagèrent le même combat et le même destin.

Au regard de 14-18, la participation des « indigènes » d'Algérie paraît inférieure en 39-45. Se souvenant des troubles suscités par la conscription en 1916, le commandement n'a pas voulu intensifier ce type de recrutement. Volontairement aussi, la mécanisation accentuée des unités à la 1re armée a fait écarter les Algériens, traditionnellement regardés comme des fantassins et non comme des techniciens.

Un fait, une fois encore, ressort : les combattants algériens de la Seconde Guerre mondiale n'ont pas renâclé et se sont bien battus. Il y a toujours à en rechercher les raisons profondes. Fierté de combattants, fraternité d'armes, attachement envers la France ? Courageux et disciplinés, les sujets algériens de la France lui ont apporté satisfaction. Ils se sont pleinement intégrés à cette levée de troupes de l'Empire qui a vu la 1re armée française débarquer en Provence avec un contingent colonial supérieur au contingent national.

Les combats, les sacrifices communs continuent comme toujours à serrer les rangs et à souder les cœurs. L'Armée d'Afrique de 39-45

1. Suivant un document du CFLN, l'armée de terre française comprenait 129 920 musulmans algériens en 1944. Voir *Les musulmans algériens dans l'armée française*, *op. cit.*, p. 236.

2. Avec pour ossature le 7e RTA, le 3e RTA et le 4e RTT (tunisien), d'où les sigle et appellation de « division des trois croissants ».

3. Un des héros du Belvédère sera l'aumônier du 4e RTT, l'abbé Béranger. La guerre terminée, il deviendra curé de Montagnac (Oranie). Après le 1er novembre 1954, il ralliera le FLN et sera son émissaire en Amérique du Sud.

s'affirme encore le creuset d'une union franco-algérienne qui ne se réalise pas dans le pays. Les anciens combattants algériens seront les grandes victimes de l'insurrection déclenchée le 1er novembre 1954.

*

La guerre a vidé les garnisons algériennes, les muant en simples dépôts assurant les relèves. 40 000 hommes à peine se trouvent sous les armes pour maintenir l'ordre. C'est peu dans un pays où l'agitation fermente. Ferhat Abbas et les élus ne cessent de propager le programme issu du Manifeste. Les messalistes ne sont pas en reste avec un discours dont l'extrémisme plaît. Un congrès commun réuni à Alger début mars 1945 préfère la formule de Messali : « Un parlement et un gouvernement algériens » à celle des élus : « Une république autonome fédérée à la République française. » Ferhat Abbas et ses amis se sentent débordés. Pressentant le pire, ils prennent du recul et rompent avec le PPA [1].

Les Européens de leur côté sont inquiets. Ils sont conscients d'un changement d'attitude de la part de ceux qui jusqu'à présent s'inclinaient. Des avertissements remontent vers le gouvernement général. Le calme apparent dissimule l'orage qui monte.

*

Les militants messalistes sont décidés à exploiter les éléments favorables qu'ils ont parfaitement décelés : faiblesse militaire française, effervescence nationaliste. Suivant le plan soumis à Messali Hadj par Hocine Asselah et le docteur Debaghine, le chef du PPA toujours en résidence surveillée à Reibell doit s'évader et gagner un repère sûr dans la région de Sétif afin de coordonner l'action. Mais le 19 avril, Messali manque le rendez-vous fixé. Sa tentative de fuite éventée, il est arrêté, transféré sur El-Goléa puis Brazzaville. L'insurrection projetée est décapitée.

Les premiers incidents éclatent le 1er mai. Le PPA profite des manifestations de la CGT à l'occasion de la fête du Travail. Brandissant drapeaux et banderoles, des Algériens réclament la libération de Messali Hadj et scandent des slogans nationalistes. Les forces de l'ordre interviennent sans ménagements. Il y a deux morts à Alger, un à Oran, plus des dizaines de blessés.

1. Toujours officiellement dissous et dirigé clandestinement par le docteur Debaghine, le dentiste Derdour, l'avocat Hadj Saïd Cherif, le professeur Mahfoudi.

Une semaine plus tard, les troubles se généralisent à l'occasion des cérémonies publiques marquant la victoire en Europe. Dans les grands centres, des groupes d'Algériens reprennent les slogans du 1er mai en agitant des drapeaux vert et blanc. Des bagarres éclatent, mais le calme est généralement assez vite rétabli. Sauf dans le Constantinois.

A Sétif, au matin du 8 mai, une échauffourée éclate entre le commissaire de police voulant enlever un emblème séditieux et des manifestants, déclenchant l'insurrection. Les Européens rencontrés dans les artères de la ville sont massacrés. Vingt et un civils trouvent la mort, quelques-uns affreusement mutilés.

Le mouvement gagne le massif entre les hauts plateaux sétifois et la mer puis la région de Guelma. Dans les petits centres – Sillègue, Chevreul, Kerrata –, les Européens pratiquement sans défense sont livrés à la fureur d'une populace insurgée. Tueries, viols, pillages, incendies se succèdent. Des musulmans modérés sont également victimes des émeutiers.

La surprise passée, l'armée, la police réagissent avec force. Des milices européennes, rapidement constituées, se muent en autodéfense. Des renforts militaires proviennent de l'Algérois et d'Oranie.

La répression devant l'horreur constatée est brutale. Les troupes à terre ne font pas de quartier. L'aviation pilonne les rassemblements, la marine intervient contre les douars des massifs côtiers. Les miliciens européens veulent venger les leurs.

Le 12 mai, le gros de l'insurrection est brisée. Plusieurs semaines seront cependant nécessaires pour en terminer dans le Constantinois.

L'incendie manque de reprendre le 22 mai. La direction messaliste lance un ordre de soulèvement général, suivi quelques heures plus tard d'un contrordre. Dellys, Tigzirt, Saïda ne peuvent être prévenus à temps du revirement, d'où des incidents vite maîtrisés. A Cherchell, un complot fomenté par le sergent Ouamrane, futur commandant de la wilaya 4, est dénoncé à temps. Ouamarane est arrêté le 28 mai [1].

Au bilan de ce drame humain et politique, les Français annoncent 97 tués et une centaine de blessés de leur côté. Chez les Algériens, les chiffres demeurent contestés. 1 500 déclarent les pouvoirs publics, 50 000 les nationalistes. La tragique vérité doit se situer entre ces deux extrêmes.

La répression, personne ne le conteste, a été sévère. Armée, police, milices civiles, n'ont pas fait de quartier. Les exactions découvertes ont déclenché une fureur vengeresse impitoyable. Les poursuites judi-

1. Condamné à mort, il sera gracié et amnistié en novembre 1945.

ciaires entraîneront 4500 arrestations dont 3700 dans le Constantinois. Plus de 2000 condamnations seront prononcées, dont 151 à mort (il y a 28 exécutions). Tous les chefs nationalistes sont arrêtés. Ferhat Abbas est également interné.

Les militaires qui ont rétabli le calme par la force sont sans illusions sur les origines de cette jacquerie sanglante. « Je vous ai donné la paix pour dix ans, écrit en substance le général Duval, commandant la division de Constantine, dans son rapport, mais il ne faut pas se leurrer. Tout doit changer en Algérie. Sinon cela recommencera. »

Duval voit juste. Le soulèvement entraîné par quelques poignées de nationalistes a des racines puissantes au sein des fellahs ou des citadins révoltés. Ces causes s'appellent les inégalités sociales, politiques, matérielles et autres entre les deux communautés. L'insurrection s'est déchaînée contre ceux qui, aux yeux des révoltés, représentent l'injustice. Elle a pris le plus d'ampleur dans le département où le nationalisme du PPA, des élus ou des Oulémas a le plus réveillé les esprits.

Le sang a coulé, creusant un fossé supplémentaire entre les uns et les autres. Les Algériens se souviennent de leurs morts et gardent la haine au fond des cœurs. Les Européens ont vu leurs craintes se réaliser[1]. Pour éviter de nouveaux mai 1945, ils n'envisagent qu'une seule alternative, celle qui est la leur depuis les origines : la fermeté. Ils se doutent qu'une victoire des nationalistes signifie leur éviction d'un pays qu'ils regardent comme le leur. L'avenir sur ce point leur donnera amplement raison : avant même qu'il soit formulé par le FLN, le mot d'ordre « la valise ou le cercueil » hante déjà les esprits.

Mai 1945 a montré aussi, et là encore les événements à venir le prouveront amplement, que l'unanimité n'était pas de règle chez les Algériens. Elus et Oulemas s'étaient récusés. Dans les tueries, des modérés ont été victimes de leurs coreligionnaires. Des amis de la France, caïds ou autres, ont été assassinés. Avant l'heure, l'Algérie est entrée en guerre civile. Les règlements de comptes se prolongeront une fois la paix officiellement rétablie.

*

Les émeutes sanglantes de mai 1945 se sont déroulées alors que Charles de Gaulle était en charge des affaires de la France. Dans ses

1. Dans le Constantinois, mai 1945 précipite l'exode rural déjà amorcé. Ferhat Abbas rapporte dans ses Mémoires que son village, Taher, comptait en 1910 au moins 350 Européens, sans parler des fonctionnaires civils, postier, garde champêtre, instituteur, etc. En 1950, ils ne sont plus qu'une cinquantaine.

Mémoires de guerre, l'homme du 18 juin n'y fera qu'une très brève allusion. Sans doute ne tenait-il pas à endosser la responsabilité de la répression. Il s'en déchargera sur les autorités locales. Une manière comme une autre de ne pas hypothéquer son destin personnel vis-à-vis des Algériens.

La IVe République, elle, aura hâte de tourner cette mauvaise page. L'amnistie, exceptionnellement rapide si l'on songe aux communards et aux futurs défenseurs de l'Algérie française, interviendra en mars 1946. Les insurgés seront libérés.

*

Mai 1945-novembre 1954 : moins de dix ans séparent une insurrection d'une autre. Ces années d'après-guerre sont une période de fermentation nationaliste et pour certains de préparation à la lutte armée.

Elles correspondent tout d'abord à la poursuite de la poussée démographique amorcée au début du siècle. Le taux de natalité atteint 34 ‰. La population algérienne s'accroît de 150 000 en 1947, 190 000 en 1950, 220 000 en 1953... Son pourcentage d'accroissement est l'un des plus élevés du monde : 2,5 %. Une telle progression ne peut que donner aux Algériens le sentiment de leur force et de leur importance [1].

Cette démographie induit une contrepartie obligatoire dans un pays sans grande extension économique [2]. La masse en majorité agricole se paupérise [3]. Cette situation se reflète dans les 850 000 chômeurs ou sous-employés par manque de formation. Elle explique tout autant les 330 000 émigrés, proie facile pour les messalistes, et l'exode rural, générateur de bidonvilles à la périphérie d'Alger et d'Oran.

La décade antérieure au 1er novembre 1954 se déroule également dans un environnement international loin d'être défavorable aux nationalistes. La Seconde Guerre mondiale a précipité la décolonisation. Américains et Soviétiques, nonobstant leur propre impérialisme, œuvrent dans le même sens. La Ligue arabe se fait le porte-parole du

1. Alors que le peuplement européen ne gagne en moyenne que 10 000 personnes par an.

2. La balance commerciale est déficitaire (77,5 millions d'anciens francs en 1954). Si l'Algérie exporte du vin, des agrumes, un peu de minerai, elle importe nombre de produits alimentaires (dont du blé), des produits manufacturés et des sources d'énergie.

3. Les études de l'époque (1954) sur le budget moyen annuel d'une famille kabyle (6 personnes) donnent environ 150 000 anciens francs. La famille a conservé pour sa consommation personnelle 100 litres d'huile, 2 quintaux de figues, le blé récolté, les légumes du potager, après avoir vendu 200 litres d'huile (à 150 francs), 3 quintaux de figues sèches (à 3 500 francs), du bétail (mouton) et un peu d'artisanat. Voir *Rapport produit aux journées d'études des secrétariats sociaux d'Algérie* (1954).

nationalisme musulman. L'Inde, l'Indonésie accèdent à l'indépendance. Aux frontières de l'Algérie, le Maroc et la Tunisie bougent, remettant en cause les traités de protectorat. En Indochine enfin, le Viêt-minh démontre qu'il est militairement possible, avec une aide extérieure, de contrer la puissance coloniale.

Les élites algériennes, les responsables messalistes connaissent cette toile de fond. Ils ne peuvent qu'être confortés dans leur volonté d'aller de l'avant.

*

Mai 1945 avait séparé les nationalistes. La répression les avait réunis. L'amnistie les sépare à nouveau, chacun reprenant sa liberté d'action. Par tempérament, par condition sociale, les Ferhat Abbas, les Bendjelloul ne penchent pas pour les solutions extrêmes. Les émeutes de mai 1945 les ont de surcroît effrayés. Ils ne souhaitent en aucun cas y revenir, d'autant que ces hommes de culture française n'entendent pas consommer une rupture avec la France. Ils espèrent qu'une « Algérie nouvelle, librement fédérée à une France nouvelle, naîtra grâce à l'action conjuguée des démocrates français et musulmans ». Ils sont eux, bien évidemment, ces démocrates soucieux d'évolution et non de révolution.

Dans cet esprit, Ferhat Abbas lance un autre parti : l'Union démocratique du Manifeste algérien (UDMA). Le pharmacien de Sétif tient à son Manifeste de 1943. Mais il s'y attache avec une application de bon ton de bourgeois policé.

Messali Hadj, grâce à l'amnistie, a été autorisé à rentrer en Algérie. Interdit de séjour à Alger même, il s'est établi à La Bouzaréah, sur les hauteurs de la ville. De là, renouant avec une vieille pratique, il fonde un nouveau parti, le Mouvement pour le triomphe des libertés démocratiques (MTLD), avec toujours le même programme d'exigence de l'indépendance immédiate.

Mais les messalistes n'ignorent pas qu'en France l'idée de l'indépendance de l'Algérie n'a commencé à germer que dans d'étroits milieux. Il faudra donc se battre. « L'indépendance s'arrache », affirme Messali Hadj.

Le congrès messaliste de février 1947 travaille dans cette perspective. Le mouvement s'organise en trois branches : le PPA interdit et clandestin reçoit mission d'empêcher l'officiel MTLD de s'enferrer uniquement dans les joutes électorales ; l'OS, l'Organisation spéciale, elle aussi clandestine, constituera le bras armé.

Cette OS, sous la direction de Mohammed Belouizdad puis du jeune

Kabyle Aït Ahmed[1], devra recruter et former des militants en vue de la lutte armée. Cette dernière implique de se procurer des armes.

Ces décisions sont trompeuses. Le messalisme de 1947 est déjà profondément divisé sur les hommes et les méthodes.

Messali Hadj a perdu de son lustre. Ses emprisonnements, son exil l'ont coupé du quotidien. Mai 1945 lui a échappé. Bref le zaïm[2] y apparaît à beaucoup comme un homme fini. Lui-même ne croit pas à la voie militaire, dans l'immédiat du moins, et il redoute la répression. Un tel discours l'éloigne des jeunes militants qui n'aspirent qu'à en découdre.

Au-dessous de lui les dissensions opposent électoralistes et activistes. Les premiers, derrière Hocine Asselah et Chawki Mostefaï[3], veulent exploiter le créneau offert par le suffrage électoral et s'exprimer. Les autres, avec Lamine Debaghine et Abdallah Filali, refusent cette collaboration indirecte avec le colonisateur. Les plus ardents rejoignent naturellement l'OS. Parmi eux, de futurs fondateurs du FLN : Aït Ahmed, Mohammed Boudiaf, Ahmed Ben Bella...

Il est encore, en dehors des Européens, deux autres groupes de la vie politique algérienne : les Oulémas et les communistes.

En 1940, les Oulémas ont perdu leur chef de file, Abdelhamid Ben Badis. Cette disparition a porté un coup sévère au mouvement. Leur nouveau dirigeant, Cheikh Bachir El-Ibrahimi, est pour sa part hostile à toute forme de lutte armée. Cette attitude ne peut que détourner les passionnés. Quant au PCA, il présente toujours un programme nébuleux. Est-il pour ou contre l'indépendance ? L'ambiguïté de sa position continue de le cantonner dans les conflits sociaux.

*

Après la secousse de mai 1945, la France sent qu'elle doit s'efforcer d'apporter quelques satisfactions aux revendications algériennes. En 1947 est adopté ce qui sera appelé le statut de l'Algérie, régime qui se prolongera jusqu'au lendemain du 1er novembre 1954. Le groupe des départements algériens est doté « d'une personnalité civile, d'une autonomie financière et d'une organisation particulière ». Pièce essentielle de cette « organisation particulière », l'Assemblée algérienne. Composée de 120 membres[4], elle vote le budget, élit six conseillers

1. Il est né à Michelet (Aïn el-Hammam) en Grande Kabylie, le 20 août 1926.
2. Le guide.
3. Futur négociateur des accords avec l'OAS.
4. 60 élus au premier collège (électeurs de statut civil français) et 60 élus au deuxième collège (électeurs de statut coranique). Les Algériens peuvent y équilibrer voire l'emporter sur les Européens.

à l'Assemblée de l'Union française, examine les lois votées par le Parlement français et non applicables de plein droit à l'Algérie. Sont laissés à son initiative le vote des femmes musulmanes, l'organisation des Territoires du Sud[1], la modification des communes mixtes, l'indépendance du culte musulman, l'application de l'enseignement de l'arabe.

Comme l'ordonnance de mars 1944, ce statut aurait présenté dix ans plus tôt un aspect novateur. Il souligne la personnalité algérienne, apporte aux Algériens un certain nombre de droits électoraux et des satisfactions sur les plans religieux et linguistique. Tous les Algériens peuvent s'exprimer. Ceux qui bénéficient du statut civil français votent avec les Européens au premier collège. Les autres, de « statut local », dans le second collège. Mais l'Assemblée algérienne ne dispose que de pouvoirs limités. Autonomie financière n'est pas autonomie politique. Une pièce essentielle de l'administration française ne bouge pas : le gouverneur général, détenteur de l'autorité gouvernementale, reste en place avec ses prérogatives maintenues.

Pratiquement, ce statut de 1947 ne satisfait personne. Les Européens s'en inquiètent et le récusent. Pour les Algériens, il se situe fort loin des aspirations même les plus modérées.

Tout sera cependant fonction de son application. Une interprétation libérale du texte peut conduire à l'évolution.

Pour le mettre en œuvre, le gouvernement désigne un vieux militant socialiste, alsacien au patriotisme rigoureux, hostile à toute idée de sécession, Marcel-Edmond Naegelen. Grâce à l'ordonnance de 1944, UDMA, MTLD s'engouffraient dans la brèche du suffrage universel. Ils capitalisaient les sièges dans les assemblées locales et dans les constituantes parisiennes, disposant ainsi de tribunes pour leurs idées. M. le gouverneur tourne l'obstacle. Suivant la formule du moment, « l'administration bourre les urnes ». L'expérience du statut est faussée. Des « béni-oui-oui » remplissent les travées de l'Assemblée algérienne, à la plus grande satisfaction des Européens. Marcel-Edmond Naegelen est le gouverneur général de leur cœur.

*

Les courants nationalistes sont dans l'impasse électorale, d'autant que les Algériens, par inculture souvent, votent peu. Parfois moins de 50 % se rendent aux urnes.

---

1. Passés du régime militaire au régime civil en 1947.

Une telle situation conforte chez les messalistes la nécessité du recours à l'action armée, donc au développement de l'OS. Les années 1948-1949 sont consacrées à un important travail de structuration et de mise en place, en particulier en Grande Kabylie, dans le Nord-Constantinois, dans l'Aurès. Une cinquantaine de militants kabyles contraints de prendre le maquis sont pris en charge par Ben Boulaïd dans l'Aurès, Ben Bella en Oranie.

Progressivement, les affrontements deviennent effectifs avec les miliciens recrutés par l'administration. Une douzaine d'entre eux, dont leur chef Chouragas, sont abattus en Grande Kabylie. Dans la région de Tebessa, une expédition punitive tourne mal, déclenchant une vague d'arrestations. De même, dans la région de Collo, plusieurs militants sont interpellés suite à un transfert malheureux d'explosifs.

L'OS surtout a besoin d'argent pour payer ses clandestins et se procurer des armes. Un hold-up organisé par Aït Ahmed contre la Grande Poste d'Oran, le 5 avril 1949, rapporte 3 170 000 anciens francs. Si le bilan financier de ce coup de main est maigre, ses conséquences sont graves. La police remonte la filière. Ben Bella, responsable de l'OS pour l'Oranie, est arrêté et condamné. Mohammed Khider, bien que député, est incriminé et doit s'exiler. Comme Aït Ahmed, il part chercher refuge au Caire.

L'OS sort affaiblie de cette équipée qui tombe mal. Les messalistes sont ébranlés par une autre dissension interne, connue sous le nom de crise du berbérisme.

De longue date, les Kabyles constituent une communauté jalouse de sa spécificité. Abd el-Kader s'en était rendu compte à ses dépens. Les émigrés kabyles en métropole ont été les premiers touchés par le programme de Messali Hadj. Ils ont fourni les militants de base de l'ENA puis du PPA et assuré leur implantation dans leurs douars d'origine. Le massif berbérophone constitue ainsi un bastion messaliste. Il entend bien aussi entretenir sa différence. Il veut une Algérie algérienne à son image, préservant son particularisme, et non une Algérie arabo-musulmane. La crise atteint son maximum en 1949. Les plébéiens kabyles s'opposent farouchement aux cadres unificateurs du PPA-MTLD. Le parti finit par l'emporter mais bien des chefs kabyles, dont Aït Ahmed, sont écartés de la direction. Les Kabyles aborderont le 1er novembre 1954 en faisant « bande à part ». En dépit de leur ralliement à l'insurrection, ils persévéreront dans cette attitude durant toute la guerre d'indépendance. Situation qui n'a guère évolué dans l'Algérie algerienne

*

La voie légale, avec la fraude électorale systématique, ne débouche sur rien. Les élus de tous bords, UDMA, MTLD, Oulémas s'y enlisent dans de vains affrontements électoraux ou de stériles débats dans les diverses assemblées.

L'aventure de l'OS se solde par un certain fiasco. Khider, Aït Ahmed en exil, Ben Bella [1] et de nombreux militants, dont un certain Abane Ramdane, emprisonnés ou contraints de prendre le maquis.

A bien des égards, le nationalisme paraît dans l'impasse.

En 1952, afin de ranimer la flamme, Messali Hadj entreprend une tournée à travers l'Algérie. L'accueil populaire est fervent. Il inquiète les pouvoirs publics. A Orléansville, la police s'en mêle. Deux morts. Le zaïm, jugé fauteur de troubles, est aussitôt arrêté et transféré à Niort en résidence surveillée.

Une fois encore, le parti perd son chef. Les querelles de personnes peuvent se donner libre cours. Les membres du comité central, les « centralistes », depuis longtemps réfractaires à l'autoritarisme du zaïm, relèvent la tête. Messali éloigné, ils entendent régenter le parti.

Au début de 1954, tout est bloqué dans le camp algérien. L'UDMA, sclérosée par l'électoralisme, est en perte d'audience sensible. Le MTLD se déchire en fractions rivales. Oulémas et communistes ne possèdent qu'un rayonnement limité.

Pourtant, de petits groupes de militants refusent de capituler. Les troubles en Tunisie et au Maroc, les difficultés militaires françaises en Indochine – Diên Biên Phu tombera le 7 mai – les incitent à agir.

D'autant que l'Algérie, par-delà les apparences, n'est pas si calme. Attentats, manifestations sanglantes rappellent que le feu couve, même si l'administration minimise ou étouffe les incidents. Quatre manifestants tués à Deschmeya en avril 1948, sept à Champlain le même mois, deux à Orléansville (déjà évoqués) le 14 mai 1952, un à Nemours le 21 octobre 1952, un à Philippeville le 15 octobre, Un policier est assassiné près de l'Alma en avril 1950. Un autre en Grande Kabylie peu après, où échoue un attentat contre un caïd. Le mufti d'Alger, regardé comme francophile, tombe victime d'un tueur non identifié.

La métropole n'est pas épargnée : trois tués à Montbéliard, Le Havre et Charleville le 23 mai 1952, sept encore, plus un Français, à Paris à l'occasion d'un défilé place de la Nation derrière des banderoles aux slogans nationalistes.

Tous ces morts d'un côté comme de l'autre sont bien le signe d'un grondement souterrain.

---

1. Il parviendra à s'échapper de la prison de Blida le 16 mars 1952.

En mars 1954, Mohammed Boudiaf, ancien de l'OS et l'un des dirigeants de la Fédération de France du MTLD, lance l'idée d'une nouvelle force afin de sortir de l'immobilisme. Cette suggestion se concrétise par la création d'un Comité révolutionnaire d'Unité et d'Action (CRUA), regroupant les messalistes résolus à agir.

Durant ce temps, le conflit s'exaspère sur le terrain entre fidèles de Messali et centralistes pour le contrôle des sections locales. Des bagarres, des heurts violents se produisent. Il y a des victimes. De Niort, Messali ne cesse de s'insurger contre la mise en cause de son autorité par le comité central. La fissure s'accentue entre les inconditionnels du chef historique et ses opposants au sein même de son parti. La scission et l'affrontement FLN-MNA de la guerre d'indépendance sont là en germe.

Fin juin, « 22 » activistes, presque tous membres du nouveau CRUA, se réunissent au Clos Salembier sur les hauteurs d'Alger. Ces hommes, qui seront désormais dans l'histoire algérienne les « 22 », impriment au nationalisme algérien un tournant décisif. Persuadés que l'indépendance ne peut s'obtenir que par les armes, ils décident à l'unanimité d'engager la lutte armée. A leur tête ils désignent un comité de direction de cinq de leurs compagnons qui n'ont cessé de manifester leur détermination : Mohammed Boudiaf, Mustapha Ben Boulaïd, Didouche Mourad, Rabah Bitat, Larbi Ben M'Hidi.

Seize des « 22 », trois du comité de direction, sont des enfants du Constantinois. L'élan est donné. L'est algérien et bientôt la Grande Kabylie seront les moteurs de l'insurrection. La localisation des plus rudes mêlées s'explique. Car assez vite se rallie à ces « 22 » le noyau kabyle entraîné par Krim Belkacem appelé au comité de direction. Ces Kabyles sont neuf (les « 8 » plus Aït Ahmed). Plusieurs dont Krim Belkacem, leur chef, tiennent le maquis depuis plusieurs années. Matériellement, moralement, ils sont prêts.

S'adjoindront enfin trois personnalités exilées depuis le hold-up d'Oran et qui constituent au Caire la « Délégation extérieure du MTLD ».

Au total « 22 » du Clos Salembier, « 8 » Kabyles, « 3 » exilés du Caire, soit « 33 » individus sont les véritables initiateurs du futur FLN et de l'insurrection du 1er novembre 1954. Leur rôle historique impose de rappeler leurs noms et origines :

LES « 22 »

Badji Mokhtar, de la région de Bône (Constantinois)
Belouizdad Othman, d'Alger

Benbadelmalek Ramdane, de Constantine
Benaouda Ben Mostefa, de Bône (Constantinois)
Ben Boulaïd Mostefa, d'Arris (Constantinois)
Ben M'Hidi Larbi, d'Aïn M'Lila (Constantinois)
Ben Tobbal Lakhda, de Mila (Constantinois)
Bitat Rabah, d'Aïn Kerma (Constantinois)
Bouadjadj Zoubir, du Clos Salembier (Alger)
Bouali Saïd, de Constantine
Bouchaïb Belhadj, d'Aïn Temouchent (Oranie)
Boudiaf Mobammed, de M'Sila (Constantinois)
Boussouf Abdelhafid, de Mila (Constantinois)
Deriche Elias, du Clos Salembier (Alger) [1]
Didouche Mourad, d'Alger
Habachi Abdeslem, de Constantine
Haddad Yousset, d'El-Milia (Constantinois)
Lamoudi Abdelkade (Constantinois)
Mechati Mohammed, de Constantine
Merzougui Mohammed, d'Alger
Souidani Boudjemaa, de Guelma (Constantinois)
Zighout Youssef, de Condé-Smendou (Constantinois)

LES « 8 » KABYLES

Batouche Saïd
Guemraoui Guerbi
Krim Belkacem
Mellah Ali
Ouamrane Amar
Yazourene Mohammed
Zamoum Ali
Zamoum Mohammed (futur commandant Si Salah)

LES « 3 » EXTERIEURS

Aït Ahmed Hocine, d'Aïn el-Hammam (Kabylie)
Ben Bella Ahmed, de Marnia (Oranie)
Khider Mohammed, d'Alger

Sur ces trois derniers la France fera une grave erreur : elle se persuadera qu'ils constituent la tête de l'insurrection. D'où l'interception du DC3 de Royal Air Maroc en octobre 1956. En fait cette équipe ne

1. Appartenance aux « 22 » contestée.

représente que des chargés de missions en vue de récupérer de l'armement et d'obtenir un soutien diplomatique international.

Parmi ces « 33 », l'historiographie algérienne a retenu neuf noms. Elle les a baptisés « historiques » de par leur importance dans le combat pour l'indépendance. Leur destin est symbolique.

Trois mourront au combat : Ben Boulaïd (peut-être aussi assassiné sur ordre du FLN [1]), Ben M'Hidi, Didouche Mourad.

Trois seront assassinés par leurs compatriotes : Boudiaf Mohammed, Krim Belkacem, Khider Mohammed.

Deux seront contraints à l'exil, après avoir connu arrestation et emprisonnement dans leur propre pays : Aït Ahmed Hocine, Ben Bella Ahmed.

Un seul se maintiendra, non sans connaître des hauts et des bas : Bitat Rabah.

Incontournable tableau, qui rend bien compte de l'aspect guerre civile que connaît l'Algérie depuis le 1er novembre 1954.

Qui sont-ils sociologiquement, ces audacieux qui s'apprêtent à affronter la France ?

Ni des intellectuels ni des bourgeois, ils proviennent de milieux populaires ou relativement aisés dans certains cas. Aït Ahmed appartient à une grande famille maraboutique. Khider est un autodidacte. Bitah est issu d'une famille très pauvre, à l'encontre de Ben M'Hidi, enfant de paysans fortunés. Presque tous possèdent un certain niveau d'instruction (brevet élémentaire ou plus). Plusieurs, Ben Bella, Krim Belkacem, Ben Boulaïd, Boudiaf, Ouamrane, ont un passé militaire, parfois très valeureux. Tous ces « 22 », « 8 » ou « 33 », sont passés par les rangs du PPA ou de l'OS. Le nationalisme les anime et relègue chez eux au second plan le facteur social, même si celui-ci est aux origines de leur engagement.

Qu'auraient fait Ben Bella, Ouamrane ou Krim Belkacem si, en 1950, ils avaient été officiers dans l'armée française ? La question restera à jamais sans réponse.

*

Tandis que les plus déterminés et les plus courageux se préparent à se battre, le MTLD finit de se déchirer.

---

1. La mort de Ben Boulaïd reste très mystérieuse. La version d'un poste radio piégé largué par les Français a été avancée. Elle paraît assez rocambolesque et peu en rapport avec les réalisations militaires du moment (1955). La fidélité de Ben Boulaïd envers Messali peut fort bien avoir provoqué son élimination. Les Algériens ont officiellement déclaré Mostefa Ben Boulaïd tué au combat.

De sa retraite niortaise, Messali Hadj sent que son parti lui échappe. Les centralistes refusent sa préséance et misent sur la carte électorale. Les activistes complotent et s'arment sans se soucier de lui en référer.

Afin de rétablir cette autorité plus qu'ébranlée, le zaïm fait organiser par ses deux adjoints, Ahmed Mezerna et Moulay Merbah, un congrès national. Faute d'avoir pu obtenir une salle d'une municipalité communiste en banlieue parisienne, ce congrès se tient à Hornu, près de Bruxelles, en juillet. Hornu marque l'éclatement du MTLD. Les fidèles de Messali lui emboîtent le pas. Les centralistes rompent définitivement avec celui qu'ils accusent de développer le culte de la personnalité. Les activistes, axés avant tout sur leur dessein insurrectionnel, se préoccupent essentiellement d'enrôler des partisans.

Ce fractionnement ne signifie pas que Messali Hadj ne représente plus rien en cet été 1954. Par son passé, son ascendant personnel, Messali a encore l'aval de la majorité des militants nationalistes. N'est-il pas sur le devant de la scène depuis près de trente ans, figure de proue incontestable de la revendication à l'indépendance ? Les futurs insurgés auront à compter avec les réactions françaises. Ils auront tout autant à se garder de celles de quelqu'un qui ne saurait admettre de ne pas se trouver à la première place.

*

Les « 22 » devenus « 33 » ont engagé une course contre la montre. Pour bien des raisons, ils veulent agir très vite.

A la fin de juillet 1954, le cessez-le-feu intervient en Indochine. Une solution pacifique s'amorce à Tunis après la visite de Pierre Mendès France, chef du gouvernement français. Des unités, à base de professionnels, vont être ainsi libérées de leurs lointaines activités opérationnelles. Elles ne tarderont pas à être rapatriées. L'étincelle doit donc jaillir tandis que l'Algérie est encore pratiquement vide de troupes. Situation qui n'est pas sans analogie avec celle de mai 1945.

Ces considérations spécifiquement militaires ne sont pas les seules. En prenant l'initiative de la révolte, les « 22 » ont suscité l'enthousiasme de bien des militants. Inévitablement, des fuites sont possibles. Surtout, un danger peut venir des centralistes et des messalistes, qui tentent de reprendre en main leurs ouailles entraînées par les sirènes de l'insurrection. Lakhdar Bentobbal, futur commandant de la wilaya 2, ministre et négociateur d'Evian, écrira :

> « Deux solutions s'offraient au "groupe des 22" : organiser d'abord et déclencher ensuite ou déclencher d'abord et

organiser ensuite... Nous étions obligés de choisir la deuxième solution... »

Cette décision explique la modicité des résultats obtenus le 1er novembre 1954.

Reste néanmoins à se structurer au mieux et à fixer une date.

Conscients d'être des inconnus, ceux qui pour l'histoire feront figure de fondateurs souhaitent au départ se placer sous une autorité reconnue. Boudiaf, Ben Boulaïd, Krim Belkacem se tournent vers le docteur Lamine Debaghine, ancien député, personnalité notoire du MTLD, présentement retiré dans son cabinet médical de Saint-Arnaud (Constantinois). Debaghine se récuse. Il n'accorde pas grand crédit à ces passionnés [1]. Abdelhamid Mehri [2], membre du Comité central du MTLD, Larbi Demaghlatrous, ancien délégué à l'Assemblée algérienne, ne sont pas plus partants.

Les « 22 » et leurs compagnons iront au combat sans porte-drapeau. A défaut, Boudiaf est chargé de la coordination, fonction qui n'est pas pour lui déplaire car il aspire au premier rôle. A ses côtés, les tâches sont réparties. Un responsable est désigné à la tête de chaque région, les futures wilayas :

– Aurès-Némentchas (future wilaya 1) : Ben Boulaïd.
– Nord-Constantinois (future wilaya 2) : Didouche Mourad.
– Grande Kabylie (future wilaya 3) : Krim Belkacem.
– Algérois (future wilaya 4) : Rabah Bitat.
– Oranie (future wilaya 5) : Ben M'Hidi.

Le Sahara (future wilaya 6), où tout est à faire, ne reçoit pas encore de chef. Lorsque l'adjudant Slimane (Djouden) en prendra la responsabilité, personne alors ne se doutera qu'il est un agent français.

Nul ne s'illusionne. La lutte sera âpre. La réaction française sera sévère. Les liaisons seront difficiles. Aussi est-il décidé d'accorder à chaque région une très grande liberté d'action et d'initiative. Parallèlement, il est nettement posé que l'autorité suprême appartient à ceux qui se battent sur le terrain. Une formule reviendra à maintes reprises : « Primauté de l'intérieur sur l'extérieur. »

De telles décisions ne seront pas sans incidences. Chaque région (wilaya) aura tendance à se considérer comme un Etat dans l'Etat. Les commandants de wilayas voudront être maîtres chez eux. Les combattants de l'intérieur, exposés sans relâche au danger, se montreront acerbes à l'endroit des exilés, à l'abri au Caire ou à Tunis. Ils leur

1. Il ralliera le FLN fin 1955.
2. Futur ambassadeur à Paris en 1984.

dénieront le droit de se présenter en dirigeants exclusifs du mouvement. Ces oppositions violentes entre intérieur et extérieur généreront des purges et des assassinats auxquels la fin de la guerre d'indépendance ne mettra pas un terme.

*

L'expérience le prouvera : les armes sont le point où le bât blesse. Elles sont peu nombreuses, récupérées durant la Seconde Guerre mondiale ou achetées par l'OS. De même, la pénurie d'artificiers expérimentés s'avérera un sérieux handicap. Armement et explosifs seront le perpétuel maillon faible des insurgés.

*

La date du soulèvement est précipitée, on a vu pourquoi. Initialement fixée au 15 octobre, elle est finalement reportée au 1er novembre afin de parfaire les préparatifs d'un combat qui s'annonce aussi inégal qu'incertain. Car, tout compte fait, ils ne seront pas si nombreux à déclarer la guerre à la France, tout en faisant sécession d'avec leur ancien parti et son chef !

D'ores et déjà, trois étapes sont prévues sitôt la lutte enclenchée :

1. Mettre sur pied les moyens nécessaires,
2. Créer une ambiance d'insécurité et entraîner l'adhésion populaire,
3. Implanter des zones libérées.

Les deux premières phases seront grossièrement réalisées. La dernière seule se soldera par un échec devant l'importance de l'activité militaire française.

*

Côté français, a-t-on quelques échos de ce qui se trame à une échelle qui dépasse tout ce qu'avait pu fomenter l'OS ? Oui ! Des informateurs préviennent. Des renseignements remontent. Et pourtant, le gouvernement ne bouge pas.

En mars 1954, Roger Wybot, patron de la DST, signale dans un rapport à son ministre l'existence du CRUA. Il avance le nom du responsable en Grande Kabylie : Krim Belkacem. Le dossier ira mourir sur une étagère.

En août, Ferhat Abbas rencontre Pierre Mendès France, chef du gouvernement, François Mitterrand, ministre de l'Intérieur, et Jacques

Chevallier, secrétaire d'Etat à la Guerre. Il les informe des intentions du CRUA et réclame des réformes immédiates « sous peine d'être débordé lui-même ».

En septembre et octobre, le préfet Vaujour, directeur de la Sûreté en Algérie, tire à plusieurs reprises la sonnette d'alarme. Ses courriers sont sans ambiguïté :

> « Si nous n'y prenons pas garde, le petit groupe d'activistes qui a pris la tête d'une nouvelle action clandestine et qui n'agit pas, je le souligne, dans le cadre du parti traditionnel de Messali, va essayer d'embraser l'Algérie, à la faveur des événements des terroristes voisins [1]. Ce sera une flambée brutale, généralisée, et qui risque de nous placer dans une situation difficile si nous n'avons pas les moyens de faire face partout en même temps...
> Nous sommes à la veille d'attentats, peut-être même de soulèvements dans les régions où les bandits tiennent le maquis depuis des années. »

Le 10 octobre, Vaujour rend compte officiellement que les six chefs du CRUA [2] ont fixé la date du soulèvement : 1er novembre. Il demande d'effectuer des arrestations préventives. Le cabinet du ministre de l'Intérieur ne donne pas de suite. A la veille du soulèvement le 29 octobre un chaudronnier des CFA, Manuel Alvarez, membre du PCA et employé à la fabrication de bombes, dénonce son imminence [3]. Avec la Toussaint, la réponse à une autre demande d'arrestations préventives parviendra trop tard.

Par contre sur place, le colonel commandant la subdivision de Batna, assure que tout est calme dans l'Aurès. Son patron, le général Cherrières, commandant du XIXe CA, est plus avisé. Connaissant le vide de ses garnisons, il demande la mise en alerte des parachutistes du sud-ouest, c'est-à-dire la 25e DIAP de Pau.

Pratiquement donc, aucune précaution particulière n'est prise en Algérie en octobre 1954 [4].

*

---

1. Allusion aux troubles du printemps-été 1954 en Tunisie.
2. Soit les « historiques » sans le trio du Caire.
3. Dénonciation qui révélera la connivence d'éléments du PCA avec les insurgés.
4. L'auteur, jeune officier aux parachutistes de la Légion, en garnison à Sétif en octobre 1954, est catégorique. Aucune mesure de protection militaire particulière n'était prise le 31 octobre 1954. Les regards se portaient essentiellement vers la Tunisie.

Avant que ne s'enclenche cette guerre qui, en ses débuts, n'osera pas avouer son nom, quelques chiffres ne sont pas inutiles :

Population musulmane		: 8 450 000 [1]
"	européenne	: 1 030 000
Etudiants musulmans		: 502
"	européens	: 4 500
Elèves enseignement secondaire musulmans		: 6 260
"	européens	: 16 754
Elèves enseignement primaire musulmans		: 314 616 [2]
"	européens	: 89 154
Chômeurs ou sous-employés musulmans		: 850 000
"	européens	: /
Pourcentage vivant de la terre musulmans		: 72 %
"	européens	: 16 %

Ces chiffres sont éloquents. Ils reflètent la réalité algérienne de 1954, et les sources profondes de la révolte.

Le rapport de 1 à 6,7 de 1914 est loin. Il se situe maintenant de 1 à 8,2 en faveur de la population « indigène » qui ne cesse d'augmenter. Elle a gagné deux millions d'âmes en moins de vingt ans, de 1936 à 1954. Il est juste à cet égard d'en attribuer le bénéfice à l'assistance médicale française.

Le retard de l'enseignement universitaire, secondaire ou primaire conduit à une infériorité intellectuelle et professionnelle du peuplement algérien. Ce handicap se répercute sur le marché du travail, laissant pour compte près de 850 000 chômeurs ou sous-employés, révoltés en puissance.

Les Européens ont délaissé la terre alors que l'immense majorité des musulmans y subsiste dans des conditions précaires. Tous les fellahs, khames ou ouvriers agricoles apporteront à l'insurrection le gros de ses bataillons.

La guerre qui s'apprête à commencer a été voulue et préparée par quelques poignées de nationalistes convaincus. Tout au plus sont-ils, le 1er novembre 1954, quelques milliers à savoir exactement où ils entendent aller : l'indépendance de l'Algérie. Dans leur combat, ils recevront progressivement l'appui et la participation d'une masse qui se lèvera pour cause d'injustice, d'inégalités ou de vieilles haines.

---

1. 330 000 émigrés non compris.
2. Sur une population de 5 à 14 ans de 2 072 000.

S'approprier les terres, les maisons, les biens de Roumis jamais véritablement acceptés stimulera les énergies. Le souffle de l'islam alimentera le brasier.

Au fil des mois et des épreuves, cette révolte contre le colonisateur façonnera un sentiment d'union nationale. L'Algérie algérienne s'affirmera en s'opposant. La lutte contre la France et les Français sera son ciment. Elle n'empêchera pas les divisions. Tous les Algériens ne suivront pas. L'unité ne sera jamais absolue. Les querelles de chefs et de clans multiplieront les rivalités intestines sanglantes. Et puis la France, malgré tout, avait su se forger des fidélités, surtout chez ses anciens soldats. Plus d'un répondra présent pour la défense de son drapeau.

La lutte pour l'indépendance se doublera d'une véritable guerre civile, tout aussi meurtrière, voire plus [1].

1. Voir chap. 17.

Chapitre XVII

GUERRE D'INDEPENDANCE ET GUERRE CIVILE

A la mi-octobre, les conjurés, bousculés par le temps mais pressés de se manifester, arrêtent l'échéance. L'insurrection éclatera le 1er novembre. Certains voient en ce jour de Toussaint, fête chrétienne, un symbole. Le croissant affrontera la croix.

Les ultimes préparatifs sont aussi ingrats que laborieux. Des désistements bouleversent les plans. Les menées des messalistes et des centralistes ne sont sans doute pas étrangères à ces volte-face. Sur Alger, Rabah Bitat se retrouve presque seul. Il doit appeler à la rescousse ses camarades kabyles mieux structurés.

Dans l'Aurès, Ben Boulaïd est à pied d'œuvre depuis longtemps. Ses commandos seront les plus agressifs et les plus meurtriers. Leur entrée en action est prévue à trois heures du matin. A Biskra, le feu est ouvert quarante-cinq minutes trop tôt. Si deux gardiens sont blessés au commissariat de police et deux autres à la commune mixte et à la centrale électrique, ces gestes prématurés jettent l'alerte. A Batna, la sous-préfecture est avisée. Les vingt-six hommes d'Hadj Lakdar, infiltrés dans la ville, sont contraints d'effectuer un repli précipité, après avoir abattu deux sentinelles devant la caserne du 9e RCA.

A Kenchela, à cent kilomètres à l'est de Batna, Laghrour Abbès attaque le commissariat de police. Trois armes sont saisies. Le lieutenant Darnault, chef du peloton de spahis et commandant d'armes, qui tentait d'intervenir, est tué avec l'un de ses hommes.

A Tkout, en plein cœur du massif, la gendarmerie, flambant neuf, subit une solide fusillade. Bien retranchés, les huit gendarmes tiennent bon.

Dans le Nord-Constantinois, fief de Didouche Mourad, les harcèlements contre la gendarmerie de Condé Smendou et un dépôt d'essence au Kroubs ne font que du bruit et quelques impacts sans gravité. A Saint-Charles, trois vigiles musulmans sont désarmés.

Sur l'Algérois, le fiasco est quasi total, suite aux défaillances de dernière minute. A Alger, les engins incendiaires sont trop rudimentaires ou les mèches font long feu... Sur les cinq bombes déposées, une seule provoque un léger commencement d'incendie place Hoche, à la Maison de la Radio. A Boufarik, l'attaque de l'ERM permet de s'emparer d'une dizaine d'armes, mais à Blida les assaillants d'une caserne laissent trois tués sur le terrain.

Paradoxalement, Krim Belkacem n'est pas plus heureux chez lui en Grande Kabylie. Il ne parvient qu'à faire flamber quelques dépôts de liège ou de tabac. A Dra el-Mizan, un supplétif musulman, Harouir Ahmed ben Amar, est tué par les insurgés.

En Oranie, les moyens disponibles étaient des plus modestes. Ils expliquent la modicité des entreprises et des résultats. Toutefois un fermier européen est tué à Paul Cassaigne. Venu courageusement alerter la gendarmerie, il débouche au moment où celle-ci est harcelée.

A l'aube du 1er novembre, on déplore déjà six morts : deux à Batna, deux à Kenchela, un à Dra el-Mizan, un à Paul Cassaigne. Le drame le plus significatif se produit dans la matinée. Il se déroule sur la piste poussiéreuse Arris-Biskra, au milieu des gorges de Tighanimine, étroite trouée ouvrant sur l'univers saharien.

Dans le petit car cahotant qui assure la liaison entre Biskra et Arris, est monté à M'Chounèche le caïd Hadj Sadok, ancien lieutenant de l'armée française. Il a reçu des renseignements qui l'inquiètent et tient à en informer l'administrateur de la commune mixte à Arris. A Tifelfel s'est glissé un jeune couple d'instituteurs européens récemment arrivé de métropole, les époux Monnerot. Ils comptent passer cette journée fériée chez des amis à Arris.

Chihani Bachir, un adjoint de Ben Boulaïd, a tendu son embuscade dans les gorges, avec une dizaine d'hommes. Tout se joue très vite. Le car s'arrête. Chihani Bachir ordonne aux Monnerot de descendre. Le caïd s'interpose.

« Vous ne pouvez assassiner ces jeunes gens qui sont venus de France pour instruire nos gosses.
– On s'en fout, notre civilisation c'est le Coran, pas celle de ces chiens de Roumis ! »

Hadj Sadok tente de saisir son revolver. Shaïni Mohammed devance son geste. La rafale de sa Sten abat le caïd et l'instituteur. Mme Monnerot, violentée et blessée à son tour, est laissée pour morte.

La tragédie de Tighanimine présage ce que sera cette guerre. Européens et Algériens francophiles tomberont côte à côte devant un adversaire qui veut éliminer toute trace de présence française. Le facteur religieux ne sera pas absent.

*

Par les armes et par le sang, en ce 1er novembre 1954, les Algériens ont fait connaître leur volonté de révolte. Le jour même et le lendemain, des communiqués diffusés aux agences de presse révèlent sous quel drapeau ils se battent et pourquoi. Leur mouvement se nomme FLN, Front de Libération nationale. Leurs objectifs sont expliqués dans une longue déclaration, rédigée en français.

PROCLAMATION

Au peuple algérien
Aux militants de la cause nationale

Alger, le 31 octobre 1954

Vous qui êtes appelés à nous juger, le premier d'une façon générale, les seconds tout particulièrement, notre souci en diffusant la présente proclamation est de vous éclairer sur les raisons profondes qui nous ont poussés à agir, en vous exposant notre programme, le sens de notre action, le bien-fondé de nos vues dont le but demeure l'indépendance nationale dans le cadre nord-africain. Notre désir aussi est de vous épargner la confusion que pourraient entretenir l'impérialisme et ses agents administratifs et autres politicailleurs véreux.

Nous considérons avant tout qu'après des décennies de lutte, le Mouvement national a atteint sa phase finale de réalisation. En effet, le but du mouvement révolutionnaire étant de créer toutes les conditions favorables pour le déclenchement d'une action libératrice, nous estimons que sous ses aspects internes le peuple est uni derrière le mot d'ordre d'indépendance et d'action, et, sous ses aspects externes, le climat de détente est favorable pour le règlement des problèmes mineurs, dont le nôtre, avec surtout l'appui diplomatique des frères arabes et musulmans. Les événements du Maroc et de Tunisie sont à ce sujet significatifs et marquent profondément le processus de libération de l'Afrique du Nord. A noter, dans ce domaine, que nous avions depuis fort longtemps été les précurseurs de l'unité dans l'action, malheureusement jamais réalisée entre les trois pays.

Aujourd'hui, les uns et les autres sont engagés résolument dans cette voie et nous, relégués à l'arrière, nous subissons le sort de ceux qui sont dépassés. C'est ainsi que notre mouvement national, terrassé par des années d'immobilisme et de routine, mal orienté, privé du soutien indispensable de l'opinion populaire, dépassé par les événements, se désagrège progressivement, à la grande satisfaction du colonialisme qui croit avoir remporté la plus grande victoire de sa lutte contre l'avant-garde algérienne.

L'heure est grave.

Devant cette situation, qui risque de devenir irréparable, une équipe de jeunes responsables et militants conscients, ralliant autour d'elle la majorité des éléments encore sains et décidés, a jugé le moment venu de sortir le mouvement national de l'impasse où l'ont acculé les luttes de personnes et d'influence pour le lancer aux côtés des frères marocains et tunisiens dans la véritable lutte révolutionnaire.

Nous tenons, à cet effet, à préciser que nous sommes indépendants des deux clans qui se disputent le pouvoir. Plaçant l'intérêt au-dessus de toutes considérations mesquines et erronées de personnes et de prestige, conformément aux principes révolutionnaires, notre action est dirigée uniquement contre le colonialisme, seul ennemi obstiné et aveugle qui s'est toujours refusé à accorder la moindre liberté, par des moyens de lutte pacifique. Ce sont là, nous pensons, des raisons suffisantes qui font que notre mouvement de rénovation se présente sous l'étiquette de

se dégageant ainsi de toutes les compromissions possibles et offrant la possibilité à tous les patriotes algériens de toutes les couches sociales, de tous les partis et mouvements purement algériens, de s'intégrer dans la lutte de libération sans aucune autre considération.
Pour nous préciser, nous retraçons ci-après les grandes lignes de notre programme politique.

BUT : Indépendance nationale par
1. La restauration de l'Etat algérien souverain démocratique et social dans le cadre des principes islamiques ;
2. Le respect de toutes les libertés fondamentales sans distinction de races et de confessions.

OBJECTIFS INTÉRIEURS

1. Assainissement politique par la remise du mouvement national révolutionnaire dans sa véritable voie et, par là, l'anéantissement de tous les vestiges de corruption et de réformisme, causes de notre régression actuelle ;
2. Rassemblement et organisation de toutes les énergies saines du peuple algérien pour la liquidation du système colonial.

OBJECTIFS EXTÉRIEURS

1. Internationalisation du problème algérien ;
2. Réalisation de l'unité nord-africaine dans son cadre naturel arabo-musulman ;
3. Dans le cadre de la Charte des Nations unies, affirmation de notre sympathie à l'égard de toutes nations qui appuieraient notre action libératrice.

MOYENS DE LUTTE

Conformément aux principes révolutionnaires et compte tenu des situations intérieure et extérieure, la continuation de la lutte par tous les moyens jusqu'à la réalisation de notre but.

Pour parvenir à ces fins, le Front de Libération nationale aura deux tâches essentielles à mener de front et simultané-

ment : une action intérieure tant sur le plan politique que de l'action propre et une action extérieure en vue de faire du problème algérien une réalité pour le monde entier avec l'appui de tous nos alliés naturels.
C'est là une tâche écrasante qui nécessite la mobilisation de toutes les énergies et de toutes les ressources nationales. Il est vrai, la lutte sera longue, mais l'issue est certaine.
En dernier lieu, afin d'éviter les fausses interprétations et les faux-fuyants, pour prouver notre désir réel de paix, limiter les pertes en vies humaines et les effusions de sang, nous avançons une plate-forme honorable de discussion aux autorités françaises si ces dernières sont animées de bonne foi et reconnaissent une fois pour toutes aux peuples qu'elles subjuguent le droit de disposer d'eux-mêmes :

1. L'ouverture de négociations avec les porte-parole autorisés du peuple algérien sur les bases de la reconnaissance de la souveraineté algérienne une et indivisible ;
2. La création d'un climat de confiance par la libération de tous les détenus politiques, la levée de toutes les mesures d'exception et l'arrêt de toutes poursuites contre les forces combattantes ;
3. La reconnaissance de la nationalité algérienne par une déclaration officielle abrogeant les édits, décrets et lois faisant de l'Algérie une terre française en déni de l'histoire, de la géographie, de la langue, de la religion et des mœurs du peuple algérien.

En contrepartie

1. Les intérêts français, culturels et économiques, honnêtement acquis, seront respectés ainsi que les personnes et les familles ;
2. Tous les Français désirant rester en Algérie pourront choisir leur nationalité d'origine, et seront de ce fait considérés comme étrangers vis-à-vis des lois en vigueur, ou opteront pour la nationalité algérienne, et, dans ce cas, seront considérés tels en droits et en devoirs ;
3. Les liens entre la France et l'Algérie seront définis et feront l'objet d'un accord entre les deux puissances sur la base de l'égalité et du respect de chacun.

ALGÉRIEN

Nous t'invitons à méditer notre Charte ci-dessus. Ton devoir est de t'y associer pour sauver notre pays et lui rendre sa liberté. Le Front de Libération nationale est ton front, sa victoire est la tienne.

Quant à nous, résolus à poursuivre la lutte, sûrs de tes sentiments anti-impérialistes, forts de ton soutien, nous donnons le meilleur de nous-mêmes à la patrie.

Le Secrétariat.

Création d'un Etat algérien indépendant ! Les membres du FLN ont repris à leur compte le vieux dessein de Messali Hadj. Sur cette voie, ils annoncent leur intention d'aller jusqu'au bout, quel qu'en soit le prix à payer.

Les Européens, eux, sont prévenus. Leur présence en Algérie, en tant que Français, est remise en cause. Leurs réactions violentes, de condamnés en puissance, s'expliquent.

*

Les insurgés l'avaient prévu : la France offensée se cabre et clame son droit de propriété. De Pierre Mendès France, chef du gouvernement, à François Mitterrand, ministre de l'Intérieur, les réactions sont unanimes : « L'Algérie, c'est la France ! » Des renforts militaires, venus de métropole, convergent vers l'Aurès, secteur jugé le plus menaçant.

Messali Hadj et son parti sont tout de suite désignés comme les grands responsables de « ces événements », ainsi que les désignent pudiquement les Pieds-Noirs. Des centaines de militants sont arrêtés. Le MTLD est dissous le 4 novembre. Quant aux exilés du Caire, Paris voit en eux la tête pensante, voire dirigeante, alliée à Nasser.

La révolte ne se présente encore que sous l'aspect d'une guérilla très localisée (Aurès-Grande Kabylie). Les moyens militaires engagés sous le nom d'ALN, Armée de Libération nationale, sont faibles. Par la suite et en gonflant certainement les chiffres, ils seront estimés à :

- 350 hommes armés dans l'Aurès,
- 450 hommes armés en Kabylie,
- 50 hommes armés dans l'Algérois,
- 60 hommes armés en Oranie.

C'est peu, même si l'armée française, le 1er novembre 1954, disposait à peine de 50000 soldats et gendarmes en Algérie.

Du moins le FLN a-t-il frappé les trois coups. Pour poursuivre, il doit entraîner des adhésions et se renforcer. A défaut, il serait condamné. Pour ce faire, il ne dispose vraiment que de deux atouts : la dynamique du slogan d'indépendance, la crainte qu'il peut inspirer aux récalcitrants.

D'emblée, les échos des frères de sang ne sont pas encourageants. Ferhat Abbas ne voit dans la lutte armée que « Désespoir, désordre et aventure ». Réminiscence chez lui de mai 1945 qu'il avait désapprouvé.

Les Oulémas se montrent hostiles car ils estiment l'indépendance irréalisable. Cheikh Bachir El-Ibrahimi, successeur de Ben Badis, refuse d'appeler les Algériens à rejoindre les combattants.

Le PCA est tout aussi réservé. A l'instar du PC français, il critique les partisans de l'action violente.

Restent les centralistes et Messali Hadj. Les premiers sont décapités. Deux de leurs chefs, Hocine Lahouel et M'Hammed Yazid [1], sont partis au Caire à la mi-octobre, mandatés par le Comité central pour discuter avec l'équipe sur place. Ils s'y trouvent bloqués.

D'autres dirigeants, Ben Khedda, Kiouane, Sid Ali, Bouda... sont pris dans la vaste rafle française. Du coup, les militants se trouvent livrés à eux-mêmes. Nombreux se rangent d'enthousiasme dans le camp de ceux qui ont osé prendre les armes. Libérés au printemps 1955, faute de charges probantes contre eux, Ben Khedda et les autres les imiteront.

Et Messali Hadj, instigateur originel de la sédition par ses appels à l'indépendance ? Le zaïm campe sur son orgueil blessé. Il n'ignorait pas les projets insurrectionnels mais ne les prenait pas au sérieux et sous-estimait leurs auteurs. Ces derniers ont tout élaboré sans lui en référer et en dehors de ses propres conceptions. Féru de son action passée, Messali Hadj considère qu'il détient la légitimité nationaliste. Aussi pas question pour lui de se rallier aux insurgés, par exemple en s'évadant et en gagnant Le Caire. Il laisse seulement entendre que l'insurrection s'inscrit dans la logique de son propre combat. Pour le reste, afin de remplacer le MTLD dissous, il crée fin décembre le Mouvement national algérien, le MNA. Son MNA a vocation de regrouper les nationalistes et, par le fait même, de se poser en rival du jeune FLN, lequel montre d'entrée la même intransigeance. Ayant osé, les militants du FLN s'affirment les seuls habilités à représenter

1. Fils d'officier, futur négociateur d'Evian, M'Hammed Yazid a un frère officier dans l'armée française. Ce frère, marié à une Vendéenne très « démocratie chrétienne », sera lieutenant-colonel en 1962.

le peuple algérien. L'Histoire de l'Algérie sera marquée par cette rivalité.

Le dilemme essentiel se situe au niveau de la masse. Suit-elle ? Globalement, c'est très certainement douteux. Rabah Bitat a connu les défections déjà rapportées. Dans l'Aurès, les trente-neuf hommes d'Ahmed Nouaoura qui devaient attaquer Arris le 1er novembre se sont dérobés. En Oranie, la population des environs de Paul Cassaigne livre aux forces de l'ordre le petit groupe auteur du harcèlement de la gendarmerie. Son chef, Benabdelmalek Ramdane, adjoint de Ben M'Hidi et membre des « 22 », a été tué dès le 1er novembre, ses déplacements ayant été dénoncés.

Les exemples d'Alger, de l'Aurès, de l'Oranie montrent que les esprits ne sont pas prêts, que les sentiments se partagent. La crainte de la répression, une fidélité sincère ou traditionnelle envers la France qui représente aussi l'ordre établi interdisent de voir les Algériens se dresser en bloc à l'appel du FLN. Un appel qui, malgré le « téléphone arabe », mettra du temps à être perçu partout. Bien des mechtas ignoreront son contenu exact, même si la nouvelle du déroulement d'événements graves leur est parvenue.

L'Aurès, présenté comme un foyer crucial de la révolte, fournit une belle illustration du clivage en deux camps ennemis : les anti-Français et les pro-Français. Ben Boulaïd, enfant d'Arris, s'appuie sur une partie de sa tribu : les Touabas. Pour contrer son influence, l'agha Merchi, caïd du douar Tighanimine [1], lève courant novembre une harka [2] de 50 fusils dans une autre fraction des Touabas. Le 1er juin 1955, cette harka comprendra 170 hommes bien armés [3]. A la même date, à Medina, un peu au nord d'Arris, une autre harka de 30 hommes sera en place, ainsi qu'une autre de 40 à Foum Toub non loin. Au début de 1961, 500 Touabas serviront dans diverses unités mises sur pied dans le secteur d'Arris.

Ce cas d'Arris peut très largement s'extrapoler à l'ensemble de l'Algérie. Des harkas ou similaires surgiront un peu partout.

Tous les Algériens ne rejoignent donc pas le FLN. Certains se rangent derrière la France. D'autres suivent Messali Hadj et son MNA. La guerre dite d'indépendance sort du cadre strict d'une guerre étrangère. Elle devient une guerre civile.

*

1. Les gorges de Tighanimine se situent à moins de 20 km au sud d'Arris.
2. Littéralement troupe mobile.
3. Avec 139 fusils Mauser, 20 fusils Mas 36, 2 FM et 8 PM MAT 49.

La France a envoyé des troupes, des parachutistes de la 25e DIAP notamment. La traque de ceux que l'administration dénomme des HLL, des hors-la-loi, débute. Bientôt ce vocable HLL disparaîtra. L'armée française parlera des Fellaghas, puis des « Fellouzes » et finalement en raccourci des « Fells ». En Indochine il y avait le « Viet », en Algérie voici le « Fell ». Pour le soldat français, l'adversaire sera donc ce « Fell », marcheur infatigable, avaleur de kilomètres et de dénivelés, visage ascétique et basané, au treillis incertain, à l'armement souvent hétéroclite. Il ne lui sera contesté ni le courage ni le mépris de la mort.

Improvisation, pénurie sont de règle les premiers mois dans les deux camps. Côté français, les professionnels commencent seulement à rentrer d'Indochine. Le contingent monte la garde au Rhin. Quant aux « Fells », ils sont en quête de soutien tant en hommes qu'en armement.

La répression militaire et policière, dans le djebel comme en ville, marque cependant des points. Grine Belkacem, vieux maquisard de l'Aurès, est tué le 29 novembre 1954 par les paras du 18e RCP. Didouche Mourad est tué par ces mêmes paras le 18 janvier 1955. Ben Boulaïd est arrêté en janvier[1]. Rabah Bitat est victime d'une dénonciation de Djilali Belhadj à Alger le 23 mars.

Ces résultats n'empêchent pas le gouvernement de penser qu'il convient surtout d'enrayer le mal en s'en prenant à ses causes. Dans ce but, Pierre Mendès France nomme Jacques Soustelle gouverneur général de l'Algérie. Normalien, gros travailleur, fidèle de la première heure du général de Gaulle à Londres, Jacques Soustelle a une réputation d'homme de gauche libéral.

A son arrivée à Alger, Soustelle espère pouvoir trouver un accord par la négociation. Il tente une approche des insurgés par des membres de son cabinet. Sans résultats hormis la libération – déjà signalée – de Ben Khedda et de plusieurs autres centralistes.

Le FLN s'en tient à une ligne formelle : reconnaissance du droit à l'indépendance. Soustelle n'en est pas là.

A défaut de solution négociée, le gouverneur général, ayant situé le problème, politique par la discrimination, social par les différences de conditions de vie et les inégalités, choisit ce qu'il appelle l'intégration : égalité des droits et devoirs pour tous, respect de la spécificité algérienne, développement du niveau de vie des Algériens.

L'égalité des droits implique logiquement le collège unique. Une réforme dont l'éventualité fait se cabrer les ultras d'Algérie.

---

1. Il parviendra à s'évader de la prison de Constantine le 4 novembre 1955 et trouvera une mort controversée en mars 1956.

Globalement, le projet Soustelle ne manque pas d'élan mais il survient lui aussi trop tard. En outre, à Paris, Edgar Faure, qui a remplacé Mendès France le 23 février 1955, ne suit pas.

Jacques Soustelle a tout de suite remarqué les carences d'une administration qui dirige mal et de loin. Reprenant une idée du général Parlange, un ancien des Affaires indigènes du Maroc, il crée les SAS, Sections administratives spécialisées. C'est un retour aux vieux Bureaux arabes de la conquête. Dirigées par de jeunes officiers, ces SAS reçoivent mission de s'occuper moralement et matériellement des populations. Sept cents seront ainsi installées [1]. Maillon original de la présence française, elles apporteront un plus politique et humanitaire incontestable. Autour de la SAS protégée par son maghzen indigène s'édifieront écoles, dispensaires, locaux administratifs, etc. Ceux que la terminologie officielle désigne maintenant sous le terme de FSNA – Français de souche nord-africaine [2] – y trouveront assistance. L'influence française en sortira renforcée [3].

*

Le premier semestre de 1955 est ingrat pour la rébellion. Arrestations, revers militaires, défaillances politiques se succèdent. L'entreprise amorcée est-elle destinée à échouer comme celles de mai 1945 ou de l'OS ?

Non ! Les « 33 », malgré les vides qui se creusent dans leurs rangs, sont des résolus. Ils iront jusqu'au bout et gardent confiance. Le regard sur l'environnement international les conforte. La décolonisation répond au « sens de l'Histoire ». Tunisie, Maroc ont pris la route de l'indépendance. La Ligue arabe et Nasser ne dissimulent pas leurs sympathies. A Bandoung, en avril 1955, Aït Ahmed et M'Hammed Yazid, qui a entre-temps rallié le FLN, obtiennent qualité d'observateurs. Ce strapontin a valeur de reconnaissance indirecte. Le communiqué final de la conférence mentionne « l'appui donné par la conférence asiatique et africaine aux peuples d'Algérie, du Maroc et de Tunisie ».

En dépit de réticences et défections initiales, des ralliements non négligeables commencent à se produire. Ainsi Ben Khedda et plusieurs dirigeants centralistes, on l'a vu. Le FLN enregistre surtout une

1. 688 très exactement. Il y aura également quelques SAU (section administrative urbaine) dans les grandes villes, à Alger notamment.

2. Les Européens étant qualifiés de FSE : Français de souche européenne.

3. 73 officiers SAS paieront de leur vie leur rayonnement qui contrecarrait l'action du FLN.

recrue de choix : Abane Ramdane. Ce Kabyle de trente-cinq ans [1] a été condamné en 1950 à cinq ans de prison pour appartenance à l'OS. Libéré en janvier 1955, il n'hésite pas à rejoindre son vieil ami Krim Belkacem. Très vite, il s'imposera comme la « tête politique » et le chef de l'insurrection en Algérie. L'homme voit grand et se fixe des objectifs de larges perspectives :

– Création de groupes action sur Alger afin de porter la guerre en milieu européen (ce sera la « bataille d'Alger ») ;

– Participation massive de tous les Algériens à la lutte pour l'indépendance (ce sera l'engagement, volontaire ou non, des jeunes dans l'ALN) ;

– Mise sur pied d'une charte du FLN complétant la Proclamation du 1er novembre 1954 (ce sera l'objet du congrès de la Soummam en août 1956) ;

– Audience internationale du conflit (à charge de la délégation extérieure au Caire).

Pratiquement, Abane réalisera son programme, non sans heurts, non sans susciter des haines farouches. Il en mourra.

*

Pour s'imposer, Abd el-Kader et ses khalifas châtiaient durement. Le FLN pratique la même rigueur. « Pas de pitié ! » Le slogan court à tous échelons. Il n'est qu'une différence avec le siècle précédent : le terrorisme individuel, au départ, remplace la razzia collective. Il est plus approprié aux opérations ponctuelles et répond mieux aux possibilités réelles de coercition.

Les Algériens francophiles sont les premiers visés. Caïds, gardes champêtres, ouakafs, anciens combattants, militaires en permission offrent les cibles privilégiées des tueurs. Les notables modérés et occidentalisés, les messalistes les rejoignent vite. La cruauté, pour ne pas écrire la barbarie, est rarement absente. Il faut impressionner. Assassinats, égorgements, enlèvements, mutilations, créent insensiblement le mythe de la puissance et de l'invulnérabilité. Il n'est jamais bon de ne pas payer la dîme prescrite, de désobéir aux ordres et consignes reçus, de ne pas héberger correctement les moudjahidines (soldats de l'ALN). Si les Français se manifestent essentiellement de jour par leurs patrouilles et leurs ratissages, la nuit est la grande complice des gens du FLN. Sans bruit, ils se glissent de

1. Il est né le 10 juin 1920 près de Fort-National, dans le douar Aït Raten, haut lieu des derniers combats de la conquête en Grande Kabylie en 1857.

gourbi en gourbi. S'ils ont quelque chose à reprocher, ils laisseront derrière eux des cadavres. Alors à l'égard de la rébellion, tout se mêle chez les fellahs perdus dans le bled : la sympathie, l'adhésion, la crainte tout aussi souvent.

*

Les Européens ne sont pas épargnés. Dans le Constantinois, il devient dangereux de se déplacer seul ou après la tombée du jour. Tout ce qui représente la France dans cet est algérien est systématiquement mis à mal : maisons forestières ou cantonnières, écoles, fermes, hangars non gardés. Les sabotages d'ouvrages d'art sont rares par manque d'explosifs. Par contre, les poteaux télégraphiques représentent des objectifs par trop faciles.

Ce terrorisme largement anti-algérien prouve que le FLN ne rencontre pas que des complicités. Sinon il ne frapperait pas aussi fort. Ainsi, dans la commune mixte de Barika, au nord-ouest de Batna, dans les années 1955-1956, trois civils européens mais 36 FSNA[1] seront tués. Assurément ces derniers malheureux n'étaient pas pour le FLN. La lutte est souvent fratricide.

*

Dans le Nord-Constantinois, Zighout Youssef, qui a succédé à Didouche Mourad, a malgré tout le sentiment que dans sa zone le FLN est en train de perdre la partie. La pression militaire s'est intensifiée. Retours d'Extrême-Orient, renforcement des unités en place, la guérilla piétine. Il est difficile de s'en prendre à autre chose qu'aux édifices non protégés et aux Algériens francophiles.

Fin juin, le chef du Nord-Constantinois réunit son état-major sous les couverts de la presqu'île de Collo. L'immensité de la forêt de chênes-lièges, le tapis du maquis méditerranéen assurent à l'époque une sécurité totale. Les adjoints de Zighout Youssef peuvent à loisir étudier le plan que leur propose leur chef. Son dessein est simple : refaire en quelque sorte mai 1945 en lançant une masse musulmane encadrée par des maquisards contre la communauté européenne. Un tel projet, aussi révolutionnaire que meurtrier, peut enflammer une contrée où la répression du printemps 1945 n'est pas oubliée.

Le 20 août 1955 à midi, en pleine canicule, une populace armée de machettes, de serpettes, de faux, se déchaîne sur le faubourg de

1. Chiffres en dehors des pertes militaires.

l'Espérance, à la sortie sud de Philippeville. On lui a annoncé que l'heure du djihad avait sonné, que les Egyptiens allaient débarquer pour les soutenir... Les Européens rencontrés sont massacrés puis le flot grondant aborde l'artère principale, la rue Clemenceau.

Le tumulte, les youyous des femmes, quelques coups de feu tirés jettent l'alarme. De la caserne Mangin proche, paras à l'instruction du 1er RCP, légionnaires au repos du 3e BEP se précipitent l'arme à la main. L'envers de mai 1945 se reproduit dans une chasse à l'homme inexpiable alors que quelques Européens sont encore victimes d'ultimes exactions.

Le pire se déroule à une quinzaine de kilomètres, au petit centre minier d'El-Halia. Même furie, même déferlement, mais là aucune défense. Femmes, enfants sont odieusement égorgés ou éventrés. Les secours ne découvriront qu'une poignée de survivants.

Philippeville est l'épicentre de la tuerie mais d'autres communes sont touchées. Catinat, Hammam Meskoutine, Oued-Zenati, Aïn Abid ont leurs innocentes victimes. A Constantine, l'émeute frappe des israélites, des Algériens francophiles ou ayant pignon sur rue. Le propre neveu de Ferhat Abbas est assassiné dans sa pharmacie.

L'insurrection a été autant une révolte sociale qu'un soulèvement nationaliste.

Le bilan humain est très lourd : 71 civils européens, une centaine de musulmans ont été tués d'un côté. De l'autre, le gouvernement général annoncera 2 000 morts, le FLN 12 000.

Ce 20 août 1955 situe l'un des grands tournants de la guerre. Il lui donne sa véritable dimension. Il approfondit à jamais le fossé entre Européens et Algériens en créant une terrible confusion. Pour un Européen, tout musulman représente un ennemi potentiel. Pour un musulman, soldats, policiers prennent le même visage. L'armée française aura le plus grand mal à éloigner ces raccourcis sommaires et trompeurs.

Ces tueries du Nord-Constantinois révèlent au monde la gravité du drame que vit l'Algérie et l'implacable détermination du FLN.

Jacques Soustelle revient bouleversé du spectacle qu'il a découvert à Philippeville. Hommes émasculés, femmes, fillettes éventrées, yeux arrachés, gorges ouvertes, mains tranchées à coups de serpe. La sauvagerie à l'état brut ! Et qui se renouvellera. Pour le gouverneur général, il n'est pas possible de s'entendre avec des assassins de femmes et d'enfants. Soustelle, le libéral, sera à jamais un défenseur farouche de l'Algérie française.

*

Au lendemain du 20 août 1955, et avec l'automne, le paysage algérien se modifie. Les émeutes ont donné un coup de fouet à la « Révolution algérienne », vocable désormais utilisé par le FLN.

Le terrorisme s'intensifie. Dans l'est algérien, la circulation de nuit devient périlleuse. Les fermes isolées doivent être protégées ou abandonnées.

Les désertions prennent de l'ampleur. De quelques dizaines par mois avant septembre, elles atteignent une centaine en fin d'année (elles culmineront à trois cents en mars 1956 avant de chuter et de plafonner autour de cent, voire moins, mensuellement). Bien des déserteurs de la fin de 1955 sont des tirailleurs de retour d'Extrême-Orient. Beaucoup ont connu les camps de prisonniers du Viêt-minh où ils ont été endoctrinés. Contactés par le FLN, ils partent avec armes et bagages, parfois après avoir massacré les Européens et leurs camarades algériens récalcitrants. Combattants expérimentés, ils apportent aux maquis leurs meilleures recrues.

Cette évolution militaire a une incidence politique. Les modérés, réservés voire critiques, prennent position. L'un des premiers, le docteur Debaghine rejoint Le Caire. Il y retrouve le trio originel renforcé par Boudiaf et Yazid. Ferhat Abbas reçoit chez lui Krim Belkacem et Ouamrane et amorce une volte-face complète. Le 21 février 1956, il partira à son tour pour l'Egypte avec Ahmed Francis [1], apportant sa caution de « politique raisonnable ».

Le 26 septembre, des élus du second collège réunis à Alger votent un texte qui deviendra la « motion des 61 ». Après une condamnation de la répression militaire on peut y lire : « L'immense majorité des populations est présentement acquise à l'idée nationale algérienne... »

Les Oulémas basculent à leur tour. Le PCA, qui a fini par trancher en faveur de l'indépendance, est dissous le 12 septembre.

Ce FLN qui se manifeste de plus en plus sur le terrain par des embuscades réussies, des désertions spectaculaires, des coups de main payants lui apportant de l'armement, trouve un écho favorable en métropole. Certains milieux se manifestent à son endroit. Deux universitaires, Colette et Francis Jeanson, publient *L'Algérie hors-la-loi*, dénonciation de l'Algérie française. Le journaliste Robert Barrat rapporte dans *France Observateur* ses entretiens avec Krim Belkacem, Ouamrane et quelques maquisards kabyles. A Alger même, le professeur Mandouze, le docteur Chaulet, le jésuite Jean Delanglade se rangent nettement pour la rébellion, approuvés encore discrètement par

1. Le docteur Francis, très proche de Ferhat Abbas, est l'ancien président des élus UDMA à l'Assemblée algérienne.

l'archevêque d'Alger, Mgr Duval (que ses ouailles ne tarderont pas à baptiser Mgr Mohammed Duval).

Le MNA entre à son tour en lice. Résolument, il se pose en rival du FLN dans la lutte pour l'indépendance. Bien implanté sur Alger, en Oranie, en Kabylie, dans la vallée de la Soummam, dans le sud, il met sur pied une structure militaire. Mohammed Bellounis, ancien conseiller municipal de Bordj Menaïel, fidèle de Messali Hadj, reçoit le commandement des groupes armés kabyles. Au 1er décembre 1955, il annonce disposer de 1 200 fusils, chiffre peut-être excessif.

Des militants émigrés en France rentrent en Algérie afin de rejoindre les maquis MNA. Car c'est évidemment en métropole que le MNA, de par l'historique, se montre fort. Il domine en région parisienne, dans le nord et dans l'est. Pour le contrer, Boudiaf, au début de 1955, a créé la Fédération de France du FLN [1]. L'enjeu est le contrôle de la population algérienne émigrée et des cotisations à lui réclamer.

L'affrontement dépasse le stade des injures et des menaces. Le MNA parle de « panier de crabes ». Le FLN réplique : « On ne se rallie pas aux traîtres, on les abat. » Avec de tels propos, tout compromis s'avère impossible. Assassinats, règlements de comptes se succèdent. Rien qu'en France, la lutte entre les deux fractions rivales fera plus de 4 000 morts et des milliers de blessés. Chaque camp accuse l'autre de dénonciations au profit de la police française, assertion qui est loin d'être invraisemblable.

*

Au 1er janvier 1956, si l'Oranie et l'Algérois sont encore relativement calmes, le Constantinois est entré définitivement dans la guerre. La présence proche de la Tunisie n'y est pas pour rien.

Les Français qui ont rappelé 57 000 réservistes fin août et décrété l'état d'urgence sur le territoire algérien alignent déjà 186 000 hommes. Les effectifs, en face, sont plus incertains : si Bellounis se targue de 1 200 fusils en Grande Kabylie, de combien d'hommes et d'armes disposent les autres maquis messalistes ? Pour le FLN, lors du congrès de la Soummam en août, les responsables militaires déclareront 4 500 djounoud (soldats) et 15 000 moussebilines (partisans). Tous ne sont pas armés. Si les djounoud détiennent généralement une

1. Ses débuts sont malheureux. Le premier comité directeur, Terbouche, Zerrouki, Madhi, part découvrir la Santé. Les successeurs immédiats ne seront pas plus heureux. D'où proviennent les informations de la police française ? d'Algériens opposés au racket des cotisations ou des messalistes ? de ces deux sources très certainement.

arme de guerre, les deux tiers des moussebilines ne possèdent qu'un fusil de chasse.

Mais août n'est pas janvier. Tunisie et Maroc n'accèdent à l'indépendance qu'en mars. Leur soutien logistique d'envergure n'intervient qu'à partir de cette date. Soutien à usage exclusif du FLN qui a su coiffer le MNA en éliminant purement et simplement les émissaires mandatés par Messali Hadj [1].

Un point est cependant acquis. Le FLN s'est structuré et a trouvé des cadres. Son Organisation politico-administrative (OPA) s'impose chaque jour un peu mieux à la population algérienne, aussi bien par l'adhésion volontaire que par la crainte inspirée. Elle lui permet d'entamer un recrutement intensif.

*

Le gouvernement Edgar Faure perd le pari d'élections anticipées le 2 janvier 1956. Guy Mollet ne saurait avoir d'arrière-pensées réactionnaires. Une solution négociée et libérale a naturellement son aval (sans impliquer obligatoirement la notion d'indépendance dont la majorité des Français est encore très éloignée). Il n'est donc pas à s'étonner de le voir désigner le général Catroux pour remplacer Jacques Soustelle à Alger. Soixante-dix-neuf ans, mais toujours très alerte, Catroux vient de servir d'intermédiaire pour le retour du sultan Ben Youssef à Rabat. Sa nomination prend aussitôt une signification dans l'esprit des Pieds-Noirs. Catroux égale indépendance.

Le 6 février, venu à Alger se rendre compte *de visu* de la situation, Guy Mollet se heurte à une communauté européenne déchaînée. Hier, les Français d'Algérie ont été massivement mobilisés pour libérer la Mère Patrie. Aujourd'hui, ils exigent d'être protégés à leur tour.

L'émeute qui gronde et s'exprime à coups de tomates surprend et bouleverse le chef du gouvernement. Il découvre détresse et colère devant le sentiment de se sentir abandonné. Ses réactions sont celles d'un homme qui n'a pas le cœur sec. Il accepte la démission de Catroux qui se retire, s'estimant honnêtement motif de discorde. Les jours suivants, Mollet nomme à sa place son vieil ami Robert Lacoste et décide d'envoyer le contingent en Algérie pour protéger ses compatriotes.

Cette marche arrière dans le cas de Catroux, ce pas en avant dans

---

1. Plus heureux, Ahmed Mezerna et Chadly Mekky, envoyés au Caire, y sont simplement internés par le FLN.

celui de l'envoi du contingent bouleversent les données françaises du problème algérien.

Les Européens se persuadent que leur pression a été payante, qu'ils ont imposé leur volonté à Paris [1]. Ce succès les conduira à estimer pouvoir en obtenir d'autres par le même chemin. Ce sera le 13 mai 1958, ce seront les barricades de janvier 1960. Ce sera aussi le 26 mars 1962...

Le recours massif aux appelés constitue une véritable bombe à retardement. Certes, il conforte le dispositif militaire. 400 000 hommes seront bientôt en place pour « maintenir l'ordre » [2]. L'essentiel se situe au niveau politique intérieure française. Le conflit est voué à prendre un aspect totalement différent de celui de l'Indochine. Des professionnels se battaient et tombaient à 10 000 kilomètres de la métropole dans une relative indifférence. Volontaires, ils avaient choisi leur destin. En Algérie, rien de comparable. Requis pour un service militaire de vingt-sept mois, les fils de France quittent leurs foyers pour un long séjour outre-Méditerranée. Plus d'un ne reviendra pas. Les Français, initialement favorables à l'Algérie française, se détourneront d'un pays qui leur prend leurs enfants. Ils approuveront massivement Charles de Gaulle les incitant à se désengager.

Quoi qu'il en soit de cet avenir à moyen terme, au début de 1956 les données sont claires. La France se bat pour conserver l'Algérie.

Pour Robert Lacoste, pas d'équivoque à ce sujet. Il se glisse sans difficultés dans le costume de Soustelle. Quelques semaines après son entrée en fonction, il adresse aux officiers et sous-officiers une directive générale, affirmant en substance :

> « Algérie française, oui ! Appui inconditionnel aux troupes dans leur mission de pacification. En contrepartie, transformation révolutionnaire de l'économie du pays. Réformes par égalités sociale et politique. »

Un tel discours ne peut que plaire aux cadres militaires, cocardiers mais sensibles à la misère algérienne. Devant cette remise en cause de ce que de Gaulle dénommera « l'Algérie de papa », les ultras se cabrent. En vain. Ils ne sont plus les maîtres du jeu. La guerre, l'insécurité ont placé Lacoste et l'armée aux commandes.

1955 fut encore une année de préparatifs. 1956 est la première grande année de la guerre et d'un terrorisme généralisé.

---

1. « Le général Catroux a démissionné après la réception faite par Alger à Monsieur Guy Mollet », titre *L'Echo d'Alger* du 7 février 1956.
2. Répartis en trois corps d'armée : Alger, Oran, Constantine.

La lecture des quotidiens algériens est édifiante. Elle présente une longue litanie d'attentats et d'accrochages. Si les seconds sont rapportés avec plus ou moins d'authenticité quant à leurs modalités et déroulements, les premiers correspondent à une stricte réalité.

– Février. Un car, deux voitures particulières tombent dans une embuscade au col de Sakamody. Deux Algériens dont un sergent-chef sont tués. Une famille de touristes malouins est décimée. Sous les yeux du chef de famille garrotté, sa belle-mère, son épouse, sa fillette de sept ans sont violées puis égorgées. L'homme, le dernier, est égorgé à son tour.

– Près de Lavigerie, un fermier européen est empalé et rôti vivant.

– Près de Miliana, un ancien combattant musulman est retrouvé mort attaché à un poteau, la chair arrachée avec des tenailles.

– Mars. Près de Palestro, presque tous les membres de deux familles de colons sont égorgés.

– Mai. Près de Canrobert (Constantinois), trois jeunes garçons sont enlevés. Leurs cadavres seront retrouvés au fond d'un puits [1].

– Juin. Six anciens goumiers sont enlevés et égorgés près de Saint-Pierre-et-Paul (Algérois).

Ces cas ne sont qu'une brève et tragique illustration. Il n'est pas de journée sans compte rendu d'enlèvements ou d'assassinats. Tous ces bulletins de presse, toutes les photographies attenantes partagent un dénominateur commun. Ces monstruosités dépassent le stade de la froide exécution d'un adversaire. Le sang du supplicié ne suffit pas. Sa souffrance est exigée. Cruauté, sadisme entourent et accompagnent les mises à mort. Pourquoi une telle frénésie d'horreur qui n'épargne ni l'âge ni le sexe ? Que devient le fait politique dans la bestialité des viols ? Est-ce uniquement la volonté délibérée d'effrayer à tout prix ? Ne s'agirait-il pas aussi de l'expression d'une violence primitive inhérente à certains tempéraments algériens ? A moins que n'intervienne la rigueur de la charia islamique [2]. Autant de questions sans réponses absolues. Mais la situation présente de l'Algérie, qui

---

1. Le responsable de ce crime, Amouri Mohammed dit Lamouri, chef de la zone 4 de la wilaya 1, par la suite devenu colonel, sera fusillé pour complot en mars 1959 par Boumedienne en Tunisie.

2. La charia, résultante des prescriptions coraniques, et la sunna – la tradition du Prophète – prévoient des châtiments corporels sévères. Ainsi le code pénal islamique entré en vigueur au Soudan en mars 1991 et basé sur la charia prescrit la sanction de l'adultère par la lapidation ; le meurtre et l'apostasie par l'exécution capitale ; le vol par l'amputation de la main droite au niveau du poignet ; la consommation d'alcool et la diffamation par la flagellation ; le vol à main armée ou la rébellion armée contre l'Etat par l'amputation de la main droite et du pied gauche, suivie de la crucifixion. Ce code est également appliqué en Arabie saoudite.

voit se renouveler une telle barbarie et même pire, le rapprochement évident entre le présent et le passé récent conduisent à s'interroger.

Parallèlement au terrorisme, quelques lignes, parfois en caractères gras, soulignent une embuscade adverse et surtout les résultats heureux d'une opération.

Car avec l'introduction des hélicoptères, les Français gagnent en rapidité d'intervention et en efficacité. Un groupe repéré et localisé est le plus souvent décimé s'il ne parvient pas à tenir jusqu'à la nuit.

Dans la fureur des mêlées, il n'est guère de quartier. Les mechtas supposées rebelles s'embrasent. Le bétail est abattu. Les rafales s'égaillent généreusement sur les fuyards ou les apeurés terrés dans des trous ou sous des fourrés. Les prisonniers sont exception.

Les communistes ont tardé à trancher. Même s'ils sont relativement peu nombreux, ils tentent de rattraper le temps perdu. Ils voudraient constituer une entité composante à part entière de la rébellion. Dans ce but, ils s'efforcent de mettre sur pied une force dénommée « Combattants de la liberté ».

Le 4 avril 1956, un des leurs, l'aspirant Maillot, déserte avec un camion d'armes qu'il était chargé de convoyer. 120 pistolets mitrailleurs, 57 fusils, 84 revolvers représentent un pactole que l'on se dispute. Abane Ramdane, Krim Belkacem ont d'âpres discussions avec Sadek, responsable du PCA clandestin. Les chefs du FLN veulent les armes de Maillot et des ralliements individuels. Ils ne sauraient regarder le PCA comme un maillon original de la résistance.

Les communistes ne sont pas les plus forts. Ils doivent se soumettre aux exigences de leurs interlocuteurs. La majeure partie du stock de Maillot rejoint l'ALN. Le reste est dirigé sur un « maquis rouge » en gestation dans l'Orléansvillois. Renseignements d'habitants ou dénonciations du FLN ? Le maquis où se sont réfugiés Maillot, Laban, un ancien des Brigades internationales, et une vingtaine de militants, est localisé et détruit par la harka des Beni Boudouanne du Bachagha Boualam et le 504e bataillon du train. Collectivement, les communistes ne participeront pas au combat. Ils n'interviendront qu'à titre individuel.

*

Abane Ramdane l'envisageait de longue date. Défiant les opérations, les embuscades, les patrouilles françaises, un congrès du FLN se tient à partir du 20 août 1956 dans la vallée de la Soummam.

Il manque du monde : les Aurès-Némentchas en pleine crise du commandement, la Fédération de France et la Délégation extérieure, pour lesquelles le voyage n'était pas si simple. Néanmoins bien des ténors sont présents :

– Abane Ramdane, bien sûr, initiateur et organisateur.

– Zighout Youssef, Bentobbal pour le Nord-Constantinois.

– Krim Belkacem, Mohammedi Saïd, Amirouche pour la Grande Kabylie.

– Ouamrane, Saddek, Si M'Hamed pour l'Algérois.

– Ben M'Hidi pour l'Oranie.

– Ali Mellah pour le sud.

Abane peut être satisfait de ce large rassemblement. En outre, l'absence de Boudiaf et de Ben Bella le sert, car il a fermement l'intention de les écarter. Sous sa tutelle – qui ne plaît pas à tout le monde et en particulier à Amirouche –, le congrès élabore des décisions et mesures qui complètent ou confortent celles adoptées par les « 22 » deux ans plus tôt.

1. Les six zones deviennent six wilayas[1], divisées en mintakas (zones), nahias (régions) et kasmas (secteurs).

Une wilaya sera commandée par un colonel.

2. Il est créé une Zone autonome d'Alger où Ben M'Hidi se voit confier l'organisation de groupes armés en vue d'accentuer le terrorisme urbain. Boussouf, son adjoint, prend le commandement de la wilaya 5.

3. L'organisation militaire est précisée : la katiba (compagnie) regroupe 110 hommes, la ferka (section) environ 35. Le faïlek (à venir) sera l'équivalent d'un bataillon.

4. Les grands principes sont redéfinis :

– Primauté du politique sur le militaire.

– Primauté de l'intérieur sur l'extérieur.

A ce titre et pour bien marquer qu'il en est ainsi, le congrès nomme Lamine Debaghine chef de la Délégation extérieure. Cette désignation est un pavé manifeste dans la mare de Boudiaf et Ben Bella.

Toujours sous l'impulsion d'Abane, le congrès s'engage encore plus loin. Non seulement il refuse toute représentativité au MNA, mais il revendique pour le seul FLN le droit de parler au nom des Algériens. Cette résolution se concrétise par la création d'un Conseil national de la Résistance algérienne (CNRA) et d'un organisme de la direction générale, le Comité central d'exécution (CCE).

1. Aurès-Némentchas : wilaya 1, Nord-Constantinois : wilaya 2, Grande Kabylie (avec Sétif) : wilaya 3, Algérois : wilaya 4, Oranie : wilaya 5, Sahara : wilaya 6. (Il existera pendant un certain temps une zone de Souk Ahras, résultat de l'esprit d'indépendance d'un responsable local.)

Si le CNRA de 34 membres (17 titulaires, 17 suppléants [1]) regroupe tous les grands noms du nationalisme ayant rejoint le FLN, le CCE se présente avant l'heure en véritable gouvernement du mouvement. Il comprend les cinq hommes forts du moment : Abane Ramdane, Ben M'Hidi, Krim Belkacem, Ben Khedda [2], Saad Dahlab [3].

Quant au programme politique, son fond demeure immuable. L'objectif des congressistes s'appelle l'indépendance. La proclamation du 1er novembre 1954 est confirmée. Un cessez-le-feu ne peut intervenir que sous réserve de la reconnaissance de l'indépendance, de la libération des prisonniers et de la seule représentativité du FLN. La minorité européenne n'a toujours qu'une seule possibilité : opter pour une citoyenneté ou française ou algérienne, la double citoyenneté étant refusée.

Ce congrès de la Soummam fera date.

Il s'est tenu parce qu'Abane l'a voulu et ses thèses ont prévalu. Cette primauté du Kabyle dérange plus d'un, à commencer par les commandants de wilayas qui n'en font qu'à leur guise. L'éviction brutale d'Abane se profile à terme.

Toute collusion avec le MNA a été repoussée. La lutte fratricide est condamnée à se poursuivre pour afficher la suprématie des uns ou des autres.

Les grandes décisions relatives à la prééminence de l'intérieur, à la composition du CEE, etc., ne sauraient satisfaire les gens de l'extérieur. Même si les têtes d'affiche – Boudiaf, Khider, Ben Bella, Debaghine, Tawfiq el-Madani, Aït Ahmed... – sont couchées sur la

---

1.

MEMBRES TITULAIRES	MEMBRES SUPPLÉANTS
Aït Ahmed Hocine	Aïssa
Abane Ramdane	Bentobbal Lakhdar
Abbas Ferhat	Boussouf Abdelhafid
Boudiaf Mohammed	Benyahia Mohammed
Ben Boulaïd Mostefa	Dehiles Slimane
Belkacem (Temanm Abdelmalek)	Francis Ahmed
Ben Bella Ahmed	Mohammedi Saïd
Ben M'Hidi Larbi	Mezhoudi Brahim
Bitat Rabah	Mouloud
Khider Mohammed	Mellah Ali
Krim Belkacem	Mourad (Labjaoui Mohammed)
Lamine Debaghine Mohammed	Mahsas Ahmed
Mokrane (Aïssa Idir)	Mehri Abdelhamid
Ouamrane Amar	Saad Dahlab
Tawfiq El-Madani	Saddek
Yazid M'Hammed	Thaalbi Tayeb
Zighout Youssef	Zoubir

2. Futur président du GPRA en 1961.

3. Futur ministre des Affaires étrangères en 1961.

liste du CNRA, tout s'est réglé à leur insu. Elles ont été littéralement évincées. De surcroît, pas de chaises pour elles au CCE. Un strict rôle de démarcheur d'armement et d'appui diplomatique leur a été imparti. Là encore, que de conflits en perspective !

Ben Bella ouvre immédiatement les hostilités. Il dénonce :

– Le caractère non représentatif du Congrès suite à certaines absences ;

– La remise en cause « du caractère islamique de nos futures institutions politiques ». Rien n'a été effectivement précisé à ce sujet ainsi que sur l'orientation socio-économique du futur régime en cas de victoire ;

– La présence d'anciens responsables de partis au sein des organismes dirigeants. Ben Khedda, par exemple...

*

Le congrès s'est déroulé dans une relative quiétude, mais la guerre a tôt fait de rappeler sa présence aux congressistes. Un mois après, Zighout Youssef est tué alors qu'il prenait la route de l'Aurès afin d'aller y mettre de l'ordre [1].

Brusquement, deux événements accentuent l'aspect international du conflit algérien.

Le 22 octobre, les services de renseignement à Alger apprennent que le quatuor Aït Ahmed, Ben Bella, Mohammed Boudiaf, Mohammed Khider, en visite au Maroc, doit en fin de journée gagner Tunis. Il effectuera ce déplacement par voie aérienne en empruntant un appareil de Royal Air Maroc. La réaction du cabinet militaire de Robert Lacoste est immédiate : « Il faut arrêter ces salopards ! »

En l'absence du ministre résident, en déplacement dans son fief électoral du Périgord, le secrétaire général Chaussade donne son feu vert.

Vers vingt-deux heures, le DC3 de RAM est intercepté au large des côtes algériennes et se pose à Maison Blanche, l'aéroport d'Alger. Les quatre Algériens [2] se retrouvent sous les verrous.

Robert Lacoste, informé, couvre ses subordonnés. Autour de lui, on exulte. Les Français pensent avoir décapité la rébellion. Ils se trompent. Les quatre individus appréhendés qui vont prendre le chemin de la prison de la Santé, à Paris, ne sont pas les vrais chefs du

1. Son village natal, Condé Smendou, à 20 km au nord de Constantine, dont il fut conseiller municipal, porte aujourd'hui son nom.

2. Ainsi qu'un cinquième homme, le professeur Lacheraf, qui les accompagnait.

FLN. Pour preuve, la Soummam... Leur arrestation, toutefois, leur confère l'auréole du martyr. A terme, elle les servira.

Cette interception, que d'aucuns assimilent à un acte de piraterie aérienne, place Guy Mollet en position délicate. Elle est condamnée au plan international. Elle met un terme à des contacts pris avec l'accord du chef du gouvernement. Durant l'été, deux socialistes, Pierre Commin et Pierre Herbaut, ont rencontré à Belgrade et à Rome deux émissaires du FLN, M'Hammed Yazid et Abderrahmane Kiouane. Toutes ces prémices à d'éventuelles négociations sont définitivement ajournées. Un espoir de paix se perd pour longtemps. La politique algérienne française se durcit de facto.

L'intervention franco-britannique quelques jours plus tard correspond à cette fermeté. Depuis le 1er novembre 1954, Paris est persuadé que Le Caire est le premier et principal soutien du FLN. S'en prendre à Nasser tout en aidant les Israéliens facilitera le règlement du problème algérien. La pression des deux superpuissances débouche sur une déconvenue aussi bien militaire que politique habilement exploitée par le FLN.

*

Manifestement, 1956 s'achève sur un horizon ultra-guerrier. On se bat dans toute l'Algérie et de plus en plus vigoureusement aux frontières. Le terrorisme sévit dans les grandes villes et principalement à Alger.

L'aide tunisienne s'étale maintenant au grand jour et explique une bonne part de l'évolution. Une mission du FLN s'est installée à Tunis sous le couvert d'un « Comité d'aide aux réfugiés d'Algérie »[1]. En quelques mois, la Tunisie est devenue la base arrière de l'ALN. La frontière se franchit sans difficultés. Les déplacements, les ravitaillements transitent par les couverts méditerranéens au nord, par la steppe désertique au sud.

Il en est de même, mais à un degré moindre, côté marocain. Bientôt on parlera des bases de l'Est et de l'Ouest pour désigner Tunisie et Maroc. Des camps s'y installent. Des recrues levées dans l'intérieur de l'Algérie viennent s'y instruire et s'y équiper.

Cette aide extérieure ne contribue pas peu à développer et renforcer les maquis de plus en plus agressifs. Des bandes fortement armées tentent même des incursions sur le territoire algérien. Fin novembre, Cherif Mahmoud, ancien lieutenant de l'armée française, comman-

---

1. Des Algériens ont effectivement fui la zone frontalière afin d'échapper aux combats.

dant de la wilaya 1, se risque contre Tebessa à la tête de 400 hommes. Il est arrêté de justesse par l'intervention de deux régiments de paras et regagne la Tunisie, abandonnant un mortier et deux mitrailleuses. Son coup de main démontre la force militaire acquise par le FLN [1].

Frapper en milieu européen faisait partie des plans d'Abane. Sur Alger, la Soummam en a chargé Ben M'Hidi. Celui-ci a constitué de petites équipes menées par des hommes qui n'ont pas froid aux yeux : Amar Ali, dit Ali la Pointe [2], Belkacem Bouchafa, Debih Cherif, dit Si Mourd [3], Yacef Saadi... Habilement, Ben M'Hidi a enrôlé des femmes. Elles s'aventureront plus aisément dans les quartiers à forte densité européenne. Quelques communistes ont également été recrutés [4]. Leurs connaissances techniques peuvent s'avérer utiles pour la fabrication de bombes. Là est le point faible de Ben M'Hidi. Si ses militants sont courageux, s'ils disposent de complicités et de caches dans la Casbah, dans les bidonvilles de la périphérie et chez quelques Européens, rares sont les spécialistes en explosifs. Leurs engins présenteront toujours un petit côté artisanal. Des accidents se produiront, coûtant la vie à leurs artificiers.

Le terrorisme, particulièrement sévère dans l'Algérois [5], se manifestait déjà sur Alger et sa banlieue [6]. A l'automne, il prend toute son ampleur. Un attentat du contre-terrorisme européen, rue de Thèbes dans la basse Casbah, le 10 août, qui fait une douzaine de victimes algériennes, des exécutions capitales de militants à la prison Barberousse intensifient le désir de vengeance exprimé par Abane.

– 30 septembre : trois bombes explosent au Milk Bar, rue d'Isly, à la Cafétéria, rue Michelet. 3 tués, 62 blessés [7].

– 12 novembre : trois bombes à Alger, Maison-Carrée, Hussein-Dey, dans un autobus, au Monoprix, devant la gare. 36 blessés.

– 27 décembre : Amédée Froger, président de l'interfédération des maires d'Algérie, est abattu rue Michelet à Alger par Ali la Pointe.

---

1. L'arraisonnement le 16 octobre 1956, au large des côtes oranaises, du cargo *Athos* par l'escorteur *Commandant de Pimodan* montre aussi que les Algériens savent se procurer des armes. Sont saisis 72 mortiers, 40 mitrailleuses, 74 FM, 2 300 fusils, 240 PM, plus un lot considérable d'obus et de cartouches.
2. Sera tué en septembre 1957.
3. Sera tué le 28 août 1957 à Alger.
4. Parmi eux Fernand Yveton, arrêté porteur d'une bombe le 14 novembre et qui sera guillotiné le 11 février 1957.
5. Les colons sont particulièrement frappés dans leurs biens comme dans leurs personnes.
6. 150 attentats de toute nature, presque toujours individuels sur Alger, de juin à fin août. L'attentat aveugle de la rue de Thèbes n'a donc pas déclenché le terrorisme FLN comme il a pu être écrit.
7. L'enquête révélera que ces bombes ont été placées par des femmes.

Ses obsèques déclenchent une émeute et un déferlement de haine raciale. Le communiqué officiel mentionne six morts musulmans. Jean-Jacques Susini, futur chef OAS et témoin oculaire, parlera de 400.

Alger a peur. Les Européens exigent plus que jamais protection. La police traditionnelle paraît dépassée.

Le 6 janvier 1957, Robert Lacoste annonce au général Salan, commandant en chef depuis le 1er décembre 1956, sa décision : c'est à l'armée de briser le terrorisme.

La vraie bataille d'Alger commence.

Le général Massu, patron de la Xe DP, se voit confier la mission impartie par Lacoste. Quatre régiments de paras s'abattent sur la ville pour prendre les choses en main.

Joignant la manière forte à l'action psychologique, ils commencent par briser la grève générale décrétée par le FLN à compter du 28 janvier. Manifestement, les paras remportent là un premier succès. Le FLN est contré sur son terrain de prédilection : la mainmise sur la population.

L'essentiel reste à faire. Les attentats continuent fin janvier, visant principalement les bars repaires de la jeunesse pied-noir : l'Otomatic, la Cafétéria, le Coq Hardi. 5 morts, 40 blessés dont 22 amputés. Les témoignages recueillis sont formels. Des femmes, des Européennes très certainement, ont déposé les engins.

Devant le dilemme : laisser se poursuivre le carnage ou obtenir des renseignements à tout prix pour le stopper, les officiers de renseignement (OR) et leurs chefs choisissent. Les suspects et les présumés coupables doivent parler afin de permettre de remonter les filières.

Sans ménagements, les paras « mettent le pied dans la fourmilière » où tout se mêle : militants sincères risquant leur vie et leur liberté, truands travaillant pour le Front ou pour leur compte[1], chrétiens « progressistes » ou communistes ralliés à la cause algérienne.

Les méthodes employées sont souvent musclées. Parfois plus. Certains milieux intellectuels et politiques français dénonceront un emploi selon eux systématique de la torture. Celle-ci n'est ni générale ni absolue mais elle existe.

En face la paperasse fleurit – pour se donner de l'importance – et laisse des précisions accablantes. Les dénonciations à des fins bassement personnelles ont toujours existé. Un interrogatoire habilement mené apporte indices et recoupements. Les bavardages intempestifs des émotifs et des apeurés ne sont pas rares. Yacef Saadi après son arrestation sera particulièrement loquace sans avoir été maltraité.

1. Cas de plus d'un collecteur de fonds.

Aussi les paras progressent, exploitant les renseignements fournis par tous ceux qui parlent librement ou sous la contrainte. Il y a urgence. A la mi-février, deux bombes explosent au stade municipal d'Alger et à celui d'El-Biar. Encore 9 morts et 35 blessés.

Les réseaux sont démantelés. Le 23 février, Ben M'Hidi est arrêté. Quelques jours plus tard sera annoncé son suicide pour camoufler l'exécution sommaire du grand organisateur du terrorisme sur Alger.

Chaque jour, chaque semaine apportent une prise supplémentaire aux hommes de Massu. L'organigramme adverse est parfaitement connu. Artificiers, poseurs de bombes, agents de liaison sont identifiés et traqués. Les effectifs des terroristes s'amenuisent.

Le 23 septembre, Yacef Saadi et sa compagne Zohra Drif sont arrêtés dans la Casbah. Peu après, sur les indications fournies par Yacef Saadi, Ali la Pointe est localisé à son tour. Dans l'opération pour le capturer, l'explosion de son stock d'explosifs déclenche une formidable détonation. On retrouvera son cadavre sous les décombres.

C'en est pratiquement terminé de la bataille d'Alger. Les Français l'ont emporté mais les mois écoulés laissent des traces profondes. Il y eut des victimes innocentes tout d'abord. Des Européens ont été compromis et ce jusque dans l'entourage de l'archevêque d'Alger. Certains, comme Maurice Audin, ont disparu. Le FLN a subi des pertes sensibles. De Ben M'Hidi à Yacef Saadi, nombre de ses combattants ont été tués ou arrêtés. Les paras, pour leur part, sont accusés de barbarie. En revanche, ils y ont gagné un solide prestige auprès de la population européenne.

Dès février, devant l'importance du maillage militaire, le CCE a quitté Alger. Abane, Krim, Ben Khedda ont filé à l'extérieur. La direction du FLN, issue de la Soummam, n'est donc plus en prise directe avec ceux qui se battent en Algérie. Les wilayas y gagnent en autonomie. Leurs chefs regardent de très haut des dirigeants qui ne partagent pas les risques de leurs subordonnés. Le grand clivage intérieur-extérieur, déjà existant, s'accentue. L'affrontement pour le pouvoir se précise.

*

La bataille d'Alger, par son retentissement médiatique, estompe en partie la lutte dans le bled et en métropole. L'armée française, le FLN, le MNA se battent pour l'emporter. Les modérés sont hors course dans ce combat qui exclut les solutions moyennes. Les clairvoyants ont rallié le FLN. Les autres attendent que le vainqueur se dégage, misant discrètement sur les deux tableaux. Les communistes ne comptent plus en tant que tels. Quelques individualités ont servi de petites mains à Ben M'Hidi et Yacef Saadi. L'essentiel du peloton a basculé résolument, pour les Européens du moins, du côté de l'Algérie française [1]. Il fournira à l'OAS des gros bras pour ses commandos.

Sur le terrain, les effets de l'aide étrangère se font sentir. A la fin de 1957, le FLN parvient militairement à son point haut en Algérie (par contre, les bases de l'Est et de l'Ouest n'atteindront 32 000 hommes qu'en 1961). Les six wilayas alignent de 15 000 à 20 000 djounoud disposant généralement d'armes de guerre. Les moudjahidines s'élèvent à environ 60 000-70 000, mais 50 % seulement sont armés et encore avec des fusils de chasse. L'OPA est plus difficile à cerner, se confondant souvent avec les moudjahidines. Elle ne doit pas dépasser quelques milliers d'individus. Sur ces bases, les troupes de l'ALN contrôlent des régions difficiles d'accès que les Français ont délaissées. Forêt de l'Akfadou, Babor, Ta Babor en wilaya 3, zone côtière de Djidjelli à Collo en wilaya 2, forêt des Beni Melloul en wilaya 1 sont des sanctuaires où les katibas vivent en relative sécurité.

Cette situation conduit le commandement français à prendre des décisions qui s'avéreront, à la longue, payantes :

– Construction de barrages (réseaux de barbelés électrifiés avec mines) le long des frontières afin d'interdire l'arrivée des renforts de toutes natures. Etalée sur 1957, l'édification de cette ligne baptisée ligne Morice, du nom d'un éphémère ministre de la Défense, ne prétend pas procurer une nouvelle ligne Maginot. Elle vise à signaler et localiser les franchissements. Aux unités disposées en retrait d'appréhender les éléments infiltrés, dont les lieux et horaires de passage sont ainsi parfaitement connus.

– Instauration de zones interdites avec transfert des populations et création d'autodéfenses pour assurer la sauvegarde des centres de regroupement. Ces derniers permettent aux SAS de mieux suivre les fellahs déplacés.

– Utilisation massive des hélicoptères gros porteurs. Paras et légionnaires qui forment le fer de lance des unités d'intervention débarquent au plus vite et au plus près des adversaires repérés.

Si le FLN s'est renforcé, le MNA n'a pas renoncé. En 1956, des accrochages ont opposé les deux rivaux dans les régions de Bouira, Dra el-Mizan, Sedouk, Aïn Bessem, Ménerville, dans le Guergour. L'armée française les a regardés s'entre-tuer. Ces combats ont peu à

1. Les communistes algériens se tournant vers le FLN.

peu évincé les bellounistes de Grande Kabylie mais les messalistes restent encore bien implantés dans la Soummam.

Krim Belkacem promu au CCE, parti à Alger puis à l'étranger avec Ouamrane, la wilaya 3 est passée entre les mains de Mohammedi Saïd, l'ancien agent nazi, et d'Aït Hamouda dit Amirouche. Ces deux-là ne sont pas des demi-sel et voient des traîtres partout [1]. Leur bras est implacable. La « nuit rouge de la Soummam » extermine 1 000 à 1 100 personnes du douar Ioun-Dagen dont les deux Kabyles ne savent trop si elles sont pro-françaises ou pro-MNA. Ils savent seulement qu'elles ne sont pas pro-FLN. Curieusement, cette tuerie à grande échelle ne soulève pas grand écho. Il n'en est pas de même de celle de Melouza [2] dans la partie occidentale des monts du Hodna. Dans la nuit du 28 mai 1957, 300 Algériens, hommes, femmes enfants sans discrimination, sont sauvagement massacrés. Plus de 150 sont blessés. Le FLN accuse aussitôt l'armée française. Celle-ci, preuves à l'appui, a tôt fait de rétablir la vérité [3]. L'opération a été conduite par le FLN contre un douar MNA [4]. La tuerie dans le cas présent s'est doublée d'un choc racial : Kabyles du FLN contre Arabes du MNA.

Melouza fait comprendre à Bellounis, qui s'est promu général en chef de l'ANPA (Armée nationale du peuple algérien), l'impérieuse nécessité d'un allié. Il se tourne donc vers les Français. Ceux-ci, durant le conflit indochinois, ont fréquemment soutenu des minorités ethniques hostiles au Viêt-Minh. Pourquoi ne pas renouveler en Algérie ? Bellounis offre une belle opportunité. Sans aborder le problème politique, un accord militaire est conclu. Le chef de l'ANPA reçoit une aide logistique qui lui permet de s'étoffer. Avec environ 3 000 hommes, il travaille dans un vaste haricot d'environ 80 000 kilomètres carrés, d'Aumale à Aflou. Deux centaines du 11e choc sous les ordres du capitaine Rocolle leur servent de mentor. Les drapeaux bleu-blanc-rouge et vert et blanc de l'ANPA flottent côte à côte.

L'attitude de Bellounis – Olivier pour les Français – fait crier certains messalistes à la trahison mais l'intéressé n'en a cure. Se proclamant fidèle parmi les fidèles de Messali Hadj, il se bat contre le FLN,

---

1. Concernant Amirouche, Ferhat Abbas parle d'un combattant courageux mais psychologiquement sans nuances.

2. Très exactement à Mechta Kasba, à 12 km de Melouza (Mechta Kasba, à 1 200 mètres d'altitude près de l'oued Mellah et à 40 km au sud-est de Bouira, se situe dans l'une des régions les moins pénétrées par la France).

3. Les responsabilités de ce drame ne sont pas contestées. Ferhat Abbas les reconnaît formellement (*Autopsie d'une guerre*, ouvr. cité).

4. Simultanément intervient une autre tuerie près de Wagram dans le Sersou. 35 ouvriers agricoles sont égorgés, 21 blessés.

à la fois contre la wilaya 5 de Boussouf et la wilaya 6 commandée maintenant par Si Haoues. Le 2 février 1958, un combat très dur opposera trois compagnies de l'ANPA et les deux centaines du 11e choc à de forts éléments de l'ALN. Le capitaine Rocolle sera tué dans l'engagement.

Bellounis n'est pas seul à mener sa guerre en marge. Dans la vallée du Chélif, Djouden (l'adjudant Slimane), connu sous le nom de Kobus, a monté un maquis pro-français. Ses 400 hommes ne savent pas tous par qui ils sont manipulés, même si leur chef s'annonce vigoureusement nationaliste et farouchement anticommuniste. Au début de 1957, Kobus annonce la couleur et se range ouvertement dans le camp français. Il reçoit comme Bellounis un soutien logistique et une aide militaire du 11e choc, unité spécialisée dans les affaires « ténébreuses ». Ses effectifs montent ainsi à 600.

« Ténébreuses affaires... » Cette guerre n'en manquera pas. En 1956, il y eut l'opération « Oiseau bleu » en Grande Kabylie, où le commandement français s'est fait rouler par de prétendus ralliés. Après les dossiers de Bellounis et Kobus, voici celui de Si Cherif[1]. Ce Si Cherif est un ancien brigadier d'Indochine, qui prouve qu'il avait les capacités de faire mieux. Au terme d'un itinéraire assez tumultueux, il s'est octroyé le grade de colonel et commande dans le sud à 300 hommes qui lui sont tout dévoués. S'intitulant même commandant de la wilaya 6, il s'oppose violemment aux visées des Kabyles de la wilaya 3 sur son secteur. Arabe et « déviationniste », Si Cherif s'estime à juste titre menacé. Le 20 juillet 1957, il franchit le Rubicon et se rallie à l'armée française avec tous les siens. Sa fidélité ne se démentira pas (il défilera à Alger après le 13 mai).

Ce ralliement de Si Cherif est révélateur. Le FLN n'est pas seul à drainer des sympathies. L'ALN n'est pas seule à monter en puissance.

Au lendemain du 1er novembre 1954, les initiatives personnelles ou locales, les décisions hâtives venues d'en haut se sont efforcées d'organiser la réplique des Algériens pro-français à la rébellion. En 1957, cette phase est terminée. Les structures d'accueil et de mobilisation sont en place. Elles resteront sans grand changement jusqu'en 1962 tout en gagnant en volume.

L'armée constitue l'un des cadres privilégiés du service de la France. Les unités à base de recrutement algérien, après les remous de la fin

---

1. De son vrai nom Labri Cherif ben Saïd. A ne pas confondre avec Ali Mellah, dit également Si Cherif, commandant de la wilaya 6 et assassiné par ses adjoints parce qu'il n'était pas un homme du sud.

de 1955 et de 1956[1], participent à part entière à l'activité opérationnelle avec leurs engagés et leurs appelés. Ces derniers sont peu nombreux. 14000 sont incorporés en 1957. 16500 le seront en 1958. Manifestement, les bureaux de recrutement ont reçu instruction de limiter les incorporations[2]. Ainsi le pourcentage des appelés algériens dans les bataillons de tirailleurs n'excède pas 50 %.

Les harkas (littéralement troupes mobiles) comprennent déjà 25000 harkis en 1957. Unités opérationnelles de secteur, elles se révèlent très efficaces par leur connaissance des hommes et du terrain. Comptant de plus en plus de ralliés, elles n'ignorent rien des habitudes adverses et tiennent à manifester leur pugnacité.

Les GMPR (Groupes mobiles de protection rurale), qui deviendront les GMS (Groupes mobiles de sécurité) en mars 1958, rejoignent un peu les harkas mais avec des effectifs plus modestes (en moyenne 70 engagés par groupe et il y a 70 groupes en 1957).

Les moghaznis ont en charge la protection des 700 SAS ventilées sur le territoire. Un maghzen varie de 20 à 50 hommes.

Les GAD (Groupes d'autodéfense) n'ont qu'une mission de protection statique des populations regroupées et sont généralement armés de fusils de chasse. Il n'est pas rare d'y découvrir des femmes.

7500 Algériens, anciens combattants, servent également dans les Unités territoriales qui seront dissoutes en février 1960, conséquence de la semaine des barricades.

Au total, en mars 1961, à servir sous le drapeau tricolore, ils seront :

- 65000 dans l'armée régulière[3],
- 62000 dans les harkas,
- 19000 dans les maghzens,
- 8600 dans les GMS,
- 6200 dans les GAD[4].

Soit un total de 217000 individus auxquels peuvent s'adjoindre 4000 réservistes et un millier de supplétifs. Plus de 85 % de ces effectifs sont des volontaires puisque seuls les appelés sont requis (ayant toutefois accepté d'être incorporés).

Une masse énorme d'Algériens, qui dépasse de loin les effectifs armés du FLN et du MNA, a donc choisi la France. Eu égard au taux normalement admis des familles algériennes (5-6 personnes), elle

1. Certains régiments ont alors été envoyés en France ou en Allemagne pour atténuer les risques de désertion avant d'être rappelés en Algérie.

2. La ressource annuelle varie de 80 à 90000. On compte 50 % d'insoumis. 70 % des présents à l'appel sont donc exemptés.

3. Comprenant près de 500 officiers et 4500 sous-officiers algériens.

4. Soit 800 harkas, 740 maghzens de SAS ou SAU, 101 GMS, 2030 GAD.

représente plus d'un million d'individus. Il n'est pas erroné d'y adjoindre toutes les autres qui n'œuvrent pas à titre militaire : élus, caïds, gardes champêtres, employés de l'administration, etc.[1] Les compromis du côté de la France sont légion.

Comme précédemment avec les combattants de 14-18 ou de 39-45, une question revient : pourquoi cet engagement ? Il ne saurait être de réponse absolue. Motivations alimentaires, sécuritaires ou patriotiques ont pu conduire à l'enrôlement sous la bannière française.

Même si bien des choses, on l'a vu, ne plaident pas en faveur de la France, il existe des éléments positifs : le prestige d'une grande nation, le rayonnement culturel, la fraternité d'armes des anciens combattants, des réalisations positives en de nombreux domaines comme les Dar el-Askri ou les SIP (Sociétés indigènes de prévoyance).

La France en guerre en Algérie s'efforce de combler son retard et de rattraper ses erreurs. Ses soldats se mettent au service de la population. Médecins, infirmiers, instituteurs du contingent se dévouent. Des écoles, des dispensaires, des hôpitaux, des villages se construisent. Les élèves du primaire étaient 306 000 en 1954. Ils seront 878 000 en 1961. La France, par son armée, prend un autre visage même si dans la fureur des combats des mechtas s'embrasent, des innocents payent.

Et puis cette France ne clame-t-elle pas sur tous les tons qu'elle est en Algérie pour toujours ? Comment ne pas finir par la croire, devant le flot d'affiches, banderoles, bonnes paroles ou slogans à l'emporte-pièce ?

N'en déplaise aux détracteurs, existe le culte envers la France de ceux qui se sont battus pour elle. Ils sont fiers d'arborer leurs médailles, de montrer qu'ils furent des soldats exemplaires. Le porte-drapeau des anciens combattants de Mostaganem en est le témoignage éclatant. Neuf fois, ce porte-drapeau est abattu par le FLN. Neuf fois un volontaire, conscient du péril encouru, reprend le drapeau.

Cette armée française qui, malgré sa brutalité occasionnelle, se veut humanitaire et proche des difficultés de chacun paraît bien loin d'un FLN qui s'impose autant par sa dynamique nationaliste que par la terreur qu'il inspire. A la longue, les exigences, les exactions détournent les sympathies potentielles. Mutilations faciales ou égorgements pour n'avoir pas respecté les interdictions de fumer[2] sont « vécus comme des condamnations excessives ».

Et ce n'est là qu'un motif de sanction et de châtiment. Des archives

1. 48 députés, 789 délégués spéciaux (maires désignés), 10 000 fonctionnaires, etc.
2. Le 15 juin 1955, le FLN a prescrit de boycotter le tabac et les alcools afin de « porter un grand coup à l'économie impérialiste ».

de l'ALN découvertes vers la fin de la guerre révéleront que dans le seul canton de Michelet (Grande Kabylie) le FLN a condamné et exécuté 2 150 Algériens... Les constitutions d'autodéfense ont des explications face à une cruauté aussi mal perçue que mal comprise.

Algérie, pays complexe, divisé et déchiré.

*

Les mois précédents avaient laissé pressentir que les rivalités et ambitions personnelles se régleraient dans le sang. Comment Ben Boulaïd est-il vraiment mort ? Colis piégé ou exécution pour fidélité messaliste ? Mystère où la seconde hypothèse paraît la plus vraisemblable, mais qu'il fallait garder secrète eu égard à la dimension historique du disparu. Chihani Bachir, l'assassin du caïd Sadok et de l'instituteur Monnerot, devenu patron de l'Aurès, a été abattu par ses deux adjoints, Laghrour Abbès et Adjoul Adjoul, en octobre 1955. Début d'une longue série, dans l'Aurès et ailleurs.

En 1956, Laghrour Abbès est « liquidé pour complot » après avoir refusé de reconnaître l'investiture de Cherif Mahmoud. Lazhar Cheriat, chef des Némentchas, partage son destin. Adjoul Adjoul, bien que militant nationaliste de longue date, juge prudent de se rallier à l'unité française de Zeribet el-Oued [1]. Amirouche avait dépêché contre lui un tueur, Aïssa Messaoud, sous prétexte de mettre de l'ordre dans l'Aurès. Plus prompt, Adjoul Adjoul avait fait disparaître Aïssa Messaoud mais redoutait le pire.

Le ton est donné. Les Français peuvent évoquer un titre fameux : « la discorde chez l'ennemi » !

Ali Mellah, dit Si Cherif, intronisé commandant de la wilaya 6, est assassiné par ses lieutenants qui refusent de reconnaître l'autorité d'un homme qui n'est pas originaire du sud. « Résurgence des attitudes tribales », écrira l'historien algérien Mohammed Teguia, ancien officier de la wilaya 4.

En Tunisie, Mahsas, responsable de la base de l'est (Tunisie-Tripoli) se dresse en complicité avec Ben Bella contre les décisions du CCE. Arrêté, il ne doit son salut qu'à l'assistance des Tunisiens qui lui permettent de fuir et de s'exiler en Allemagne.

La disparition de Ben M'Hidi a réduit le CCE à quatre. En août, Krim Belkacem obtient qu'il soit modifié et élargi. Sortent Dalhab et Ben Khedda, que Krim regarde comme des concurrents et qui ont le tort de ne pas être kabyles. Entrent Ouamrane, Cherif Mahmoud,

1. 100 km à l'est de Biskra.

Boussouf, Bentobbal, Debaghine, Abbas et Mehri (ce dernier ancien centraliste). Cinq militaires contre quatre civils, ces derniers placés là parce qu'ils sont relativement connus. Les premiers, par des gens à eux, tiennent les wilayas intérieures : Krim la 3, Cherif Mahmoud la 1, Boussouf la 5, Bentobbal la 2, Ouamrane la 4. Logique avec ses propres intérêts, puisque tous ses membres résident à l'étranger, ce nouveau CCE[1] proclame que dorénavant la primauté appartient à l'extérieur sur l'intérieur...

Cette mise au pas théorique n'a réglé en rien les dissentiments intérieurs. Pour les militaires, Abane Ramdane, avec son autoritarisme, son « esprit jacobin », gêne. Sans égards pour ses services passés, Krim Belkacem, Boussouf, Cherif Mahmoud décident de l'éliminer. Se rendant au Maroc, Abane tombe à Tétouan dans un traquenard. Le 27 décembre, il est étranglé par les séides de Boussouf. En mai 1958, un communiqué annoncera sa mort au champ d'honneur...

Abane disparu à jamais, les forces centrifuges – diversités ethniques, ambitions, clans et féodalités – pourront se donner libre cours. La fin de 1957 présage les grandes purges à venir.

*

Dans l'esprit des Français, la guerre se déroule en Algérie où se battent leurs enfants. Ils oublient qu'une partie capitale se déroule en métropole. L'enjeu est d'importance : qui contrôlera les 300 000 travailleurs algériens émigrés s'appropriera leurs cotisations.

Par son antériorité, le MNA possède l'avantage initial. Il a pris naissance et essor en France. Durant quelques semaines, il bénéficie pratiquement d'une position de monopole.

On a vu Boudiaf créer au début de 1955 la Fédération de France du FLN. Dissidence des centralistes, dynamisme du jeune FLN, les rangs messalistes commencent à se vider.

Pour riposter et mieux structurer le monde du travail, Messali Hadj lance en février 1956 l'USTA (Union des syndicats de Travailleurs algériens). Le FLN réplique aussitôt avec l'UGTA (Union générale des Travailleurs algériens) dirigée par Aïssat Idir[2], un ancien du PCA. Mais l'affrontement syndical n'est que de façade. MNA et FLN se livrent une lutte à mort.

Enlèvements, assassinats, mitraillages de bars, rendez-vous de sym-

1. Les cinq « historiques » détenus en France font théoriquement partie, à titre honorifique, de ce CCE.
2. Il deviendra ambassadeur à Paris en 1984 puis patron du FLN.

pathisants se succèdent. En janvier 1957, l'attaque d'un café maure en banlieue parisienne fait six tués et onze blessés. D'avril à octobre 1957, on compte 330 morts. 336 les trois mois suivants. Le 7 octobre 1957, Messali Hadj perd son plus fidèle compagnon : Abdallah Filali est mortellement blessé. Cette disparition ébranle très sérieusement le mouvement déjà affaibli par la mort de nombre de vieux militants messalistes.

Les Algériens francophiles ne sont pas épargnés. Le 27 mai 1957, Ali Chekhal, ancien vice-président de l'Assemblée algérienne, est assassiné au stade de Colombes alors qu'il venait de quitter la tribune présidentielle. Abdelkader Barakrok, secrétaire d'Etat aux Affaires algériennes de juin 1957 à mai 1958, échappe de peu aux tueurs.

Des policiers, des gendarmes sont également visés. Une vingtaine tombent en 1957. Un colonel, chef de la main-d'œuvre nord-africaine, est tué à Firminy.

Dans cette bataille sur le sol métropolitain, le FLN prend un avantage certain en trouvant sur place des alliés. Des Français qui seront appelés les « porteurs de valises » se font ses auxiliaires pour convoyer ses documents, ses armes, ses explosifs, abriter ses militants. Ils contribuent surtout à transporter et à faire sortir de France les fonds récoltés. Ces sommes importantes, jusqu'à quatre cents millions d'anciens francs par mois, permettent à la délégation extérieure d'acheter des armes qui prendront la destination de l'Algérie où elles seront utilisées contre les soldats français.

Ce soutien au FLN se met en place sous l'impulsion de Francis Jeanson dont le réseau portera le nom. Il comptera des intellectuels, des ecclésiastiques, des artistes, des avocats... Par la suite, Jean-Paul Sartre ne dédaignera pas d'apporter sa caution et Simone de Beauvoir de prêter sa voiture. Ces « porteurs de valises » assureront un maillon essentiel de la « 7e wilaya » métropolitaine.

*

Avec 1958 s'ouvre la quatrième année de guerre. Politiquement, les positions sont figées.

Pour le FLN, pas de cessez-le-feu sans reconnaissance préalable du droit à l'indépendance. Pour les Français, pas question d'abandonner la notion d'Algérie française même si de larges concessions ont été consenties par la loi-cadre de 1957 qui reconnaît la spécificité algérienne.

Un élément nouveau est apparu, renforçant la valeur du patrimoine algérien : du pétrole a été découvert au Sahara. En février 1958, le premier pétrolier chargé du brut saharien quitte Philippeville à destination d'une raffinerie métropolitaine. A l'heure où l'or noir a pris une importance stratégique, ces découvertes et exploitations renforcent la position des tenants de l'Algérie française.

*

Le FLN, maintenant bien implanté au Maroc et en Tunisie, est confronté à trois problèmes : finir d'évincer le MNA qui a souffert des coups reçus ; faire légitimer son action au plan international ; renforcer son potentiel militaire. En outre, même si personne ne le confesse, assurer son unité.

Si au Maroc et en Tunisie les troupes de l'ALN ont la possibilité de s'organiser librement, leurs difficultés surgissent aux frontières. Les parachutages, les arrivées par mer sont rendus quasiment impossibles par l'aviation et la marine françaises. Hommes, armement, matériel doivent franchir les redoutables barrages afin de gagner l'intérieur de l'Algérie.

Les premiers mois de 1958, de janvier à mai, voient une terrible bataille frontalière, en particulier à l'est. Paras, légionnaires, troupes de secteur se heurtent aux katibas qui de nuit tentent de passer. Celles-ci, repérées lors du franchissement du réseau électrifié, sont généralement accrochées en matinée dans un grand tumulte d'hélicoptères et d'avions.

La bataille de Souk Ahras, du 29 avril au 1er mai, sur le plateau du Mouhadjène, à quelques kilomètres à l'est de la ville, est une formidable mêlée. Troupes d'élite françaises (1er et 2e REP, 9e RCP, 3e REI) renforcées par les unités locales s'opposent à un faïlek complet. Les Français ont des pertes, mais rares seront les djounoud rescapés de ces journées. Du 28 avril au 3 mai, dans le secteur de Souk Ahras, l'ALN perd 620 combattants.

L'affaire est entendue. Forcer le barrage s'avère suicidaire. Il n'y aura pratiquement plus de tentatives d'importance.

Faute de concours venus de l'extérieur, l'ALN de l'intérieur s'asphyxie, à la grande fureur de ses chefs. Elle incrimine les responsables de Tunis et du Caire incapables de lui porter secours. Cette explosion de colère se concrétisera dans un peu plus d'un an, après les coups de boutoir du plan Challe.

D'ores et déjà, les résultats acquis par les Français inquiètent les dirigeants du FLN. Le 8 juillet, devenu responsable de l'armement et du ravitaillement, Ouamrane écrira dans un rapport au CCE : « L'heure est grave. L'ALN, qui a atteint une puissance respectable par ses effectifs et son armement, subit actuellement de lourdes pertes (plus de 6 000 mouhadjidines[1] tombés en deux mois dans la seule zone de Duvivier). »

Cette suprématie française interdisant l'accès du territoire algérien produit un résultat paradoxal. La puissance militaire extérieure du FLN s'accroît. Le corps de bataille stationné l'arme au pied dans les bases de l'Est et de l'Ouest se développe sans être engagé devant les risques encourus. Cet outil inemployé mais solide sera l'enjeu de rivalités sans merci. Qui tiendra l'armée détiendra le pouvoir. Alors, politiques du CCE ou colonels de l'ALN, Mohammedi Saïd en Tunisie, Houari Boumedienne au Maroc ?

*

La bataille des frontières est évidemment loin d'être la seule.

L'aventure Bellounis trouve un terme. « Olivier » en prend trop à son aise dans sa zone. Son despotisme, ses exactions dressent contre lui les populations. Les Français décident d'arrêter là l'expérience et de désarmer l'ANPA. Bellounis sera tué le 16 juillet. Les rescapés, quelques centaines d'hommes, iront se réfugier dans la montagne sous les ordres de Si Meftah et tiendront jusqu'à l'indépendance (Si Meftah sera tué en 1960 mais ses troupes ne seront pas particulièrement traquées par les Français). Avec la disparition de Bellounis et du gros de l'ANPA, le potentiel militaire du MNA sort considérablement affaibli.

Kobus, lui, est assassiné le 28 avril par les siens, la wilaya 4 ayant réussi à gangrener son entourage. Ses hommes éclatent, les uns vers les Français, les autres vers le FLN. Ces derniers seront tous éliminés en 1959, au temps de « la bleuite ».

*

Au printemps 1958, malgré ses graves échecs sur la ligne Morice, le FLN paraît être celui qui a malgré tout le vent en poupe.

Le MNA est militairement très amoindri. Son représentant à l'ONU, Moulay Merbah, est évincé par ses concurrents du FLN. Un peu partout, la dynamique du FLN l'emporte chez les Algériens nationalistes.

La France n'est pas en position facile. En février, un bombardement aérien sur le village tunisien de Sakiet Sidi Youssef, siège d'un cantonnement de l'ALN, a provoqué des victimes tunisiennes. La France est mise en accusation à l'ONU.

1. Chiffre qui paraît excessif.

La IVe République végète. Elle vacille de crise ministérielle en crise ministérielle, incapable de résoudre le dilemme français numéro un, l'Algérie.

Ce délabrement profite à Charles de Gaulle, oublié par la majorité de ses compatriotes et regardé comme un homme du passé. Exploitant le désaveu général du régime, un petit noyau de gaullistes inconditionnels mène campagne pour son retour aux affaires. Progressivement, le retraité de Colombey-les-Deux-Eglises fait figure de recours possible.

*

Les Pieds-Noirs vivent mal. Hantise des attentats, incertitude du lendemain rendent le quotidien difficile. Les esprits sont chauffés à blanc. A Alger, le tempérament latin aidant, une étincelle est suffisante pour mettre le feu aux poudres d'une communauté conditionnée de surcroît par les activistes [1].

Cette étincelle jaillit à l'annonce de l'exécution à Tunis par le FLN de trois prisonniers français. Le 13 mai, une cérémonie patriotique au monument aux morts donne l'occasion, mûrement préparée, d'une explosion populaire. Le service d'ordre est débordé, le gouvernement général occupé. Pour faire face à cette fronde algéroise, Robert Lacoste étant parti suite à une crise ministérielle, le général Salan accepte le principe de la création de comités de salut public où entrent des civils, des militaires et quelques musulmans.

De fait, les Européens n'ont réussi à pénétrer dans le gouvernement général et à prendre possession des lieux qu'avec l'accord tacite de l'armée. Si celle-ci s'était vraiment interposée, la manifestation aurait tourné court. Mais les cadres de l'armée, marqués par le repli indochinois, traumatisés par l'incertitude sur l'avenir de l'Algérie française, sont prêts à suivre quiconque leur annoncera clairement sa volonté de ne pas baisser le pavillon en Algérie.

Une armée qui, non contente de tolérer puis d'appuyer la révolte pied-noir, sous-tend les élans de fraternisation. Que penser de ces derniers ? Il est des photographies sans équivoque, des témoignages sincères. On voit des Algériens épanouis se mêler à la foule européenne, des musulmanes enlever leurs voiles. La spontanéité semble l'emporter

1. L'activisme algérois se décompose en une variété de chapelles derrière des chefs destinés à se faire connaître à la faveur des événements successifs : Pierre Lagaillarde, Jean-Jacques Susini, Robert Martel, Jean-Claude Pérez, Jo Ortiz, Docteur Lefebvre, etc.

sur la main forcée. Les Algériens, en ces journées de mai 1958, ont-ils pensé qu'ils devenaient enfin, grâce à l'armée, les égaux des Européens ? Ce n'est pas impossible. Pour eux, un formidable pas en avant serait réalisé vers plus de justice sociale. Quoi qu'il en soit, devant ce souffle Algérie française qui embrase le pays alors que la surveillance se relâche, le FLN ne se manifeste pas. Serait-il ébranlé ?

A l'issue d'une quinzaine agitée, le retour au pouvoir de Charles de Gaulle est acquis. Le 1er juin, par 329 voix contre 224, l'homme du 18 juin est investi chef du gouvernement. Dans six mois, il sera président de la Ve République.

Pour la seconde fois, à soixante-sept ans maintenant, Charles de Gaulle se retrouve en charge de la France. Si les Français l'ont rappelé pour mettre de l'ordre dans leurs affaires, les Pieds-Noirs, les militaires [1] voient d'abord et avant tout en lui le sauveur de l'Algérie française, comme il donne l'impression de se présenter. Leur désillusion n'en sera que plus grande ! De Gaulle va peser lourdement sur le destin de l'Algérie, lui donner un tournant définitif, précipiter le dénouement de la guerre. Même sans lui, l'Algérie eût été algérienne : le fait était inéluctable, mais sans lui il eût certainement été moins précipité et à bien des égards plus humain. Pouvait-il en être autrement de la part de celui qui avait écrit que « la sainteté ne conduit pas à l'Empire » ?

Il n'est pas à approfondir à nouveau ici un sujet longuement étudié. Charles de Gaulle revenant aux affaires sait parfaitement où aller : ce sera l'indépendance. Il sait seulement qu'il doit dissimuler ses vues aussi longtemps que son pouvoir n'est pas affermi. Il l'écrira sans ambiguïté dans ses *Mémoires d'espoir* [2] :

> « Ce n'est que progressivement, en utilisant chaque secousse comme l'occasion d'aller plus loin, que j'obtiendrais un courant de consentement assez fort pour emporter tout. Au contraire, si de but en blanc, j'affichais mes intentions, nul doute que, sur l'océan des ignorances alarmées, des étonnements scandalisés, des malveillances coalisées, se fût levée, dans tous les milieux, une vague de stupeurs et de fureurs qui eût fait chavirer le navire. »

Machiavel de l'Algérie française, de Gaulle, dans le premier cours de son règne, donne le change. Ses propos se veulent rassembleurs :

1. Avec les réserves précédemment émises sur la différenciation entre cadres d'active et contingent.
2. *Mémoires d'espoir*, p. 71.

« A partir d'aujourd'hui et dorénavant, la France considère que, dans toute l'Algérie, il n'y a qu'une catégorie d'habitants, qu'il n'y a que des Français à part entière, avec les mêmes droits et les mêmes devoirs. Cela signifie que doivent être ouvertes les possibilités qui, pour beaucoup, ont jusqu'à présent été fermées. Cela veut dire que des moyens de vivre doivent être donnés à ceux qui n'en avaient pas. Cela veut dire que doit être reconnue la dignité de ceux qui en étaient privés. Cela veut dire qu'une patrie doit être donnée à ceux qui ont pu penser qu'ils n'en avaient pas. Français à part entière, et dans un même collège, nous allons le montrer pas plus tard que dans trois mois, dans l'occasion solennelle où tous les Français, y compris les dix millions de Français d'Algérie, auront à décider de leur propre destin... »

De tels propos pour plus de justice et d'unité ne peuvent que réjouir et satisfaire les gens en uniforme. Cette vision répond à leurs aspirations.

Confirmant ce qu'il avait déclaré, de Gaulle prend quelques mesures symboliques et en octobre 1958 lance le plan de Constantine. Vaste programme socio-économique qui conforte bien des espérances : « Il ne dépenserait pas tant d'argent s'il devait tout lâcher ! »

Ayant remplacé Raoul Salan, grand artisan à Alger de son retour, par l'équipe Paul Delouvrier-Maurice Challe, il approuve les plans du nouveau commandant en chef. Le plan Challe « cassera » militairement la rébellion.

Plus encore, au plan politique de Gaulle donne satisfaction à une vieille revendication de certains Algériens : égalité civique implique le suffrage universel. Les Pieds-Noirs applaudissent ce collège unique qu'ils refusaient hier. Ils se persuadent de s'arrimer ainsi définitivement à la France. Sur la lancée, les électeurs d'outre-Méditerranée, qu'ils soient FSE ou FSNA, envoient à l'Assemblée nationale 67 députés dont 46 musulmans. On verra le bachagha Boualam, député d'Orléansville, vice-président de l'Assemblée nationale, siéger au « perchoir » du Palais-Bourbon.

De Gaulle provoque également un référendum sur la nouvelle Constitution qu'il propose aux Français. Les musulmans, les femmes les premières, votent à 90 % des inscrits, soit environ 70 % de la population [1]. Le oui l'emporte à 90 % en Algérie, 98 % au Sahara.

1. A cause des zones où l'insécurité ne permet pas d'aller aux urnes.

Scrutin et résultats de démocratie populaire, raillent les détracteurs. Le scrutin a été une épreuve de force, le FLN interdisant de voter, l'armée conduisant bon gré mal gré les électeurs vers les isoloirs [1]. Et l'armée a prouvé qu'elle était la plus présente.

*

13 mai : Algérie française. Manifestations de fraternité franco-musulmanes dans les villes. De Gaulle à Matignon et bénéficiant par sa stature d'un préjugé international favorable, défaites militaires sur les frontières : le FLN se doit de réagir à ce vent qui inverse la tendance des débuts de l'année.

Le 19 septembre est officiellement annoncée à Tunis la création d'un Gouvernement provisoire de la République algérienne (GPRA).

Abbas Ferhat : président du Conseil
Ben Bella Ahmed : vice-président
Aït Ahmed Hocine : ministre d'Etat
Bitat Rabah : ministre d'Etat
Boudiaf Mohammed : ministre d'Etat
Khider Mohammed : ministre d'Etat
Debaghine Mohammed Lamine : Affaires étrangères
Cherif Mahmoud : Armement et Ravitaillement
Bentobbal Lakdar : Intérieur
Boussouf Abdelhafid : Liaisons générales et Communications
Mehri Abdelhamid : Affaires nord-africaines
Yazid M'Hammed : Affaires sociales
Ben Khedda ben Youssef : Affaires culturelles
Khene Lamine : secrétaire d'Etat à l'Intérieur
Oussedik Omar : secrétaire d'Etat à l'Intérieur
Stamboul Mostefa : secrétaire d'Etat à l'Intérieur.

On peut s'étonner de voir Ferhat Abbas, qui vingt ans plus tôt plaidait pour la francisation, être intronisé chef de ce premier GPRA. Le personnage a de l'entregent. Son sens politique certain lui a fait prendre les bons virages au bon moment. Son expérience, sa connaissance des milieux politiques français pourraient être utiles lorsqu'il faudra négocier. Une négociation que sa modération peut rendre possible.

Il n'est en fàit qu'une potiche et n'en est pas dupe. Le vrai pouvoir est entre les mains de trois hommes qui représentent l'ALN. Krim Belkacem, Bentobbal et Boussouf tiennent à cette date les rouages

1. Dans les villes, les commissions de contrôle ont assuré une relative légalité.

essentiels : les wilayas de l'intérieur et les faïleks de l'extérieur. Une situation qui ne sera pas éternelle.

Quant aux prisonniers de la Santé [1], ils ont eu droit à une politesse. Une vice-présidence pour Ben Bella, des ministères d'Etat pour les autres leur apportent des lots de consolation. Sans plus.

La création de ce GPRA, par-delà les divergences internes, constitue un acte politique d'importance. Elle est l'affirmation de l'existence proche d'une République algérienne. Le FLN s'est donné les moyens d'une large représentativité. Sa position sur la scène internationale en sortira renforcée. De nombreux Etats le comprendront ainsi et reconnaîtront ce nouveau GPRA.

*

Les combattants algériens ont connu une année difficile en 1958. Ce n'est rien par rapport à ce qui les attend en 1959. Plan Challe, bleuite, purges vont les décimer.

Challe a hérité de Salan une situation qui n'est pas si mauvaise : les frontières sont quasiment imperméables, les unités de réserve générale (paras, légionnaires) d'excellente qualité. Les commandos de secteur, sous des vocables variables, ne demandent qu'à en découdre et le font à l'occasion de bonne manière.

Le commandant en chef, sur fond d'Algérie française, dispose des moyens pour mener une action d'envergure, à savoir le plan qui portera son nom. Regroupant ses troupes de choc, il décide de balayer l'Algérie d'ouest en est. Le passage de ce rouleau compresseur « cassera » les katibas. Les bandes rescapées deviendront des proies à la portée des troupes de secteur et des commandos intitulés désormais commandos de chasse.

Le 6 février 1959, le plan Challe démarre en Oranie. Du 18 avril au 18 juin, il glisse sur l'Ouarsenis et l'Algérois, du 5 au 7 juillet sur le Hodna. A la fin du mois, l'opération Jumelles s'en prend aux grands fiefs rebelles du Djurdjura, de l'Akfadou et du Babor. En novembre interviendra Pierres précieuses, de Djidjelli à Collo.

Avec l'approche de l'hiver, le général d'aviation innove. Il laisse ses troupes sur le terrain de Jumelles et Pierres précieuses. L'insécurité change de camp. Le djebel n'appartient plus à l'ALN mais à l'armée française. Les résultats sont spectaculaires. Pour 1959, 26 000 djounoud ou moussebilines tués, 10 800 faits prisonniers, 50 800 armes

1. Ou de Fresnes.

récupérées. Des chefs de renom ont été tués : le colonel Si M'Hamed, commandant la wilaya 4, le 5 mai ; les colonels Amirouche et Si Haoues, commandants les wilayas 3 et 6, fin mai ; le commandant Mira de la wilaya 3, le 5 novembre.

Hocine Rahouane, combattant des maquis kabyles de 1957 à 1960 peut écrire :

> « Pour la première fois, autant que je sache, dans l'histoire des maquis, de jeunes combattants se demandaient ce qu'il adviendrait si la France gagnait. »

Le plan Challe provoque des ravages, mais la bleuite et les purges tout autant.

La bleuite tire son nom du bleu de chauffe dont le capitaine Léger, sur Alger, avait équipé ses harkis, anciens rebelles ralliés. Elle est la maladie de la délation, de la suspicion.

Durant la bataille d'Alger, le colonel Godard et Léger ont laissé supposer à leurs prisonniers qu'ils savaient déjà tout, possédant des indicateurs partout. Des noms ont été cités. Tel commandant de katiba, tel adjoint de nahia (région) communiquent régulièrement des renseignements. Des papiers ont traîné comme par hasard, courrier de celui-ci ou de celui-là. Le doute puis la certitude se sont enracinés chez des militants traumatisés par leur arrestation : « Ce compagnon de lutte serait donc un traître... »

Des prisonniers ainsi conditionnés ont été relâchés ou mis dans les conditions d'une évasion aisée. Quelques-uns se sont vu proposer une mission de conciliation qu'ils ont acceptée pour recouvrer leur liberté. Ils ne se doutaient pas qu'ils s'éloignaient porteurs de documents compromettants camouflés dans leurs vêtements. Arrivés près des leurs, ces libérés ou « évadés » ont parlé. Ils ont révélé ce qu'ils avaient découvert. La bleuite s'enclenche. La suspicion envahit les responsables. Ils veulent en savoir plus. Les anciens prisonniers deviennent suspects. Une fouille les accable. La torture leur fait raconter des romans qui entraînent des arrestations, d'autres tortures, d'autres arrestations et évidemment une cascade d'exécutions. Des atrabilaires comme Amirouche s'en mêlant, la bleuite fait des ravages. Beaucoup de victimes sont des cadres, anciens étudiants. Amirouche et ses semblables n'aiment pas les intellectuels.

La bleuite frappe principalement la Grande Kabylie et l'Algérois. Les purges sont l'expression des rivalités intestines. Elles déciment aussi bien les maquis de l'intérieur que les bases extérieures. Abane Ramdane en a été la victime la plus notoire fin 1957. Le colonel Amouri, commandant la wilaya 1, qui s'oppose à Krim Belkacem, est exécuté en Tunisie le 16 mars 1959 ainsi que le colonel Nouaoura. Le capitaine Zoubir connaîtra le même sort au Maroc début 1960. Et ce n'est pas fini. Bon nombre de ceux-là seront réhabilités par la suite. Dans le camp des tortionnaires épurateurs se signale le « docteur Hassan, dit le coupeur de langues », chef de la mintaka 3 de la wilaya 4. Hassan laisse derrière lui une traînée de sang. Il voit des coupables partout.

Ces jugements sommaires, ces exécutions ont fait environ 15 000 morts. Un tel tribut n'est pas de nature à renforcer la cohésion du FLN et de la future nation. Il explique bien des haines, bien des affrontements à venir.

*

A priori, le ciel était serein. Ne soufflait qu'une brise Algérie française. Soudain, le 16 septembre, de Gaulle dévoile en partie ses batteries. Sa voix a une intonation inattendue :

> « Grâce au progrès de la pacification, au progrès démocratique, au progrès social, on peut maintenant envisager le jour où les hommes et les femmes qui habitent l'Algérie seront en mesure de décider de leur destin, une fois pour toutes, librement, en connaissance de cause. Compte tenu de toutes les données algériennes, nationales et internationales, je désire que le recours à l'autodétermination soit, dès aujourd'hui, proclamé. Au nom de la France et de la République, en vertu du pouvoir que m'attribue la Constitution de consulter les citoyens, pourvu que Dieu me prête vie et que le peuple m'écoute, je m'engage à demander, d'une part, aux Algériens, dans leurs douze départements, ce qu'ils veulent être en définitive et, d'autre part, à tous les Français d'entériner ce choix. »

Recours à l'autodétermination ! La donne est nouvelle. Elle s'éloigne de l'Algérie française « pure et dure », solennellement affichée par les banderoles du style « Une seule France de Dunkerque à Tamanrasset ».

Chacun s'aperçoit aussitôt que le cours des événements se modifie.

– Le GPRA prend acte d'une déclaration qui, sur le fond, conforte sa certitude dans l'issue du combat ;

– Les Algériens comprennent : l'Algérie française, de Gaulle n'en veut pas puisqu'il annonce autre chose ;

– Les Européens, avec leur finesse de Latins, lisent entre les lignes.

De Gaulle, en avançant la notion d'autodétermination, a envisagé trois hypothèses : francisation, fédération, sécession. Sécession signifie indépendance. Donc pour les Pieds-Noirs la fin de leur existence présente sur le sol algérien.

Les militaires dans l'immédiat demeurent, à quelques exceptions près, assez loin de ces « subtilités » politiques. Ils ont mieux à faire. Le plan Challe bat son plein. Ils doivent gagner la guerre sur le terrain.

Les dernières semaines du second semestre 1959 s'écoulent. On se bat dans les djebels. On complote à Alger et Tunis. Les Européens tirent des plans pour renverser de Gaulle. Le GPRA doit tenir compte des colonels.

*

En janvier 1960, l'éviction, suite à un entretien malencontreux, du général Massu, le héros des Algérois depuis la bataille d'Alger et le 13 mai, procure aux activistes l'occasion de renouveler ce 13 mai qui leur a si bien réussi. Lagaillarde, Ortiz rallument la poudrière algéroise. Mais les barricades ne conduisent qu'à un fiasco sanglant. L'armée n'a pas suivi. La métropole encore moins. Le locataire de l'Elysée a haussé le ton et a été écouté.

Cet épisode est aussi malheureux que négatif pour les tenants de l'Algérie française. Les officiers qui ont montré trop de sympathies pour les insurgés des barricades sont mutés en métropole. Challe est rappelé. Les unités territoriales sont dissoutes, enlevant aux Européens leur bras armé légal. L'armée en pleine bataille n'apprécie pas les perturbateurs qui ont causé des morts dans ses rangs [1]. Le divorce plus ou moins latent avec la population européenne se confirme et s'aggrave.

Durant ce temps, les combats ne cessent pas. L'hiver est rude pour les combattants, surtout ceux des wilayas. Pas de secours possibles, les frontières sont verrouillées. Peu d'armement, peu de vivres, les caches ont été découvertes et vidées. Embuscades, patrouilles, coups de main héliportés, « ratissages » créent une insécurité permanente.

C'est humain : face à une telle adversité, bien des djounoud se cabrent et se découragent. Ils ont le sentiment d'être abandonnés par les gens de l'extérieur. Ils ne voient que la mort au bout de leur chemin. Des chefs de renommée continuent de tomber. Le colonel Lofti, commandant la wilaya 5, est tué en rentrant en Oranie le 28 mars 1960.

Alors les récriminations fusent envers les « planqués » de Tunis.

---

1. 14 gardes mobiles ont été tués, 125 blessés.

Des messages virulents sont expédiés. Des injures on passe aux actes. Les ralliements individuels ou collectifs se multiplient au premier semestre 1960. Déjà le 21 mars 1959, la katiba d'Ali Hambla, avec 156 djounoud armés et encadrés, avait franchi le barrage tunisien et rejoint le 3e hussards. Il n'est pas que des militaires dans le lot. Plusieurs fonctionnaires du GPRA, révoltés par le comportement de leurs patrons, gagnent clandestinement Alger. L'un d'eux, Kouara Mabrouk, est le propre adjoint de Krim Belkacem aux Affaires étrangères. Il sera assassiné à Alger le 24 août 1961.

*

A Tunis, les dirigeants continuent leur lutte sournoise, mêlant complots, détournements de fonds, arrestations, liquidations pures et simples. Allaoua Amira, représentant du GPRA à Beyrouth, proche du docteur Debaghine, arrêté par les services de Boussouf, est retrouvé sans vie. De cette époque Kaïd Ahmed écrira : « Il y a eu une réunion au Caire pendant vingt-cinq jours où chacun gardait sa mitraillette sous son paletot. »

En janvier 1960, le premier GPRA est remanié. Le docteur Debaghine, Cherif Mahmoud, Tawfiq El-Madani sont éliminés. Krim Belkacem affecté aux Affaires étrangères est en partie écarté des réalités du pouvoir. Les deux hommes forts sont plus que jamais Bentobbal à l'Intérieur, Boussouf à l'Armement et aux Liaisons générales. De là, ils gardent la main sur les wilayas.

Deux personnalités émergent de plus en plus à la tête de l'état-major général : le colonel Mohammedi Saïd, patron de l'ALN de Tunisie, et le colonel Boumedienne, patron de celle du Maroc. Les deux colonels ont réussi à faire entrer des gens à eux au CNRA remanié en décembre 1959 : les commandants Ali Mendjeli [1], Kaïd Ahmed [2], Ali Souahi, Amar Rejaï [3], Tahar Zbiri [4], Ahmed Bencherif. L'élément militaire domine très largement le second CNRA.

*

Peu après son retour, le 23 octobre 1958, de Gaulle s'est adressé aux combattants adverses :

---

1. Futur opposant à Boumedienne.
2. Plusieurs fois ministre puis opposant à Boumedienne, Kaïd Ahmed mourra en exil en 1978, victime d'un cancer selon les uns, empoisonné selon les autres.
3. Souahi, Rejaï seront tués en franchissant la ligne Morice.
4. Le colonel Zbiri tentera un coup d'Etat contre Boumedienne en 1967 et vivra longtemps en exil.

« Que vienne *la paix des braves*, et je suis sûr que les haines iront en s'effaçant. J'ai parlé de la paix des braves. Qu'est-ce à dire ? Simplement ceci : que ceux qui ont ouvert le feu le cessent et qu'ils retournent, sans humiliation, à leurs familles et à leur travail.

On me dit : Mais comment peuvent-ils faire pour arranger la fin des combats ?

Je réponds : Là où il sont organisés pour la lutte, il ne tient qu'à leurs chefs de prendre contact avec le commandement. »

La paix des braves ! La formule a plu à l'armée française qui sait reconnaître le courage de ceux qu'elle a mission de traquer. Pratiquement, elle n'a guère trouvé d'échos collectifs. Sauf cas d'espèce, seules des individualités ont opté pour cette fameuse paix des braves.

Au début de 1960, l'offre de De Gaulle prend toute sa valeur. Militairement, la guerre est perdue pour les djounoud de l'intérieur. Ils ne luttent plus que pour survivre.

Le commandant Si Salah [1], commandant politique et militaire (CPM) de la wilaya 4 depuis la mort du colonel Si M'Hamed, est conscient de l'usure de ses troupes et ne dissimule pas sa rancœur vis-à-vis de Tunis. Il charge trois de ses officiers [2] de prendre contact avec les Français. La filière amorcée par Abdelkader Marighi, cadi de Médéa, remonte jusqu'à Michel Debré, Premier ministre, via Edmond Michelet, le garde des Sceaux. Informé, de Gaulle donne son feu vert pour entamer des négociations qui se situent dans le droit fil de sa « paix des braves ». Deux émissaires, Bernard Tricot et le colonel Mathon, partent pour Médéa.

De discussions en discussions, le dossier prend ampleur. Des formules se précisent, axées sur le cessez-le-feu demandé par les Algériens. Les armes seraient laissées en « gardiennage » dans les gendarmeries. Les combattants seraient libres de choisir leur avenir. Les poursuites ? Il n'y en aurait pas.

Ces perspectives ressemblent fort à un ralliement, terme qui évidemment n'est pas prononcé.

Les Algériens affirment en outre parler non seulement au nom de leur wilaya mais également au nom de la wilaya 3 du colonel Mohand Ould el-Hadj, d'une partie de la wilaya 5 et de ce qui subsiste de la wilaya 6. Sur le plan politique, ils déclarent faire entière confiance à de Gaulle pour prolonger l'évolution engagée.

---

1. Zamoum Mohammed, kabyle, né en 1928.
2. Commandants Lakhdar, Abdellatif, Halim.

S'oriente-t-on vers la « paix des braves », c'est-à-dire vers un cessez-le-feu sur les deux tiers de l'Algérie ? Ce n'est pas impossible. Le 9 juin, Si Salah et ses deux adjoints, les commandants Si Mohammed et Lakhdar, s'envolent de Maison-Blanche pour en débattre à Paris. A leur grande surprise, ils sont reçus secrètement à l'Elysée, le lendemain vers vingt-deux heures, par de Gaulle en personne. Entrevue qui confirme les précédentes déclarations des chefs de la wilaya 4.

L'intervention personnelle du chef de l'Etat laisse supposer qu'il accorde crédit à la démarche de Si Salah. Alors, approche-t-on du but, soit donc d'un cessez-le-feu négocié ? Non !

– Edmond Michelet a alerté Krim Belkacem, son interlocuteur habituel au GPRA, de ce qui se tramait du côté de Si Salah. Les « extérieurs », persuadés du danger que représente pour eux une négociation des Français avec la résistance intérieure, expédient sur place un homme lige de toute confiance, le commandant Ahmed Ben Cherif. Ben Cherif « retournera » Si Mohammed, fera arrêter Si Salah et exécuter Lakhdar, Abdellatif, Halim et tous ceux qui, de près ou de loin, ont trempé dans l'affaire.

– De Gaulle, le 14 juin, lance un appel formel au GPRA afin d'entamer des pourparlers de paix.

Prévenu de la rencontre de l'Elysée qui peut lui couper l'herbe sous les pieds, le GPRA ne se fait pas inviter deux fois. Le 25 juin, deux membres du CNRA, Mohammed Benyahia et Ahmed Boumendjel, débarquent à Orly. Les pourparlers se déroulent à la préfecture de Melun.

Sur-le-champ, ils ne débouchent pas. Reconnaissance de la nationalité algérienne exigée par le FLN, cessez-le-feu préalable à toutes discussions de fond pour les Français constituent des obstacles insurmontables. Melun se solde par un échec. Un échec apparent. Les deux parties ne sont pas perdantes. De Gaulle a manifesté son désir de traiter et avance dans sa marche vers l'indépendance algérienne. Le FLN a été reconnu comme interlocuteur officiel.

Melun a au passage remisé Si Salah dans les oubliettes. La poigne de Ben Cherif aidant, Si Mohammed prend le commandement de la wilaya 4. Si Salah sera tué un an plus tard, le 20 juillet 1961, sur une crête du Djurdjura, par un commando de chasse. Convoqué par le GPRA, il se rendait en Tunisie, avec une faible escorte. Ses derniers mots seront : « De Gaulle nous a trahis. C'est lui le responsable de mon sort. »

Si Mohammed, traqué par les paras du 11ᵉ choc, suivant les ordres venus de très haut, sera abattu dans les faubourgs de Blida le 7 août 1961.

Tous les témoins algériens de la rencontre du 10 juin 1960 à l'Elysée ont disparu. Les témoins français, eux, ont reçu ordre de se taire [1].

*

Le second semestre de 1960 est paradoxal. La situation militaire du FLN en Algérie est de plus en plus difficile. En août, Ferhat Abbas lance un cri d'alarme à ses pairs.

> « Il convient de partir des constatations suivantes :
> a. Il devient de plus en plus impossible de franchir les barrages pour alimenter la révolution de l'intérieur du pays.
> b. Les maquis ne sauraient sinon aller à la victoire, du moins vivre longtemps, s'ils ne sont pas dirigés, alimentés par des troupes fraîches, un armement efficace et de l'argent en quantité.
> De ces constatations on peut déduire que :
> a. Les maquis demeurent isolés de l'extérieur et isolés entre eux.
> b. De plus en plus il existe deux FLN coupés l'un de l'autre, celui de l'intérieur et celui de l'extérieur.
> c. De plus en plus, à l'insécurité permanente de l'occupant, avec les conséquences économiques, politiques et stratégiques qu'on était en droit d'attendre, s'est peu à peu substituée l'insécurité permanente de l'ALN (celle-ci ne peut rester en général plus de douze heures dans un même village).
> d. De plus en plus, le GPRA méritera, s'il ne cherche pas et n'applique pas les moyens de modifier radicalement une telle situation, d'être appelé "l'organisation extérieure de la rébellion" sans aucun lien avec l'intérieur, ce qui est lourd de conséquences politiques...
> Si le peuple n'est pas pour la France, il faudrait être, en revanche, optimiste pour soutenir qu'il est de pair avec le GPRA. L'infrastructure organique a été démantelée dans les centres urbains et est de plus en plus inexistante dans les campagnes [2]. »

---

1. Pourquoi de Gaulle n'a-t-il pas donné suite à son entretien avec Si Salah et préféré traiter avec le GPRA ? Vaste débat. Interlocuteurs jugés trop faibles artisans ? Solution allongeant les délais pour se dégager de l'affaire algérienne ? Etc. Voir sur ce sujet, du même auteur chez le même éditeur, *L'Affaire Si Salah*.

2. Mohammed Harbi, ouvr. cit., p. 275 : rapport de Ferhat Abbas au GPRA le 4 août 1960.

Le FLN, en mauvaise posture sur le terrain, est pourtant en train de gagner la partie. Sa représentativité internationale s'est améliorée. Il a été largement reconnu. Melun et des propos de plus en plus explicites de De Gaulle, type : « L'Algérie algérienne est en marche » (5 septembre), « La République algérienne, laquelle existera un jour mais n'a jamais existé » (4 novembre), finissent d'éclairer les Algériens, ceux des villes tout au moins : de Gaulle va vers l'indépendance. Le FLN sortira vainqueur de la lutte engagée le 1er novembre 1954.

Dans cette course à la victoire entre FLN, partisans de l'Algérie française et MNA, le dernier nommé n'est pratiquement plus en lice. Ses émissaires, ses cadres ont été presque partout évincés par leurs concurrents FLN, liquidés sommairement le plus souvent ou arrêtés par les Français. Mohammed Meftah, successeur de Bellounis, a été tué. Abdallah Selmi qui l'a remplacé n'a plus autour de lui qu'un millier d'hommes.

Sans doute parce que son mouvement ne représente plus un danger, Messali Hadj a été libéré le 15 janvier 1959 et s'est librement installé à Chantilly [1]. Malgré tout, l'audience du zaïm n'est pas éteinte. A son arrivée à Chantilly, des centaines d'Algériens l'attendaient sous la pluie et ont entonné l'hymne national. Le FLN en a-t-il pris ombrage ? En octobre 1959, Messali Hadj est victime d'une tentative d'assassinat. Un garde du corps se place courageusement devant lui et écope du coup mortel. Le tueur s'éclipsera.

Cette fidélité de certains n'empêche pas les défections. Devant l'issue qui se rapproche, des messalistes de plus en plus nombreux rejoignent le FLN.

Dans les villes, les Algériens ont également compris. Ceux-là mêmes qui au lendemain du 13 mai clamaient à la fraternité changent de ton. Le dernier voyage de De Gaulle en Algérie, en décembre 1960, leur donne l'occasion de manifester en masse dans les rues d'Alger. Ils déferlent du Clos Salembier, de la cité Mahieddine, de la Casbah... Aux « Yahia de Gaulle » se joignent les « Yahia Algérie » ou « Vive le FLN ! ». L'emblème vert et blanc surgit au-dessus des têtes. Le nationalisme s'étale sans retenue, à peine contrarié par l'Armée française.

Décimé dans les djebels et dans le bled par le plan Challe, contré par le travail en profondeur des SAS en milieu rural, le FLN s'est rabattu sur les grandes villes. L'orientation conduite par de Gaulle y était plus aisément perceptible. Des SAU ont, de leur côté joué avec

1. Il se chuchote même que depuis 1945, Messali Hadj n'est plus qu'un informateur, « Monsieur Léon », de la police française. Ce qui expliquerait son évolution et ses atermoiements pour passer à l'action armée.

le feu en incitant à crier « Vive de Gaulle ! ». De là, il n'y avait pas loin pour lancer : « Vive Ferhat Abbas ! », « Vive le FLN ! ».

Le grand virage est pris. Le référendum organisé du 6 au 8 janvier 1961 pour approuver la politique algérienne du chef de l'Etat apporte 70 % de oui en Algérie. Mais 55 % seulement des électeurs ont voté. Poids du FLN qui a prôné l'abstention. Poids des Européens dans les grandes villes votant massivement non. Division de l'armée. Suivant les sensibilités – fidélité à de Gaulle ou à l'Algérie française –, l'encadrement a invité les population à voter oui ou non.

*

En 1961-1962, la guerre d'Algérie se transforme en crise franco-française : pour ou contre l'Algérie française. Le FLN sait où de Gaulie veut en venir. Il n'a qu'à attendre son heure. Dans les djebels, les djounoud rescapés s'efforcent de survivre, non sans mal, car bien des officiers n'ont pas renoncé. Si Salah est victime de l'un de ces obstinés. Le capitaine Gaston, chef de partisan IV, le commando de chasse du 22ᵉ BCA à Bouira, montera l'embuscade qui sera fatale à l'ancien commandant de la wilaya 4.

Le climat du moment est passionnel. Il est essentiel de ne pas l'oublier pour comprendre la trame et l'origine des événements qui se succèdent :

– Putsch dit des généraux le 22 avril 1961. Pronunciamiento voué à l'échec devant l'opposition de l'opinion publique métropolitaine et du contingent renforcée par l'autorité du chef de l'Etat.

– Apparition de l'OAS (Organisation Armée Secrète), regroupement hétérogène des désespérados civils et militaires de l'Algérie française, approuvé et soutenu par les Pieds-Noirs. A Alger, à Oran, l'OAS n'est pas à dédaigner. Ailleurs, son emprise reste limitée suite à la faible densité de l'implantation européenne. Les maquis qui tenteront de s'organiser seront vite neutralisés par une armée française rivée aux ordres reçus.

– Arrêt en mai 1961 des opérations offensives, afin de prouver la bonne volonté parisienne. C'en est fini des grandes opérations style Plan Challe. Du reste, la majorité des régiments parachutistes compromis dans le putsch d'avril est rapatriée.

– Des dissidents du MNA, initialement manipulés par le gouvernement français [1], tentent une ultime manœuvre. Lamine Belhadi,

1. Le Premier ministre, Michel Debré, hier partisan virulent de l'Algérie française et regardé à ce titre comme le père spirituel de l'OAS, espère par ce biais créer une troisième force pour contrebalancer le FLN dans les négociations.

Khelifa Ben Amar, Laïd Kheffache, Boulenouar, Bensaïd, Belhache créent le Front algérien d'Action démocratique (FAAD). Ce FAAD, par hostilité au FLN, se rapproche de l'OAS (les tentatives de collaboration entre les deux organisations seront à l'origine de l'arrestation du général Salan, devenu le chef de l'OAS, le 20 avril 1962). La haine du FLN est une chose. La pente sur laquelle glisse l'issue de la guerre en est une autre. Elle s'accentue constamment en faveur du seul FLN. Le FAAD aura du mal à recruter. En octobre 1961, le gouvernement français, qui sent que Belhadi et ses amis lui échappent au profit de l'OAS, ordonne de couper les ponts. Le FAAD, scission supplémentaire au sein des Algériens, sera lui aussi emporté par la tempête.

L'essentiel n'est plus là. Il s'élabore dans les coulisses. Melun a posé le premier jalon. En février 1961, Georges Pompidou et Bruno de Leusse, envoyés spéciaux de Charles de Gaulle, ont rencontré Boumendjel et Boulahrouf à Genève. Les deux Algériens ont écouté mais se sont montrés évasifs.

Des négociations officieuses reprennent à Evian le 20 mai. Comme à Melun, les Français réclament un cessez-le-feu et rejettent une souveraineté algérienne sur le Sahara. Dans l'impasse, on se donne à nouveau rendez-vous à Lugrin le 20 juillet.

Lugrin du 20 au 28 juillet ne permet pas d'avancer. Chacun campe sur ses positions et les démêlés internes du FLN et du GPRA ne facilitent rien. En août, Ferhat Abbas est évincé au profit de Ben Khedda, jugé plus dur. L'état-major général entre en lutte ouverte contre son gouvernement. Dans de telles conditions, Ben Khedda prescrit aux wilayas de l'intérieur de rompre avec l'EMG, l'état-major général. Le grand affrontement des politiques du GPRA et des officiers de l'EMG est déclenché.

De Gaulle a hâte d'en finir, quels que soient les états d'âme de certains militaires et la révolte effective de l'OAS. Aux Rousses, du 11 au 19 février 1962, deux ministres, Louis Joxe [1] et Robert Buron, reprennent le dialogue. Fidèles aux ordres reçus de De Gaulle, ils précipitent le dénouement [2]. C'est le satisfecit aux exigences algériennes, y compris sur le Sahara. Une seule clause intéressait vraiment de Gaulle : conserver une base d'essais atomiques au Sahara aussi longtemps que les champs de tir du Pacifique ne seraient pas prêts [3]. Le

1. Louis Joxe est ministre des Affaires algériennes.

2. Robert Buron le reconnaît formellement dans ses *Carnets politiques de la guerre d'Algérie*, ouvr. cité.

3. La première bombe atomique française a explosé à Reggane (Sahara) le 13 février 1960.

18 mars sont signés les accords dits d'Evian conduisant à court terme à l'indépendance de l'Algérie. Le cessez-le-feu interviendra le 19 mars.

L'Algérie algérienne était inéluctable, on l'a souligné. La spécificité des départements algériens s'inscrivait dans la logique du peuplement et de la religion. Mais qui prendrait en charge et comment cette terre que la France avait fécondée ? Boualam dans l'amitié ? Si Salah dans l'alliance ? Messali Hadj dans la connivence ? Ben Khedda dans l'hostilité ? La palette des sensibilités était large. Alors qui ? Tous, plusieurs, un seul ? De Gaulle a tranché. Le FLN est l'unique partenaire autorisé à s'attabler. Les autres n'ont même pas droit aux miettes.

Evian – l'expérience le démontrera – n'est que la réplique de Versailles en 1919. Faute de garanties, les accords signés seront traités en « chiffon de papier » vite déchiré, entraînant l'abandon et l'exode des Pieds-Noirs, le massacre des harkis, l'avènement du parti unique en Algérie. Trente-six ans après Evian, la France n'est en rien responsable de ce qui se déroule dans un Etat plus qu'arrivé à majorité. Mais Charles de Gaulle, à Evian, a orienté le convoi sur une singulière destination...

*

Le divorce franco-algérien est entré dans sa phase finale. Comme tout divorce, il laisse des séquelles douloureuses [1].

Pourtant le conflit ne laisse pas le pays exsangue et ruiné. L'Algérie de 1962 ne ressemble en rien à l'Europe de 1945. Infrastructures, industries, commerce, agriculture fonctionnent. Axes de communications [2], ouvrages d'art, bâtiments publics ou privés [3] sont presque partout intacts. Certes des mechtas ont été incendiées, des fermes, des maisons forestières, des écoles, des bâtiments agricoles détruits. Des forêts ont brûlé. Des douars ont été évacués. 1 700 000 FSNA ont été regroupés. Ces destructions, ces déplacements ont altéré une partie de la vie rurale traditionnelle. Pour le reste, l'Algérie, phénomène contradictoire, a connu un formidable bond en avant.

1. Voir plus bas.

2. Les voies ferrées n'ont jamais été coupées définitivement, à l'exception de la ligne Constantine-Guelma par Oued Zenati, suite à des crues en 1958. La voie n'a pas été remise en état et le trafic détourné par Bône. De même la liaison ferroviaire est interrompue au-delà de Souk Ahras, vers la Tunisie, cette fois à cause de sabotages.

3. Les dégâts occasionnés sur Alger et Oran à des bâtiments publics par l'OAS sont limités.

1956 a ouvert le pas à des grand bouleversements par la création de 13 départements [1], 76 arrondissements et 1 400 communes remplaçant les trois départements traditionnels et les communes mixtes hypertrophiées. Cette restructuration a offert les possibilités de repenser le cadre économique du pays.

Succédant aux précédents investissements pour affronter le paupérisme de la majorité de la population algérienne, le plan de Constantine d'octobre 1958 s'est affirmé un autre grand tournant majeur. 210 000 logements en secteur urbain, 110 000 en secteur rural ont été prévus. Ces quotas sont partis pour être tenus, voire dépassés.

L'emploi devait être le premier bénéficiaire de ce nouvel élan, avec 115 000 en secteur industriel, 145 000 dans le bâtiment, 130 000 dans le tertiaire. Là encore les objectifs sont tenus, d'autant que s'ajoute une politique de grands travaux. Arzew, Bougie deviennent des plates-formes industrielles terminus des conduites de gaz d'Hassi R'Mel ou de pétrole d'Hassi Messaoud. La sidérurgie démarre à Bône. Des usines s'implantent : Michelin à Hussein Dey, Ciments Lafarge à Rivet, etc. L'exploitation des richesses minières se développe. Une voie ferrée Tebessa-Bir el-Ater est mise en chantier pour l'évacuation des phosphates du djebel Onk. L'hydraulique suit. L'imposant barrage sur le Djen-Djen (Petite Kabylie) doit entrer en service en 1962. Pour l'agriculture, une première réforme agraire engage la redistribution de 250 000 hectares. 1 200 villages ont été édifiés à l'intention des déplacés. Des travaux de DRS se poursuivent à grande échelle.

Ce bref regard sur l'acquis économique des années de guerre signifie que quelque chose a bien changé en Algérie. Le rapport sur l'activité de l'administration en Algérie au cours de l'année 1960 conclut : « Faire de l'Algérie un pays moderne, c'est aussi faire accéder ses hommes à la dignité de citoyens authentiques. » La France avait compris. Trop tard !

Parlant de la situation de l'Algérie en 1962, Ferhat Abbas écrira : « L'héritage de la France était magnifique [2]. »

*

Le 19 mars 1962 apporte théoriquement la paix. Théoriquement seulement, car le sang continue de couler.

L'OAS sur Alger et Oran poursuit son combat dans l'espoir d'être

---

1. Tlemcen, Oran, Saïda, Mostaganem, Orléansville, Tiaret, Alger, Médéa, Tizi Ouzou, Sétif, Bône, Constantine, Batna (plus les départements sahariens).

2. *L'indépendance confisquée*, ouvr. cité.

reconnue comme interlocuteur incontournable et de sauver ce qui peut être sauvé. Hors de ces deux grandes villes, son action ne débouche pas et en quelques semaines elle est décapitée. Ses chefs, Jouhaud, Degueldre, Salan sont successivement arrêtés, sans suspendre toutefois la frénésie du désespoir qui étreint les plus acharnés.

L'Armée française, une partie du moins, brûle ce qu'elle a adoré. Elle participe à la lutte contre les révoltés de l'Algérie française. Elle tire sur les manifestants européens à Alger le 26 mars. Elle désarme les musulmans francophiles.

Le FLN met les bouchées doubles pour dominer le bled avant que ses troupes soient autorisées à pénétrer dans les villes. Des combats l'opposent encore à l'armée française, dont 300 soldats sont tués du 19 mars au 1er juillet. Chaque jour des Européens sont enlevés, assassinés.

Un exécutif provisoire sous la présidence d'Abderrahmane Farès est mis en place pour assurer le relais entre les administrations françaises et celles du FLN. Une force locale est constituée afin de participer au maintien de l'ordre. Elle génère surtout des déserteurs soucieux de se dédouaner. Les wilayas de l'intérieur peuvent ainsi se refaire une santé en hommes et matériel (en deux mois, elles récupèrent 25 000 armes individuelles et 440 collectives).

Le 8 avril, les électeurs métropolitains entérinent à 90,7 % la politique algérienne du général de Gaulle. Européens et Musulmans d'Algérie ne sont pas consultés.

Mai connaît un redoublement de violence sur Alger entre OAS, FLN et forces de l'ordre. Un racisme aveugle frappe de chaque côté. Mais chez les Européens, l'espérance s'évanouit. L'heure tragique de « la valise ou le cercueil » a sonné. Les accords Susini-Mostefaï arrêtent les affrontements sur Alger le 17 juin, facilitant les départs. A Oran, les combats se prolongent jusqu'au 27, mais l'exode est déjà largement entamé. Par bateau, par avion, les Pieds-Noirs fuient leur terre natale pour échapper aux enlèvements, assassinats, viols, sévices.

Le 1er juillet, enfin, intervient en Algérie le scrutin sur l'indépendance. 5 971 581 oui écrasent 16 534 non [1]. Le 3 juillet, de Gaulle reconnaît l'indépendance de l'Algérie au nom de la France.

---

1. Evidemment les Européens n'ont pratiquement pas voté. Ce 1er juillet 1962, ils sont déjà loin ou, leur maigre baluchon à la main, ils guettent le navire ou l'avion qui les emportera.

Quant aux Algériens francophiles, il leur est inutile de se faire remarquer dans ces élections qui sont à l'image de ce qu'elles furent presque toujours en Algérie.

Cent trente-deux ans presque jour pour jour après l'entrée de Bourmont dans la cité barbaresque, le drapeau vert et blanc remplace le drapeau tricolore sur Alger.

*

La guerre d'indépendance est terminée. Elle a duré huit ans. Personne n'a ménagé ses coups. Des haines inexpiables ont germé. Il fallait être bien naïf pour supposer que les vengeances ne s'exerceraient pas ou assez criminel pour ne rien faire afin de les prévenir.

La traque vengeresse a commencé le 19 mars, le FLN n'ayant plus à se garder côté français. Elle vise les membres et sympathisants du MNA, les alliés et amis de la France, sans épargner les Européens dans une xénophobie sauvage. 10 000 Français, n'ayant pu fuir à temps, ne seront jamais retrouvés.

Conformément aux accords d'Evian, la France libère tous les détenus algériens. Pour les messalistes, la liberté devient l'antichambre de la mort. En prison, ils ont pu être longuement identifiés et repérés. A leur sortie, les tueurs les attendent. Dans le sud algérois, Abdallah Selmi commandait encore 850 combattants en armes. Isolé, sans lendemains, il accepte de faire sa reddition, se fiant aux bonnes paroles – certaines françaises – qui lui sont prodiguées. Avant la fin de l'année, ses hommes et lui auront tous été massacrés.

Ils étaient, on l'a vu, plus de 200 000, tous ceux que la terminologie désigne aujourd'hui sous le nom de harkis. Dans les harkas, les GMS, les GAD, les maghzens ou autres formations, ils avaient pactisé avec la France. Pour eux comme pour tous ceux qui se sont également compromis, élus, anciens combattants, policiers, etc., que faire ? Partir ou rester ?

Certains font confiance, comme l'encadrement le leur conseille. Ils se laissent berner par des propos apaisants et rentrent chez eux.

Nombreux sont abandonnés purement et simplement par ce même encadrement, après avoir été désarmés et démobilisés. C'est le sort d'un commando d'Oranie dont les patrons « à la belle époque » ne dédaignaient pas la publicité faite autour de leurs succès. Un cas qui est loin d'être unique...

Beaucoup, circonspects, voudraient trouver refuge en métropole. La directive très secrète du 23 mai de Louis Joxe, répondant obligatoirement à des ordres supérieurs, est sans appel :

> « Les renseignements qui me parviennent sur les rapatriements prématurés de supplétifs indiquent l'existence de

véritables réseaux tissés sur l'Algérie et la métropole dont la partie algérienne est souvent pour origine un chef de SAS. Je vous envoie au fur et à mesure la documentation que je reçois à ce sujet. Vous voudrez bien faire rechercher tant dans l'armée que dans l'administration les promoteurs et les complices de ces entreprises et faire prendre les sanctions appropriées.

Les supplétifs débarqués en métropole, en dehors du plan général de rapatriement, seront en principe renvoyés en Algérie ou ils devront rejoindre, avant qu'il soit statué sur leur destination définitive, le personnel regroupé suivant les directives des 7 et 11 avril. Je n'ignore pas que ce renvoi peut être interprété par les propagandistes de la sédition comme un refus d'assurer l'avenir de ceux qui nous sont demeurés fidèles. Il conviendra donc d'éviter de donner la moindre publicité à cette mesure. Mais ce qu'il faut surtout obtenir, c'est que le gouvernement ne soit plus amené à prendre une telle décision [1]. »

Dès lors, les candidats à l'exil sont refoulés, rejetés vers le sol algérien.

Il est cependant des officiers pour sauver leur honneur. Outrepassant les directives reçues, ils font tant et si bien qu'ils réussissent à faire partir des harkis, parfois avec leurs familles.

Dans ce terrible dossier, il n'est donc de règle absolue hormis la directive de Louis Joxe et les prescriptions de subordonnés militaires sur le terrain. Des exemples tragiques illustrent la réalité du sort des harkis après le 19 mars 1962.

– A la harka de l'oued Berd (Kabylie des Babors), 42 supplétifs sont massacrés, 53 gagnent la France.

– Sur les 240 harkis du commando « Georges » mis sur pied par le colonel Bigeard à Saïda, quelques-uns seulement échappent à la mort.

– A Philippeville, les 40 harkis de la SAS des Beni Bechir, embarqués sur un bateau en partance pour la France, sont débarqués de force par l'armée française et massacrés place Marquet par le FLN.

– A la harka des Beni Laalem (Grande Kabylie), hommes, femmes, enfants, vieillards, soit plus de 600 personnes, sont massacrés.

– Les cadavres des harkis d'Edgar Quinet, désarmés par l'armée française en avril 1962, ainsi que ceux des membres de leurs familles,

---

1. Destinataire haut-commissaire de la République en Algérie. Cette directive a été répercutée dans toutes les zones militaires.

seront découverts des années après dans un immense charnier près de Kenchela.

Tous les malheureux bloqués pour une raison ou une autre en Algérie sont condamnés à un horrible martyre. Enchaînés, battus, ils endurent mille supplices avant d'être égorgés, brûlés vifs, empalés, enterrés vivants... Les chanceux, maltraités mais en vie, se retrouvent internés dans des camps, employés aux pires besognes. Beaucoup seront tués ou blessés en se livrant à des travaux de déminage sur la ligne Morice.

Combien ont ainsi péri, livrés à leurs bourreaux ? Le chiffre de 150 000 est généralement avancé (ce qui donnerait 900 000 morts à l'échelle d'un pays comme la France). Cette estimation souligne la gravité des tueries entre Algériens. Elle est peut-être un peu forte, ce qui n'en atténue pas pour autant l'horreur.

21 000 harkis seulement ont pu traverser la Méditerranée en 1962 [1]. 7 000 réguliers et supplétifs, 22 000 recrues de la Force locale précédemment sous les drapeaux ont déserté au printemps 1962. 10 000 tirailleurs ou enrôlés dans l'armée française ont été ramenés en France avant d'être démobilisés de 1963 à 1967 (parfois plus tard).

60 000 Algériens auraient ainsi échappé aux premières fureurs vengeresses. 50 000 à 70 000 autres ont dû survivre après d'effroyables épreuves et une longue captivité [2]. 22 000 libérés ou évadés rejoindront la France de 1963 à 1970. Le bilan effectif des victimes se situerait autour de 100 000, à majorer des tiers : parents, alliés, francophiles divers. On retombe alors dans le cadre global de 150 000 Algériens de toutes conditions, de tous âges et de tous sexes, massacrés par leurs coreligionnaires.

De ce génocide, accepté par les uns, effectué par les autres, certains estimeront qu'il relève du crime contre l'Humanité. Crime imprescriptible. A son sujet, la fille du grand honnête homme que fut Raymond Aron, devenue sociologue, pourra écrire :

« L'épisode des harkis constitue une des pages honteuses de l'histoire de France, comme l'ont été l'instauration du Statut des juifs ou la rafle du Vel d'Hiv. »

Assertion qui n'est pas sans fondements, surtout si l'on se réfère aux chiffres. 76 000 juifs, dont 24 000 juifs français, ont été livrés aux

1. Résultat du recensement de 1968 en France. Sur 138 000 Musulmans « rapatriés », 91 000 sont nés en Algérie et correspondent aux familles de 1962.

2. Au Sahara, des Chaambas, anciens méharistes français emprisonnés, ont été libérés afin de participer dans les rangs de l'armée algérienne à la « guerre des sables » contre le Maroc dans la région de Tindouf en octobre-novembre 1963.

Allemands et sont morts dans les camps d'extermination. 150 000 Algériens, dits harkis, ont été abandonnés et livrés à la vindicte de leurs coreligionnaires. Le génocide dans ce dernier cas est le double du précédent et, dans le cas présent, son déroulement était connu : on savait qu'après huit années d'une guerre inexpiable, les haines se déchaîneraient.

Tous les deux ont une origine commune : les ordres donnés par les pouvoirs publics français. Ils divergent cependant sur un point : l'administration française de Vichy a appliqué les directives reçues sans contrecoups. Aucun préfet, aucun commissaire de police, aucun gendarme n'a démissionné, ne s'est insurgé. Les juifs ont été raflés, emprisonnés. Les convois sont partis vers Drancy et Auschwitz. En 1962, des officiers se sont opposés, ont enfreint les instructions. Des harkis ont pu être sauvés. De nombreux cadres ont démissionné, ne voulant pas cautionner une telle ignominie. L'armée française de 1962 sort de ce drame beaucoup moins « salie » que l'administration de 1940 à 1944.

*

Toute guerre s'achève sur un bilan de tués, de disparus, de blessés. La guerre d'indépendance n'échappe pas à cette terrible loi, pour les Algériens comme pour les Français.

Les Français annoncent :

PERTES FRANÇAISES

a. Avant le 19 mars 1962	
– Militaires européens	22 100
– Militaires musulmans	3 500
Total	**25 600**
– Civils européens	3 500
– Civils musulmans	30 000
Total	**33 500**
b. Après le 19 mars 1962	
– Militaires européens	300
– Civils européens	10 000
– Musulmans	150 000
Total	**160 300**

PERTES ALGERIENNES DU FLN

– Tués au combat	140 000
– Victimes des purges [1]	15 000
– Rivalités FLN-MNA en métropole	4 000
– Tués par armée tunisienne ou marocaine	2 000
Total	**161 000**

Au lendemain de l'indépendance, le FNL revendique un million de chouhada (martyrs). Un tel holocauste a pu paraître longtemps plausible avant que le recul du temps ne conduise à des études et des chiffres plus rigoureux [2].

En 1974, le ministère algérien des Anciens Moudjahidines enregistre 152 863 tués au combat, soit :

- 71 395 djounoud de l'ALN,
- 81 468 moussebilines de l'OPA.

Ces données rejoignent sensiblement celles des Français [2] en y incluant les victimes des purges, généralement réhabilitées en Algérie, ainsi d'Abane Ramdane, de Chihani Bachir, etc.

Par contre, les pertes civiles du conflit pour la population algérienne sont floues. Quelques milliers paraissent un maximum à imputer aux « bavures », bombardements, mitraillages intempestifs, etc. Le djebel, cadre des grands affrontements, était généralement vide.

Ce décompte macabre autorise une conclusion :

Algériens tués par les Français	140 000
Plus civils	
Total	**150 000**
	(environ)

Algériens tués par les Algériens	
Militaires sous uniforme français	3 500
Civils assassinés avant le 19.3.1962	30 000
Harkis et familles	150 000

1. Détail des purges

ALN Maroc	500	ALN Tunisie	1 000
Wilaya 1	2 000	Wilaya 2	500
Wilaya 3	3 000	Wilaya 4	1 500
Wilaya 5	500	Wilaya 6	6 000

(Séquelles des affaires type Bellounis en wilaya 6.)

2. Confirmés par les recensements de 1960-1968 et le taux de natalité de 1954 à 1962.

Luttes FLN-MNA en métropole	4 000
Victimes des purges	15 000
Total	supérieur à **200 000**

Même si ces chiffres n'offrent pas une rigueur absolue, ils ne sont cependant pas très éloignés de la vérité. Au moins 200 000 Algériens ont été tués par leurs frères de 1954 à 1962, contre 150 000 par les Français. La guerre civile a coûté à l'Algérie plus cher que la guerre d'indépendance. La suite amplifiera la courbe. Ce passé fratricide anticipe et éclaire un présent qui ne l'est pas moins.

Chapitre XVIII

L'ALGERIE ALGERIENNE

Abordant l'histoire de l'Algérie algérienne du 3 juillet 1962 jusqu'à la période présente, l'historien doit se montrer modeste et limiter ses ambitions. Il ne saurait prétendre à une stricte véracité. Le recul manque. Les archives ne sont pas ouvertes ou font défaut. La crise présente limite les témoignages ou les rend incertains. Dans un pays en guerre, et c'est le cas, chaque belligérant présente sa version.

Certes, les premières années sont mieux connues. De grands acteurs, Ferhat Abbas, Ben Khedda, Farès et d'autres se sont exprimés. Leurs mémoires, souvent plaidoyers pro domo comme il est généralement de règle en ce type d'exercice, apportent par recoupements des éclairages. Dans les années 1960, 1970, voire 1980, l'Algérie recevait toujours des visiteurs, des journalistes circulaient. Il est donc encore possible d'y voir en partie clair.

L'incertitude s'instaure avec les soubresauts et les révoltes nés du coup d'Etat de janvier 1992. Tout s'obscurcit, faute de témoins crédibles et de comptes rendus objectifs. Même l'écho des carnages parvient déformé. Force est de constater l'impuissance à pouvoir relater avec exactitude ce qui se déroule véritablement à 700 kilomètres au sud de Marseille.

*

Le 3 juillet 1962, l'Algérie est indépendante. 132 années de colonisation française, huit années de guerre contre ce même colonisateur, ont permis d'ériger une nation que clans et tribus ne parvinrent jamais à édifier hier. Pour la première fois depuis plus de deux millénaires, un Etat gouverné par des « autochtones » s'est instauré dans des frontières globalement affermies entre Tunisie et Maroc. Serait-ce le début de « lendemains qui chantent » ? Avec l'indépendance, la démocratie, l'équité, la paix sont-elles appelées à s'instaurer dans le pays ?

Observateurs étrangers et population algérienne se rendent tout de suite compte qu'il n'en est rien. Si la paix est intervenue avec les Français, elle ne règne pas entre Algériens. La victoire a exacerbé les appétits. Mais pour bien suivre la trame des événements, il importe de revenir quelque peu en arrière.

Sur la fin du conflit, les cinq ministres du GPRA internés en France ont été transférés aux châteaux de Turquant puis d'Aulnoye. Evian ouvre les portes de leurs prisons dorées. Leur libération ne déclenche pas cependant la guerre des chefs. Elle existait au préalable, comme l'a montré l'assassinat d'Abane Ramdane. L'apparition au grand jour de Ben Bella, d'Aït Ahmed et de leurs compagnons ne fait que précipiter le déferlement des ambitions.

Dans le lot, Ahmed Ben Bella est certainement celui qui a le plus les dents longues. Derrière lui, Boumedienne se contente de se placer sans afficher ses propres ambitions.

Par deux fois, les Français ont envoyé l'ancien adjudant de la campagne d'Italie derrière les barreaux. A quarante-cinq ans [1], il a déjà derrière lui huit années de détention. Cette captivité le sert. Elle lui confère l'auréole du militant et du martyr. Mais elle ne lui a pas procuré que des amis. Sa cohabitation à la Santé ou à Turquant a été houleuse avec ses codétenus. Ces derniers lui ont reproché sa suffisance, ses propos outranciers, son sectarisme à l'endroit de ceux n'ayant appartenu ni à l'OS ni au CRUA. Ils ont relevé son souci permanent de se mettre en avant, de se présenter en chef de file, sans pour autant faire preuve de qualités particulières d'intelligence ou de sens politique. L'hostilité de Boudiaf, de Boudiaf surtout, au personnage Ben Bella date de cette époque. Pour sa part, Aït Ahmed, le Kabyle, n'a

1. Ahmed Ben Bella est né le 25 décembre 1916 à Marnia en Oranie dans une famille de paysans pauvres.

pas plus apprécié les répétitions affirmées d'arabisme et de refus de la conscience berbère.

Indirectement, et sans s'en rendre compte, les Français ont aidé le prisonnier Ben Bella. Ignorant du dessous des cartes, ils ont dès les origines présenté l'ancien adjudant, beau parleur, bonne présentation, comme la tête de la rébellion. Lors de son arrestation en octobre 1956, il a eu la vedette. La presse française parlait de « Ben Bella et de ses compagnons ».

Effectivement, Ben Bella vise haut. Il s'est engagé dans l'OS par conviction nationaliste et en tire grande prétention. A l'époque, il ne lui a pas plu d'être finalement coiffé par Aït Ahmed, son cadet de dix ans, mais d'une autre envergure. L'exil au Caire en fréquentant Nasser lui a redonné des ailes et l'a propulsé sur la scène internationale. C'est après avoir rencontré Mohammed V à Rabat et en se rendant pour un entretien avec Bourguiba qu'il a été piégé dans le DC 3 de Royal Air Maroc. Plus d'un lui a reproché son manque de vigilance. La mise hors jeu lui a été pénible et la vice-présidence du GPRA ne constituait qu'un hochet sans consistance. Du moins s'est-il efforcé de rappeler qu'il existait. Il s'est élevé contre le congrès de la Soummam et le CCE. Il a multiplié courriers et récriminations en direction de Tunis. Libéré, il entend bien rattraper le temps perdu et se hisser au premier rang. Cet arrivisme ne compensera pas une fatuité qui lui sera fatale. Arabisme, islam, réforme agraire font dans l'immédiat partie de ses idées fortes.

Krim Belkacem, Boussouf, Bentobbal et à un degré moindre Ben Khedda tiennent les rênes du GPRA. Ben Bella ne peut espérer d'allégeance de leur part. Ils sont des rivaux. La seule alliance possible se situe du côté de l'état-major général, en rébellion ouverte contre les politiques. Les colonels possèdent un avantage évident. Ils disposent de l'unique outil bien structuré du FLN en ce printemps 1962 : l'ALN de l'extérieur. Une ALN extérieure à laquelle les wilayas reprochent non sans raisons de ne pas s'être battue. La majorité de ses cadres et djounoud sont restés prudemment au-delà de la ligne Morice.

A la veille de sa libération, le 20 mars, Ben Bella, au château d'Aulnoye, a scellé un pacte avec l'EMG par l'entremise du capitaine Abdelaziz Bouteflika[1]. Afin de contrer le GPRA, il a été décidé de créer un Bureau politique et de définir un programme. L'ensemble constituera un cheval de bataille et l'amorce d'un gouvernement. Un tel pacte conforte les militaires. Les colonels ont besoin de se ranger

1. Futur ministre des Affaires étrangères (1963-1979).

derrière un homme politique de renom. Boumedienne, autrement plus subtil que Ben Bella, sait que l'armée ne peut d'emblée imposer seule son pouvoir. Elle ne serait certainement pas suivie par la masse.

Rendus libres de leurs mouvements, les cinq d'Aulnoye entreprennent en tant que ministres de rendre visite à l'ALN. Leur démarche n'est pas gratuite. Qui les connaît vraiment, après six ans de détention ? Ben Bella se démarque aussitôt de ses collègues, traitant le GPRA « d'océan de saletés ». Pourtant, il en fait officiellement partie. Son attitude lui gagne le soutien renforcé de Boumedienne, alors que Boudiaf et Aït Ahmed refusent de rompre le lien ministériel.

La crise est ouverte. Chacun travaille pour soi et choisit son camp. Ben Bella, appuyé par Khider et Rabah Bitat, réclame la réunion du CNRA. Le GPRA, fort de l'appui des wilayas, à l'exception de la 6 du colonel Chaabani, refuse. Voulant affirmer son autorité, ce même GPRA supprime en mai le budget de l'ALN de l'extérieur. L'EMG avait prévu la manœuvre. Il tient en réserve de trésorerie près de 700 millions (d'anciens francs) et peut toiser de haut la mesure gouvernementale.

Des dérobades des uns et virevoltes des autres Ben Bella obtient enfin la convocation du CNRA à Tripoli le 27 mai. Ce congrès extraordinaire du FLN doit définir les grandes lignes de l'après-indépendance. Personne n'est dupe de son but véritable : désigner le vainqueur. Le GPRA appuyé par les wilayas, ou Ben Bella soutenu par l'ALN de l'extérieur ?

Le congrès commence par se donner le beau rôle. Avec force, il stigmatise les « féodalités politiques, les chefferies et clientèles partisanes..., la recherche individualiste des situations stables ». Cette diatribe prouve bien que les rouages de la future République algérienne grippent... Puis, pour sauver la face, les congressistes débattent de la réforme agraire, de la liquidation de l'analphabétisme, de la mixité, du non-alignement en matière de politique extérieure. Cette façade ne dissimule pas la préoccupation essentielle dans un duel où les deux camps se sont précisés.

Sur un bord, le GPRA de Ben Khedda avec Boudiaf, Aït Ahmed, Krim Belkacem, les wilayas 2 et 3, la Zone autonome d'Alger et la Fédération de France. Sur l'autre, Ben Bella drainant derrière lui l'ALN extérieure, les wilayas 1 et 6, et des personnalités, Ferhat Abbas, Ahmed Francis, Ahmed Boumendjel, qui se rangent dans son camp par hostilité à Ben Khedda et Krim. Les wilayas 4 et 3 se tiennent dans l'expectative.

En vue de la constitution du Bureau politique que préconise Ben Bella, 33 voix vont à la liste Ben Bella, 31 à celle présentée par Krim

Belkacem. La majorité des deux tiers n'est pas atteinte. Dans l'impasse, les séances tournent à la mêlée, ponctuée d'injures et de quolibets. Soudain, dans la nuit du 6 au 7 juin, Ben Khedda quitte les lieux pour Tunis, suivi par Boudiaf, le colonel Saddek de la wilaya 4, le commandant Azzedine de la Zone autonome d'Alger. En l'absence du chef du gouvernement, le CNRA ne peut statutairement poursuivre ses travaux. Par la suite, Ben Khedda justifiera son départ :

> « Malgré ses faiblesses internes, le GPRA jouissait d'un immense crédit... Toute atteinte portée à ce GPRA, partenaire de De Gaulle à Evian, directement responsable de l'application du cessez-le-feu, aurait jeté le trouble en France, encouragé les ultras, semé le désarroi dans le peuple...
> C'est pour toutes ces raisons et pour barrer la route à tous ceux qui pourraient compromettre les fruits de cette victoire que j'ai pris sur moi de quitter Tripoli et de rejoindre Tunis pour reprendre mes responsabilités. »

Cette fois, la rupture est consommée entre les dirigeants historiques du FLN. Chacun forge ses armes.

Réunies à Zemmorah (wilaya 3), les wilayas 2 et 3, la ZAA et la Fédération de France décident la création d'un comité inter-wilayas auquel Krim Belkacem et Boudiaf apportent leur soutien. Ce comité proclame « l'état d'urgence » et appelle les autres wilayas à se joindre à lui « pour éviter que les querelles internes de l'extérieur ne se transposent à l'intérieur ». Il tend même à se poser en arbitre, se substituant au GPRA et à l'ALN.

A l'opposé Ben Bella, Khider et Bitah affirment leur intention de ne pas rentrer en Algérie avec le GPRA et renforcent leurs liens avec l'EMG définitivement appuyé par les wilayas 1, 5 et 6.

Le 26, la crise de la direction du FLN éclate au grand jour, alors que l'indépendance est à portée de main. Le 27, Khider démissionne du GPRA et part pour Rabat, marquant l'éclatement du gouvernement. Le lendemain, Ben Bella quitte Tunis pour la Libye, craignant, dira-t-il, une arrestation voire un assassinat. Le 30, le GPRA réplique et à l'instigation de Krim et Boudiaf destitue l'EMG. Aussitôt Ben Bella se déclare solidaire des chefs militaires. « Le FLN, en tant que large rassemblement national, a vécu [1]. »

En Algérie ces dissensions se répercutent. Le colonel Ouamrane à Alger, les commandants Ben Cherif à Rovigo, Kaïd Ahmed à

1. Mohammed Harbi, *Le FLN, mirage et réalités,* ouvr. cité, p. 354.

Constantine, qui se réclament de Ben Bella, sont arrêtés. Des militants ou militantes à peine sortis de prisons françaises perdent à nouveau leur liberté. Ainsi de Djamila Bouhired ou de Zohra Drif.

5 juillet. L'Algérie vit indépendante depuis deux jours. Les faïleks de l'extérieur franchissent librement la ligne Morice. L'un d'eux s'installe à Souk Ahras. Les chefs de la wilaya 2 n'ont pas osé donner l'ordre de tirer pour lui barrer la route.

7 juillet. Ben Khedda et les ministres fidèles au GPRA débarquent à Alger, accueillis par Abderrahmane Farès et le colonel Mohand Ould el-Hadj, patron de la wilaya 3.

9 juillet. Ben Bella retrouve Khider à Rabat et ne tarde pas à aller établir son quartier général à Tlemcen où Ferhat Abbas le rejoint.

Deux organismes prétendants au pouvoir se dressent face à face. L'un, à priori légal, avec Ben Khedda à Alger. L'autre, paré du prestige de Ben Bella et fort des baïonnettes de l'ALN, à Tlemcen. De l'ancienne capitale des Abdelwahides, Ben Bella annonce le 20 juillet la création d'un Bureau politique dont les membres se déclarent habilités à assumer la direction du pays.

La République algérienne dispose maintenant de deux gouvernements.

Le 25 juillet, le commandant Larbi Berredjen, au nom de la wilaya 1 et de Ben Bella, occupe Constantine et fait à nouveau prisonnier Bentobbal, ministre en exercice ! En fait, Berredjen travaille d'abord pour lui. Il se voit patron du Constantinois. Il n'est pas seul à réagir ainsi. Un peu partout, « wilayisme », esprit tribal se donnent libre cours.

Devant l'affrontement militaire qui s'amorce, Boudiaf et Krim gagnent la Grande Kabylie afin d'organiser, proclament-ils, la résistance « à ce coup de force armé et toute tentative de dictature ».

Tous dans le camp gouvernemental n'ont pas cette résolution. Aït Ahmed, foncièrement démocrate, démissionne, refusant tout totalitarisme quel qu'il soit. Ben Khedda l'imite, dans l'espoir d'éviter un affrontement sanglant.

Le vrai problème est là. La guerre menace et pourtant les Algériens ne la souhaitent pas. Ils en sortent. Si conflit armé il devait y avoir, qui serait le plus fort ? L'ALN extérieure aligne 30 000 hommes bien armés, mais les wilayas représentent la vraie résistance populaire, celle qui s'est battue. Depuis le 19 mars elles se sont étoffées, quadruplant pratiquement leurs effectifs.

Ben Khedda s'est effacé. Son départ autorise un compromis favorable à Ben Bella, signé le 28. Ce compromis n'en n'est pas un. Il correspond à la disparition du GPRA et à la reconnaissance du

Bureau politique de Ben Bella[1], où une place est réservée à Boudiaf mais non à Krim Belkacem. Le Kabyle historique est définitivement écarté.

Par cet accord, Ben Bella et son Bureau politique sont plus ou moins intronisés mais leur autorité reste à concrétiser. Le désordre est quasi général. Le Nord-Constantinois est en plein pillage, l'armée française ne sortant plus de ses cantonnements. Chaque petit chef s'en donne à cœur joie. Les arrestations, les libérations s'enchaînent au fil des humeurs et des aléas de commandement.

L'islam intégriste surgit un peu partout au nom de l'ordre moral. A Mila (Constantinois), une femme est lapidée pour adultère. A Alger, on fait la chasse aux « filles du 13 mai » qui se sont dévoilées. Les hommes accompagnés d'une femme doivent montrer leur livret de famille. A Guelma, l'imam entraîne la foule au théâtre romain pour y détruire des statues...

A Alger, Yacef Saadi, qui forme des groupes armés, s'oppose à la wilaya 4 qui s'obstine à récuser Ben Bella. Fin août, on se bat dans la Casbah. Unités de la ZAA contre unités de la wilaya 4. Il y a des morts, des blessés dont de nombreux civils.

Le 30 août, le Bureau politique ordonne à ses troupes, ALN extérieure plus forces des wilayas 1, 2 et 6, de marcher sur Alger. Les faïleks de l'extérieur avec leurs groupes motorisés constituent l'avant-garde des colonnes qui convergent vers la capitale. La guerre civile, retardée le 2 août, se déchaîne. Ferhat Abbas écrira : « Semant des cadavres sur sa route, Boumedienne faisait la conquête de l'Algérie. »

Et Abbas d'ajouter : « C'était la seule guerre qu'il fit. »

La wilaya 4 entend couvrir Alger menacée. Les combats sont sévères. Plus d'un millier de morts à proximité d'Orléansville et de Boghari.

Ces affrontements sont de trop pour la population. A Alger, hommes, femmes, enfants descendent dans les rues pour exiger la paix : « *Seba Snine Barakat !* » « Sept ans, ça suffit ».

Les chefs perçoivent la réprobation populaire qui creuse un fossé de sang entre les Algériens et leurs dirigeants. Le colonel Mohand Ould el-Hadj négocie un cessez-le-feu qui conduit à un retrait de la wilaya 4, la plus engagée. Le 9 septembre, l'ALN extérieure, appelée désormais Armée nationale populaire (ANP), entre dans Alger, marquant la victoire de Ben Bella.

1. Dans ce Bureau politique, Ben Bella supervise l'exécutif provisoire toujours en place devant la défaillance du GPRA. A ses côtés, Ben Alla contrôle l'armée, Bitat le FLN, Mohammedi Saïd l'Education nationale, Boudiaf les Relations extérieures. Curieusement, Khider double Bitat en devenant secrétaire général du FLN.

Victoire de Ben Bella certes mais d'abord et surtout victoire des militaires de l'extérieur commandés par Houari Boumedienne. Ceux-ci ont fourni la force armée indispensable pour l'emporter.

Le 20 septembre, une Assemblée nationale de 194 députés[1] est élue. Les listes uniques des candidats, donc des élus, sont plébiscitées à 99 %. Le 26, Ben Bella devient chef du gouvernement, Khider, secrétaire général (confirmation) du FLN, Ferhat Abbas, président de l'Assemblée. Boussouf, Bentobbal, Dalhab, les politiques ou officiers jugés peu sûrs ont été évincés. Boudiaf est passé résolument dans l'opposition en créant le PRS (Parti de la Révolution socialiste).

Ben Bella est arrivé à ses fins. Il est le numéro un en Algérie. Est-il vraiment le chef ? Rien n'est si sûr. S'il est président du Conseil, Houari Boumedienne est ministre de la Défense. Le colonel aux joues creuses et à la mèche batailleuse tient l'armée, la seule force organisée. Cinq ministres sont des officiers émanant de l'ALN extérieure. C'est dire le poids de la gent militaire auprès du maître en titre du pays. Quant aux historiques encore en vie, Krim, Boudiaf, Aït Ahmed, Khider, aucun n'appartient au gouvernement. Seul Bitat, plus terne peut-être, se maintient en tant que vice-président du Conseil, poste plus honorifique que réel.

*

Ben Bella, et Boumedienne, Chadli Ben Djedid, Zeroual après lui, ne parviennent au sommet qu'avec l'aval et le concours d'un petit noyau de chefs militaires. Ceux qui disposant de la force armée disposent du vrai pouvoir. En Amérique latine, on parlerait d'une junte. En Algérie, le terme n'est jamais prononcé. Ce noyau directorial se montre d'une parfaite discrétion.

En 1962, il est issu de la guerre. La relève des générations imposera des renouvellements, toujours par cooptation. L'intérêt lie ces hommes issus du même moule et de la même caste. A l'occasion, quelques-uns qui dérangent sont évincés. Kaïd Ahmed, pilier de l'équipe Boumedienne, deviendra un opposant. Pourquoi ? Le commandant Mendjeli, ancien vice-président de l'Assemblée, se brouillera avec Boumedienne. Les colonels Chaabani, Zbiri choisiront la révolte.

Si ce consistoire militaire ne se manifeste pas au grand jour et se terre dans les coulisses, il a l'habileté d'utiliser une façade : le FLN sert de courroie de transmission. Parti unique, il s'arroge le monopole politique et prend en main tous les rouages du pays. Dans le plus pur

1. Il y a neuf femmes.

style révolutionnaire, il a en charge de conditionner la population et d'en faire une simple caisse de résonance des volontés supérieures. Le résultat ne sera pas toujours conforme aux espérances. 1988 et les années suivantes le montreront. Le peuple se rebiffera devant les excès de la caste des privilégiés ayant tout accaparé.

Ce FLN, au départ du moins, profite d'un atout qu'il exploite avec outrance mais qui avec les années s'affaiblira. Son rôle historique est indéniable. Il a lancé et mené à terme la guerre d'indépendance. Cette aura légitime toutes les appropriations abusives. « C'est un acquis de la Révolution ! » Formule souvent exploitée pour justifier telle ou telle mesure. Evidemment seuls ceux qui sont restés dans l'appareil officiel du parti bénéficient de l'héritage des années de lutte. Au fil des années, le rôle d'un Messali Hadj, l'action d'un Boudiaf, d'un Krim ou d'un Aït Ahmed sont gommés.

L'histoire de l'Algérie s'écrira d'une certaine plume au seul crédit de l'équipe en place.

*

Trois mois après la proclamation de l'indépendance, Ben Bella se retrouve à la tête d'un pays encore dans les turbulences.

Les Européens finissent d'évacuer le pays qui les a vus naître. Malgré les risques, les vexations, les spoliations, quelques milliers s'obstinent, attachés à une terre qui est leur vie. Certains de ceux qui ont soutenu la cause nationaliste adoptent la nationalité algérienne. Cas de communistes, de religieux, d'intellectuels. Ainsi la poétesse communiste Anna Greki, le jésuite Jean Delanglade, Mgr Duval, l'écrivain Jean Senac (qui sera assassiné en 1973 dans des conditions obscures). Quelques-uns, comme le professeur Mandouze ou Hervé Bourges, se rendront compte qu'ils font fausse route et au bout de quelques années rentreront en France. Au total ils seront 506, du 4 juillet 1962 au 31 juillet 1965, à opter pour la nationalité algérienne. 193 Pieds-Noirs et 131 métropolitains (304 sont des épouses d'Algériens), 155 personnes acquièrent la nationalité algérienne « par participation à la lutte de libération ».

Cet exode massif des Pieds-Noirs prive l'Algérie de l'essentiel de ses cadres, de ses enseignants, de ses techniciens. Dans un pays où manque une classe moyenne, la vie courante s'en ressent.

Paradoxalement, les Algériens émigrent en masse vers la France, la fin du conflit autorisant la libre circulation entre les deux rives de la Méditerranée. En quelques mois, plusieurs centaines de milliers d'entre eux abandonnent leurs horizons familiers et s'écartent de la cohabitation avec d'autres Algériens. A peine façonné, le sentiment national qui s'était forgé chez beaucoup en s'opposant aux Français est battu en brèche. Renan n'a-t-il pas rappelé « que la Patrie répond au désir de vivre ensemble » ?

Evian prévoyait la possibilité d'option dans les deux sens. Du 4 juillet 1962 au 23 mars 1967, 59 903 musulmans, sans compter les harkis, choisissent la nationalité française. Par la suite, chaque année verra des demandes régulières. Ces chiffres ne sont pas minces, eu égard aux pressions pour qu'il en soit autrement. Les candidats à la patrie française résident donc en métropole ou la rejoignent au plus vite.

La situation intérieure chaotique ne favorise pas le nouveau pouvoir. Ben Bella et ses alliés ne sauraient d'un coup de baguette magique éliminer les séquelles du « wilayisme » et tous les potentats et chefs de bandes qui se sont autoproclamés avec le retrait des Français.

Hormis en wilaya 3, où le particularisme kabyle s'appuie sur un puissant courant populaire, ces féodalités se résorbent peu à peu. Par contre, Ben Bella doit tenir compte de ses anciens compagnons. Pour des mobiles divers où les ressentiments personnels se mêlent aux idéaux politiques, les Aït Ahmed, Krim, Boudiaf, Khider, Ferhat Abbas... se dressent peu à peu contre lui.

Khider est écarté l'un des premiers, démissionnaire en avril 1963. Ben Bella lui-même le remplace au secrétariat général du FLN. Mais Khider était aussi trésorier du parti. Il s'exile en gardant par-devers lui les clés du coffre...

Le 21 juin 1963, Boudiaf est arrêté sous prétexte de « complot contre l'Etat ». Après sa libération, il se résigne lui aussi à l'exil. Un exil appelé à durer près de trente ans.

Aït Ahmed n'a jamais caché son hostilité à « l'arabisme » de son ancien voisin de palier à la Santé. Replié dans sa Kabylie natale, soutenu par le colonel Mohand Ould el-Hadj, il anime une vive opposition au régime. Au nom de la démocratie et du droit à la spécificité berbère, il crée le Front des Forces socialistes (FFS). En octobre 1963, la Kabylie se trouve en pleine révolte contre la dictature de Ben Bella et du FLN. L'armée intervient en force et profite de la défection de Mohand Ould el-Hadj. A l'heure de la « guerre des sables »[1], l'ancien patron de la wilaya 3 ne veut pas contrarier l'effort national dans la lutte contre les Marocains. Le 12 novembre, un accord est conclu. Aït Ahmed continue seul à tenir le maquis.

Krim Belkacem prend provisoirement du recul et se consacre aux

1. Voir plus bas.

affaires. Ferhat Abbas, le 14 août 1963, pour marquer sa désapprobation, démissionne de la présidence de l'Assemblée nationale[1]. L'année suivante, le 3 juillet, il sera arrêté en compagnie d'autres personnalités connues : Farès, le commandant Azzedine, Amar Bentouni, ancien ministre de la Justice... Il ne sera libéré qu'un an plus tard.

Arrestations mais aussi attentats comme celui qui blesse mortellement Mohammed Khemisti, ministre des Affaires étrangères, le 11 avril 1963. Et pourquoi ? Officiellement il était un homme lige de Ben Bella, qui en septembre 1962 l'avait proposé pour le poste qu'il occupait. Mais il n'appartenait pas au clan d'Oujda de Boumedienne.

Inexorablement, tous les historiques, tous les ténors sont évincés ou le seront. Sauf Boumedienne. Celui qui se regarde comme le nouveau zaïm peut envisager d'aller plus loin.

Le 28 août 1963, par 139 voix contre 23, l'Assemblée nationale adopte une Constitution de type présidentiel présentée par Ben Bella. Le référendum du 8 septembre l'approuve par 5 166 185 oui contre 107 047 non, soit 98,01 % des suffrages exprimés. Le 15 septembre, Ahmed Ben Bella devient le premier président de la République algérienne démocratique et populaire avec 5 085 103 voix. A priori, l'avenir lui appartient. Il n'a pas encore quarante-sept ans.

*

Ben Bella s'est hissé au pouvoir nanti de principes forts : arabisme, islamisme, socialisme, « à la Castro », précise-t-il.

Arabisme, islamisme ne dérogent pas aux canons moteurs de la guerre d'indépendance. L'arabisme, outre le développement préférentiel de la langue et de la culture arabes, signifie surtout refus du berbérisme. De là, la révolte d'Aït Ahmed et des Kabyles. L'islam, refuge identitaire durant la colonisation, a fortement sous-tendu la rébellion contre la France. Il est logique que le pouvoir ait tendance à le traiter en religion d'Etat favorisée. Les mesures en sa faveur se multiplient : églises transformées en mosquées[2], construction de nouveaux centres de culte[3], facilités accordées aux écoles coraniques. L'intégrisme islamique sera à court terme le grand bénéficiaire de cet essor matériel de la religion musulmane.

On peut s'étonner de la référence de Ben Bella à un « socialisme à

1. Il sera remplacé par Rabah Bitat.
2. Cathédrale d'Alger, par exemple (dans le cas présent ce n'est qu'un retour à la fonction originelle de l'édifice).
3. L'Algérie de 1962 comptait un millier de mosquées. Celle de 1998 environ 6000.

la Castro » dans un pays islamique où le marxisme n'a jamais véritablement fait recette. Ce n'est pas le moindre paradoxe du personnage.

Ben Bella se lance donc dans un socialisme qu'il axe sur l'agriculture. Des terres sont vacantes, suite au départ de leurs propriétaires. L'Etat se les approprie (les autres biens français seront nationalisés le 1er octobre 1963). Le décret du 20 mars 1963 organise l'autogestion de ces propriétés par des comités d'ouvriers agricoles. Ce secteur autogéré s'étendra en fin d'année sur 2312280 hectares, couvrant presque l'intégralité de l'agriculture « moderne ». Mais il se révélera vite un large fiasco, faute de compétences et en l'absence d'un sentiment de propriété chez les fellahs. L'agriculture, hier grande richesse nourricière de l'Algérie, sombre. La production céréalière stagne. Elle ne dépasse pas 16 à 17 millions de quintaux quand il en faudrait au moins 25 eu égard à l'augmentation de la population. Cette récession agricole a une conséquence directe : elle précipite l'exode rural et l'émigration.

Ce « socialisme à la Castro » s'étend également aux biens industriels et commerciaux français progressivement nationalisés. Les résultats ne sont pas meilleurs. Dans le bâtiment et les travaux publics, la production en 1962 et 1963 baisse de 55 %.

Les dépenses improductives s'accroissent. Les services publics en 1963 comptent déjà 180000 personnes, l'armée 120000. A la fin de 1963, l'Algérie doit contracter auprès de la France un prêt de 1300 millions de francs.

Une France toujours présente malgré l'ostensible volonté d'estomper le passé. Discrètement, Ben Bella rencontre de Gaulle en France, au château de Champs, le 13 mars 1964. L'ancien colonisateur lui pose problème. Non sur le plan politique ou militaire certes. De Gaulle a joué le jeu à fond. Les troupes achèvent leur évacuation[1] et le gouvernement français n'entend en rien interférer dans les décisions d'un Etat devenu indépendant.

---

1. Mers el-Kébir sera évacué avant terme en 1968 (Evian prévoyait un bail de 15 ans). Les 4 sites nucléaires et spatiaux dans le centre du Sahara (Reggane, In Ezcker, Colomb Béchar, Hammaguir) le sont en 1967. Ne restera que la base aérienne de Bou Sfer, jusqu'au 28 décembre 1970.

La France maintiendra également jusqu'en 1978, suite à une clause secrète des accords d'Evian, une base saharienne pour tester les armes chimiques. Cette base de Beni Wenif dans la région de Colomb Béchar, finalement baptisée B/2-Namous, existait depuis 1935. Les deux parties garderont soigneusement dissimulée son existence, sous couverture civile à partir de 1967.

(Le colonel Chabou, ancien officier de l'armée française, négociateur du côté algérien, disparaîtra mystérieusement dans un accident d'hélicoptère en 1972... Un disparu inexpliqué de plus.)

Cette attitude conciliante n'enlève rien au paradoxe des rapports entre les deux pays. La France veut tourner la page algérienne. L'Algérie veut tourner la page française et n'y arrive pas, en dépit du grand chambardement de l'après-indépendance. Non content de s'approprier tout ce qui appartenait aux Français, le pouvoir algérien s'efforce de biffer les témoignages de la présence française, y compris par des gestes hautement symboliques. Bône devient Annaba, Philippeville Skikda, Lamartine, le village du bachagha Boualam, El Karimia, la place du Gouvernement à Alger la place des Martyrs, la rue d'Isly la rue Ben M'Hidi, la rue Michelet la rue Didouche Mourad, etc.

Mais cent trente-deux années ne se gomment pas d'un trait. L'Algérie a besoin de ceux qui sont partis. Elle a du mal à se remettre de la disparition des Européens placés devant l'alternative brutale de « la valise ou le cercueil ». Elle a besoin de la culture et de la technique françaises, quel que soit son désir d'arabiser ses enfants. Ben Bella réclame donc des coopérants. Certains viendront. En petit nombre et ne s'attarderont pas. Les Pieds-Noirs les baptiseront les « Pieds-Rouges », ces expatriés d'un moment de l'idéologie marxiste [1].

*

Ben Bella, souci légitime, aspire à intégrer son pays dans le concert des nations. L'Algérie est admise à l'ONU le 8 octobre 1962. Fort de

---

1. L'étude des rapports franco-algériens depuis 1962 sort du cadre de cette étude et entraînerait trop loin.

Ces rapports reposent sur l'exigence à peine dissimulée par les Algériens d'un dû : cent trente années de présence, huit années de guerre à réparer. Les Français ne sauraient accepter un tel principe : ils ont laissé le pays avec une forte valeur ajoutée, sans parler des biens des nationaux saisis ou récupérés. Ils n'en lâchent pas moins du lest. De Gaulle accepte la notion de coopération civile, militaire et financière. La première intéresse surtout l'enseignement. La seconde conduit des Algériens à venir en stage dans des écoles militaires françaises où ils sont pris intégralement en charge. Le chiffre de ces stagiaires faiblira vite. De 200 en 1971-1972, il chutera à 4 en 1978-1979 avant de remonter quelque peu (la disparition de l'URSS, grand pôle d'attraction pour Boumedienne, expliquant ce redressement). Quant à l'aide financière, elle est beaucoup moins mesurée. L'Algérie ne cesse depuis 1963 de recevoir assistance financière et prêts. La notion de coopération conduit à importer en quantité des vins algériens, à ne pas se cabrer devant les nationalisations, à payer le gaz au prix fort, etc. Par contre, les rapports se tendent lors de la crise du Polisario. La France soutient ouvertement la Mauritanie et indirectement le Maroc.

La situation présente est évidemment hypothéquée par la notion de sécurité pour les nationaux français et de répression du terrorisme islamique. Elle amène la France à fermer les yeux sur les atteintes aux droits de l'homme en Algérie, à réglementer les visas d'entrée, à supprimer les liaisons aériennes, etc.

son allégeance au « socialisme à la Castro », dès septembre 1962 il se rend à Cuba. En pleine tension entre Washington et La Havane à cause de ce même Cuba, cette visite apparaît comme un véritable défi envers l'oncle Sam. S'attirer des difficultés avec lui était pourtant superflu pour la jeune République algérienne.

Avec l'Egypte et le monde arabe, le chemin est tout tracé. Nasser et Ben Bella sont d'assez vieilles connaissances et partagent la même éthique. Ben Bella peut se poser en défenseur des peuples africains encore colonisés.

Par contre, les rapports se tendent avec les voisins maghrébins qui avaient pourtant soutenu le FLN à l'heure de son combat contre la France. Bourguiba rappelle son ambassadeur, l'Algérie ayant accordé protection aux auteurs d'un complot contre le régime tunisien.

Avec Rabat, le ton prend une résonance belliqueuse. Ben Bella tient à se présenter en garant du patrimoine national supposé. La délimitation des frontières sur les confins algéro-marocains, au sud de Teniet el-Sassi, a toujours été dans le passé une source de conflits[1]. La France avait tranché après sa mainmise sur le Maroc, décision remise en cause par les nationalistes des deux parties. En 1956, Ben Bella avait promis à Mohammed V de régler ce vieux litige à l'amiable le jour venu, c'est-à-dire une fois l'indépendance acquise. Le GPRA avait entériné cet engagement.

Vaines promesses !

Déjà en juillet 1962, des incidents à Tindouf, en Sahara algérien revendiqué par le Maroc, avaient fait plus de cent vingt morts marocains. En octobre 1963, l'ANP attaque de petites garnisons marocaines dans la région de Figuig. Rapidement, le conflit prend de l'expansion. On se bat près d'Hassi Beida et de Tinjoub, à cinq cents kilomètres de Colomb Béchar et près de Tindouf. La « guerre des sables » est déclenchée. Les Algériens mobilisent les anciens djounoud. Une médiation éthiopienne conduit à un cessez-le-feu mal respecté. Début novembre, des combats se poursuivent autour de Figuig avant que les deux camps n'acceptent de revenir au statu quo. L'ANP a eu 60 tués et 250 blessés. En avril 1964, les deux parties échangeront leurs prisonniers, 375 Algériens, 52 Marocains.

Face à son bouillant adversaire, Hassan II a gardé la tête froide afin d'éviter un conflit intermaghrébin. Il a rappelé à juste titre que l'armée royale ne craignait pas l'ANP. Le litige ne sera réglé que plus tard, en 1969 et 1972. La frontière restera fixée là où l'avaient établie

1. Voir chap. 14.

les Français, c'est-à-dire pour l'essentiel sur le Draa, ce qui n'empêchera pas Figuig de demeurer un secteur litigieux.

Dans cette « guerre des sables », Ben Bella n'a rien gagné. Il a simplement manifesté sa légèreté et sa quête démagogique de succès militaires. Tout à ses préoccupations extérieures, à ses réceptions de dirigeants étrangers comme Nasser, auquel il propose une union algéro-égyptienne, il n'est guère à l'écoute de son propre pays. Pourtant les complots contre lui se succèdent.

En 1964, une révolte armée éclate, menée par le colonel Chaabani qui fut pourtant de ses fidèles en juillet-août 1962. Bien que soutenu – de loin – par Khider, Chaabani échoue. Arrêté, l'ancien commandant de la wilaya 6 est exécuté.

En octobre de la même année, Aït Ahmed relance la sédition en Grande Kabylie. Finalement arrêté en octobre 1964, il sera plus heureux que Chaabani. Condamné à mort, il sera gracié et parviendra à s'évader.

Le vrai danger, Ben Bella ne le voit pas monter. Discrètement, Houari Boumedienne tisse sa toile. Vice-président du gouvernement depuis 1963, il est avant tout ministre de la Défense et donc chef d'une ANP qu'il ne cesse de renforcer et d'équiper en faisant appel aux Soviétiques. A ce poste, il dirige aussi la toute-puissante sécurité militaire, véritable police secrète à la disposition du chef des armées.

Cette sécurité militaire, appelée à compter de plus en plus sous tous les règnes, est l'héritière des services spéciaux mis sur pied par Boussouf « alias Si-Mabrouk » en wilaya 5, puis par ce même Boussouf, sous l'égide de son ministère de l'Armement, des Liaisons générales et des Communications. Boussouf a été écarté en août 1962 et se consacre désormais à gagner de l'argent. Kasdi Merbah, qui sera assassiné en 1993, a pris le relais et a rassemblé les éléments épars, désemparés après la disparition de leur patron. Il en fait une arme redoutable d'inconditionnels de la lutte contre « les ennemis du peuple », traduire : les adversaires du régime. Certains de ses membres sont formés par le KGB. Enlèvements, tortures, exécutions discrètes rendront périlleux de faire figure d'opposant.

Lorsque Ben Bella se rend compte du danger Boumedienne, il est trop tard. Le ministre de la Défense a fini de filer ses rets.

Le 19 juin 1965, les Algérois se réveillent avec des chars et des hommes en tenue de combat dans les rues. L'armée du colonel Boumedienne vient de prendre le pouvoir. Ben Bella pris au saut du lit[1]

1. Deux milliards d'anciens francs en pièces d'or et devises étrangères sont découverts dans sa chambre. De quelles origines ? A quelles fins ?

se retrouve une fois de plus prisonnier. Prisonnier pour quinze ans ! Quinze ans dans les prisons algériennes ! Deux fois plus que dans les prisons françaises. Et Turquant ou Aulnoye ne ressemblaient en rien aux oubliettes dans lesquelles il est précipité. Vingt-trois années de captivité au total, plus du quart de son existence pour l'enfant de Marnia.

Pas de sursaut populaire à l'annonce de la chute de Ben Bella, hormis à Bône où on dénombre une dizaine de morts. Pas de liesse non plus. Le successeur n'est du reste pas du style à quémander les avis et les suffrages. Il est là pour gouverner. Mâchoires serrées, regard peu amène, le nouveau maître de l'Algérie inspire la crainte plus que la sympathie. Sans doute préfère-t-il qu'il en soit ainsi.

Mohammed Boukharouba, dit Houari Boumedienne, est né à Heliopolis, petit village de colonisation à une dizaine de kilomètres de Guelma sur la route de Bône. A-t-il vu le jour en 1925 ou en 1932, ou entre ces deux dates ? Les experts ne sont pas d'accord. L'intéressé, peut-être pour se rajeunir, déclare 23 août 1932. Il appartient à une famille modeste de sept enfants, ce qui ne l'empêche pas de fréquenter la médersa Kitania de Constantine, la Zitouna de Tunis puis l'université Al-Azhar du Caire. Lors de la guerre d'indépendance, il rallie la wilaya 5 dont il devient le chef en 1957. Il la dirige depuis Oujda au Maroc, y regroupant un petit noyau de fidèles, le fameux « clan d'Oujda ». Cette implantation permettra à ses détracteurs de mettre en doute ses titres de combattant. Le 1er octobre 1958, il devient responsable du commandement opérationnel militaire ouest couvrant la base de l'ouest (Maroc) et les wilayas 4, 5 et 6. Début 1960, il est promu chef de l'EMG. L'ALN extérieure est sous sa coupe. Elle n'en sortira pas, même devenue ANP.

Si physiquement le personnage Boumedienne se découpe assez bien avec sa silhouette et son faciès osseux, intellectuellement, moralement, il se perçoit mal. L'homme est secret et dissimule ses sentiments. Il a certainement une carrure intellectuelle nettement supérieure à celle de Ben Bella. L'habileté ne lui fait pas défaut. Certains croient voir en lui un moine soldat, idéologue austère et volontaire. Peut-être. De même présente-t-il un côté jacobin, mais il s'agit là du réflexe traditionnel de tout prétendant au pouvoir absolu. Pour qui travaille-t-il ? Pour lui ou pour son pays ? L'ambition personnelle est-elle son principal stimulant ou bien aspire-t-il à redresser la pente déclinante de l'Algérie après ce qu'il appelle « intrigues, affrontement des tendances et des clans, narcissisme politique » ? Mais ce sont là les formules rituelles d'un dictateur renversant un autre dictateur.

*

Boumedienne ne traîne pas en besogne. Le 5 juillet, il devient président du Conseil de la Révolution, organisme de gouvernement de 25 membres dont 12 colonels. L'armée est bien à la tête du pays, permettant à son chef d'avoir les mains libres.

Durant quatorze ans, avant que la maladie n'ait raison de lui, il va œuvrer dans trois directions essentielles : asseoir son pouvoir personnel ; engager l'Algérie dans la voie de l'industrialisation ; s'efforcer d'occuper un rang notable dans le monde.

Evoquant son prédécesseur qu'il tient sous les verrous, Boumedienne parlait d'intrigues, de narcissisme. Peu après l'avoir renversé, il fait paraître un long communiqué justifiant son coup d'Etat :

> « Le pouvoir personnel, aujourd'hui consacré, toutes les institutions nationales et régionales du Parti et de l'Etat se trouvent à la merci d'un seul homme qui confère les responsabilités à sa guise, fait et défait, selon une tactique malsaine et improvisée, les organismes dirigeants, impose les options et les hommes selon l'humeur du moment, les caprices et le bon plaisir. »

Ce disant, il rapporte exactement ce qu'il se prépare à appliquer.

Ah, il n'est pas bon d'être un opposant, sous Houari Boumedienne !

Mohammed Khider est assassiné à Madrid le 4 janvier 1967.

Krim Belkacem, objet d'une haine féroce depuis Tunis, condamné à mort par contumace, est étranglé à Francfort dans sa chambre du Frankfurter Hof, le 20 octobre 1970.

Kaïd Ahmed, ministre des Finances le 10 juillet 1965, nommé responsable du FLN le 7 mars 1968, devenu opposant en 1973, mourra en exil en 1978 dans des conditions mal définies.

Ahmed Medeghri, ministre de l'Intérieur, disparaît lui aussi dans des circonstances mystérieuses. Par suicide, selon la version officielle.

Ferhat Abbas, en décembre 1967, se retrouve emprisonné puis en résidence surveillée durant un an avec Ben Khedda, Hocine Lahouel, Cheikh Kheïredine [1], après avoir signé un appel au peuple contre le pouvoir personnel.

Les colonels du Conseil de la Révolution sont progressivement évincés. En décembre 1967, l'un d'eux, le colonel Zbiri, ancien

1. Ancien vice-président des Oulémas et ancien du CNRA de 1959.

commandant de la wilaya 1 et chef d'état-major des armées, tente de renverser le dictateur. Ses chars partis d'Orléansville et marchant sur Blida sont stoppés par des Migs pilotés par des instructeurs russes. Sa tentative avortée, Zbiri s'exile mais quelques-uns de ses amis ne renoncent pas. Le 26 avril 1968, un commando ouvre le feu sur Boumedienne alors qu'il rejoint sa voiture à l'issue d'un Conseil des ministres. Par miracle, il n'est pas touché.

En 1975, Boumedienne s'estime assez solide pour conforter sa position et accéder officiellement à la présidence de la République, sans titulaire depuis la destitution de Ben Bella. La Charte nationale qu'il fait adopter par référendum le 27 juin 1976 (par 98,5 % de oui) érige un Etat fort :

> « La restauration de la souveraineté nationale, la construction du socialisme, la lutte contre le sous-développement, l'édification d'une économie moderne et prospère et la vigilance contre les dangers extérieurs exigent un Etat solide et sans cesse renforcé, non un Etat invité à dépérir, alors qu'il resurgit à peine du néant. »

Un tel Etat apparaît comme « l'agent principal de la refonte économique et de l'ensemble des rapports sociaux ». Quant à l'édification du socialisme, elle s'identifie avec l'épanouissement des valeurs islamiques. « L'islam s'affirme ainsi "religion d'Etat" et composante fondamentale de la personnalité algérienne. » Avec des conclusions pratiques : le repos hebdomadaire obligatoire est fixé au vendredi, regardé comme un jour sacré en terre d'islam. L'élevage du porc, les paris et ventes de boissons alcoolisées sont interdits. La construction des mosquées est accélérée.

Houari Boumedienne, comme Ahmed Ben Bella, a donné du grain à moudre aux intégristes islamistes.

Cette islamisation se heurte cependant à des rejets nés de la scolarisation des filles. La mixité qui s'installe sur les bancs de l'école bouscule les mœurs ancestrales. Les jeunes Algériennes, surtout en ville, abandonnent le haïk, portent le pantalon, aspirent à s'intégrer au monde du travail. Certaines deviennent enseignantes, magistrats, avocates, médecins pour quelques-unes. Pour toutes celles-là, pas question de revenir aux vieilles traditions familiales, mariage imposé, absence de mixité dans les lieux publics, etc. Inéluctablement, la société algérienne se scinde entre ceux qui se tournent vers un libéralisme à l'occidentale et ceux qui campent dans un rigorisme hérité de l'islam et du passé.

*

La nouvelle Constitution régie par les principes de la Charte nationale est approuvée le 19 novembre 1976 par 99,18 % des suffrages exprimés. Le ratio « à la démocratie populaire » ne varie pas le 11 décembre. Il est de 99, 38 % pour investir président de la République Houari Boumedienne, candidat unique présenté par le FLN.

Tout concorde. En droit comme en fait, Boumedienne est bien le maître absolu. Il a écarté tous ses rivaux. Un seul a trouvé grâce. En février 1977, Rabah Bitah est élu président de l'Assemblée nationale ; il est le seul des neuf « historiques » à se trouver encore en place et à bénéficier de la révolte déclenchée le 1er novembre 1954.

*

« Construction du socialisme » : Boumedienne ne s'écarte pas de l'idéologie de Ben Bella, mais il ne spécifie pas « à la Castro » et, à l'encontre de son prédécesseur, il privilégie l'industrie.

Pour ce, au départ il a de l'argent. Les hydrocarbures sont en « plein rapport ». Afin d'en tirer encore plus, Boumedienne franchit en 1971 un pas supplémentaire : il annonce la « décolonisation pétrolière ». Faisant fi des accords d'Evian, il décide une nationalisation des oléoducs, du gaz naturel et une prise de contrôle à 51 % des sociétés pétrolières françaises. Celles-ci, sauf Total, finiront par se désengager complètement. Les compagnies américaines sont également frappées. La Sonatrach[1], créée en 1963, est la grande bénéficiaire de ces nationalisations qui finissent par toucher pratiquement tous les secteurs d'activité.

Boumedienne dispose ainsi de moyens financiers importants pour instaurer une industrie lourde. Dans son esprit, les biens d'équipement doivent précéder les biens de consommation et les usines ainsi lancées avoir valeur d'entraînement. Industrie « industrialisante » est le terme à la mode. De vastes complexes axés sur la sidérurgie, la chimie, les matériaux de construction, s'édifient à Arzew, Philippeville, Bône, Alger. Tout à ses visées, le dictateur algérien oublie la concurrence internationale, le manque de personnel qualifié, la chute des cours des produits pétroliers après le boom de 1973. L'acier algérien ne se vend pas. En 1976-1977, toutes les entreprises lancées sont

1. Société nationale pour la recherche, le transport, la transformation, la communication et la commercialisation des hydrocarbures.

déficitaires et au bord de la faillite. La Sonatrach est pratiquement seule à ne pas plonger dans le rouge.

Les conséquences sont graves. Les implantations industrielles accentuent l'exode rural et l'émigration, finissent d'appauvrir l'agriculture, même si en ce domaine on parle de « réforme agraire », de coopératives et moins d'autogestion. Il est nécessaire d'importer des produits alimentaires. Le déficit commercial et budgétaire s'installe. L'Algérie s'endette lourdement : 14 milliards de francs en 1978 (40 % du revenu national).

La population ne bouge pas. Elle est étroitement tenue en main et en cette décennie 1970 de l'ère Boumedienne elle obtient quelques satisfactions. L'industrialisation apporte des emplois. Un effort intervient en faveur de l'éducation. La gratuité des soins médicaux est censée procurer un plus appréciable. La réalité en ce domaine est cependant différente. Il faut attendre six à huit mois un rendez-vous hospitalier, par manque d'hôpitaux et de médecins. La bureaucratie génère une centralisation de la distribution des produits pharmaceutiques. Ce système concurrence les officines libres. Les médicaments manquent, faute de disponibilités financières pour en acheter à l'étranger.

Le régime jette cependant de la poudre aux yeux. Il étale une certaine magnificence et la puissance de sa force armée, flattant la fierté nationale. Il invite, invite beaucoup. Hauts dignitaires, chefs d'Etat, délégations étrangères défilent à Alger : Kossyguine, Castro, Kadhafi, Sadate, Bourguiba réconcilié, Valéry Giscard d'Estaing en 1975 pour essayer de renouer un lien entre Paris et Alger, en dépit des spoliations, des expropriations, des nationalisations. Mais il y a loin de la démocratie française, qu'elle penche à droite ou à gauche, au totalitarisme algérien à la sensibilité exacerbée. Dans le même temps les sommets se succèdent, sommet des non-alignés, sixième sommet arabe en 1973, sommet de l'OPEP en 1975...

Cette politique de présence ostentatoire sur la scène mondiale s'accompagne, malgré la solidarité maghrébine affichée, d'une lutte sournoise avec le Maroc. Boumedienne souhaite exploiter le désengagement espagnol au Sahara occidental. Le Seguiet el-Amra et le Rio de Oro renferment, il est vrai, des gisements de phosphates, de fer, de cuivre, d'uranium, de gaz. Il serait bénéfique pour l'Algérie de se les approprier, même par tiers interposé. Aussi Boumedienne soutient-il ostensiblement le Polisario, mouvement nationaliste assez artificiel aspirant à contrôler la région. Hassan II avec sa « marche verte » prouve la détermination marocaine à l'endroit d'une contrée regardée comme irrédente. L'accord de Madrid de novembre 1975 répartit le

Sahara occidental entre la Mauritanie et le Maroc, sans être définitif. Une guérilla se poursuit sur fond de rapports algéro-marocains envenimés. Les Marocains sont expulsés d'Algérie.

La diplomatie de Boumedienne impose de recevoir, d'héberger ces hôtes étrangers, ces congrès, ces colloques. Des palais, des hôtels s'édifient. Cette activité profite au personnel en place, qui coiffe les entreprises pratiquement toutes nationalisées. La nomenklatura algérienne se constitue véritablement sous Boumedienne. Tous les marchés traités, en premier lieu avec l'étranger, pour l'acquisition d'usines clés en main, sont prétexte à de généreux pots de vin. Les responsables civils et militaires passeurs d'ordres et de commandes savent se servir. Ils s'enrichissent sans vergogne, exploitant à fond les retombées de la manne pétrolière et de la politique gouvernementale. Au-dessous de ces nantis, infime minorité, la masse continue de végéter.

*

La maladie survient peut-être à temps. Elle empêche Houari Boumedienne, qui s'éteint le 28 décembre 1978, de se rendre compte de l'échec total de son industrialisation, de l'appauvrissement de son pays, des distances qui séparent les couches sociales.

Qui constitue alors le petit cénacle appelé à désigner celui qui remplacera le disparu ? Difficile de se prononcer. Les chefs de l'état-major ne se placent pas sous les projecteurs.

Leur champion s'appelle Chadli Ben Djedid. Pourquoi lui ? Là encore, il est hasardeux d'avancer une réponse. Officiellement, Ben Djedid se présente en militaire « le plus ancien dans le grade le plus élevé ». Est-ce l'unique raison ? Ne serait-ce pas plutôt parce qu'il apparaît comme beaucoup plus malléable que Boumedienne ? Après l'austère et rigide colonel, il donne l'impression d'un personnage avide surtout de goûter à la vie.

Là se dessine peut-être une différence fondamentale avec les deux prédécesseurs. Ben Bella, Boumedienne ont accédé au pouvoir par un véritable 18 Brumaire, les armes à la main. Ben Djedid, même s'il est porté par la gent militaire, ne semble pas avoir manigancé personnellement un coup d'Etat. Cependant est-ce si sûr ? Les dessous de l'histoire algérienne sont si obscurs !

Elu président de la République le 7 février 1979, Chadli Ben Djedid accède à la magistrature suprême à cinquante ans, étant né à Blandan [1],

1. Aujourd'hui Bouteldja.

à l'est de Bône, le 14 avril 1929. Il est un enfant du Constantinois comme Boumedienne, et comme lui il doit son ascension à la guerre d'indépendance. Sous-officier de l'armée française, il « monte au maquis » en 1955 et termine la guerre capitaine de l'ALN de l'extérieur, faisant partie du clan Boumedienne. Ce dernier intègre le colonel Ben Djedid dans son Conseil de la Révolution après le 19 juin 1965. De 1965 à sa nomination à la tête de l'Etat, Ben Djedid « pantoufle » au poste de commandant de la région militaire d'Oran. Aucun éclat particulier ne l'entoure. A priori il n'inquiète personne et offre l'image d'un individu débonnaire.

Cette impression se confirme dans les mesures édictées. A l'intransigeance catégorique de Boumedienne succède une certaine levée de soupape.

Ben Bella recouvre enfin sa liberté sous réserve de s'exiler, ce qu'il fait. L'ancien président se rend en France, heureux de trouver une terre d'accueil dans le pays qu'il a servi puis combattu. Il ne sera pas le seul ex-adversaire de la France à pouvoir bénéficier d'une telle hospitalité. La liste est longue des militants du FLN qui aujourd'hui résident ou travaillent en France. Par obligation pour certains, par goût pour d'autres. Certains pourront trouver paradoxal ce repli chez l'ennemi d'hier. Les exemples abondent : Mohammed Harbi, militant nationaliste très actif au sein du PPA-MTLD puis du FLN, conseiller à la présidence de la République algérienne de 1963 à 1965, aujourd'hui professeur dans une université parisienne ; Danielle Minne, Mme Djamila Amrane, ancienne poseuse de bombe à l'Otomatic à Alger en janvier 1957 (trois morts, de nombreux blessés), aujourd'hui inscrite à l'université du Mirail à Toulouse.

Ouverture en politique et également orientation nouvelle donnée à l'activité économique. L'étatisme rigide ouvre la porte au libéralisme et à l'économie de marché à partir de 1981. L'accession à la propriété est facilitée, la privatisation des terres encouragée. En 1986, le secteur socialiste ne représentera plus que le tiers des surfaces exploitables[1]. Dans le domaine industriel, l'investissement dans de petites entreprises est souhaité.

Chadli Ben Djedid s'annonçait une tête d'affiche sans histoires. Il surprend et se révèle un manœuvrier politique insoupçonné. Correspond-il aux vues et desseins de ceux que derrière lui on nomme les « décideurs », les colonels, les généraux ? Il éloigne progressivement plusieurs anciens ministres de Boumedienne, dont Bouteflika qui s'esti-

---

1. Soit 2,8 millions d'hectares contre 5,1 avec 3 415 grosses exploitations contre 800 000 petites (surface moyenne 6 hectares).

mait inamovible aux Affaires étrangères. Des campagnes puissamment orchestrées pour détournement de fonds publics éliminent d'autres fidèles du colonel disparu.

Par-delà les apparences, la liquidation physique demeure une arme du pouvoir en place. Le 7 avril, l'avocat Ali Mecili, ami de toujours d'Aït Ahmed, est abattu dans le hall de son immeuble parisien. La sécurité militaire algérienne est passée par là. Mecili gênait. Très actif, il était l'un des chefs de file de l'opposition en exil. Il avait été, entre autres, l'artisan d'une réconciliation Aït Ahmed-Ben Bella en vue d'un combat commun.

*

Dictature de Ben Bella, dictature de Boumedienne, dictature moins formelle de Ben Djedid. L'Algérie se situe tout d'abord très loin de la « République démocratique et populaire » qu'elle se targue d'être. Outre le totalitarisme gouvernemental, elle vit surtout avec des toiles de fond déjà partiellement évoquées. Ces arrière-plans qui ne cessent d'amplifier expliquent les explosions à venir. Ils s'appellent la poussée démographique, la montée de l'islam, la corruption, la misère populaire, les clivages ethniques et culturels.

LA POUSSEE DEMOGRAPHIQUE

Le phénomène s'est amorcé après la Pemière Guerre mondiale, résultante des efforts de la médecine française. Dans un pays où le contrôle des naissances[1], le planning familial sont quasiment inexistants, la poussée démographique atteint des records. Le taux d'expansion de la population oscille entre 3 et 3,2 % chaque année. L'Algérie voit ses habitants se multiplier à vitesse accélérée. Ils passent de 18,5 millions en 1977 à 24 en 1985. Ils atteindront 30 millions en 1998. A ce rythme, les Algériens devraient se situer autour de 650 millions en 2100.

Population excessivement jeune où, à partir de 1990, 70 % auront moins de trente ans. Tous ces jeunes qui représentent 72 % des demandeurs d'emploi n'ont pas connu la guerre d'indépendance. Leur vision de l'existence est bien éloignée de celle de leurs aînés.

Cette fécondité algérienne a obligatoirement des incidences pratiques. Chaque année apporte :

1. Il n'existe que deux cliniques spécialisées, à Alger et Oran. Seules les femmes ayant eu au moins quatre enfants peuvent y accéder.

– un million de bouches supplémentaires à nourrir et d'enfants à scolariser ;

– 700 000 jeunes à insérer dans le monde du travail.

Même si le taux de fécondité a tendance à baisser légèrement après 1985-1986 [1], il impliquerait que la croissance économique suive. Tel n'est pas le cas.

L'essor démographique, l'industrialisation, l'échec agricole [2] drainent près de 55 % de la population vers les centres urbains, bouleversant les conditions d'existence d'un pays traditionnellement rural. L'agglomération algéroise atteint trois millions d'habitants, formant un vivier de miséreux alimentant les commandos islamistes. Sétif, 50 000 habitants en 1954, en compte près de 800 000. De Sétif à Saint-Arnaud, la route nationale en direction de Constantine filait tout droit au milieu des hauts plateaux sur une trentaine de kilomètres. Elle est aujourd'hui une rue bordée de gourbis et de bidonvilles. Au total, il manquerait plus de 1 200 000 logements à travers l'Algérie.

LA POUSSEE DE L'ISLAM

L'islam, on l'a vu, est inhérent au peuplement algérien depuis plus d'un millénaire. Il a certainement contribué à maintenir une spécificité « indigène » durant la période française et servi de dénominateur commun aux combattants de la guerre d'indépendance.

Par sa Charte nationale de 1976, Houari Boumedienne a renforcé la prépondérance de l'islam en la déclarant religion d'Etat [3]. La porte est très largement ouverte aux islamistes, qui ne cessent d'intensifier leur présence.

Certaines mesures déjà évoquées ont répondu à cette pression et ce n'est pas fini. Sur recommandation islamique, le hidjab se répand. A partir de 1980, il remplace de plus en plus le traditionnel haïk. Une université des sciences islamiques est inaugurée à Constantine. La vie courante et notamment la condition féminine s'en ressentent. Une condition féminine dont un proverbe kabyle énonce depuis longtemps : « La situation de la femme, un chien n'en voudrait pas. » Dès 1970, les hommes ont été autorisés à voter aux lieu et place de leurs épouses. Le code de la famille édicté en mai 1984 s'inspire de la

1. Taux de fécondité par femme : 1970 : 8,36, 1977 : 7,41, 1980 : 6,95, 1986 : 5,41. Mais 60 % des femmes refuseraient la contraception.

2. L'agriculture n'assure plus que 30 % de l'alimentation du pays contre 70 % au début des années 1960. Elle représente 25 % de la population active et 12 % du PNB.

3. Le président de la République doit être de religion musulmane.

pensée religieuse et correspond aux concessions accordées aux islamistes : maintien de la polygamie et de la répudiation [1] ; interdiction aux femmes de sortir du territoire sans autorisation de leur « représentant » mâle (père ou mari) ; disparition de toute référence au droit des femmes à occuper une profession ; interdiction d'épouser un non-musulman, etc.

Cette politique du rituel « que les femmes fassent le couscous et les hommes la politique » assure à l'élément masculin le monopole dans les assemblées représentatives. Les vieilles prérogatives parentales se maintiennent. 75 % des mariages sont encore « arrangés » par le père (ou le frère), et 35 % imposés. Quant à la scolarisation assez inégalitaire, elle conduit à 72,2 % d'analphabétisme chez les femmes contre 47,2 % chez les hommes.

Dans leur propagation de la foi islamique, les « activistes » sortent de la stricte légalité. En 1981, Mustapha Bouyali constitue un « mouvement algérien islamique armé ». Les cellules de cette tendance dure créent de premiers maquis, lancent quelques opérations spectaculaires. Finalement, Bouyali sera tué le 13 janvier 1987, laissant derrière lui un souvenir mythique destiné à faire école. A côté de lui d'autres sont apparus, Mohammed Saïd, Ali Belhadj condamné à cinq ans de prison pour soutien verbal ostentatoire. Belhadj resurgira bientôt dans l'équipe dirigeante du FIS.

LA CORRUPTION

Les islamistes peuvent d'autant mieux recruter et drainer des sympathies qu'ils se posent en parangons de vertu face à la corruption généralisée qui gangrène la haute société algérienne.

La saisie des biens des Européens a largement profité à un noyau de militants du FLN. Villas, appartements, voitures et mobiliers divers ont servi de point de départ à de belles fortunes. Ces extorsions n'ont duré que le temps d'en tarir la source. Depuis Boumedienne, les marchés extérieurs, les importations génèrent de florissantes commissions. Rien ne se traite sans passer sous les fourches caudines des pots de vin et des dessous de table. Le libéralisme de Chadli Ben Djedid, le « chadlisme », favorise cette course aux prébendes. Il y a aussi le carré des gros propriétaires fonciers, des riches négociants, en place sous les Français et qui ont effectué au bon moment d'habiles virages. Ils sont en place et profitent intelligemment de l'indépendance.

1. En 1987 et 1988, sur 29414 divorces, 18652 le sont de la seule volonté du mari, soit donc par répudiation, les 10762 autres par consentement mutuel.

Sur ce chapitre de l'affairisme généralisé, le quotidien algérien *El Watan* se permet d'écrire :

> « La corruption est d'autant plus répandue que le système politique est fondé sur l'exclusion de l'écrasante majorité des nationaux de tout rôle et de tout droit de regard sur la gestion des affaires publiques. Dans ce système où tout est considéré comme un "butin de guerre", toutes les affaires publiques sont privatisées. Il n'y a aucune activité couverte par l'Etat qui ne puisse donner lieu à la corruption, depuis la nomination aux postes supérieurs de l'Etat, et aux représentations auprès des organisations internationales spécialisées, de proches, de parents, de courtisans "porteurs de serviettes", à la délivrance de diplômes universitaires à des gens qui n'ont jamais fait d'études supérieures, d'attestations d'anciens moudjahidines à des individus trop jeunes pour avoir pris part à la lutte de libération nationale, soit planqués. »

Bref, il existe de belles fortunes et de bonnes situations. L'argent n'est plus honteux. Il s'exhibe : grosses voitures, villas cossues. Le Club des pins dans la banlieue d'Alger, le Mithaq à El-Biar sont les rendez-vous des privilégiés du régime. Ceux-là, on les comprend, souhaitent que ces temps heureux durent longtemps.

LA MISERE

Le contraste éclate. Richesse provocante d'une minorité. Pénurie et misère croissante de la masse.

A partir de 1985-1986, les cours du pétrole chutent de moitié. Le dollar, monnaie des transactions pétrolières, baisse. L'Algérie perd une bonne partie de ses recettes extérieures, représentées à 95 % par les hydrocarbures. Ce marasme s'ajoute aux échecs de l'industrie et de l'agriculture. L'endettement se situait à 0,9 milliard de dollars en 1970. Il grimpe à 19,4 dix ans plus tard et ne cessera de monter. Le remboursement de cette dette mobilise déjà 27,20 % des revenus pétroliers en 1980 et freine les importations.

Tout se répercute. Poussée démographique, formation insuffisante, endettement, limitation des achats extérieurs. Le peuple vit mal, très mal.

Le chômage frappe 30 % de la population active. Les logements n'ont pas suivi l'urbanisation et la démographie. Les citadins s'entassent par familles entières dans des deux-pièces surchargés. Plus d'un million de paraboles captent les télévisions occidentales et font rêver par rapport au quotidien. Le luxe des nantis provoque envie et colère. Les « Tchi-tchi », la jeunesse dorée, flambent l'argent de leurs parents. Les « hittistes »[1] désœuvrés, adossés aux murs, d'où leur nom, égrènent les heures sans but. Que faire ?

LES CLIVAGES ETHNIQUES ET CULTURELS

Les islamistes dénoncent d'une voix toujours plus forte les « pourris ». Leurs diatribes s'ajoutent aux particularismes ethniques et culturels, autres grandes causes de divisions.

Berbérophones, arabophones, francophones : le problème n'est pas nouveau. Dans le demi-siècle écoulé, le berbérisme a provoqué la crise du MTLD en 1948-1949, l'isolationnisme de la wilaya 3 de 1956 à 1962. Depuis l'indépendance, il entraîne la fronde d'Aït Ahmed. Envers et contre tout, ce berbérisme refuse de mourir. Au contraire, il manifeste sa vitalité, s'appuyant sur environ sept millions de berbérophones dans l'Aurès, le M'Zab, le Hoggar, au Gourara. Et essentiellement en Grande Kabylie[2]. S'ils se reconnaissent algériens les uns et les autres, des natifs de ces contrées entendent préserver leur spécificité, leurs coutumes et en premier lieu le tamaright (la langue berbère).

Les Kabyles, peuplement berbère principal, ne sont pas des Arabes. Ils sont des Berbères islamisés. Bien des traits les distinguent du peuplement arabe, à commencer par leur faciès. Le teint blanchâtre d'un Kabyle l'identifie presque à un Européen. Sédentaire, on le sait, mais aussi travailleur, il est à l'origine de l'émigration et des premiers contingents de Messali Hadj.

Dans leur quête du respect de leur identité, les Kabyles se heurtent à certains fondements du nationalisme algérien. Ben Badis énonçait : « L'arabe est ma langue... » Ben Bella martelait : « Nous sommes tous des Arabes, des Arabes ! » Le FLN victorieux emboîte le pas et biffe toute référence au berbérisme. La Charte de 1976 l'a oublié et définit l'Algérie comme une « nation arabe et musulmane ». En revendiquant une identité algérienne diversifiée, les berbérophones sont condamnés à entrer en conflit avec le pouvoir. Ce qui, après 1963, 1964, se reproduit en 1980 en Grande Kabylie avec l'interdiction de conférences en berbère. S'il existe quelques KBS (Kabyles de service), l'immense majorité des Kabyles fait masse. Automatiquement, aucun d'eux ne figure dans le clan dirigeant.

1. *Hitt :* mur en algérois.
2. Sans parler de la diaspora kabyle à Alger, Oran, Constantine.

Le rejet du pluralisme culturel s'adresse aussi bien à la culture française qu'à la culture berbère. Ben Bella et ses successeurs ont entrepris l'arabisation du pays à tous niveaux : enseignement, presse, radio, télévision, édition. Les résultats se font sentir. Les jeunes générations connaissent de moins en moins le français. Pourtant, ce dernier demeure l'outil de communication privilégié voire indispensable. Grâce à leurs diplômes, les francophones s'octroient les meilleures places dans la fonction publique ou les entreprises nationalisées. Ils correspondent souvent à une élite qui a eu les moyens de s'instruire.

L'opposition à leur égard se sert d'une arme sournoise. Ils sont désignés comme le parti des ennemis de l'Algérie, le parti de la France. L'anathème « Hiz'b franca » les diabolise en leur enlevant leur nationalité. Les islamistes hostiles à tout ce qui touche à l'Occident l'exploitent largement. Le même opprobre frappe les berbérophones englobés dans ce « Hiz'b franca » réprobateur. Les écrivains Kateb Yacine, Mouloud Mammeri n'y échappent pas. L'Algérie n'a rien à gagner à ces clivages qui s'enveniment, divisent et ajoutent à toutes les autres sources de scission, qu'elles soient sociales ou religieuses.

*

L'OMBRE DE LA FRANCE

Sur ce décor tumultueux plane l'ombre de la France. Le colonisateur s'est éclipsé mais il est toujours présent. « L'Algérie restera française comme la Gaule est restée romaine », avait prophétisé de Gaulle. Les faits lui donnent raison. Tout en Algérie, du moins en grande partie, continue à se faire en référence à la France, à son image ou contre son image.

Evidemment, il y a eu les morts de la guerre. Les Algériens les nomment les « Chouhadas », les Martyrs. Ils font tout pour en rappeler le souvenir. Place des Martyrs, Monument des Martyrs, Carré des Martyrs... Ce passé, ce sang sont le grand ciment de l'unité nationale et il est bon de les commémorer avec emphase. La France a beau multiplier les gestes, visites de Valéry Giscard d'Estaing ou de François Mitterrand, gaz acheté au-dessus des cours mondiaux, prêts généreusement accordés parfois même à fonds perdus [1], rien ne réduit la tension. Soit elle en fait trop ou pas assez, quoi qu'elle tente, elle est

1. Si l'on en croit Abderrahmane Farès, de Gaulle, au printemps 1962, a accordé durant trois ans une subvention non remboursable à l'Algérie. Voir *La Cruelle Vérité*, ouvr. cité, p. 94.

critiquée de tous bords. La France est présentée comme le grand responsable des maux présents. Elle offre le bouc émissaire idéal aux frustrations de toutes sortes qui frappent le pays. Freine-t-elle les entrées sur son territoire, elle est traitée de raciste ; évoque-t-elle les droits de l'homme, elle est accusée d'ingérence ; manifeste-t-elle le désir d'être respectée, elle est taxée d'impérialisme ; abrite-t-elle des exilés, elle est désignée en ennemi du peuple algérien... Le mal est sans remèdes. Il le restera aussi longtemps que la fuite des générations n'aura pas classé la guerre d'indépendance dans les dossiers de l'histoire. Cette période risque d'être longue. L'Algérie a tellement besoin de se décharger au détriment de quelqu'un.

Ce délire haineux est le fruit des passions accumulées et plus encore sert de leitmotiv facile à chaque camp algérien pour se détourner de ses responsabilités. Il n'empêche pas les relations commerciales ou autres.

La France n'est pas toujours bien payée mais vend. Elle est le premier fournisseur de l'Algérie (25 % des importations) et son troisième client, grâce à ses achats de gaz et de pétrole.

Quant aux Algériens émigrés, ils dénoncent l'ostracisme dont ils seraient l'objet mais ne se précipitent pas pour rentrer chez eux. Après une visite au pays, leurs enfants choisissent allégrement de bénéficier de la vie française. 84 % des jeunes « Beurs » à double nationalité préfèrent effectuer leur service militaire en France plutôt qu'en Algérie. Avec le temps, le matérialisme ambiant laminant le rigorisme religieux, ils devraient s'intégrer sous réserve qu'ils ne séjournent pas trop longtemps dans des ghettos.

*

Jacquerie plus que fronde, la détonation survient en octobre 1988. Durant une semaine le peuple, les jeunes principalement, se déchaînent. Une série de grèves sur la zone industrielle de Rouiba-Reghaïa, à l'est d'Alger, en est le signe précurseur. Puis les premiers affrontements éclatent dans le quartier de Bab el-Oued, ancien haut lieu piednoir d'Alger, le mardi 4 octobre au soir. Le lendemain, l'effervescence gagne le centre ville. De mystérieux mots d'ordre appellent à descendre dans la rue. Des voitures de grosse cylindrée flambent. Des magasins connus pour appartenir à des privilégiés sont pillés et dévastés. Aucune grande ville n'est épargnée par une lame de fond qui s'en prend aux riches et aux symboles de l'Etat FLN.

Après avoir curieusement laissé durant une journée la main libre aux émeutiers, l'armée ouvre le feu le jeudi 6. Pendant une semaine, elle ne cessera de tirer pour réprimer ce qui prend tournure d'insurrection. En coulisses, les chefs du futur FIS attisent l'incendie. Ils dénoncent la « politique de prestige, de luxe et de gaspillage » et réclament l'application d'un régime fondé sur la charia.

Le 10 octobre, Chadli Ben Djedid, après avoir reçu des islamistes, modérés comme Mahfoud Nahnah et intégristes comme Ali Belhadj, s'exprime et annonce des « réformes politiques ». Effet de cette promesse ou résultat des négociations antérieures ? Le calme revient. Mais la répression a fait au moins 500 morts, dont la moitié à Alger (800 selon les sources médicales). L'armée s'est montrée sous un mauvais visage, entraînant le FLN avec elle. Arrestations, tortures contribuent encore à faire basculer les jeunes vers ces islamistes que leur système pileux fait dénommer les « barbus ».

*

L'ordre règne à nouveau, ce qui n'exclut pas l'effervescence. La société algérienne bouge. Mouvement culturel berbère, mouvements des droits de l'homme, mouvements des femmes contre le code de la famille, mouvements islamistes, mouvements des journalistes, des avocats, des syndicalistes, etc., pullulent afin de briser le carcan en place depuis trois décennies.

Contraint ou d'accord, Chadli Ben Djedid met la pédale douce. Il donne l'impression de répondre favorablement aux exigences qui fusent de partout. Sans tarder, il met en œuvre un référendum en vue de réviser la Constitution. Il recueille une approbation massive (92,27 % de oui). Une nouvelle Constitution est adoptée en février 1989, ouvrant la voie au multipartisme et à la création d'« associations politiques ». Il n'est plus fait référence au socialisme et au FLN. Un vent de liberté semble souffler sur l'Algérie. Semble seulement : les individualités qui campent au sommet de l'Etat et le coiffent solidement ne changent pas.

De tous côtés, dans l'immédiat, on se précipite dans la brèche. A Tizi Ouzou, Saïd Sadi, en février, crée un Rassemblement pour la culture et la démocratie (RCD), expression modérée du berbérisme. Abassi Madani et Ali Belhadj, qui prônent l'instauration d'une république islamique, parviennent à fonder légalement un Front islamique du salut (FIS). Après vingt-trois ans d'exil, Aït Ahmed rentre à Alger en décembre 1989, son parti – le FFS – ayant reçu reconnaissance officielle. Un an plus tard, Ben Bella rentrera à son tour à la tête d'un embryonnaire Mouvement pour la démocratie en Algérie (MDA).

En deux ans, quarante-quatre partis voient le jour. Des ligues, des associations apparaissent, ainsi que des hebdomadaires et des quotidiens indépendants. Le très gouvernemental *El Moudjahid*, datant de la guerre, est très vite supplanté par les nouveaux venus.

Cette « perestroïka » algérienne ne dessert pas Chadli Ben Djedid. Le 22 décembre 1988, il est réélu président de la République pour un troisième mandat. Les « décideurs », dans l'ombre, seraient-ils d'accord sur la nouvelle orientation qui prévoit aussi des élections libres ? A moins que leur division et la pression populaire ne la leur imposent.

A défaut d'une réponse catégorique, il est clair que l'évolution constatée facilite le travail de sape des islamistes Le 21 décembre 1989, des dizaines de milliers de femmes en hidjab défilent à Alger pour réclamer l'application de la charia. Le 20 avril 1990, 100 000 hommes parcourent à leur tour les rues de la capitale, exigeant encore la charia. Chaque jour, les « barbus » sont un peu plus présents dans la vie politique et sociale. Contrastant avec la corruption du régime et du FLN, ils prêchent l'austérité. Patiemment, ils s'attirent des complaisances, non seulement au titre de la foi mais en apportant aide et secours aux miséreux toujours plus nombreux.

Leur succès aux élections locales du 12 juin 1990 éclate comme un coup de tonnerre : 54,25 % de suffrages pour le FIS et seulement 28,13 % pour le FLN qui a pourtant bénéficié d'un soutien inconditionnel de la presse gouvernementale et de la télévision d'Etat. L'Algérie, en ce printemps 1990, a basculé dans l'intégrisme islamique.

Ce résultat est à mettre à l'actif du travail de fourmi des militants et de l'audience des chefs, Abassi Madani et Ali Belhadj. Le premier approche de la soixantaine (il est né en 1931). Interné durant la guerre, puis professeur de sociologie à Alger, il s'est imposé par sa détermination et son autorité. Incontestablement, il est le numéro un du mouvement. Ali Belhadj, né en 1956, est plus jeune. Il s'est fait connaître comme prédicateur apprécié des jeunes à la mosquée Al Sunna, dans le quartier de Bab el-Oued.

La victoire électorale des islamistes ne signifie pas que tous les Algériens soient d'accord avec leur programme. Le 27 décembre 1990, 400 000 sympathisants du FFS d'Aït Ahmed défilent de concert à Alger. Ils rappellent les règles de la démocratie et protestent contre l'adoption d'une loi « sur la généralisation de la langue arabe ».

Critiqué de l'extérieur, le FIS connaît également des contestations dans ses rangs, germes de scissions à venir. « Fondateurs historiques » et jeunes cadres se disputent la prééminence. Pour affermir son autorité, tout en testant les réactions des siens et des militaires, l'équipe dirigeante d'Abassi Madani décide le principe d'une « grève sainte » le 25 mai 1991.

Après un démarrage assez laborieux, le mouvement prend toute son ampleur au bout de quarante-huit heures. Alger se transforme en campement islamiste. Le gouvernement en place est débordé. Son chef, Hamrouche Mouloud, offre sa démission, mais dans l'ombre les « décideurs » se cabrent. Dans la nuit du 3 au 4 juin, la troupe investit les places publiques occupées par les « dormeurs islamistes ». La résistance est vive. La place des Martyrs, la place du 1er Mai ne sont pas dégagées sans heurts. Au matin du 4, l'armée a repris le contrôle de la ville, au prix de morts et de blessés. L'état de siège est proclamé, le couvre-feu instauré. Les élections législatives normalement prévues sont reportées. Ahmed Ghozali remplace Hamrouche à la tête du gouvernement.

Cette « grève sainte » marque la grande rupture entre islamistes et « décideurs ». Ceux-ci savent parfaitement que l'arrivée du FIS signifierait leur éviction totale. C'en serait fini du cercle des privilégiés.

Les jours suivant confirment et aggravent la scission. Madani laisse planer la menace du djihad. Des affrontements continuent d'opposer de-ci de-là des militaires à des islamistes. Le 28 juin, Madani lance un ultimatum et donne quarante-huit heures à l'armée pour évacuer les villes. Il est allé trop loin. La riposte tombe. Madani et Belhadj sont arrêtés et emprisonnés ainsi que quatre autres dirigeants. Un calme précaire s'instaure.

*

Madani, Belhadj sont sous les verrous quelque part dans une prison militaire à Blida, mais les « barbus », plus souvent encore baptisés les « frérots », travaillent. Ils poursuivent leur assistance aux déshérités. Ils divulguent leurs slogans : « Voter pour le FIS, c'est voter pour Dieu », « Voter contre le FIS, c'est voter contre Dieu ». Plusieurs milliers de coopérants égyptiens, venus pour l'instruction de l'arabe et marqués par l'influence fondamentaliste des frères musulmans, les aident. Des cassettes de prières et prédications enregistrées dans les mosquées, flétrissant la corruption et reprenant le thème de l'unité de la nation arabe et musulmane, sont vendues dans tous les quartiers. Tous ces messages finissent par passer. Ils touchent le peuple et aussi la bourgeoisie commerçante à laquelle est promis un total libéralisme économique.

Chadli Ben Djedid et ses conseillers seraient-ils à l'image de Ben Bella et de son entourage en 1965 ? Ils ne discernent pas la gravité de l'heure et apparemment se couvrent mal.

La « grève sainte » a fait reporter les élections législatives. Est-ce par ignorance de la situation réelle, défi, ou pour sauver les apparences ? Ces législatives ne sont pas annulées mais fixées pour fin décembre.

La lame de fond du premier tour, confirmant le scrutin de juin 1990, est pour le pouvoir en place une singulière désillusion.

FIS	47,4 %	des suffrages –	188 sièges.
FFS	25 %	des suffrages –	25 sièges.
FLN	15 %	des suffrages –	18 sièges.
Indépendants	3 %	des suffrages.	

Les petits partis – RCD, PRA [1], PAGS [2] d'inspiration communiste – n'ont aucun élu. Il y a cependant 5 millions d'abstentions, soit 40 % des inscrits.

Ce résultat est implacable dans ses perspectives. Au deuxième tour, le FTS et les islamistes ayant déjà 188 élus seront les maîtres d'une assemblée qui doit compter 430 députés. Le pouvoir est à portée de leurs mains par le biais du suffrage électoral. La nouvelle Constitution est formelle : le gouvernement est l'émanation de la majorité parlementaire.

Les « barbus » aux commandes, quel bouleversement en Algérie ! L'intégrisme islamique, la charia appliqués dans toute leur rigueur. La chasse à la corruption lancée. Les privilégiés appelés à rendre des comptes. Les militaires reconduits dans leurs casernes. L'Algérie susceptible de ressembler à l'Iran ou au Soudan. Des répercussions internationales d'envergure.

Aït Ahmed réagit le premier, au nom des principes qu'il ne cesse de défendre. Le 2 janvier 1992, 300 000 personnes manifestent à Alger pour la « sauvegarde de la démocratie ». Une semaine plus tard, des centaines de femmes envahissent le centre ville pour exiger le respect de la condition féminine.

Les islamistes sont en droit de s'estimer pratiquement vainqueurs. Le second tour ne peut que confirmer voire accentuer le premier. Mais une fois encore, la partie capitale se noue dans le secret du cénacle militaire des « décideurs ». Ils seraient – rien n'est absolu – quatre généraux à tirer les ficelles : Larbi Belken, ministre de l'Inté-

1. Parti du renouveau algérien. Prône un islam moderne dans une économie libérale.
2. Parti de l'avant-garde socialiste.

rieur, Mohammed Mediene, directeur de la Sécurité militaire, Abdelmalek Ghenaïza, chef d'état-major, Khaled Nezzar, général major (grade le plus élevé), ministre de la Défense. Sans oublier Mohammed Betchine, éminence grise incontournable. Pour eux, il ne saurait être question que le FIS accède à la tête du pays. Ils perdraient tout.

Leur coup d'arrêt du FIS prend la forme d'un véritable coup d'Etat : dissolution de l'Assemblée nationale par le président de la République le 4 janvier ; démission de ce même président le 11 janvier, preuve de la fragilité de sa fonction. Livide, Chadli Ben Djedid se contente de dire dans un discours télévisé : « La seule solution à la crise actuelle réside dans la nécessité de me retirer de la scène politique. » L'armée l'avait porté au sommet en 1979. Elle le destitue en janvier 1992, victime expiatoire du désastre politique.

Quant aux élections, elles sont reportées *sine die*. L'état d'urgence sera proclamé le 9 février.

Ce 11 janvier est un coup d'Etat sans baïonnettes apparentes. Mais personne n'est dupe. Les baïonnettes de l'ANP luisent en arrière-plan. Les « décideurs » ne le contestent pas : l'armée est intervenue pour sauver la démocratie de l'emprise islamique.

*

La Constitution prévoit que le président du Conseil constitutionnel assure l'intérim de la présidence de la République. Le titulaire, Abdelmalek Benhabyles, se récuse. L'Algérie n'a plus de responsable officiel, et pourtant il lui en faut un.

Le Haut Conseil de Sécurité, organisme consultatif simplement chargé de donner son avis, désigne un Haut Conseil d'Etat de cinq membres, doté des pouvoirs du président de la République [1]. Ce HCE trouve au Maroc, en la personne de Mohammed Boudiaf, le porte-drapeau de prestige nécessaire au pays. Opposant incorruptible, adversaire irréductible de Ben Bella et de Boumedienne, Boudiaf vit en exil à Rabat depuis 1963.

Ayant accepté la charge de président du HCE, soit donc de plus haut personnage de l'Etat, Mohammed Boudiaf débarque le 16 janvier vers quatorze heures à l'aéroport Houari Boumedienne d'Alger. Les années ne l'ont pas changé, même si ses cheveux ont blanchi [2]. Même visage taillé à coups de serpe, même rigueur doctrinale.

---

1. Ce HCE, outre Boudiaf, comprendra un religieux modéré, le ministre des droits de l'homme, un représentant des anciens combattants et le général Nezzar, le véritable homme fort.

2. Il est né le 23 juin 1919.

L'Algérie, dès lors, entre dans une ère nouvelle, celle de la violence. Les islamistes sont décidés à ne pas entériner le coup de force. Le pouvoir qu'ils n'ont pu obtenir par les urnes, ils l'obtiendront par les armes.

*

Mohammed Boudiaf est certainement animé de bonnes intentions. Il s'annonce conciliateur :

> « Il faut mettre les compteurs à zéro, s'attaquer aux causes et aux conséquences de la crise. Je ne veux pas que le sang coule à nouveau dans mon pays. Je tends la main à tous. »

Nobles paroles, mais la partie est trop ardue pour un homme seul parachuté dans le champ de bataille de l'Algérie de 1992. Il est de surcroît resté lui-même : autoritaire, intransigeant, rejetant aussi bien le FIS que le FFS. Selon lui, la véritable Algérie est celle des cinq millions d'abstentionnistes qui rejettent aussi bien les islamistes que les corrompus du FLN. Refusant de se poser en arbitre, il tente d'organiser le renouveau par un « Rassemblement patriotique national » (RPN), sorte de RPF algérien, fondé sur le prestige de sa personnalité. Mais Boudiaf est trop cassant pour s'avérer un vrai rassembleur.

Rassembler, pourtant, l'Algérie en a grand besoin. Aït Ahmed contraint à un nouvel exil entretient la flamme contre les islamistes et la dictature. Le FLN, désavoué de toutes parts, n'est plus qu'un nom auquel s'accrochent ceux qui en profitent. FFS, FLN et autres moins notoires n'en sont qu'au stade du verbe et de la manifestation. Le FIS, lui, dissous le 4 mars, passe à l'action. Son bras armé, le Mouvement islamique armé (MIA), qui donnera naissance à l'Armée islamique du salut (AIS), se lance dans les attentats et le terrorisme. La condamnation d'Abassi Madani et d'Ali Belhadj le 15 juillet à douze ans de réclusion, active les haines. Le 26 août, à 10 heures 46, un attentat à l'aéroport Houari Boumedienne fait des ravages au milieu de la cohue des familles sur le départ pour Paris, Marseille ou Bruxelles. On relève 9 morts et 128 blessés.

Quatre présumés coupables seront exécutés le 31 août, mais le sont-ils vraiment ? Séquelles physiques à l'appui, ils affirmeront à leur procès avoir tout avoué sous la torture. Ce n'est là que confirmation de la banalisation de la torture policière en Algérie. Mais qui a vraiment commandité l'attentat de l'aéroport ?

Celui-ci en éclipse à peine un autre survenu, deux mois plus tôt, le 29 juin.

A la maison de la Culture à Bône, le président du HCE achève un long discours où percent ses intentions : « Notre dernier objectif sera de revenir à la démocratie, mais une démocratie transparente... »

La rafale du pistolet mitrailleur du sous-lieutenant Lambarek Boumaarafi ne le laisse pas conclure et le foudroie derrière son pupitre. Boumaarafi appartient au GIS, le Groupement d'Intervention spécial, une branche des unités anti-terroristes du ministère de l'Intérieur. Est-il un islamiste ou a-t-il été dépêché par ceux que Boudiaf gêne ? Le mystère demeure. Pour la troisième fois [1], après Khider et Krim Belkacem, l'un des neuf « historiques » est assassiné par un Algérien.

L'intermède Boudiaf est terminé. Il n'a duré que cent soixante-dix jours. Le 3 juillet, le HCE s'offre un autre président, Ali Kafi, ancien commandant de la wilaya 2 et présentement secrétaire général de la puissante organisation nationale des Moudjahidines. A côté de lui, un Conseil consultatif national de soixante membres est censé remplacer l'Assemblée dissoute le 4 janvier. Mais ce Conseil n'est là que pour avis et les titulaires ont été soigneusement sélectionnés. Le vrai pouvoir appartient toujours aux « décideurs ».

La mort brutale de Boudiaf, l'attentat sanglant de l'aéroport signifient surtout que l'Algérie vit dans la violence. Celle-ci date-t-elle du 29 juin 1992 ou du 26 août 1992 ? Douteux. Elle est latente depuis l'indépendance : événements de l'été 1962, troubles en Kabylie, chute de Ben Bella, incidents sanglants à Tizi Ouzou en 1980, à Constantine, à Sétif en 1986, puis à Oran, Canrobert, avant l'explosion de l'automne 1988. Le coup de force du 11 janvier 1992 n'a fait que précipiter les événements et les réactions des islamistes.

Ces islamistes, sous un générique trompeur, sont divisés. L'ex-FIS n'est pas seul. Le Hamas représente un courant modéré prêt à s'intégrer à une république vraiment démocratique. Pèse-t-il, dans le climat passionnel du moment ? Il n'est pas un sérieux danger pour les amis de Madani et Belhadj. Le danger se situe chez les dissidents, organisés en GIA, Groupes islamiques armés ou groupe islamique armé [2]. Des irréductibles sont à leurs origines. Ils reprochent au FIS d'avoir pactisé avec le régime en participant aux scrutins en 1990 et 1991. Leurs militants sont jeunes, souvent moins de vingt-cinq ans, et n'ont rien à perdre. « Hittistes » sans espérance, ils proviennent des ban-

1. Peut-être même la quatrième fois, si l'on compte Ben Boulaïd.
2. Le pluriel est certainement préférable eu égard à leur diversité.

lieues surpeuplées d'Alger, les Eucalyptus, Baraki, Maison-Carrée, et des petites villes de la Mitidja, Sidi Moussa, Boufarik, El-Arba, Rivet (Meftah), Fort-de-l'Eau (Bordj el-Kiffan).

Ces enfants du prolétariat urbain sont les interprètes d'une révolte sociale. Plus âgés, les « Afghans », anciens des maquis d'Afghanistan, leur apportent leur expérience militaire et leur endoctrinement. Ils déversent sur leur entourage leur rigorisme religieux, leur opposition radicale à tous les vecteurs d'occidentalisation. Il est dans la logique de leur idéologie de les voir s'en prendre aux étrangers, aux intellectuels, aux enseignants, aux femmes refusant de porter le hidjab ou appartenant aux familles des membres des forces de sécurité. Le descriptif de ces GIA ne serait pas complet en omettant les parasites. Profitant de l'anarchie ambiante, des groupes travaillent pour leur propre compte et relèvent purement et simplement du strict banditisme.

D'Alger et de sa périphérie, ces GIA se sont répandus dans la région proche et centrale du pays. La Mitidja, l'Atlas blidéen représentent leurs fiefs de prédilection.

Eux non plus n'échappent pas aux querelles de chefs. Mansouri Meliani, ancien compagnon de Bouyali, et Abdelkader Chebouti sont de farouches rivaux. Moh Léveilley (de son vrai nom Mohammed Allal), initiateur d'opérations spectaculaires, est abattu dans la nuit du 31 août au 1er septembre 1992 à l'issue d'une réunion. Abdelkader Layada, ancien tôlier de Baraki, se proclame de lui-même en janvier 1993 « commandant des GIA ». Layada arrêté et condamné à mort, Ahmed Mourad se présentera en successeur jusqu'à sa mort dans l'explosion d'une villa à Alger le 26 février 1994. D'autres prétendants suivront, dont Djamel Zitouni, un transfuge du FIS, accusé d'être manipulé par la Sécurité militaire. Bref, qui commande vraiment les GIA ? Impossible de répondre avec exactitude.

Pour le FIS, la réponse est plus précise. En théorie, Madani, Belhadj, Hachani, sous réserve d'emprisonnement, sont à la tête du mouvement, ce qui n'interdit pas les rivalités. Leurs troupes, tout aussi à base de jeunes, tiennent plutôt l'ouest et l'est de l'Algérie. La zone Djidjelli-Bougie offre aux maquis de l'AIS, qui se sont constitués depuis des mois, le traditionnel refuge de ses couverts.

*

L'attentat de l'aéroport a retenti comme un coup de gong. D'autres lui répondent un peu partout. Des gendarmes, des militaires sont assassinés. Environ 400 de février à septembre.

Avec 1993, la guerre larvée s'intensifie en direction de personnalités connues. Bon nombre en sont victimes :

– le 16 mars, Djilali Lyabes, ancien ministre de l'Enseignement supérieur ;

– le lendemain, Laadi Flici, membre du Conseil consultatif ;

– le 26 mai, l'écrivain Tahar Djaout ;

– le 15 juin, le psychiatre de renommée internationale Mahfoud Boucebi ;

– le 22 juin, le sociologue M'Hammed Boukhobza.

La disparition le 21 août de Kasdi Merbah, ancien chef de la Sécurité militaire et ancien Premier ministre, a un énorme retentissement. Kasdi Merbah [1] était pourtant bien gardé. Le commando d'une douzaine de tueurs qui l'attendait sur la route entre Alger-Plage et Alger ne lui a laissé aucune chance. Mais qui est derrière ce meurtre ?

Des islamistes ? Kasdi Merbah se posait en champion de « l'éradication » de l'intégrisme. Des adversaires ? Ce colonel savait beaucoup de choses et était susceptible de contrarier certains desseins.

Sa mort, comme celle de Boudiaf, laisse une interrogation et un large soupçon sur les gens de la nomenklatura. Il n'est au fond qu'une certitude : l'Algérie vit en guerre civile.

*

La litanie macabre s'égrène, incluant des étrangers. Deux géomètres français près de Sidi Bel Abbès en septembre, deux lieutenants-colonels russes, instructeurs à l'école d'aviation de Laghouat, en octobre, trois techniciens, un Péruvien, un Colombien, un Philippin encore en octobre, 12 Croates en décembre...

Résultats de cette xénophobie sanguinaire : les ressortissants étrangers désertent le pays. Les ambassades se transforment en bunkers. Les agences de voyages européennes interrompent leurs relations avec l'Algérie, pays maudit.

Parallèlement, les opérations s'amplifient de chaque bord. Embuscades et exactions de la part des islamistes. Répression de la police et de l'armée. A la fin de 1993, la cour spéciale d'Alger, instituée en février, a déjà prononcé 350 condamnations à mort. L'école de police d'Hussein Dey, la caserne des Tagarins à Alger fonctionnent à plein comme centres de détentions, d'interrogatoires, de tortures. Des camps d'internement aux conditions de vie des plus précaires s'éta-

1. De son vrai nom Abdellah Khalef.

blissent au Sahara. Dans le djebel, on parle de ratissages, d'opérations héliportées...

*

Au sommet de l'Etat, la valse des chefs de gouvernement rappelle la IVe République. Ghozali, Abdesselam, Malek : trois en moins de deux ans. Manifestement, l'unanimité des « décideurs » n'est pas totale sur les personnes et la politique à suivre. Certains parleraient de dialoguer avec les islamistes, d'autres ne connaîtraient que le terme « éradiquer ». Parmi ces derniers, un personnage ne passe pas inaperçu, aussi bien par son physique que par sa détermination. Ancien sous-officier de l'armée française, nommé en 1993 chef d'état-major de l'armée, le général Lamari affiche haut et fort sa résolution. Les « éradicateurs » possèdent en lui un chef de file de poids.

Pourquoi le général en retraite Lamine Zeroual, cinquante-deux ans [1], est-il le 10 juillet 1993 nommé ministre de la Défense dans le cabinet Abdesselam ? Il n'est pas désigné pour ce poste capital sans répondre à certains critères. Depuis Boumedienne, le ministre de la Défense, patron des armées, est le cerbère vigilant des intérêts de la caste militaire. Certes Zeroual, diplômé de l'école militaire de Moscou et de l'école de guerre française, ancien commandant des troupes aéroportées, des 5e et 6e régions militaires puis des forces terrestres, a derrière lui une brillante carrière. Pour accéder où il s'élève, sans doute possède-t-il en plus quelque botte secrète ?

*

La situation économique ne peut que souffrir du climat général. Le chômage ne faiblit pas. Les difficultés quotidiennes s'accentuent : eau coupée une grande partie de la journée à Alger, rareté des produits importés, tout spécialement des produits pharmaceutiques. Faute de pouvoir acheter des pièces détachées par manque de possibilités financières, des usines s'arrêtent. Le terrorisme islamiste n'est pas en peine pour recruter des jeunes en quête d'activité et d'ancrage.

La dette extérieure s'accentue. Faisant fi de la fierté nationale, le gouvernement se résigne à solliciter un étalement au FMI et à ses principaux partenaires étrangers dont la France.

---

1. Il est né en 1941 près de Batna. « Monté au maquis très jeune », il devient officier dans l'ALN extérieure (son frère, par contre, fera carrière dans l'armée française).

*

Tout au long de 1994, la barbarie continue de se déchaîner tous azimuts. Le 24 septembre, est abattu devant le domicile de ses parents à Oran Cheb Hasni, vingt-six ans, « Prince du raï ». Ce raï pourtant n'a rien de séditieux. Il chante seulement le mal de vivre de l'époque, le ras-le-bol du chômage et des pénuries. Mais Cheb Hasni ne se voulait pas intégriste. Il est mort comme tant d'autres, comme Salah Djebaïli, recteur de la faculté des sciences d'Alger, comme Me Youcef Fatallah, président de la Ligue algérienne des droits de l'homme, comme sept marins italiens égorgés dans un port, comme trois gendarmes et deux agents consulaires français, comme Abdelkader Hattab, son épouse et neuf de ses hommes décimés par un groupe rival.

Dans cette lutte fratricide, la France se retrouve malgré elle en première ligne. Les liens du passé la rivent encore à l'Algérie. Plus de deux millions d'Algériens vivent maintenant en France, avec les risques qu'ils représentent de cinquième colonne. Quelques centaines de Français subsistent envers et contre tout outre-Méditerranée où le colonisateur a encore quelques intérêts, ne serait-ce que culturels ou financiers. La dette algérienne à son endroit ne cesse de s'accroître.

Le gouvernement français, conscient des risques pour ses nationaux, s'efforce de ménager la chèvre et le chou. D'un côté des crimes affreux, d'un autre une négation totale des droits de l'homme. Plus que jamais, les islamistes ont intérêt à faire de la France la responsable de tous les maux. Le 12 août 1994, les GIA exigent l'arrêt de « tout appui » de Paris au pouvoir algérien, à défaut ils menacent de « frapper violemment les intérêts français ». Pressentant la suite, le 20 décembre Paris restreint l'entrée des Algériens en France et exige des visas. La réplique tombe peu avant Noël : un commando des GIA s'empare à Alger d'un Airbus d'Air France qui finalement se pose à Marseille. Trois passagers sont exécutés avant que le GIGN ne donne un assaut aussi spectaculaire que réussi, tuant les quatre terroristes et sauvant équipage et passagers.

*

Depuis la démission forcée de Chadli Ben Djedid, l'Algérie n'a plus de président de la République. Le 30 janvier 1994, Zeroual est intronisé par ses pairs pour combler ce vide. Pourquoi lui ? Encore une question sans réponse absolue. Le ministère de la Défense l'avait placé sur orbite, mais était-ce suffisant ? Alors, entregent personnel ou nomination dûment mûrie des « décideurs » ?

Dans le climat ambiant, il est naturellement impossible de se réunir sur le sol algérien pour traiter de démocratie et de paix. Les chefs des principaux mouvements politiques parviennent à se regrouper le 13 novembre 1994 à Rome au siège de la Communauté catholique Sant Edigio.

Plus surprenant encore que le cadre chrétien de cette rencontre entre musulmans sont le nombre et la qualité des participants :

– Aït Ahmed pour le FFS,
– Anwas Haddam pour le FIS,
– Ben Bella à titre personnel,
– Abdelhamid Mehri pour le FLN,
– Abendour Ali Yahia pour la Ligue algérienne des droits de l'homme,
– Mahfoud Nahnah pour le Hamas,

plus quelques noms moins connus.

Pratiquement, les trois forces politiques majeures de l'Algérie – FIS, FFS, FLN – sont rassemblées en compagnie de personnalités à l'audience certaine. La présence du FLN dans cet aréopage a de quoi surprendre, d'autant que Mehri n'est pas le premier venu : ancien du CNRA de 1956, du CCE de 1957, du GPRA, il a été plusieurs fois ministre et ambassadeur à Paris. Mais le vieux FLN est en rupture de ban avec le pouvoir auquel il reproche l'introduction du pluralisme. Après ses revers électoraux et la désaffection dont il est l'objet, il donne l'impression de se détacher du régime et de ses turpitudes. A l'instar d'autres formations, le FLN prône le consensus national et la fin du cycle de la violence.

Les conversations ne sauraient être aisées entre individus que tout sépare : le passé, le présent, les conceptions politiques. Toutefois, ils parviennent le 13 janvier 1995 à présenter une « plate-forme pour une solution politique et pacifique de la crise algérienne ». Concrètement, un contrat national de six pages stipule de respecter « l'alternance, et les libertés individuelles dont la liberté de confession ».

Le FIS a accepté d'entrer dans le moule d'une solution politique et d'appliquer les règles démocratiques. Est-il sincère ? Au mois de septembre, en extrayant Madani et Belhadj de leurs cachots pour les placer en résidence surveillée, Zeroual a certainement contribué à décrisper le débat. Plus sûrement, le FIS se sent débordé par les extrémistes des GIA multipliant les exactions. Depuis plusieurs mois, Madani réclamait l'ouverture du dialogue.

Le retentissement international du pacte de Sant Edigio est certain. Enfin des hommes de bonne volonté ! En Algérie, même si on doute d'une application pratique immédiate de la réunion romaine, l'arrêt de la violence devient le leitmotiv des Algériens.

Le pouvoir, lui, est brutalement pris à contre-pied. Il a perdu l'initiative. Les règles démocratiques se dressent contre lui. Les « décideurs » se doivent de réagir. Ils le font par la voix de Lamine Zeroual qui annonce des élections présidentielles. Le président ne l'avoue pas mais l'objectif est clair : en cas de succès, il légitime sa position et acquiert de la respectabilité devant les instances internationales devenues chatouilleuses sur le respect des règles démocratiques.

Organiser des élections dans le contexte général de 1995 s'annonce un pari risqué. Est-il possible de les voir se dérouler correctement ? Quel en sera le résultat ?

A première vue, ce pari électoral semble même un véritable défi. La violence éclôt de partout. Le 6 octobre 1994, le ministère de l'Education nationale mentionnait que 600 écoles avaient été détruites ou incendiées et une cinquantaine d'enseignants tués. Un exemple dans le lot des dommages et des massacres qui verront 55 journalistes assassinés en 1995.

Une année 1995 qui s'ouvre pratiquement par une tuerie dans la prison de Serkadji. Cette prison est une vieille connaissance des Algérois. Datant des Turcs, elle est située presque en centre ville au-dessus de la Casbah. Sous les Français, elle s'appelait Barberousse. Bien des militants nationalistes y ont séjourné. Certains y ont été guillotinés. Des partisans de l'Algérie française l'ont également fréquentée.

Au matin du 21 février 1995, elle compte 1 937 détenus, dont 920 islamistes. Certainement préparée, une révolte éclate dans le quartier des condamnés à mort. Quatre gardiens sont tués. Des prisonniers de droit commun sont pris en otages. Passant outre aux efforts des avocats pour engager des négociations, le garde des Sceaux, Mohammed Teguia, ordonne le 22 l'assaut. Déclenché vers 10 heures 15, celui-ci ne dure qu'une trentaine de minutes. L'autorité judiciaire reconnaîtra 96 morts (il y en aurait eu plus de 100 selon les islamistes).

*

L'équipe Zeroual tient à son pari. Malgré les désordres et les tueries, les élections auront lieu. L'issue ne fait aucun doute. FIS et FFS étant écartés, quatre candidats sont en présence :

– Zeroual, président sortant,
– Nahnah Mahfoud, pour le Hamas,
– Saïd Sadi, au titre d'un certain berbérisme, pour le RCD,

– Boukrouh Nourredine, pour le Parti du renouveau de l'Algérie.

Manifestement, Nahnah et Sadi sont là pour supplanter le FIS et le FFS.

Le 16 novembre 1995, sur 15 969 906 inscrits, 12 087 280 se rendent aux urnes. Avec 75,69 % de votants, les organisateurs sont en droit de revendiquer un succès, témoignage de leur contrôle de la situation.

Les résultats définitifs donnent :

– Zeroual : 7 088 618 voix
– Nahnah : 2 971 974 voix
– Sadi :1 115 796 voix
– Boukrouh : 443 144 voix

Zeroual, très largement en tête avec près de 55 % des votants, obtient ainsi l'investiture suprême. Faisant référence à un scrutin d'apparence démocratique, le général président ne peut qu'y gagner en autorité, aussi bien chez lui qu'à l'extérieur. Il ne s'en privera pas.

*

Zeroual est président de la République, investi théoriquement par le suffrage universel, mais rien n'est résolu pour autant. Pourquoi les islamistes baisseraient-ils les bras ? Leurs motivations demeurent inchangées : établir un régime fondé sur la charia. Pourquoi les militaires laisseraient-ils la place à ces « fous d'Allah » sanguinaires impitoyables ? Ils ont leurs propres intérêts à préserver et peuvent se targuer du succès de Zeroual et de certains appuis. Une bonne partie de la société algérienne aspire à une modernité à l'occidentale, bien opposée à ce que la charia préconise.

Aussi continue-t-on de se battre et de s'entre-tuer. Si le Titteri et les contreforts de l'atlas blidéen sont particulièrement dangereux, il n'est pas de régions qui ne soient touchées. Des innocents tombent victimes des tueries des islamistes. Les « Ninjas », les soldats d'élite du régime, au visage camouflé derrière une cagoule, ajoutent du sang au sang.

Dans leur frénésie de meurtres, les islamistes, accusant le gouvernement français de soutenir Alger, portent la guerre en France. Ils savent pouvoir y bénéficier de soutiens chez leurs coreligionnaires immigrés.

L'assassinat à Paris, le 11 novembre 1996, de l'imam Abdelkader Sahraoui, cofondateur du FIS, donne le signal d'une vague d'attentats en métropole. Du 25 juillet au 17 octobre, sept bombes font 10 morts et 130 blessés. Dans un raccourci sommaire mais compréhensible, pour de nombreux Français, musulman équivaut à terroriste. S'il y a loin de la réalité à cet aphorisme simpliste, un tel schéma ne saurait faciliter l'intégration des fils de harkis nés sur le sol de France.

Les Français ne peuvent qu'être confortés dans cette impression première en apprenant ce qui se déroule outre-Méditerranée.

Le 27 mars, sept moines trappistes français sont enlevés à Tiberine, à la trappe Notre-Dame de l'Atlas près de Médéa. Quelques semaines plus tard, ils seront retrouvés égorgés. L'exécution sauvage de ces hommes de prière, de paix et de dévouement, vivant isolés et sans protection au milieu de la population algérienne, suscite en France une grande émotion. Et ces sept trappistes ne sont pas les seuls religieux victimes d'un fanatisme xénophobe : des sœurs sont assassinées à Alger, l'évêque d'Oran est tué dans un attentat.

Il faut une âme de martyr pour persévérer ! Les derniers Français d'Algérie, à peine un millier d'entre eux, continuent à y vivre par stricte obligation professionnelle ou respect d'une vocation.

*

La situation politique est bloquée. 1996 n'apporte pas de changements. Islamistes et « éradicateurs » poursuivent leur bras de fer.

Voitures piégées à Blida, Alger, Miliana, Hussein Dey... Le 27 septembre, une explosion fait 29 morts à Boufarik. Le terrorisme urbain s'accompagne de massacres en série dans le bled. Les commandos islamistes s'infiltrent dans les villages de la Mitidja et les mechtas des djebels voisins. Le secteur Alger-Larba-Blida est dénommé le triangle de la mort. Les habitants s'organisent vaille que vaille en autodéfense. Les anciens moudjahidines ou leurs fils reprennent le fusil pour se défendre. Armée régulière, forces spéciales, miliciens, plus de 300 000 hommes sont sous les armes pour lutter contre les islamistes.

A la fin de 1996, on parle de 30 000, 70 000 morts depuis 1992. Personne ne peut être formel. Les journalistes étrangers n'ont pas accès à l'arrière-pays. Les informations sont filtrées. Alors 50 000 victimes mais tout aussi bien 100 000.

*

Début 1997, le pouvoir se veut optimiste.

Le Premier ministre, Ahmed Ouyahia, affirme : « Le terrorisme vit ses derniers soubresauts... » Est-ce si sûr, au vu de ce qui se passe ?

Le 28 janvier, Abdelhak Benhamouda, cinquante et un ans, secrétaire général de l'UGTA (trois millions d'adhérents revendiqués), est abattu devant le siège de son organisation. Homme clé du système politique et syndical, il se préparait à abandonner ses fonctions pour prendre la tête d'un parti du président.

En quatre jours, du 4 au 8 avril, 114 villageois sont égorgés.

Zeroual a beau promettre l'extermination des terroristes qu'il accuse d'être soutenus par l'étranger, ceux-ci resurgissent sans cesse, le couteau ou la Kalachnikov à la main.

En juillet, la presse croit pouvoir signaler la mort d'Antar Zouabri, chef des GIA. Est-ce exact ? Ce type d'information est souvent colporté généreusement par un régime soucieux de satisfecit.

L'été, la fin de l'été 1997 sont terribles. Dans la nuit du 28 au 29 août, 200 habitants sont massacrés à Raïs, petit village à vingt kilomètres d'Alger. Aux portes mêmes de la capitale, à Beni Messous, 120 personnes connaissent un sort identique dans la nuit du 5 au 6 septembre. Il n'est pas de journée sans enlèvements, sans assassinats.

Ces monstruosités répétées ont une double incidence. L'opinion publique internationale se réveille et s'interroge. Est-il possible de laisser une telle sauvagerie se perpétuer ? On évoque les interventions dans l'ex-Yougoslavie ou autres pays troublés. Le 3 septembre, Kofi Annan, secrétaire général de l'ONU, appelle à une « solution urgente ». D'autres en France tiennent un langage proche au nom de la solidarité humaine. Le gouvernement algérien mis en cause se cabre, parle d'ingérence dans les affaires intérieures du pays. Concrètement rien ne se dessine, car que faire ? Le problème algérien n'en est pas moins posé sur le plan international. Le régime aura certainement à en tenir compte.

Toutes ces horreurs devenues démentielles révèlent aussi que les islamistes sont divisés et que bon nombre n'écoutent plus les chefs traditionnels du FIS. Ce FIS qui n'est plus ce qu'il était. Il a été grignoté de tous côtés. Le Hamas a récupéré les modérés. Les GIA drainent les extrémistes. Les arrestations, les pertes contribuent à vider les rangs.

Madani sent que le peuple ne comprend plus, réprouve ces atrocités sans fin. Faisant écho aux propos de Kofi Annan, il déclare début septembre vouloir « arrêter l'effusion de sang ».

Des négociations se déroulent-elles à cette époque avec le clan Zeroual ? Les avis divergent. Chez les « décideurs », certains seraient pour, d'autres contre. Impossible de savoir exactement mais il y a certainement conflit entre « éradicateurs » et « conciliateurs ». La libération de Madani en juillet, le remplacement à la tête de la gendarmerie du général Bennabès Ghezeiel par un dialoguiste, le général

Derradji, l'attitude louvoyante de Mediene alias « Toufik », patron des services secrets, inciteraient à croire à une tendance renforcée au dialogue. Ce serait oublier que Lamari est toujours à la tête de l'état-major et que le général major Khaled Nezzar, ancien ministre de la Défense, n'a pas perdu de son influence. Et Lamari et Nezzar n'ont pas une réputation de faiblesse. Quant à Zeroual, on continue de s'interroger sur son rôle. Est-il le chef ou le simple porte-enseigne ?

Si l'incertitude règne sur les orientations précises du pouvoir, hormis sur celle de se maintenir en place, il est un certain pas en avant. Sur ordre de l'émir national, Madani Mezrag [1], l'AIS arrête son combat militaire le 1er octobre. Déjà un cessez-le-feu de fait existait depuis deux mois dans l'est algérien avec l'armée.

Théoriquement, la lutte se réduit désormais à un affrontement, régime-GIA. Ces derniers prennent des coups mais, hydre « assoiffée de sang », réapparaissent sans cesse pour tuer. Les crimes quotidiens se perpétuent dans tout le pays.

*

Les élections locales du 23 octobre 1997 ne sont pas sans signification. A l'instar des législatives de juin, elles confirment les limites du pouvoir, l'influence persistante des islamistes, le désarroi général.

Le FIS avait prôné l'abstention. Bien des électeurs l'ont écouté. D'autres, désabusés, ne se sont pas dérangés. Malgré les pressions gouvernementales, le pourcentage de non-votants est élevé. Un Algérien sur trois ne s'est pas rendu aux urnes.

Comme prévu, le RND du président rafle la grosse mise avec 55 % des sièges aux conseils communaux ou assemblées de wilaya. S'il est majoritaire, il ne représente comme les abstentionnistes qu'un sur trois. La dictature militaire ne saurait se prévaloir d'une pleine adhésion populaire. Elle en est certainement très loin. Les fusils demeurent son premier tuteur et, sur le fond, elle aspire certainement à voir la situation présente se poursuivre. La guerre civile écarte la démocratie...

Les opposants crient à la fraude. Il n'est pas prouvé qu'ils aient tort. Tout incite à penser l'inverse. Les partisans du président peuvent néanmoins avancer que les scores sous Zeroual ne sont pas les 98 % des temps de Ben Bella ou Boumedienne et que le FLN n'est plus seul.

---

1. Ancien chauffeur et garde du corps d'Abassi Madani.

Les brefs reportages de la télévision à l'occasion de ces élections offrent quelques enseignements. Toutes les Algériennes ne portent pas le hidjab ou le haïk. L'intégrisme islamique n'a donc pas que des adeptes. Les aperçus sur les artères de la capitale montrent l'intensité de la circulation piétonnière. Alger par son grouillement humain offre un petit côté Shanghai. Les clichés, trop courts, rapportent la gravité des dommages causés par les GIA (ou d'autres). On constate également que le français se perd. Les jeunes l'ignorent.

*

Pauvre Algérie ! Comment ne pas retenir une telle exclamation ? En cette fin des années 1990, aux approches du troisième millénaire, elle est terre de carnage et de malheurs.

La peur, la mort, la suspicion se sont glissées partout. Au terrorisme bestial des islamistes répondent les arrestations, les tortures des séides du régime. Le pays est plongé dans une guerre civile dont il ne voit ni l'issue ni le vainqueur, même si l'équipe dirigeante semble par moments conforter son autorité. Après trente-cinq ans d'indépendance, le fiasco est quasi total.

Fiasco économique générateur de chômage et de misère. L'agriculture ne nourrit plus les Algériens. L'industrie est en piteux état. Les exploitations minières marquent le pas. Faute d'investissements, les équipements se dégradent. Les logements manquent [1]. Le prix du pain a décuplé depuis 1992. Le dinar se dévalue. L'inflation persiste.

Fiasco politique. Les élections n'ont pas apporté grande once de démocratie [2]. Elles ont principalement servi à conforter le président de la République et à asseoir son parti, le Rassemblement national démocratique créé en avril 1997. Une dictature militaire tiraillée par ses luttes intestines règne par un totalitarisme sans appel.

Fiasco moral. Corruption et luxe s'étalent devant une jeunesse désœuvrée et l'incitent à la révolte. Ce dérèglement des esprits, attisé

1. Faute de logements, il devient difficile pour les jeunes de se marier.

2. En novembre 1996, la nouvelle Constitution a été adoptée par 84,6 % des suffrages exprimés.

Les législatives du 5 juin 1997 ont apporté : 155 sièges au RND du président ; 69 au MSP (Mouvement de la Société pour la Paix, ex-Hamas) ; 64 au FLN.

Les élections locales du 23 octobre 1997 donnent pour les assemblées communales : 7242 sièges sur 13123 au RND ; 2864 sièges au FLN ; 890 et 290 sièges aux islamistes du MSP et du Ennabda ; 645 au FFS ; 444 au RCD ; 508 aux Indépendants.

Les résultats pour les assemblées départementales donnent sensiblement les mêmes pourcentages. Partout le président Zeroual dispose donc de la majorité.

par un fanatisme religieux moyenâgeux, débouche sur des exactions, véritable crime contre l'humanité.

Fiasco matériel. Dans ce pays de 30 millions d'habitants à l'aube de 1998, avec plus de 30 % de la population active au chômage, tout a été bouleversé. Partout les ruines s'accumulent. Ecoles, bâtiments, ouvrages d'art, communications téléphoniques, câbles électriques, détruits, incendiés, ou sabotés ne se comptent plus. A Alger, l'eau n'est parfois distribuée que tous les trois jours et durant quelques heures seulement

Fiasco national d'une nation divisée à tous niveaux et n'arrivant pas à se souder. Si les Algériens de 1998 se reconnaissent algériens, ont-ils vraiment la « volonté et le désir de vivre ensemble » ? Douteux. Il est trop de clans, trop de chapelles : islamistes, intégristes, berbéristes, cadres et intellectuels occidentalisés, militaires... Deux millions d'Algériens vivent en France. Les élites désertent l'Algérie. Un million et demi d'Algériens seraient prêts à quitter le pays en cas de victoire des islamistes, avancent les pessimistes (ce qui expliquerait, disent-ils, la prudence de Paris pour ne pas déstabiliser le régime d'Alger...).

Algérie ensanglantée et désespérée, et pourtant Algérie non sans atouts !

Beauté de ses paysages. Un millier de kilomètres de rivages où alternent criques et plages ensoleillées. Un arrière-pays où se découvrent vestiges romains, reliefs tourmentés, horizons sahariens. Le potentiel d'une activité touristique intense, à l'exemple des deux voisins, Tunisie et Maroc, existe.

Un terroir susceptible de produire céréales, vignes, agrumes et autres, le passé l'a prouvé.

Un sous-sol encore plus riche : fer de l'Ouenza, phosphates du djebel Onk et surtout immense réservoir saharien d'hydrocarbures. En 1997, l'Algérie est le seizième producteur mondial de pétrole, le septième en gaz naturel[1]. Les découvertes récentes ont encore augmenté l'importance de ce pactole dont la production devrait aller croissant. La fin de l'ultranationalisme et du monopole de la Sonatrach, adoptée en 1991, a permis le développement des investissements étrangers. 96 % des ressources en devises du pays proviennent de ces hydrocarbures. Puits, oléoducs, gazoducs[2] sont intacts, précieusement gardés par l'armée.

---

1. Production annuelle moyenne de pétrole : 55 millions de tonnes. Production annuelle moyenne de gaz : 58 milliards de m^3. Réserves minima de pétrole : 1 260 millions de tonnes. Réserves minima de gaz : 3 650 milliards de m^3.

2. Cinq gazoducs partent aujourd'hui de Hassi R'Mel, point central de production du gaz saharien vers Arzew, Alger, Philippeville (Skikda) ; Tunis (Trans-Méditerranéen) ; Tanger (Maghreb-Europe). Les oléoducs se dirigent vers Arzew, Alger, Philippeville et la Skhirra en Tunisie.

La remontée des recettes pétrolières, la réduction par force des importations ont renfloué les caisses algériennes. Fin 1997, le pays dispose d'environ 8 milliards de dollars de réserve de change, la dette fléchit. En mai 1998, l'Algérie pourra s'affranchir de la tutelle du FMI, en place depuis 1994.

Bien gérées, toutes ces richesses rapidement évoquées sont à même de nourrir les enfants d'Algérie[1]. Sous réserve qu'ils sachent limiter leur démographie et arrêtent de s'entre-tuer. Sous réserve également qu'ils sachent exploiter intelligemment leurs richesses sahariennes en songeant à l'avenir. Une soixantaine d'années de production de gaz, mais vingt seulement pour le pétrole. Les gisements ne sont pas éternels. Que se passera-t-il alors, à moins que n'interviennent d'ici là d'autres découvertes ?

Peut-être se distingue-t-il une petite lueur. Les élections, si manipulées soient-elles, maintiennent la référence de la démocratie. Elles ont abouti à un Parlement où siègent huit partis légaux, dont certains ne cachent pas leur hostilité au pouvoir. Un léger pluralisme se manifeste. Sept islamistes modérés font partie du gouvernement. Ces brises à peine perceptibles finiront-elles par balayer le noir du ciel ?

1. Une hausse de 5 % du PIB est prévue pour 1998.

CONCLUSION

Algérie berbère, numide, romaine, française... Quel cheminement depuis deux millénaires ! Encore est-il arbitraire de parler d'Algérie vandale, almohade ou turque. Le vocable, à l'époque, n'existait pas. Il ne remonte qu'au XIXe siècle. Le cadre lui-même est mal cerné. Il ne commence à se dessiner qu'au XVIe siècle, et encore !

Terre d'invasion. Le propos a été si souvent formulé qu'il est inutile de s'y attarder. Il est à rappeler toutefois que ces invasions-occupations étrangères furent rarement totales. L'Algérie ne fut jamais dans son intégralité sous la coupe fatimide ou turque. Seule la présence française, bien que relativement courte, fut aussi globale que pesante.

Terre de rejets aussi. Tous les envahisseurs se sont vu refusés à plus ou moins long terme. De Jugurtha à nos jours, les enfants de la terre algérienne se sont dressés contre les arrivants, sans être pour autant capables de bâtir avec ou après eux.

De toute ces greffes extérieures, il n'en est qu'une qui se soit enracinée : l'islam. Le pays s'y est enfoncé et reste rivé à la religion musulmane qui régit ses modes de vie.

Le parcours de plus de ving-cinq siècles d'histoire algérienne conduit à ressentir un sentiment d'échec. Rien ne débouche. Toutes les entreprises menées échouent ou restent marginales. Aucune n'est capable de voir éclore un embryon durable d'Etat et encore moins de nation. Aucun homme, aucun groupe d'individus ne réussissent à forger l'entité nationale. Abd el-Kader en est l'exemple le plus notoire.

Oui, échecs de toutes les ébauches d'Algérie. Echecs des Algérie numide, fatimide, abdelwahide. Echec de l'Algérie française s'achevant sur un divorce douloureux. Echec enfin aujourd'hui d'un pays plongé dans la guerre civile une fois l'indépendance obtenue.

Une indépendance qui aura cependant, pour une fois, rompu avec le cycle infernal des échecs séculaires. L'éviction des Français fut une âpre bataille avant une victoire obtenue grâce au « sens de l'histoire », à une petite poignée de nationalistes et grâce aux sacrifices consentis par des milliers d'Algériens. Ces sacrifices prouvent que le courage existe sur la terre d'Algérie. Mais les guerriers d'Abd el-Kader ou les tirailleurs de l'armée française l'avaient montré. Malgré ce courage, et cette indépendance, la notion d'échec revient encore. Ce sol serait-il voué à un destin maudit qui s'acharne en cette fin de XXe siècle dans une terrible guerre civile ?

La question se pose au constat de l'indigence de l'ensemble. A fortiori par comparaison avec les deux voisins maghrébins. Si la Tunisie et le Maroc ont engendré une spécificité culturelle et nationale riche d'œuvres d'art, de personnages qui comptent, l'Algérie est vide. Les uniques vestiges de valeur proviennent de Rome ou de la France, accessoirement des Turcs. Il n'est pas d'œuvres d'art significatives. Les grands noms font défaut, hormis saint Augustin et Abd el-Kader. Pour le reste se recherchent vainement des figures de proue dans tous les domaines.

Les sociologues trouveront peut-être des origines ou des explications à ce bilan globalement négatif. Déjà pour expliquer la perpétuité des rivalités, des luttes internes, l'inaptitude à constituer une nation, Ferhat Abbas disait : « Mon pays a le sens tribal ! »

Peut-être est-ce là effectivement l'une des raisons de l'absence historique d'unité nationale jusqu'aux temps présents. Le problème toutefois est plus large. Pourquoi ce vide culturel ? Pourquoi cette absence d'hommes marquants ? Pourquoi aucune maison, aucune famille ne se sont-elles levées pour prendre en main les destinées du pays ?

Aujourd'hui, les enfants d'Algérie sont face à eux-mêmes. Trouveront-ils au fond de leur intelligence et de leurs cœurs la voie de l'union, du respect d'autrui, du travail bien fait, en un mot de la civilisation et du progrès ? Eviteront-ils les écueils séculaires des déchirements ? Leur avenir dépend d'eux et d'eux seuls. Ni Barberousse ni

Bourmont ne repartiront pour Alger. L'avenir de l'Algérie se forgera par les Algériens seuls.

Algérie, terre de précarité et d'incertitude, où pourtant le potentiel ne manque pas : elle est aussi, du moins faut-il l'espérer, terre d'espoir pour un avenir meilleur. L'Algérie est un pays où, envers et contre tout, il n'est pas interdit, dans la nuit présente, d'attendre le retour de l'aurore.

Cornaudric, 1997-1998.

ANNEXES

CRÉDITS PHOTOGRAPHIQUES

Barberousse, Hussein Dey, Bourmont, Abd el-Kader, Bugeaud, Si Salah : coll. part.
Bachagha Boualam, Messali Hadj, Ferhat Abbas, Ahmed Ben Bella, Krim Belkacem, Houari Boumedienne, de Gaulle, Salan : DR
Mohammed Boudiaf, Chadli Ben Djedid : Keystone
Abane Ramdane : AFP
Aït Ahmed : Sipa/Tschaen
Abassi Madani : Sipa/Facelly

Abréviations

AFN	Afrique française du Nord
AIS	Armée islamique du Salut
ALN	Armée de Libération nationale
ANP	Armée nationale populaire
ANPA	Armée nationale du Peuple algérien
AOF	Afrique occidentale française
BEP	Bataillon étranger de parachutistes
CA	Corps d'armée
CARNA	Comité d'Action révolutionnaire nord-africain
CCE	Comité central d'exécution
CEF	Corps expéditionnaire français
CFLN	Comité français de Libération nationale
CGT	Confédération générale du Travail
CNRA	Conseil national de la Résistance algérienne
CPM	Commandant politique et militaire
CRUA	Comité révolutionnaire d'Unité et d'Action
DB	Division blindée
DIA	Division d'infanterie algérienne
DIAP	Division d'infanterie aéroportée
DP	Division parachutiste
DST	Défense de la Sécurité du Territoire
EMG	Etat-major général
ENA	Etoile nord-africaine
ERM	Etablissement régional du matériel
FAAD	Front algérien d'Action démocratique
FFS	Front des Forces socialistes
FIS	Front islamique du Salut
FLN	Front de Libération nationale
FSE	Français de souche européenne
FSNA	Français de souche nord-africaine
GAD	Groupe auto-défense
GENA	Glorieuse Etoile nord-africaine
GIA	Groupe islamique armé
GIGN	Groupement d'intervention de la gendarmerie nationale
GMPR	Groupe mobile Protection rurale
GMS	Groupe mobile de Sécurité
GPRA	Gouvernement provisoire de la République algérienne
HCE	Haut Conseil d'Etat
HLL	Hors-la-loi
MIA	Mouvement islamique armé
MNA	Mouvement nationaliste algérien

MSP	Mouvement de la Société pour la paix
MTLD	Mouvement pour le Triomphe des Libertés démocratiques
OAS	Organisation Armée Secrète
ONU	Organisation des nations unies
OPA	Organisation politico-administrative
OR	Officier de renseignement
OS	Organisation spéciale
PAGS	Parti de l'Avant-Garde socialiste
PCA	Parti communiste algérien
PCF	Parti communiste français
PPA	Parti du Peuple algérien
PRA	Parti du Renouveau algérien
RAM	Royal Air Maroc
RCA	Régiment de chasseurs d'Afrique
RCD	Rassemblement pour la culture et la démocratie
RCP	Régiment de chasseurs parachutistes
REI	Régiment étranger d'infanterie
REP	Régiment étranger de parachutistes
RM	Radio Mondial
RMLE	Régiment de marche de la Légion étrangère
RND	Rassemblement national démocratique
RPF	Rassemblement du Peuple français
RPN	Résistance patriotique nationale
RSA	Régiment de spahis algériens
RTA	Régiment de tirailleurs algériens
RTT	Régiment de tirailleurs tunisiens
SAS	Section administrative spécialisée
SAU	Section administrative urbaine
SIP	Société indigène de prévoyance
UDMA	Union pour la Défense du Manifeste algérien
UGTA	Union générale des Travailleurs algériens
USTA	Union syndicale des Travailleurs algériens
ZAA	Zone autonome d'Alger

Nouvelle nomenclature

Affreville : El-Khemis
Alger : El-Djezaïr
Alma : Bou Douaou
Aumale : Sour el-Ghozlane
Bône : Annaba
Bougie : Bejaïa
Djidjelli : Jijel
Duperré : Aïn Defla
Fort-de-l'Eau : Bordj el-Kiffan
Fort-National : Larba Nath Iratten
Guyotville : Aïn Benian
Jemmapes : Azzaba
Lambèse : Tazoult
Lamartine : El-Karimia
Lamoricière : Ouled Minoum
Mac-Mahon : Aïn Touta
Maison Blanche : Dar el-Beida
Maison Carrée : El-Harrach
Menerville : Themia
Michelet : Aïn el-Hammam
Nemours : Ghazaouet
Orléansville : El-Asnan puis Chleff
Palestro : Lakdaria
Philippeville : Skikda
Saint-Arnaud : El-Eulma
Saint-Leu : Bethioua

Pouvoirs dominants avant les Turcs *

NUMIDES (IVe-IIe siècles avant J.-C.)
ROMAINS (Ier siècle avant J.-C.-Ve siècle)
VANDALES (Ve-VIe siècles)
BYZANTINS (VIe-VIIIe siècles)
ARABES (VIIIe siècle)
ROSTÉMIDES (IXe siècle)
FATIMIDES (Xe siècle)
ZIRIDES (Xe siècle)
HAMMADIDES (XIe siècle)
ALMORAVIDES (XIe siècle)
ALMOHADES (XIIe siècle)
ABDELWAHIDES (XIIIe siècle)
MÉRINIDES (XIVe siècle)
HAFCIDES (XVe siècle)
1514 Barberousse maître d'Alger

* Cette liste n'implique pas une continuité régulière des pouvoirs et une autorité affirmée sur l'ensemble de l'Algérie.

Glossaire des termes arabes, berbères et turcs

Agha : chef
Aïn : Source
Aït : Fils de (berbère)
Arch : Terre tribale
Bachagha : Chef (de plusieurs aghas)
Baraka : Chance
Baroud : Poudre, guerre
Ben : Fils de (équivalent de *Ibn*)
Bey : dignitaire
Bir : Puits
Bled : Campagne
Bordj : Bastion, citadelle
Cadi : Juge en droit coranique
Caïd : Chef de tribu
Chaouch : Planton
Cheikh : Chef religieux
Chouf : guetteur
Dey : Chef de la Régence d'Alger
Djebel : Montagne
Djihad : Guerre sainte
Djoundi : Soldat
Douar : Division administrative
Fatma : Femme
Fellah : Paysan
Goum : Troupe
Gourbi : Chaumière
Imam : Religieux présidant le culte
Kasba : Forteresse
Khalifa : Lieutenant
Khames : Métayer au cinquième
Khodja : Secrétaire
Koubba : Sanctuaire
Koulougli : Métis de Turc et d'Algérienne
Ksar : village fortifié
Marabout : Saint homme
Mechta : Groupe de gourbis
Mehalla : Colonne expéditionnaire
Melk : Propriété privée
Moudjahid : Combattant
Moussebiline : supplétif
Oued : Cours d'eau
Ouléma : Docteur de la loi
Raïs : Corsaire
Ras : Cap, sommet
Smala : Campement militaire
Souk : Marché
Tell : Zone fertile

Chronologie

AVANT JÉSUS-CHRIST

vers 814	Fondation de Carthage
vers 753	Fondation de Rome
148	Mort de Massinissa
146	Destruction de Carthage
104	Mort de Jugurtha

APRÈS JÉSUS-CHRIST

14	Révolte de Tacfarinas
40	Début de l'Algérie romaine
312	Donat, primat de Carthage
430	Mort de saint Augustin
439	Prise de Carthage par les Vandales
539	Chute de l'Empire vandale
570	Naissance de Mahomet
622	L'Hégire. Début de l'ère musulmane
632	Mort de Mahomet
647	Début des invasions arabes au Maghreb

IXe SIÈCLE

Royaume de Tiaret
Fondation d'Alger sur les ruines du village romain d'Icosium

Xe SIÈCLE

Les Fatimides règnent au Maghreb

XIe SIÈCLE

1050 Invasions des Arabes Hilaliens venus de Haute-Egypte
Les Almoravides règnent au Maghreb

XIIe SIÈCLE

Les Almohades règnent au Maghreb
1163 Mort d'Abd el-Moumim

XIIIe-XVe SIÈCLES

Royaume des Abdelwahides à Tlemcen
1492 Prise de Grenade par les Rois catholiques

XVIe SIÈCLE

1514 Barberousse maître d'Alger
1518 Barberousse se reconnaît vassal du sultan
1541 Echec de Charles Quint devant Alger

XVIIe SIÈCLE

Extension de la course barbaresque

XVIIIe SIÈCLE

1792 Abandon définitif d'Oran par les Espagnols
1794-1798 Vente de blé à la France par Bacri et Busnach

XIXe SIÈCLE

1808 Naissance présumée d'Abd el-Kader
Reconnaissance du commandant Boutin en Algérie
1827 29 avril : Coup d'éventail du dey d'Alger au consul de France
1830 14 juin : Débarquement des Français à Sidi Ferruch
5 juillet : Entrée des Français dans Alger
1837 30 mai : Traité de la Tafna
1839 novembre : Reprise des hostilités entre la France et Abd el-Kader
1841 février : Bugeaud gouverneur général de l'Algérie
1847 24 décembre : Reddition d'Abd el-Kader
1857 Pacification de la Grande Kabylie
1870 24 octobre : Décret Crémieux
1871 Révolte de Mokrani
1889 Décret sur la naturalisation des Européens nés en Algérie
1898 Naissance de Messali Hadj
1899 Naissance de Ferhat Abbas

XXe SIÈCLE

1916 Révoltes dans le Constantinois
1925 Création de l'Etoile nord-africaine
1943 31 mars : Manifeste de Ferhat Abbas
1945 mai : Révoltes dans l'est algérien
1954 1er novembre : Début de la guerre d'indépendance
1956 août : Congrès de la Soummam
1957 27 décembre : Assassinat d'Abane Ramdane
1958 1er juin : De Gaulle chef du gouvernement français
19 septembre : Création du premier GPRA
1959 16 septembre : De Gaulle proclame le droit à l'autodétermination des Algériens
1962 18 mars : Signature des accords d'Evian
3 juillet : Indépendance de l'Algérie
26 septembre : Ben Bella chef du gouvernement algérien
1963 9 septembre : Approbation de la Constitution algérienne
15 septembre : Ben Bella président de la République algérienne
octobre : « guerre des sables »
1965 19 juin : Arrestation de Ben Bella, Houari Boumedienne maître de l'Algérie

1967 4 janvier : Assassinat de Mohammed Khider
1970 20 octobre : Assassinat de Krim Belkacem
1976 11 décembre : Mort de Boumedienne
1979 7 février : Chadli Ben Djedid président de la République
1988 octobre : Emeutes populaires dans les villes
1990 12 juin : Succès du FIS aux élections locales
1991 mai : « Grève sainte » à Alger
décembre : Succès du FIS aux élections législatives
1992 11 janvier : Démission de Chadli Ben Djedid
16 janvier : Mohammed Boudiaf, président du HCE, arrive à Alger
– Début des attentats islamistes généralisés
1993 10 juillet : Lamine Zeroual ministre de la Défense
21 août : Assassinat de Kasbi Merbah
1994 30 janvier : Lamine Zeroual, nommé président de la République
décembre : Détournement d'un Airbus d'Air France
1995 13 janvier : Fin de la rencontre de Sant Edigio
21 février : Mutinerie sanglante de la prison de Serkadji
16 novembre : Zeroual élu président de la République
1996 27 mars : Enlèvement de sept moines trappistes à Tiberine
1997 5 juin : Elections législatives
été : Séries de massacres en Mitidja
23 octobre : Elections locales.

Bibliographie

CHAPITRE 2

CAMPS Gabriel, *Berbères aux marges de l'Histoire*, Editions des Hespérides, 1980

DECRET François, FANTAR Mhamed, *L'Afrique du Nord dans l'Antiquité*, Payot, 1981

CHAPITRE 3

ALBERTINI E., *L'Afrique romaine*, Imprimerie Fontana, 1937
BALLU Albert, *Guide illustré de Timgad*, Neurdein Frères, 1903
BARADEZ Jean, *Fossatum Africae*, Imprimerie officielle, Alger, 1949
CUOQ Joseph, *L'Eglise d'Afrique du Nord*, Le Centurion, 1984
FABRE Lucien, *Saint Augustin*, Hachette, 1951
Dom. H. LECLERQ, *L'Afrique chrétienne* (2 tomes), Victor Lecoffre, 1904
LESCHI L., *Djemila, antique Cuicul*, Imprimerie officielle, Alger, 1949
PICARD G.-C., *Castellum Dimidi*, E. de Boccard, Paris, 1944
DANIEL-Rops, *L'Eglise des temps barbares*, Fayard, 1950 ; *L'Eglise des apôtres et des martyrs*, Fayard, 1948

CHAPITRES 4 À 11

ELBAKI Harmassi, *Etat et société au Maghreb*, Anthropos, 1975
GAUTIER E.-F., *Le passé de l'Afrique du Nord*, Payot, 1952
JULIEN C.-A., *Histoire de l'Afrique du Nord*, Payot, 1952
LAROUI Abdallah, *L'Histoire du Maghreb,* Maspero, 1982
MAHOMET, *Le Coran*, Fasquelle éditeurs, 1952
MANTROU J.-R., *L'Expansion musulmane,* P.U.F., 1979

CHAPITRE 12

HAMDANI Amar, *La vérité sur l'expédition d'Alger*, Balland, 1985
KHODJA, *Le Miroir*, Sindbad, 1985
MERLE J.-J., *Anecdotes de la conquête d'Alger*, G.-A. Dentu, 1931
MONTAGNON Pierre, *La Conquête de l'Algérie*, Pygmalion, 1986
NETTEMENT A., *La conquête de l'Algérie*, J. Lecoffre, 1870
SERVAL P., *Alger fut à lui*, Calmann-Lévy, 1965

CHAPITRE 13

D'ESTAILLEUR Chanteraine P., *Abd el-Kader le Croyant*, Fayard, 1959
LATAILLADE Louis, *Abd el-Kader*, Pygmalion, 1984
ROCHES Léon, *Trente ans à travers l'Islam*, Paris, 1884

AOULI Smail, REDJALA Ramdane, ZOUMMEROF Philippe, *Abd el-Kader*, Fayard, 1994
Campagnes d'Algérie (lettres adressées au maréchal de Castellane), Paris, 1898

CHAPITRE 14

POUJOULAT M., *Voyage en Algérie*, Vermot, 1845
YACONO X., *Bureaux arabes*, Larose, 1953

CHAPITRE 15

BAYLE Jacqueline, *Quand l'Algérie devenait française*, Fayard, 1981
FAWTIER P., *L'autonomie algérienne et la République fédérale*, Merle, 1871
GOINARD Pierre, *L'Algérie. L'œuvre française*, R. Laffont, 1984
MEYNIER Gilbert, *L'Algérie révélée*, Droz, 1981
PIQUET Victor, *La colonisation française en Afrique du Nord*, A. Colin, 1912
REZETTE R., *Le Sahara occidental et les frontières marocaines*, Nouvelles Editions latines, 1975

CHAPITRE 16

ABBAS Ferhat, *Le Jeune Algérien*, 1931
ABITBOL Michel, *Les Juifs d'Afrique du Nord sous Vichy*, Maisonneuve et Larose, 1983
COLLET C.-L., HENRY J.-R., *Le Mouvement national algérien par les textes,* L'Harmattan, 1978
LACHERAF-MOSTEFA, *L'Algérie : nation et société*, Maspero, 1969
LE TOURNEAU R., *Évolution politique de l'Afrique du Nord*, A. Colin, 1962
MESSALI Hadj, *Mémoires*, J.-C. Lattès, 1982
NOUSCHI André, *La montée du nationalisme algérien*, Editions de Minuit, 1962
MARRUS M., PAXTON R., *Vichy et les Juifs*, Calmann-Lévy, 1981
RECHAM Belkacem, *Les musulmans algériens dans l'armée française (1919-1945)*, L'Harmattan, 1996
STORA Benjamin, *Messali Hadj*, Le Sycomore, 1982 ; *Dictionnaire biographique des militants nationalistes algériens*, L'Harmattan, 1985

CHAPITRE 17

ABBAS Fehrat, *Autopsie d'une guerre*, Garnier Frères, 1980
AGERON C., *L'Algérie algérienne*, Sindbad, 1980
ALLEG Henri, *La guerre d'Algérie*, Temps actuels, 1981
BURON R., *Carnets politiques de la guerre d'Algérie*, Plon, 1965
CHEVALLIER Jacques, *Nous Algériens...*, Calmann-Lévy, 1958
FAIVRE Maurice, *Les combattants musulmans de la guerre d'Algérie*, L'Harmattan, 1995 ; *Un village de harkis*, L'Harmattan, 1994
FARES Abderrahmane, *La cruelle vérité,* Plon, 1982
HARBI Mohammed, *Le FLN, Mirage et réalité*, Editions J.-A., 1980 ; *Les Archives de la Révolution algérienne*, Editions J.-A., 1981
JACQUIN Henri, *La guerre secrète en Algérie*, Olivier Orban, 1977
JEANSON Colette et Francis, *L'Algérie hors la loi*, Le Seuil, 1955
LE MIRE Henri, *Histoire militaire de la guerre d'Algérie*, Albin Michel, 1982
MASSU Jacques, *La vraie bataille d'Alger*, Plon, 1972
MONTAGNON Pierre, *La guerre d'Algérie*, Pygmalion, 1984 ; *L'Affaire Si-Salah,* Pygmalion, 1987

MUELLE Raymond, *La guerre d'Algérie en France,* Presses de la Cité, 1994
PAILLAT Claude, *La liquidation*, Laffont, 1972
PEYREFITTE Alain, *Faut-il partager l'Algérie ?* Plon, 1962

CHAPITRE 18

ABBAS Ferhat, *L'Indépendance confisquée,* Flammarion, 1984
ALI-YAHIA Abdennour, *Algérie : raisons et déraisons d'une guerre*, L'Harmattan, 1996
GRIMAUD Nicole, *La politique extérieure de l'Algérie,* Rahma, 1994
STORA Benjamin, *Histoire de l'Algérie depuis l'indépendance*, La Découverte, 1995
ZAKYA Daoud, *Féminisme et politique au Maghreb*, Edif, 1996
Le Drame algérien, La Découverte, 1996
Demain l'Algérie, Syros, 1995
Le Livre noir de l'Algérie, Reporters sans frontières, 1996

Index

TABLE

Achevé d'imprimer en mars 1998
sur presse Cameron
par ***Bussière Camedan Imprimeries***
à Saint-Amand-Montrond (Cher)

N° d'édition : 558. N° d'impression : 981967/4.
Dépôt légal : avril 1998.

Imprimé en France